브랜드만족 1위 박문각

2025

경찰채용 | 경찰간부 | 경찰승진 **시험대비 개정판**

박문각 경찰 기본서

합격까지 함께 경찰학 만점 기본서

- 최신 출제 경향에 따른 학습 가능
- 최신 판례 및 개정법령 완벽 반영
- 경찰학 주요 핵심 이론 정리

이상훈 편저

동영상 강의 www.pmg.co.kr

이상훈 경찰학 #2 각론

이 책의 머리말

수험생 여러분 반갑습니다. 이상훈입니다.

제가 현장에서 강의를 시작한 지도 벌써 15년이 지났습니다. 지난 시간을 되돌아보면 시간이 쏜살처럼 지나간 것 같은데, 한편으로는 강의 현장에서 수험생 여러분들과 참 많은 일을 겪었습니다.

제가 처음 강의를 시작할 때 경찰학이라는 과목을 가장 쉽고 또 빠르게 가르치고 싶다는 욕심에 방대한 경찰학을 수험생들에게 어떻게 가르쳐야 하는 지에 대해 많은 고민을 했습니다. 그리고 지금도 매 시험 이후마다 다음 시험을 대비해서 어떤 방식으로 수업을 진행할 것인가, 수업 진행 중에는 어떤 부분을 강조해야 할 것인가, 수업 내용은 사례 중심이어야 하는가 법률조문 중심이어야 하는가 등 다양한 부분에 대한 고민을 하고 있습니다.

그런 고민들을 하나씩 메모를 해두고, 수업을 진행할 때 칠판에 필기되어 있는 내용들을 사진으로 찍어두고 하면서 매년 강의 내용을 보충했습니다. 또 수험생들이 자주 하는 질문을 따로 정리를 하면서 수험생들이 시험을 준비하면서 힘들어하는 부분을 확인하고, 시험에서 자주 출제되는 부분들을 따로 분류하는 과정을 반복했습니다. 아마도 그렇게 만들어진 자료를 활용해서 언젠가는 정말 좋은 교재를 만들어야겠다고 막연하게나마 생각했던 것 같습니다.

교재를 준비하는 동안 주위의 많은 분들께서 처음부터 너무 욕심을 부리면 안 된다는 말씀을 많이 하셨습니다. 매년 교재를 수정하는 과정을 통해서 교재를 완성시켜나가는 것이지, 처음부터 완벽할 수는 없다는 뜻으로 하신 말씀이었습니다.
처음에는 시시하고 보잘것없는 저의 자존심 때문에 그런 말씀을 새겨듣지 못하고 완벽한 교재를 만들기 위해 지나친 욕심을 부렸던 것 같습니다. 그런데 교재작업을 하던 중 문득 하나의 의문이 생겼습니다. 제가 지금 만들고 있는 이 교재가 '저 자신의 만족을 위한 교재인가' 아니면 '경찰시험을 준비하는 수험생을 위한 교재인가'라는 생각이었습니다.

결론은 분명했습니다. 경찰시험을 준비하는 수험생에게 도움이 되는 교재를 만들기 위해 교재의 편집방향을 새롭게 수정하고, 수험생이 이해하기 쉽도록 표현을 고치고, 적절한 사례를 활용해서 교재를 다시 편집했습니다.

이렇게 해서 만들어진 〈2025 이상훈 경찰학 기본 이론서〉의 특징은 다음과 같습니다.

1. 시험에 필요한 가장 기본적인 사항을 압축해서 분량을 최소화하려고 노력했습니다.
   시중 교재 중 지나치게 많은 분량으로 인해 경찰학을 접해보지 못했던 학생들이 교재만 보고 주눅이 드는 경우를 많이 접했습니다. 이 교재는 시험과는 무관한 불필요한 내용은 가급적 배제하고, 한 번이라도 시험에 출제되었던 내용들로 구성하려고 노력했습니다.
   '100점 맞을 생각하지 마라.' 제가 현장에서 강의를 할 때 자주 하는 말입니다. 시중의 아무리 두꺼운 경찰학 교재를 완전히 소화한다고 하더라도 절대 100점을 얻을 수 없는 과목이 경찰학입니다.
   조금만 욕심을 버리고 90점을 목표로 한다면 불필요한 부분을 배제할 수 있고 그만큼 효과적인 학습이 가능해집니다.

2. 법령 조문을 많이 반영했습니다.
   최근 기출문제는 판례보다는 이론과 법령 조문을 그대로 문제로 구성해서 출제하는 경향입니다. 그래서 시험에서 중요한 부분과 또 연관된 부분은 법령 조문을 원문 그대로 수록함으로써 수험생들이 중요한 법령 조문을 직접 확인할 수 있게 교재를 구성했습니다.

3. 각 부분별 기본 개념의 정리에 많은 노력을 기울였습니다.
   모든 과목이 마찬가지겠지만 경찰학도 기본 개념에서 출발합니다. 기본 개념이나 용어의 정의를 정확하게 알지 못하는 상황에서는 아무리 많은 법령 조문을 본다고 하더라도 사상누각에 불과합니다.
   그래서 각 부분별로 해당 부분을 공부하기 위해서 반드시 숙지해야 하는 기본 개념 및 용어를 정확하게 정의함으로써 공부 효과를 극대화할 수 있도록 했습니다.

앞서 말씀드렸던 것처럼 여전히 부족한 교재라는 마음은 지울 수가 없습니다. 이런 부분들은 앞으로의 개정과정을 통해 꼭 보완하겠다고 약속드립니다.

2025년 1차 시험도 며칠 남지 않았습니다. 수험생 여러분의 긴장감이 커지는 만큼 현장에서 강의를 하는 저도 긴장감이 커져만 갑니다. 얼마 남지 않은 시간이지만 최선을 다해서 모든 수험생 여러분이 원하는 결과를 얻을 수 있도록 응원하겠습니다.

2024년 12월

이상훈

CONTENTS

이 책의 차례

Part 1 총론

제1장 행정의 의의 8
제1절 행정의 개념 8
제2절 통치행위 8

제2장 경찰의 의의 12
제1절 경찰의 개념과 특징 12
제2절 형식적 의미의 경찰과 실질적 의미의 경찰 15
제3절 경찰의 구분 17
제4절 경찰의 임무 및 수단 22
제5절 경찰권 28
제6절 경찰의 관할 29
제7절 경찰활동의 기본이념 33
제8절 경찰행정의 특수성 36

제3장 한국경찰사 38
제1절 서설 38
제2절 갑오개혁 이전의 경찰제도 38
제3절 갑오개혁 이후의 경찰제도 41
제4절 일제강점기의 경찰제도 43
제5절 미군정기의 경찰제도 45
제6절 대한민국 정부수립 이후의 경찰제도 46
제7절 한국경찰사 관련 주요 인물 47

제4장 경찰법학 50
제1절 경찰법학 일반 50
제2절 경찰조직법 67
제3절 경찰공무원법 98
제4절 경찰작용법 158
제5절 경찰구제법 294

제5장 경찰관리 370
제1절 경찰관리 일반 370
제2절 경찰조직관리 372
제3절 경찰인사관리 378
제4절 경찰예산관리(국가재정법) 385
제5절 경찰장비관리 394
제6절 보안관리 399
제7절 언론관리(경찰홍보) 411

제6장 경찰통제 416
제1절 서설 416
제2절 통제의 유형 417
제3절 정보공개 420
제4절 개인정보보호법 433
제5절 행정절차법 436
제6절 경찰감찰 461
제7절 인권보호 470

제7장 경찰윤리 476

제8장 한국경찰의 향후과제 514
제1절 행정제도 개혁 514
제2절 경찰제도 개혁 518
제3절 수사구조 개혁 521

Part 2 각론

제1장 범죄예방대응경찰 8
제1절 서설 8
제2절 범죄예방정책업무 10
제3절 지역경찰업무 62

제2장 생활안전교통경찰 82
제1절 여성안전·청소년보호업무 82
제2절 교통업무 일반 156
제3절 도로교통법 159
제4절 교통사고 215

제3장 경비경찰 238
제1절 서설 238
제2절 경비경찰활동의 한계 239
제3절 경비경찰활동의 원칙 240
제4절 경비경찰활동과 그 법적 토대 241
제5절 행사안전경비(혼잡경비) 241
제6절 선거경비 243
제7절 재난경비 245
제8절 중요시설경비 254
제9절 다중범죄진압(집회·시위의 관리) 255
제10절 경호경비 259
제11절 대테러업무 262
제12절 경찰작전 269
제13절 경찰 비상업무 규칙 273
제14절 청원경찰(청원경찰법) 278

제4장 치안정보경찰 282
제1절 정보의 기본개념 282
제2절 정보경찰의 정보활동 289
제3절 정보의 순환 291
제4절 집회 및 시위에 관한 법률 298
제5절 노동조합 및 노동관계조정법 309
제6절 공직선거법 314

제5장 안보(보안)경찰 322
제1절 서설 322
제2절 공산주의의 이념 323
제3절 대남전략노선 325
제4절 방첩활동 328
제5절 보안사범의 수사 339
제6절 보안관찰 351
제7절 북한이탈주민 대책 358
제8절 남북교류협력 362
제9절 국제사회 365
제10절 외사경찰의 의의 366
제11절 외사경찰활동과 법적 근거 370
제12절 국적법 372
제13절 출입국관리법 375
제14절 국제형사사법 공조법 388
제15절 범죄인 인도법 392
제16절 인터폴(국제형사경찰기구;I.C.P.O) 399
제17절 한·미 주둔 군 지위협정(SOFA) 402

이상훈 경찰학

합격까지 박문각

PART

02

각론

제1장 범죄예방대응경찰
제2장 생활안전교통경찰
제3장 경비경찰
제4장 치안정보경찰
제5장 안보(보안)경찰

CHAPTER

01 범죄예방대응경찰

제1절 서설

01 범죄예방대응경찰의 의의

범죄예방대응경찰이란 범죄예방정책의 수립과 집행, 기타 이와 관련된 활동을 통하여 국민의 생명과 재산을 보호하고 공공의 안녕과 질서를 유지하는 목적을 달성하기 위한 경찰활동을 말한다. 범죄예방대응경찰은 경찰의 목적·임무를 기준으로 광의의 행정경찰, 업무의 독자성(다른 행정작용에 부수하느냐의 여부)을 기준으로 보안경찰, 경찰권의 발동시점을 기준으로 예방경찰에 해당하는 경찰작용이다.

02 범죄예방대응경찰의 특성

구분	내용
임무의 전반성 (작용의 다양성 및 대상의 광범성)	경찰업무의 대상 중 전담부서가 담당하는 한정된 분야를 제외한 경찰업무 전반이 범죄예방대응경찰의 업무의 대상이므로 그 임무가 매우 다양하고 광범위하다.
대상의 유동성	사회정세와 국민 의식의 변화에 신속하게 대응하는 지도·단속이 요구되므로 대상 분야가 일정하지 않고 유동적이다.
업무의 비긴박성·비즉효성	범죄·사고의 예방이 기본업무인 범죄예방대응경찰은 다른 부서의 임무와 같은 긴박성·즉효성은 지니지 않는다. 예외적으로 업무의 성질에 따라 긴박성·즉효성을 가질 수 있다.
주민과의 접촉성	범죄예방대응경찰은 공공의 안녕과 질서유지를 주된 임무로 하고 있으므로 다른 경찰분야에 비해 주민과 가장 밀접하게 접촉한다.
관계 법령의 다양성·전문성	범죄예방대응경찰이 관장하는 법령은 그 종류가 다양하고 내용도 전문적·기술적인 경우가 많다.

03 범죄예방대응경찰의 조직과 임무

(1) 경찰청을 기준으로 범죄예방대응국의 분장사항을 구체적으로 살펴보면 다음과 같이 구분할 수 있다.

경찰청과 그 소속기관 직제

제11조 【범죄예방대응국】 ① 범죄예방대응국에 국장 1명을 두고, 국장 밑에 「행정기관의 조직과 정원에 관한 통칙」 제12조에 따른 보좌기관 중 실장·국장을 보좌하는 보좌기관(이하 "정책관등"이라 한다) 1명을 둔다.

② 국장은 치안감 또는 경무관으로 보하고, 정책관등 1명은 경무관으로 보한다.

③ 국장은 다음 사항을 분장한다.

1. 범죄예방에 관한 기획·조정·연구 등 예방적 경찰활동 총괄
2. 범죄예방진단 및 범죄예방순찰에 관한 기획·운영

3. 경비업에 관한 연구・지도
4. 풍속 및 성매매(아동・청소년 대상 성매매는 제외한다) 사범에 대한 지도・단속
5. 총포・도검・화약류 등의 지도・단속
6. 즉결심판청구업무의 지도
7. 각종 안전사고의 예방에 관한 사항
8. 지구대・파출소 운영체계의 기획 및 관리
9. 지구대・파출소의 외근활동 기획 및 운영
10. 지구대・파출소의 근무자에 대한 교육
11. 112신고제도의 기획・운영 및 112치안종합상황실의 운영 총괄
12. 치안 상황의 접수・상황판단, 전파 및 초동조치 등에 관한 사항
13. 치안상황실 운영에 관한 사항

(2) 경찰청 범죄예방대응국에 범죄예방정책과・지역경찰운영과・지역경찰역량강화과 및 치안상황과를 둔다(경찰청과 그 소속기관 직제 시행규칙 제7조 제3항).

범죄예방정책과	1. 범죄예방에 관한 연구 및 계획의 수립 2. 범죄예방 관련 법령・제도의 연구・개선 및 지침 수립 3. 범죄예방진단 및 범죄예방순찰에 관한 기획・운영 4. 기동순찰대 운영에 관한 사항 5. 환경설계를 통한 범죄예방(CPTED) 기획・운영 6. 협력방범에 관한 기획・연구 및 협업 7. 경비업에 관한 연구 및 지도 8. 풍속 및 성매매(아동・청소년 대상 성매매는 제외한다) 사범에 관한 지도・단속 9. 총포・도검・화약류 등의 지도・단속 10. 즉결심판청구업무의 지도 11. 각종 안전사고의 예방에 관한 사항 12. 그 밖에 국 내 다른 과의 주관에 속하지 않는 사항
지역경찰운영과	1. 지구대・파출소 운영체계의 기획 및 관리 2. 지구대・파출소의 외근활동 기획 및 운영 3. 지구대・파출소의 정원・인사・복무・예산・성과 관련 지원
지역경찰역량강화과	1. 지구대・파출소 근무자의 교육에 관한 정책과 계획의 수립・조정 2. 지구대・파출소 근무자에 대한 교육훈련 운영・관리 3. 지구대・파출소 근무자의 현장 대응 제도・매뉴얼 개선 및 총괄
치안상황과	1. 치안 상황의 접수・상황판단, 전파 및 초동조치 등에 관한 사항 2. 112신고제도의 기획・운영 및 112치안종합상황실 운영 총괄 3. 112시스템 운영 및 관리

제2절 범죄예방정책업무

01 범죄학

1. 범죄의 의의와 원인

(1) 범죄의 의의

① 법제정 및 법집행 과정상의 범죄개념

㉠ 법제정 과정상의 범죄개념: 법제정 과정상의 범죄개념에 의하면 범죄는 사회적 환경변화에 대응하기 위한 법률의 제정에 따라 범죄의 개념이 형성된다는 견해로 법규가 성립되는 과정을 중심으로 범죄의 개념을 정의한다. 법제정 기관인 의회의 방침과 정책에 따라 범죄의 개념이 달라진다고 보았다.

> **Add ⊕**
> 운전면허의 발급과 도로상의 차량이 증가하면서, 음주운전이 사회적 문제로 부각되었다. 이를 규제하기 위해 도로교통법에서 음주운전에 대한 처벌을 규정하게 되고, 이로 인하여 '음주운전'은 형사처벌의 대상이 되는 범죄행위가 된다.

㉡ 법집행 과정상의 범죄개념: 법규정상 처벌 대상행위로 규정되어 있느냐가 중요한 문제가 아니라, 범죄를 인식하는데 있어 처벌 대상행위 중 실제로 단속이나 처벌이 이루어지고 있는 행위가 범죄라고 인식한다.

② 학문적 개념

<table>
<tr><td>법률적 개념</td><td colspan="3">㉠ 어떠한 행위이든 법률에 위반되는 행위는 범죄에 해당한다.
㉡ 법에 의하여 강요되는 행위를 고의적으로 하지 않거나, 법이 금지하는 행위를 고의적으로 하는 행위가 범죄라고 할 수 있다.</td><td>지나치게 포괄적인 개념으로 법률위반만을 문제시한다.</td></tr>
<tr><td rowspan="4">비법률적 개념</td><td>낙인이론적 개념</td><td colspan="2">㉠ 특별한 행위 없이 그 자체만으로도 범죄가 되는 것을 말한다.
㉡ 범죄란 범죄를 정의할 권한이나 힘을 가진 자들에 의하여 규정되며, 이들에 의해 일탈행위라고 낙인찍힌 행위를 범죄행위로 규정한다.</td><td></td></tr>
<tr><td rowspan="3">해악 기준의 개념</td><td>Sutherland</td><td>㉠ 화이트칼라 범죄(횡령, 뇌물수수 등)에 대한 해악과 사회적 심각성에 대하여 연구하였다.
㉡ 화이트칼라범죄는 직업활동과 관련하여 높은 지위를 가지고 있는 사람에 의해 저질러지는 범죄이다.
㉢ 화이트칼라범죄는 상류계층의 경제범죄에 대한 사회적 심각성을 연구하는 과정에서 등장한 개념이다.
㉣ 일반적으로 살인·강도·강간범죄는 화이트칼라범죄에 해당하지 않는다.
㉤ 사회적·법률적 접근이다.</td><td rowspan="3">가치측면에 치중한다.</td></tr>
<tr><td>Schweindinger</td><td>㉠ 인간의 기초적 인권(인종차별, 성차별 등)을 침해하는 해악적 행위를 말한다.
㉡ 인간의 생존욕구와 자존의 욕구를 침해라는 범죄행위에 대한 고려가 필요하다고 주장하였다.</td></tr>
<tr><td>Michalowski</td><td>㉠ 법에 규정되지 않은 사회적 해악행위에 대한 범죄성을 연구하였다.
㉡ 결과적으로 불법과 유사하지만 일부는 법적으로 용인된다(카지노 등).</td></tr>
</table>

> **Tip 화이트칼라 범죄(white-collar crime)**
>
> **1. 의의**
>
> 화이트칼라 범죄란 사회의 지도적, 관리적 입장에 있는 사람이 직무상 지위를 이용해 저지르는 범죄를 의미한다. 화이트칼라 범죄는 넓은 뜻으로는 유가증권의 위조 및 횡령, 컴퓨터 스파이 등의 경제범죄, 기업범죄, 법인범죄의 개념과 중복된다.
>
> **2. 화이트칼라 범죄의 특성**
>
> 화이트칼라 범죄라는 개념은 미국의 서덜랜드(Sutherland)라는 학자가 1939년 처음 사용한 개념이다. 화이트칼라 범죄의 특성으로는 범죄의 복잡성, 책임의 분산, 피해의 분산, 관대한 처벌 등을 들 수 있다.

(2) 범죄개념의 상대성

범죄는 각 시대와 사회, 문화적 상황을 구체적으로 고려해서 판단해야 하는 상대적인 개념이다.

2. 범죄의 원인에 대한 여러 이론

(1) Joseph F. Sheley의 범죄의 4대 요소(범죄의 필요조건)

① Sheley는 범죄의 4대 요소로 범행의 동기, 사회적 제재로부터의 자유, 범행의 기술, 범행의 기회가 필요하다고 주장하였다. 즉, 범행의 동기를 가지고 사회로부터 아무런 제재를 받지 않는 상황에서 범죄를 수행할 수 있는 기술이나 능력과 함께 기회가 주어질 때 범죄가 발생할 수 있다고 본 것이다.

② Sheley는 범죄의 4대 요소는 필요조건이지 충분조건은 아니라고 보았으며, 범죄의 4대 요소가 모두 갖추어진다고 해서 반드시 범죄가 발생하는 것이 아니라 4대 요소가 동시에 상호작용을 해야 범죄가 발생한다고 보았다.

(2) 범죄의 소질과 환경

① 소질이란 선천적인 원시요소(유전물질)와 후천적인 발전요소(유전적 결함, 체질이상 등)를 포함하는 개념이며 환경은 개체에 대하여 직·간접적으로 영향을 미치는 물질적·정신적 세계, 경험적 외계와 외부사정, 범인성 행위환경과 인격환경으로 구성된다.

② 성격이나 신체이상으로 인한 내인성 범죄는 주로 소질적 범죄(유전적 결함, 성격이상, 지능 등)와 관련이 있고, 환경적 요인(가정의 해체, 경제변동, 전쟁 등)은 외인성 범죄와 관련이 있다.

③ 외인성 범죄의 경우 환경을 개선함으로 범죄를 예방·억제할 수 있으므로 방범차원에서 중요한 의미를 가지게 된다.

(3) 고전주의 범죄학

① 의의

㉠ 모든 인간은 자유의지(free will)를 가진 합리적 존재라는 전제하에서 인간이 범죄라는 이익을 선택하지 못하도록 하기 위해서는 그에 상응하는 형벌이나 두려움을 부과해야 한다는 것이 고전주의 범죄학의 핵심이다. 이는 범죄통제 이론인 일반예방이론(억제이론)과 합리적 선택이론에 영향을 미치게 된다.

㉡ 고전주의 범죄학에 의하면 형벌은 분명하고 신속할수록 범죄를 효과적으로 통제할 수 있다고 보았으며 일반예방이론·의사비결정론에 기초하는 견해이다(처벌의 확실성, 엄격성 및 신속성을 강조).

② 주요 학자

㉠ C. Beccaria: 그의 저서인 범죄와 형벌을 통해 범죄와 형벌 사이의 균형을 강조하는 죄형균형론을 주장하였다. 형벌은 범죄에 비례하여 부과되어야 하며 사형 및 고문은 폐지되어야 한다고 주장하였다. 즉, 죄형법정주의・객관주의 형법이론・형벌의 일반예방기능을 강조하였다.

㉡ J. Bentham: Panopticon형 교도소*의 개념을 고안하였으며, 형벌은 범죄예방 목적으로 가해져야 한다고 주장하였다.

* 1791년 영국의 철학자 제러미 벤담이 죄수를 효과적으로 감시할 목적으로 고안한 원형 감옥을 말한다.

③ 고전주의 범죄학의 특징

㉠ 인간을 자유의지를 가진 합리적 인간으로 전제한다.

㉡ 효과적 범죄통제를 위한 엄격하고 분명하며 신속한 형벌을 주장하였다.

㉢ 고전주의 범죄학은 외생변수, 동기는 고려하지 않는다.

㉣ 일반예방주의, 의사비결정론, 객관주의적 입장에 해당한다.

㉤ 효과적인 범죄예방은 범죄자가 범죄를 선택하지 못하게 하는 강력한 형벌에 있다고 주장한다.

(4) 실증주의 범죄학

이탈리아 실증학파	C. Lombroso	'범죄인' 저술, 생래적 범죄인설을 통해 범죄자는 원시인의 속성을 격세유전(atavism)에 의해 전수받은 자들이라고 정의하였다.
	E. Ferri	'범죄사회학'이라는 저서를 통해 범죄인을 생래적 범죄인・격정범・기회범・정신병적 범죄인의 네 가지 유형으로 구분하고 '범죄포화의 법칙'을 주장하였다.
	R. Garofalo	'범죄학'을 저술하였으며, 범죄인을 자연범과 법정범으로 구분하였다.
생물학적 범죄학	인상학자, 유전이론, 체형이론과 관련된 이론이다.	
	Henry H. Goddard	칼리카크 가(家)의 가계도 연구를 통해 범죄요인의 유전성을 증명하고자 하였다.
	E. Kretschmer	신체구조와 성격(체형 이론 – 조울증형과 정신분열형으로 구분)에 의한 범죄성향을 연구하였다.
	W. H. Sheldon	체격결정요소(내배엽형・중배엽형・외배엽형)를 기준으로 범죄자를 연구하였다.
심리학적 범죄학	지능이나 인성・학습과 범죄행위의 결합과 같은 범죄에 대한 정신적 측면에 초점을 맞추어 연구하였다.	
	H. Maudsley	정신이상과 범죄의 관련성을 연구하였다.
	C. Gorring	영국의 수형자들을 중심으로 범죄와 낮은 지능의 관련성을 연구하였다.
	G. Tarde	범죄자의 연구를 통해 오늘날의 사회학습 이론과 유사한 모방학습이론을 도출하였다.

① 실증주의 범죄학은 범죄의 원인을 생물학적・심리학적・사회적 요인에 의해 결정된 행위로 파악하였다.

② 실증주의 범죄학은 고전주의 범죄학이 가지는 한계를 극복하기 위해 등장한 이론으로 범죄는 범죄자의 자유의지가 아닌 외부적 요소(환경)에 의하여 결정되는 것으로 파악하였다.

③ 실증주의 범죄학에 의하면 고전주의 범죄학자들이 주장하던 기존의 형벌과 제도로는 범죄를 통제할 수 없으며 범죄예방을 위한 새로운 방법이 필요하다고 본다.

(5) 사회학적 범죄학

구분	내용
사회해체 이론	① Show & Macay가 주장한 범죄원인론이다. ② 범죄의 원인이 산업화·도시화 ⇨ 사회해체 ⇨ 사회통제의 약화 ⇨ 일탈의 과정을 통하여 발생한다고 본다(예 IMF로 인한 가정의 해체 등). ③ 도시의 빈민지역에서 범죄가 일반화되는 이유는 산업화·도시화되는 과정에서 사회의 해체현상이 나타나게 되고, 전통적인 사회 통제기관들이 통제력을 상실하면 반사회적 가치를 옹호하는 범죄문화가 형성되고 계승되기 때문이다. ④ 산업화 및 도시화 과정에서 그 지역의 사회조직이 극도로 해체되었기 때문에 범죄와 비행이 발생한다고 주장한다. ⑤ 도심지의 범죄나 비행다발지역의 경우 구성원이 바뀌더라도 비행발생률은 변하지 않는다.
문화전파 이론	① 범죄라는 고유한 문화가 다음 세대에 전달되어 범죄가 지속적으로 발생한다는 이론이다. ② 비행지역은 그 지역의 구성원이 바뀌더라도 계속 다음 세대에 전달되기 때문에 비행은 지속적으로 발생하게 된다. ③ 범죄를 부추기는 가치관으로의 사회화 과정을 거치면서 범죄가 다음 세대에 전달되어 범죄가 지속적으로 발생한다. ④ 범죄에 대한 구조적, 문화적 유인에 대한 자기통제의 상실을 범죄의 원인으로 파악한다.
차별적 (분화적) 접촉이론	① 서덜랜드가 주장한 범죄원인론이다. ② 특정한 개인이 범죄문화에 접촉, 참가, 동조함에 의해 범죄행동이 학습되어 범죄가 발생한다. ③ 범죄의 원인에는 물리적 환경, 범행의 기회 등이 있다고 파악한다. ④ 서덜랜드는 범죄행위도 범죄적인 행동양식이 지지받는 집단에서는 정상적인 학습을 통하여 터득한 정상적인 행동이라고 주장하였다. ⑤ 분화적 접촉이론의 경우 사람들이 현재 처음부터 접촉을 가지게 되고 유지하는 이유에 대한 설명이 부족하고, 접촉결과에 따른 반응이 개인적으로 차이가 있다는 사실이 무시되고 있다는 점에서 비판을 받는다.
차별적 동일시 이론	① 차별적 접촉이론의 경우 범죄가 친밀한 집단과의 직접적인 접촉을 통해 학습되는 것이라고 보는 반면, 글레이저(Glaser)는 차별적 동일시 이론을 통해 실제로 반법률적 행위를 야기하는 접촉을 하지 않는 사람이라도 그들이 그러한 반법률적 규정이 기대되는 사람과 자신을 동일시한다면 범죄행위가 가능하다고 주장하였다. ② 예컨대, 청소년들이 매스컴에 보도되는 범죄자를 동일시하여 모방하고 흉내 내어 범죄를 학습하게 되는 경우이다. ③ D경찰서는 관내 청소년 비행 문제가 증가하자 청소년들을 대상으로 폭력 영상물의 폐해에 관한 교육을 실시하고, 해당 유형의 영상물에 대한 접촉을 삼가도록 계도하였다.
차별적 강화이론	버제스와 에이커스(Burgess & Akers)가 주장한 이론으로 범죄행위의 결과로서 보상이 취득되고 처벌이 회피될 때 그 행위는 강화되는 반면, 보상이 상실되고 처벌이 강화되면 그 행위는 약화된다고 주장한다.
아노미이론 (긴장이론)	① 머튼의 긴장이론은 뒤르껭의 아노미 개념을 기초로 전개한 이론으로 목표와 그 목표를 이루기 위한 수단과의 간극이 커지면서 아노미조건이 유발되어 분노와 좌절이라는 긴장이 초래되고, 그 목적을 달성하기 위하여 범죄를 선택하여 범죄가 발생한다고 설명한다. ② 뒤르껭(Durkheim)은 사회규범이 붕괴되어 규범에 대한 억제력이 상실된 상태를 아노미(Anomie)라고 하고 이러한 무규범상태에서 범죄가 발생한다고 주장하였다. ③ 범죄정상설, 범죄필요설은 범죄는 정상적이며 불가피한 사회적 행위라고 본다. 뒤르껭의 아노미 개념은 전쟁·소요사태 등 급격한 사회변화로 규범이 붕괴되어 제대로 작용하지 못하는 상태를 의미하며 범죄의 원인이 개인적 차원에 있다고 보는 반면, 머튼의 아노미 개념은 사회의 계급적 특성으로 인하여 문화적(사회적) 목표와 제도적 수단이 분열된 상태를 말하며 범죄의 원인이 사회구조적 차원에 있다고 본다.

<table>
<tr><td rowspan="2">생태학적
연구
&
문화갈등
이론</td><td colspan="2">① 1920년대 미국의 시카고 학파는 범죄자의 사회적 환경을 중심으로 범죄의 원인을 규명하고자 하는 생태학적 연구를 진행하였다.
② 생태학적 연구는 인간사회도 동물계나 식물군에서 나타나는 지배 · 침입 · 승계의 과정을 통하여 한 지역사회가 다른 지역사회를 지배하게 되고 이 과정에서 각 경계선상에 있는 지역은 문화적 갈등을 일으켜 범죄가 발생한다고 설명한다.</td></tr>
<tr><td colspan="2">① 셀린(Sellin)은 생태학적 연구를 체계화하여 문화갈등이론을 정립하여 문화갈등을 1차적 갈등과 2차적 갈등으로 구분하였다.
② 1차적 갈등은 이민 등의 이유로 이질적인 문화 사이에서 발생하는 갈등으로 정의된다.
③ 2차적 갈등은 하나의 단일문화가 각기 독특한 행위규범을 갖는 여러 개의 상이한 하위문화로 분화될 때 일어나는 갈등으로 정의된다.
④ 1차적 문화갈등이나 2차적 문화갈등이 발생하게 되면 법규범은 다양한 사회구성원들간의 합의된 가치를 반영할 수 없게 되고, 단지 가장 지배적인 문화의 행위규범만을 반영하게 된다. 이로 인해 그렇지 못한 문화를 가진 사람들은 자신이 속한 문화의 행위규범을 따르는 과정에서 법과 마찰을 일으킬 수밖에 없다고 설명한다.</td></tr>
<tr><td rowspan="3">하위문화
이론</td><td rowspan="2">비행하위
문화이론</td><td>코헨(Cohen)은 목표와 수단이 괴리된 하류계층 청소년들이 중산층에 대한 저항으로 비행을 저지르며 목표달성의 어려움을 극복하기 위해 자신들의 하위문화를 만들게 된다고 주장하였다. 비행하위문화이론은 비행집단에 형성된 하위문화의 특성(비공리성 · 악의성 · 부정성 · 단기적 쾌락주의 · 집단자율성의 강조)에서 비행원인을 해명하려는 이론이다.</td></tr>
<tr><td>① 비행하위문화이론은 중산층이나 상류층 출신들이 저지르는 비행이나 범죄는 설명하지 못한다.
② 하위계층 출신의 소년 중에서도 비행을 저지르지 않는 소년이 많다는 사실을 간과하였다.</td></tr>
<tr><td>하층계급
문화이론</td><td>① 비행의 원인을 하층계급문화의 고유한 특성에서 찾는 밀러(Miller)의 이론이다.
② 하층계급문화에 동조하는 것은 곧 중류계층의 규범을 위반하는 것을 의미하지만, 이것이 중류계층의 가치와 행동규범에 대한 악의적인 원한을 표시하는 것은 아니다.
③ 하층계급문화 속에서 살고 있는 이들이 추구하는 관심사(말썽 · 강인함 · 영리함 · 홍분추구 · 운명주의 · 자율성 등)가 범죄의 원인이라고 설명하였다.</td></tr>
<tr><td rowspan="4">중화기술
이론</td><td colspan="2">D. Matza & G. M. Sykes가 주장한 이론으로 인간에게 내면화되어 있는 합법적 규범이나 가치관을 중화(마비)시킴으로써 범죄에 이른다고 설명한다.</td></tr>
<tr><td>책임의
부정</td><td>① 자기의 비행에 대해서 사실상 책임이 없다고 합리화시키는 것을 말한다.
② 비행의 책임을 열악한 가정환경, 빈곤 등의 외부적 요인으로 전가하는 것을 말한다.</td></tr>
<tr><td>피해
발생의
부정</td><td>① 자신의 행위로 손상을 입거나 재산상의 피해를 본 사람이 없다고 함으로써 자신의 비행을 합리화시키는 기술을 말한다.
② 절도죄를 저지르면서 잠시 빌리는 것이라고 생각하는 것이 피해발생의 부인에 해당한다.
③ 마약을 사용하면서 아무에게도 피해를 주지 않았다고 생각하거나, 방화범이 보험회사가 피해를 모두 보상해 줄 것이라고 생각하는 것 등이 피해발생의 부정에 해당한다.</td></tr>
<tr><td>피해자의
부정</td><td>① 자신의 행위 대상은 마땅히 처벌을 받아야 할 사람이므로 자신의 행위로 인한 상대방은 피해자가 아니라고 주장하며 자신의 행위를 정당화시키는 것을 말한다.
② 다른 사람을 폭행하면서 상대방이 먼저 폭행을 가하려고 했기 때문에 어쩔 수 없었다고 생각하거나 가게 주인이 정직하지 않은 사람이기 때문에 물건을 훔친 것이라고 생각하는 것이 피해자의 부정에 해당한다.</td></tr>
</table>

중화기술 이론	비난자에 대한 비난	① 자기를 비난한 사람들의 약점과 비행을 생각하면서 자신의 비행에 대한 가책을 중화시키는 기술이다. ② 경찰이나 판사들은 부패한 공무원들이기 때문에 나를 비난할 자격이 없다거나, 학교선생들은 촌지와 정실의 노예들이므로 비행소년을 비난할 수 없다고 보는 것 등이 비난자에 대한 비난에 해당하는 사례라고 볼 수 있다.
	충성심에의 호소	① 사회의 일반적인 가치나 규범의 정당성을 인정하면서도 보다 높은 가치에 기초하여 비행을 합리화시키는 기술이다. ② 차량을 절도하면서 규범에 어긋나지만 친구의 의리 때문에 어쩔 수 없다고 자신을 합리화시키는 경우나 폭력시위현장에서 화염병의 사용은 법에 위반되지만 자유와 평등을 위해서는 어쩔 수 없다고 생각하는 것이 충성심에의 호소에 해당하는 사례가 될 수 있다.
사회적 유대이론 (통제이론)		① 허쉬(Hirschi)가 발표한 사회통제이론으로 사람은 일탈의 잠재적 가능성을 갖고 있기 때문에 사회적 유대가 약화되면 일탈가능성이 범죄로 발현된다는 내용이다. ② 허쉬는 비행을 억제하는 사회적 요소로 애착 · 전념 · 참여 · 신념의 네 가지 요소를 제시하고 있으며 이러한 요소들이 약화되면 범죄가 발생한다고 보았다. ③ 사람들을 '잠재적 범죄자'로 간주하고 사회적 결속과 유대의 약화로 인해 비행이 발생한다고 주장한다.
낙인이론		어떠한 행위가 사회인들에 의하여 일탈이라고 인식되어 낙인찍히면 그러한 행위를 한 사람은 일탈자가 되는데, 이러한 낙인을 찍는 행위는 사회적으로 힘이 있는 사람들에 의해서 행하여지는 것으로 낙인 이론은 기존의 범죄학이 범죄원인론에 집착하던 것과는 달리 범죄 그 자체가 어떻게 형성되는가에 관심을 가진 이론이다.
		① 낙인 이론을 최초로 주장한 탄넨바움(Tannenbaum)은 범죄자를 만들어내는 과정을 '악의 극화(각색)'라고 하였으며, 낙인이론을 통해 범죄자라는 낙인이 어떠한 결과를 낳는가에 관심을 가졌다. ② 레머트(Lemert)는 최초의 일탈로 낙인된 행위를 1차적 일탈(일시적 일탈)이라고 표현하였고, 이로 인해 일탈자들의 부정적인 결과들이 지속되면서 2차적 일탈(경력적 일탈)을 야기하게 된다고 보았다. ③ 레머트는 사회적 반응을 다른 사람들의 표출적인 반응(범인 주변의 사회적 · 문화적 요인)과 형사사법기관의 공식적 반응으로 구분하고, 형사사법기관의 공식적인 반응이 가장 권위있고 광범위한 영향력을 행사하므로 형사사법기관의 역할에 주목하였다. ④ A경찰서는 관내에서 음주소란과 폭행 등으로 적발된 청소년들을 형사입건하는 대신 지역사회 축제에서 실시되는 행사에 보안요원으로 봉사할 수 있는 기회를 제공하였다.
마르크스주의 범죄학이론		범죄의 원인을 구조적으로 야기된 경제적 문제, 즉 빈부의 격차와 신분, 지위의 고하에 의하여 야기된다고 본다.
견제(봉쇄) 이론		레클리스(Reckless)가 주장한 내용으로 좋은 자아관념은 주변의 범죄적 환경에도 불구하고 비행행위에 가담하지 않도록 하는 중요한 요소라고 본다,

3. 범죄의 예방

(1) 범죄예방의 의의

범죄로 인한 피해는 회복하기 불가능한 경우가 많고 범인의 검거 · 교정에는 많은 비용이 들기 때문에 이미 발생한 범죄를 진압 · 수사하고 범인을 체포하는 것과 같은 사후적 활동보다 범죄의 예방이 더욱 중요하다. 범죄예방은 범죄기회에 대한 직접적인 통제활동뿐만 아니라 범죄유발환경에 대한 간접적인 통제활동도 포함된다.

(2) 미국범죄예방연구소(NCPI)의 범죄예방개념

① 미국범죄예방연구소는 범죄예방이란 범죄적 기회를 감소시키는 사전활동이며, 범죄와 관련된 환경적 기회를 제거하는 직접적 통제활동으로 규정하고 있다.

② 범죄가 저질러지는 요소를 범죄욕구 · 범죄기술 · 범죄기회로 구분할 경우, 범죄예방은 범죄욕구나 범죄기술에 대한 예방이 아니라 범죄기회를 감소시키려는 활동이라고 정의하고 있다.

(3) P. B. Lab의 범죄예방개념

① P. B. Lab은 범죄예방을 실제의 범죄발생과 범죄에 대한 공중의 두려움을 줄이는 사전활동으로 정의하고 있다. P. B. Lab은 실질적으로 범죄발생을 줄이려는 사전 노력이기도 하고, 동시에 심리적인 측면에서 사회 구성원들이 느끼는 안정성의 확보를 위한 노력을 의미한다.

② 범죄예방에 있어서 실질적인 범죄발생을 줄이는 것도 중요하지만, 공중이 갖고 있는 범죄에 대한 불안과 공포를 제거하는 것도 매우 중요한 것이다. 이처럼 P. B. Lab은 범죄예방활동을 심리적 측면인 범죄에 대한 두려움의 제거활동까지 포함하는 것으로 정의하고 있다.

(4) C. R. Jeffery의 범죄통제모델

범죄억제 모델	형벌을 통하여 범죄를 방지하고 범죄인을 개선 · 교화하는 것을 말하며, 가장 전통적인 방법이다. 종래 형사정책의 주된 방향이라고 할 수 있다.
사회복귀 모델	임상적 개선방법, 지역활동, 교육 · 직업훈련, 복지정책 등을 통하여 범죄인을 재사회화하는 데 중점을 두는 것을 말하며 최근 사회정책의 일환으로 그 중요성이 강조되고 있다.
범죄예방 모델	도시정책, 환경정화, 인간관계의 개선, 정치 · 경제 · 사회 각 분야에서 발생하는 갈등의 해소 등을 통하여 범죄를 예방하려는 것으로 환경의 개선에 초점이 맞추어져 있다.

(5) P. J. Brantingham & F. L. Faust의 범죄예방

P. J. Brantingham & F. L. Faust는 범죄예방활동의 주체가 아닌 범죄예방활동의 대상을 기준으로 범죄예방활동을 1차적 범죄예방, 2차적 범죄예방, 3차적 범죄예방으로 구분하였다.

구분	내용	대상
1차적 범죄예방	물리적 · 사회적 환경조건을 개선하여 범죄를 예방하려는 것이다(예 건축설계 · 조명 · 자물쇠 장치 · 접근통제 등과 같은 환경설계와 감시, 시민순찰과 같은 이웃감시, 경찰의 생활안전(범죄예방대응)활동, 형벌과 같은 일반예방, 범죄예방교육, 민간경비 등).	일반대중
2차적 범죄예방	잠재적인 범죄자의 범죄기회를 차단하여 범죄를 예방하는 것이다(예 범죄예측, 범죄지역분석, 전환제도 등).	우범자나 우범집단
3차적 범죄예방	실제 범죄자들에게 그들이 재범을 하지 못하도록 하는 범죄예방을 말한다(예 특별예방, 무능화, 교화 등).	범죄자

(6) 억제이론

구분	내용
특징	① 고전주의 범죄학을 바탕으로 인간의 자유의지를 강조하고 그 자유의지로 범죄를 선택하는 것이므로 비결정론적 인간관을 전제로 한다. ② 범죄는 개인의 책임일 뿐 사회의 책임이 될 수 없다. ③ 범죄자보다 범죄행위에 관심을 두는 견해이다. ④ 범죄의 원인, 동기, 사회적 환경은 고려의 대상이 아니라고 보므로 객관주의적 견해에 해당한다. ⑤ '처벌의 확실성'을 통해 일반예방효과를 기대할 수 있으며, 범죄자에 대한 '강력하고 엄격한 처벌'을 통해 특별예방효과를 기대할 수 있다.
비판	① 자유의지를 전제로 하지 않는 충동적 범죄에는 적용에 한계가 있다. ② 어떤 범죄에 대하여 어떤 처벌이 가해지는지 일반 국민들이 인식하고 있어야 하는데 현실적으로 일반 국민들은 범죄와 형벌을 규정하고 있는 법률에 무지하다. ③ 처벌을 통한 범죄예방이 실패할 경우 대안이 없다. ④ 형사처벌이 얼마나 범죄를 억제할 수 있는지에 대해 그 효과를 경험적으로 연구하기 곤란하다.

Tip 범죄예방효과

1. 일반예방효과

처벌의 확실성으로부터 발생하는 효과로 법을 어기면 반드시 처벌된다는 것을 일반 공중에게 보여줌으로써 일반인의 잠재적 범죄를 예방하려는 것이다.

2. 특별예방효과

처벌의 엄격성으로부터 발생하는 효과로 범죄자 개인이 처벌기간과 이후의 생활에서 처벌의 두려움으로 범죄행위를 다시 행하지 못하게 하여 범죄자의 재범을 방지하려는 것을 말한다.

(7) 치료 및 갱생이론

구분	내용
특징	① 결정론적 인간관에 근거한 실증주의 범죄학에 기초하여 범죄의 특별예방효과를 강조한다. ② 범죄는 개인의 책임이 아닌 사회의 책임이다. ③ 범죄자에 대한 형사처벌이 아닌 치료와 갱생으로 범죄를 예방해야 한다. ④ 범죄행위보다 범죄자의 속성에 대한 연구에 집중하였다.
비판	① 치료 및 갱생에 과다한 비용이 든다. ② 일반예방효과에 한계가 있다. ③ 교도소의 환경은 치료와 갱생에 필요한 환경을 제공하지 못한다. ④ 수형자는 수형자의 환경에 더욱 잘 적응하기도 한다.

(8) 사회발전을 통한 범죄예방이론

① 사회학적 범죄학에 근거한 범죄예방이론으로 범죄자의 내재적 환경보다 사회적 환경이 더 중요한 범죄원인이라고 파악한다. 즉, 범죄를 유발할 수 있는 사회적 환경을 개선해야 근본적인 범죄예방이 가능하다고 주장하였다.

② 사회발전을 통한 범죄예방이론의 경우 막대한 인적·물적 자원이 소요되므로 개인이나 소규모 조직에 의한 범죄예방활동이 불가능하며, 사회를 실험 대상으로 이용한다는 비판을 받는다.

(9) 현대적 범죄예방이론

① 상황적 범죄예방이론 : 범죄행위에 대한 위험과 어려움을 높여 범죄기회를 줄이고 범죄를 통한 이익을 감소시킴으로써 범죄를 예방하자는 이론이다.

<table>
<tr><td>합리적 선택이론</td><td colspan="2">㉠ 인간의 자유의지를 강조하는 비결정론적 인간관에 기초한다.
㉡ 범죄자는 비용과 이익을 계산하여 유리한 경우 범죄를 결행한다.
㉢ 범죄는 체포의 위험성과 처벌의 확실성으로 예방할 수 있다.</td></tr>
<tr><td>일상활동 이론</td><td colspan="2">㉠ 모든 개인을 잠재적인 범죄자로 본다.
㉡ 범죄자는 범죄환경과 기회조건에 따라 행동하는 역동적인 존재이다.
㉢ 범죄가 발생하기 위해서는 (잠재적) 범죄자, 범행 대상, 보호자(감시자)의 부재라는 3가지 요소가 필요하다고 본다. 그러나 범죄자적 속성을 범죄의 결정적 요소로 보지는 않는다.
㉣ 범죄현상에 대한 추상적·거시적 분석보다는 구체적·미시적 분석이 실질적으로 범죄예방에 기여한다.
㉤ VIVA모델－범죄자의 입장에서 범죄를 결정하는 데 고려되는 요소에는 가치(Value), 이동의 용이성(Inertia), 가시성(Visibility), 접근성(Access)이 있다.</td></tr>
<tr><td>범죄패턴 이론</td><td colspan="2">㉠ 범죄는 일정한 장소적 패턴이 있으며 이는 범죄자의 일상적인 행동패턴과 유사하다는 논리이다.
㉡ 범죄자의 여가활동장소와 이동경로·수단 등을 분석하여 범행지역을 예측(지리적 프로파일링)함으로써 연쇄범죄의 해결이 가능하다.</td></tr>
<tr><td rowspan="2">비판</td><td>전이효과 (풍선효과)</td><td>범죄를 예방하는 장치나 수단 등은 실제로 범죄예방에 효과가 없으며, 범죄기회를 줄인다고 하더라도 실제로 범죄가 줄어드는 것이 아니라 다른 곳으로 전이될 뿐이다.</td></tr>
<tr><td>부정적 사회현상</td><td>범죄의 기회를 줄이기 위하여 사회에 대한 국가권력의 과도한 개입을 초래하게 되고, 이로 인해 '요새화된 사회'를 형성하게 되면 인권을 침해할 수 있다.</td></tr>
</table>

✍ C경찰서는 관내 자전거 절도사건이 증가하자 관내 자전거 소유자들을 대상으로 자전거에 일련번호를 각인해 주는 서비스를 제공하였다. 이 사례는 상황적 범죄예방이론과 관련이 있다.

② 환경범죄학(환경설계를 통한 범죄예방, CPTED)

㉠ 환경설계를 통한 범죄예방(Crime Prevention Through Environmental Design)은 1970년대에 등장한 범죄예방이론으로 근본적이고 효과적인 범죄예방을 위한 방안으로 물리적 환경설계 또는 재설계를 통해 범죄기회를 차단하는 것이 핵심이다.

㉡ 환경설계를 통한 범죄예방이론은 뉴먼(O. Newman)이 주장한 방어공간이론(범죄가 주거공간의 건축설계를 통해 예방될 수 있다는 내용)을 제프리(C. R. Jeffery)가 확장시켜 체계적으로 정립한 이론이다.

Tip 방어공간(防禦空間, Defensible Space)이론

1. 지역주민들이 거주하는 공간을 스스로 통제할 수 있도록 거주환경에 대한 실제적·상징적 방어물이나 영향력·감시기회 등을 강화한 공간을 방어공간(防禦空間, Defensible Space)이라고 한다.
2. 방어공간의 특성을 강화하여 범죄를 예방하려는 시도로 나타난 것이 '환경설계를 통한 범죄예방(CPTED ; Crime Prevention Through Environmental Design)'이라고 볼 수 있다. 이후 뉴먼이 수행한 '도시거주지역의 방범설계프로젝트'를 통해 방어공간이라는 개념을 조금 더 체계적으로 정리하였다.
3. 뉴먼이 제시한 방어공간(Defensible space)의 요소에는 크게 영역성, 자연적인 감시, 이미지, 환경이 있다. 우선 영역성(Territoriality)이란 거주자들 사이의 소유에 대한 태도를 자극하는 요소로, 주거건물 안팎의 공적 공간의 세분화와 구획작업(직선형 주택배치, 위계적 주택배치, 가로폐쇄 등) 등을 통해 확보할 수 있다.
4. 자연적 감시(Natural surveillance)는 거주자들이 공동지역을 자연스럽게 감시할 수 있도록 아파트 창문의 위치를 선정하거나, 일자형 건물배치 등을 통해 강화할 수 있으며, 거주지역이 범죄의 주된 목표라는 이미지를 갖지 않도록 하고 범죄를 저지르는 것이 쉬운 대상이 아니라는 느낌을 주도록 함으로써 이미지를 관리할 수 있다.

5. 환경(Milieu)이란 안전하다고 생각되는 도시지역(Safe zone), 예를 들어 경찰서 주변 지역에 주거지역을 선정하는 것 등을 의미한다.

ⓒ 환경설계를 통한 범죄예방이론은 물리적 설계, 주민참여, 경찰활동 등 3가지 요소를 종합적·체계적으로 접합시켜 범죄를 예방하고자 하는 전략이라고 볼 수 있다.

구분	내용	사례
자연적 감시 (Natural surveillance)	건축물이나 시설물 등의 설계시 가시권을 최대로 확보하고 외부침입에 대한 감시기능을 확대하여 범죄를 기도하는 자에게 범죄위험을 증가시키고, 범죄기회를 감소시켜 범죄를 억제할 수 있다.	가시권의 확대를 위한 건물의 배치 및 조명·조경 등
자연적 접근의 통제 (Access control)	1. 일정한 지역에 접근하는 사람들을 정해진 공간으로 유도하거나 출입하는 사람들을 통제하도록 설계함으로써 접근에 대한 심리적 부담을 증대시켜 범죄를 예방할 수 있다. 2. 접근통제 전략의 주요 기능은 보행로, 조경 등을 통해 일정 공간으로 유도함과 동시에 허가받지 않은 사람들의 진·출입을 차단하여 목표물로의 접근을 막고 대상물의 강화를 통해 범죄자에게 심리적 부담과 위험을 인지시키는 것이다.	통행로의 설계, 출입구의 최소화, 차단기·잠금장치·방범창의 설치 등
영역성 (Territoriality)의 강화	1. 사적 공간에 대한 경계선을 표시하여 거주자들의 소유·책임의식을 강화함으로써 범죄에 대한 대항·예방을 강화하고, 외부인들에게는 침입에 대한 불법사실을 인식시켜 범죄기회를 차단하는 것을 말한다. 2. 보행로, 조경 등을 통해 일정 공간으로 유도함과 동시에 허가받지 않은 사람들의 진·출입을 차단하여 목표물로의 접근을 막고 대상물의 강화를 통해 범죄자에게 심리적 부담과 위험을 인지시키는 것이다.	울타리·표지판의 설치, 사적·공적 공간의 구분 등
활동성의 강화 (활성화)	1. 공공장소에 대한 주민들의 활발한 사용을 유도하여 '거리의 눈(eyes on the street)'에 의한 자연스러운 감시를 강화시키고 접근통제의 기능을 확대하는 원리이다. 2. 자연적 감시 전략은 공공장소의 활발한 사용을 유도하여 일상활동의 활성화를 위해 거리에 더 많은 눈(more eyes)을 통해 자연스러운 감시 기능을 강화하여 범죄 위험을 감소시키고 주민들의 안전감을 향상시키는 것이다.	놀이터·공원의 설치, 체육시설의 접근성과 이용의 증대, 벤치·정자의 위치 및 활용성에 대한 설계
유지관리 (Maintenance)	1. 시설물이나 공공장소를 처음 설계한대로 지속적으로 이용될 수 있도록 관리함으로써 범죄예방을 위한 환경설계의 장기적이고 지속적인 효과를 유지하는 원리이다. 2. 유지관리 전략은 어떤 시설물이나 공공장소를 처음 디자인하거나 이를 개선한 의도대로 범죄예방 기능을 지속적으로 발휘하도록 하여, 공간을 의도한 목적에 맞게 지속적으로 사용하도록 하는 것이다.	시설물의 파손시 즉시 보수, 청결유지, 조명·조경의 관리 등

③ 집합효율성이론

㉠ 집합효율성이론이란 지역주민 상호간의 신뢰 또는 연대감과 범죄 등 사회문제에 대한 적극적 개입을 통해 지역사회가 가진 불리한 여건이 범죄의 발생에 미치는 영향을 상쇄할 수 있다는 이론이다. 즉, 비공식적인 사회통제를 통해 범죄를 예방할 수 있다고 본다.

㉡ 집합효율성이론은 범죄에 대한 비공식적 통제기능만 강조하고 공식적 사회통제(경찰 등 법집행기관) 기능을 간과하고 있어, 일정한 한계가 있을 수밖에 없다. 따라서 주민자치를 통한 집합효율성을 극대화하기 위해서는 경찰 등 국가기관과의 협력과 지원도 수반되어야 한다.

④ 깨진 유리창 이론: 깨진 유리창 이론이란 직접적인 피해자가 없거나, 경미한 질서 위반행위를 계속 방치할 경우 결국에는 사회 전체로 무질서가 확대될 우려가 있기 때문에 경미한 불법·무질서라도 방치하지 말고 즉시 단속하여 재발방지를 위한 조치를 취하여야 한다는 이론이다.

Tip 무관용의 원칙(zero tolerance)

1. 의의

사소한 규칙 위반에도 관용을 베풀지 않는 정책으로, 전통적 경찰활동은 사소한 무질서 또는 직접적인 피해자가 없는 위법행위에 대해서는 단속 및 처벌을 하지 않고 관대하게 대응했으나, 무관용 경찰활동은 이러한 전통적 경찰활동으로 발생하는 문제를 해결하기 위해 사소한 규칙 위반에도 관용을 베풀지 않는 정책으로 전환하였다.

2. 근거

깨진 유리창이 있는 건물을 그대로 두면 사람들은 그 건물이 방치돼 있다고 여기고 다른 유리창을 부수면서 절도, 폭력 행위를 일삼게 된다는 범죄학자 조지 켈링의 '깨진 유리창 이론(Broken Window)'에 근거한다.

3. 사례

B경찰서는 지역사회에 만연해 있는 경미한 주취소란에 대해서도 예외 없이 엄격한 법집행을 실시하는 것을 그 예로 들 수 있다.

4. 멘델존(Mendelsohn)의 피해자 유형 분류

구분	내용
완전 책임이 없는 피해자	1. 영아살해죄의 영아 2. 약취유인된 유아
책임이 조금 있는 피해자	1. 부지에 의한 낙태여성 2. 인공유산을 시도하다 사망한 임산부
가해자와 같은 정도의 책임이 있는 피해자	1. 촉탁살인에 의한 피해자 2. 자살미수 피해자 3. 동반자살 피해자
가해자보다 더 책임이 있는 피해자	1. 자신의 부주의로 인한 피해자 2. 부모에게 살해된 패륜아
가장 책임이 높은 피해자	1. 정당방위의 상대방이 되는 공격적 피해자 2. 무고죄의 범인과 같은 기만적 피해자

5. 외국의 범죄예방활동

(1) 미국의 범죄예방활동

① 이웃감시 프로그램: 지역사회의 공동체 의식을 부활시켜 지역사회의 전통적인 비공식적 사회통제능력을 통하여 범죄를 예방하려는 지역사회 범죄예방 프로그램이다.

② 언론의 범죄예방 프로그램

Take a Bite Out of Crime (범죄분쇄방안)	미국 내에서 가장 잘 알려진 언론의 범죄예방 캠페인 중의 하나인 'Take a Bite Out of Crime 프로그램'은 미국범죄예방연합회가 운영하는 대중홍보 캠페인이다.
Crime Stopper Program (범죄해결사)	'Crime Stopper Program(범죄해결사)'은 범죄에 관한 정보를 가지고 있는 주민이 신고할 수 있도록 동기부여를 하기 위해 현금보상을 실시하는 범죄정보 보상프로그램이다.

③ 학교의 범죄예방활동

Head Start Program	미국의 빈곤계층의 아동들을 적절한 사회화 과정을 거치게 함으로써 장차 범죄를 저지를 수 있는 잠재성을 감소시키려는 교육 프로그램이다.
PATHE Program (Positive Action Through Holistic Education)	실패를 경험했거나 문제행동을 한 학생들의 필요에 맞게 특수화된 교육 프로그램을 제공하여 학교에 대한 우호적인 태도를 향상시켜 비행을 예방하려는 프로그램이다.

④ 대체처분(Diversion Program): 비행을 저지른 소년이 주변의 낙인의 영향으로 심각한 범죄자로 발전하는 것을 방지하기 위해 형사·사법적 제재를 가하지 않고 지역사회의 보호 및 관찰로 대처하여 범죄를 예방하려는 제도이다. 대체처분(Diversion Program)은 선도조건부 기소유예제도의 이론적 근거가 된다.

(2) 영국의 안전도시운동(Safer City Program; SCP)

비행소년이나 우범소년을 대상으로 재정지원·직업훈련·취업알선 등 지역사회 발전프로그램을 실시하고 이들에 대한 사회환경개선을 통해 범죄원인을 제거하고자 하는 영국의 안전도시운동이다.

02 지역사회 경찰활동

1. 범죄예방활동의 중요성과 지역사회 경찰활동

(1) 범죄예방활동의 패러다임의 전환

경찰의 범죄 인지능력과 범인 검거능력을 향상시켜 다수의 범죄를 신속하게 해결하는 것을 목표로 하였던 전통적·획일적·통일적 법집행 경찰활동으로부터 지역사회 공동체의 모든 분야와 협력하여 범죄발생을 예방하고 범죄로 인한 피해를 줄이는 것을 목표로 하는 지역사회 경찰활동으로 변화하고 있다.

(2) 지역사회 경찰활동

① 의의

㉠ 미국 지역사회 경찰활동연구·교육협회는 '지역사회 경찰활동이란 지역사회의 범죄나 무질서 등의 문제를 발견하고 지역사회의 모든 자원을 동원하여 그 문제의 해결책을 모색하는 경찰과 지역사회 공동의 노력'이라고 정의하고 있다.

㉡ 경찰과 지역사회가 범죄와 무질서, 범죄에 대한 두려움과 같은 문제를 해결하기 위해 공동의 노력을 기울이고 이러한 노력을 통해 지역사회의 삶의 질을 향상시키고 동시에 지역사회를 구성하는 구성요소들간의 협력관계를 조성하는 사회적 노력이라고 볼 수 있다.

㉢ 경찰이 시민과 지역사회와의 공동 노력을 통해 범죄를 예방하려는 활동으로 이해할 수 있다.

② **조직개편의 필요성**: J. Skolnick은 지역사회 경찰활동에는 경찰이 정책을 결정하는 과정에 있어 권한의 분산이 필요하며, 더불어 최일선에서 시민들과 직접 대면하는 경찰관의 재량권을 강화해야 할 필요가 있다고 본다.

> **Tip** J. Skolnic이 제시한 지역사회 경찰활동의 특징
> 1. 지역사회에 기초한 범죄예방 – 지역사회의 비공식적 통제능력을 활용하여 범죄예방
> 2. 차량순찰에서 도보순찰로 순찰방식의 전환
> 3. 주민에 대한 경찰의 책임 강화
> 4. 경찰 정책결정과정에서의 권한의 분산

(3) 전통적인 경찰활동과 지역사회 경찰활동의 차이

구분	전통적 경찰활동	지역사회 경찰활동
정의	경찰을 법집행의 책임을 갖는 유일한 정부기관으로 정의한다.	경찰과 시민 모두 범죄예방의무가 있으며, 경찰은 범죄방지에 전적으로 노력을 기울이는 사람으로 인식한다.
역할	범죄해결사로서의 역할을 강조한다.	범죄뿐만 아니라 지역사회의 포괄적인 문제해결자로서의 역할을 강조한다.
업무평가 방식	범인검거율(체포율)로 경찰업무를 평가한다.	범죄와 무질서가 얼마나 적은가에 의해 경찰업무를 평가한다.
업무의 우선순위	범죄와 폭력의 퇴치에 치중한다.	범죄와 폭력의 퇴치 이외에도 지역사회질서를 문란하게 하는 근본적인 요인의 해결에 최우선순위를 둔다.
효율성	범죄의 신고에 대한 경찰의 반응시간(출동소요시간)이 얼마나 짧은가에 의해 평가된다.	경찰업무에 대한 지역주민의 협조도를 기준으로 경찰활동의 효율성을 평가한다.
대상	범죄를 경찰활동의 주된 대상으로 인식한다.	범죄를 비롯한 지역사회의 다양한 문제나 시민들의 문제를 경찰활동의 대상으로 본다.
조직적 특성	집권화된 조직구조, 법과 규범에 의한 규제, 법을 엄격히 준수하는 책임을 강조한다.	지역사회의 요구에 부응할 수 있도록 경찰관 개개인에게 권한을 부여하며, 부여된 권한을 행사하는 경찰관 개개인의 능력을 강조한다.
다른 기관과의 관계	책임과 권한 문제로 갈등이 존재할 수밖에 없다.	모든 국가기관이 주민의 삶의 질을 높인다는 동일한 목적을 수행하므로 원활한 협조가 이루어질 수 있다.

⑷ 지역사회 경찰활동

구분	내용
지역중심적 경찰활동 (COP : Community Oriented Policing)	지역사회에서의 전반적인 삶의 질 향상을 목표로, 지역사회와 경찰 사이의 새로운 관계를 증진시키는 조직적인 전략원리를 말한다.
문제지향적 경찰활동 (POP : Problem Oriented Policing))	㉠ 반복된 사건을 야기하는 근본적인 원인을 해결해야 한다고 주장하며, 현장 경찰관에게 자유재량을 부여하고, 범죄분석자료를 제공, 대중정보와 비평을 적극적으로 수용한다. ㉡ 일선 경찰관들에게 문제해결권한과 필요한 시간을 부여하고, 범죄분석자료를 제공한다. ㉢ 문제해결과정(SARA 모형) ① 조사단계(Scanning)는 지역에서 반복적으로 발생하고 있는 문제를 파악하는 데에서 출발하여 문제라고 여겨지는 개인과 관련된 사건을 분류하고, 정확하고 유용한 용어를 활용하여 이러한 문제를 조사한다. ② 분석단계(Analysis)는 지역사회와 경찰이 협력하는 등의 방법으로 문제의 원인을 파악하고, 분석하는 단계이다. ③ 대응단계(Response)는 경찰이 보유한 자원과 역량만으로는 한계가 있기 때문에 경찰관은 지역사회 내의 여러 다른 기관들과 협력을 통한 대응방안을 추구한다. ④ 평가단계(assessment)는 과정평가와 효과평가의 두 단계로 구성되며, 이전 문제해결과정에의 환류를 통해 각 단계가 지속적인 순환과정으로 작동할 수 있도록 한다는 점에서 중요한 의미를 가진다.
이웃지향적 경찰활동 (NOP : Neighborhood Oriented Policing)	㉠ 지역사회경찰활동을 위하여 경찰과 주민의 의사소통라인을 개설 하려는 모든 프로그램을 말한다. ㉡ 지역조직은 거주자들에게 지역에 관한 정보를 제공하며 경찰과 협동하여 범죄를 억제하는 기능을 수행한다.
전략지향적 경찰활동 (SOP : Strategic Oriented Policing)	확인된 문제에 대한 전략적 대응을 위해 경찰자원을 배분하고, 전통적인 경찰활동과 절차를 통해 범죄적 요소나 사회무질서의 원인을 효과적으로 제거하는 경찰활동을 말한다.
증거기반 경찰활동 (evidence-based policing)	경찰정책과 의사결정에 있어서 과학적·의학적 증거에 기반하여 증거의 개발, 검토, 활용을 위해 경찰관 및 직원이 연구기관과 함께 활동하는 접근방법이다.

03 경비업법

1. 목적(제1조)

경비업법(이하 '법'이라 한다)은 경비업의 육성 및 발전과 그 체계적 관리에 관하여 필요한 사항을 정함으로써 경비업의 건전한 운영에 이바지함을 목적으로 한다.

(1) 용어의 정의(제2조)

이 법에서 사용하는 용어의 정의는 다음과 같다.

<table>
<tr><td rowspan="7">경비업</td><td colspan="2">다음의 어느 하나에 해당하는 업무(이하 '경비업무'라 한다)의 전부 또는 일부를 도급받아 행하는 영업을 말한다.</td></tr>
<tr><td>시설경비업무</td><td>경비를 필요로 하는 시설 및 장소(이하 '경비 대상시설'이라 한다)에서의 도난·화재 그 밖의 혼잡 등으로 인한 위험발생을 방지하는 업무</td></tr>
<tr><td>호송경비업무</td><td>운반 중에 있는 현금·유가증권·귀금속·상품 그 밖의 물건에 대하여 도난·화재 등 위험발생을 방지하는 업무</td></tr>
<tr><td>신변보호업무</td><td>사람의 생명이나 신체에 대한 위해의 발생을 방지하고 그 신변을 보호하는 업무</td></tr>
<tr><td>기계경비업무</td><td>경비대상 시설에 설치한 기기에 의하여 감지·송신된 정보를 그 경비대상 시설 외의 장소에 설치한 관제시설의 기기로 수신하여 도난·화재 등 위험발생을 방지하는 업무</td></tr>
<tr><td>특수경비업무</td><td>공항(항공기를 포함한다) 등 대통령령이 정하는 국가중요시설(이하 '국가중요시설'이라 한다)의 경비 및 도난·화재 그 밖의 위험발생을 방지하는 업무</td></tr>
<tr><td>혼잡·교통
유도경비업무</td><td>도로에 접속한 공사현장 및 사람과 차량의 통행에 위험이 있는 장소 또는 도로를 점유하는 행사장 등에서 교통사고나 그 밖의 혼잡 등으로 인한 위험발생을 방지하는 업무</td></tr>
<tr><td>경비지도사</td><td colspan="2">경비원을 지도·감독 및 교육하는 자를 말하며 일반경비지도사와 기계경비지도사로 구분한다.</td></tr>
<tr><td rowspan="3">경비원</td><td colspan="2">경비업의 허가를 받은 법인(이하 '경비업자'라 한다)이 채용한 고용인으로서 다음의 어느 하나에 해당하는 자를 말한다.</td></tr>
<tr><td>일반경비원</td><td>시설경비, 호송경비, 신변보호, 기계경비업무, 혼잡·교통유도경비업무를 수행하는 자</td></tr>
<tr><td>특수경비원</td><td>특수경비업무를 수행하는 자</td></tr>
<tr><td>무기</td><td colspan="2">인명 또는 신체에 위해를 가할 수 있도록 제작된 권총·소총 등을 말한다.</td></tr>
<tr><td>집단민원
현장</td><td colspan="2">다음의 장소를 말한다.
① 노동조합 및 노동관계조정법에 따라 노동관계 당사자가 노동쟁의 조정신청을 한 사업장 또는 쟁의행위가 발생한 사업장
② 도시 및 주거환경정비법에 따른 정비사업과 관련하여 이해대립이 있어 다툼이 있는 장소
③ 특정 시설물의 설치와 관련하여 민원이 있는 장소
④ 주주총회와 관련하여 이해대립이 있어 다툼이 있는 장소
⑤ 건물·토지 등 부동산 및 동산에 대한 소유권·운영권·관리권·점유권 등 법적 권리에 대한 이해대립이 있어 다툼이 있는 장소
⑥ 100명 이상의 사람이 모이는 국제·문화·예술·체육 행사장
⑦ 행정대집행법에 따라 대집행을 하는 장소</td></tr>
</table>

(2) 법인(제3조)

경비업은 법인이 아니면 이를 영위할 수 없다.

2. 경비업의 허가 등

(1) 경비업의 허가

① 허가권자(제4조)

㉠ 경비업을 영위하고자 하는 법인은 도급받아 행하고자 하는 경비업무를 특정하여 그 법인의 주사무소의 소재지를 관할하는 시·도경찰청장의 허가를 받아야 한다. 도급받아 행하고자 하는 경비업무를 변경하는 경우에도 또한 같다.

㉡ 허가를 받고자 하는 법인은 다음의 요건을 갖추어야 한다.

ⓐ 대통령령으로 정하는 1억원 이상의 자본금의 보유

ⓑ 다음의 경비인력 요건

㉮ 시설경비업무: 경비원 10명 이상 및 경비지도사 1명 이상

㉯ 시설경비업무 외의 경비업무: 대통령령으로 정하는 경비 인력

ⓒ 위 ⓑ의 경비인력을 교육할 수 있는 교육장을 포함하여 대통령령으로 정하는 시설과 장비의 보유

ⓓ 그 밖에 경비업무수행을 위하여 대통령령으로 정하는 사항

㉢ 경비업의 허가를 받은 법인은 다음의 어느 하나에 해당하는 때에는 시·도경찰청장에게 신고하여야 한다.

ⓐ 영업을 폐업하거나 휴업한 때

ⓑ 법인의 명칭이나 대표자·임원을 변경한 때

ⓒ 법인의 주사무소나 출장소를 신설·이전 또는 폐지한 때

ⓓ 기계경비업무의 수행을 위한 관제시설을 신설·이전 또는 폐지한 때

ⓔ 특수경비업무를 개시하거나 종료한 때

ⓕ 그 밖에 대통령령이 정하는 중요사항을 변경한 때

② 허가의 제한(제4조의2)

㉠ 누구든지 위 ①의 ㉠에 따른 허가를 받은 경비업체와 동일한 명칭으로 경비업 허가를 받을 수 없다.

㉡ 경비업법 제19조 제1항 제2호 및 제7호의 사유로 경비업체의 허가가 취소된 경우 허가가 취소된 날부터 10년이 지나지 아니한 때에는 누구든지 허가가 취소된 경비업체와 동일한 명칭으로 위 ①의 ㉠에 따른 허가를 받을 수 없다.

㉢ 경비업법 제19조 제1항 제2호 및 제7호의 사유로 허가가 취소된 법인은 법인명 또는 임원의 변경에도 불구하고 허가가 취소된 날부터 5년이 지나지 아니한 때에는 위 ①의 ㉠에 따른 허가를 받을 수 없다.

(2) 임원의 결격사유(제5조)

다음의 어느 하나에 해당하는 자는 경비업을 영위하는 법인(④에 해당하는 자의 경우에는 특수경비업무를 수행하는 법인을 말하고, ⑤에 해당하는 자의 경우에는 허가취소사유에 해당하는 경비업무와 동종의 경비업무를 수행하는 법인을 말한다)의 임원이 될 수 없다.

① 피성년후견인

② 파산선고를 받고 복권되지 아니한 자

③ 금고 이상의 형의 선고를 받고 그 형이 실효되지 아니한 자

④ 이 법 또는 대통령 등의 경호에 관한 법률에 위반하여 벌금형의 선고를 받고 3년이 지나지 아니한 자

⑤ 이 법(제19조 제1항 제2호 및 제7호는 제외한다) 또는 이 법에 의한 명령에 위반하여 허가가 취소된 법인의 허가취소 당시의 임원이었던 자로서 그 취소 후 3년이 지나지 아니한 자

⑥ 제19조 제1항 제2호 및 제7호의 사유로 허가가 취소된 법인의 허가취소 당시의 임원이었던 자로서 허가가 취소된 날부터 5년이 지나지 아니한 자

⑶ 허가의 유효기간 등(제6조)

경비업허가의 유효기간은 허가받은 날부터 5년으로 한다. 허가의 유효기간이 만료된 후 계속하여 경비업을 하고자 하는 법인은 행정안전부령이 정하는 바에 의하여 갱신허가를 받아야 한다.

⑷ 경비지도사 및 경비원의 결격사유(제10조)

① 경비지도사·일반경비원의 결격사유(제1항): 다음의 어느 하나에 해당하는 자는 경비지도사 또는 일반경비원이 될 수 없다.

㉠ 18세 미만인 사람 또는 피성년후견인

㉡ 파산선고를 받고 복권되지 아니한 자

㉢ 금고 이상의 실형의 선고를 받고 그 집행이 종료(집행이 종료된 것으로 보는 경우를 포함한다)되거나 집행이 면제된 날부터 5년이 지나지 아니한 자

㉣ 금고 이상의 형의 집행유예선고를 받고 그 유예기간 중에 있는 자

㉤ 다음의 어느 하나에 해당하는 죄를 범하여 벌금형을 선고받은 날부터 10년이 지나지 아니하거나 금고 이상의 형을 선고받고 그 집행이 종료된(종료된 것으로 보는 경우를 포함한다) 날 또는 집행이 유예·면제된 날부터 10년이 지나지 아니한 자

ⓐ 형법 제114조의 죄

ⓑ 폭력행위 등 처벌에 관한 법률 제4조의 죄

ⓒ 형법 제297조, 제297조의2, 제298조부터 제301조까지, 제301조의2, 제302조, 제303조, 제305조, 제305조의2의 죄

ⓓ 성폭력범죄의 처벌 등에 관한 특례법 제3조부터 제11조까지 및 제15조(제3조부터 제9조까지의 미수범만 해당한다)의 죄

ⓔ 아동·청소년의 성보호에 관한 법률 제7조 및 제8조의 죄

ⓕ ⓒ부터 ⓔ까지의 죄로서 다른 법률에 따라 가중처벌되는 죄

㉥ 다음의 어느 하나에 해당하는 죄를 범하여 벌금형을 선고받은 날부터 5년이 지나지 아니하거나 금고 이상의 형을 선고받고 그 집행이 유예된 날부터 5년이 지나지 아니한 자

ⓐ 형법 제329조부터 제331조까지, 제331조의2 및 제332조부터 제343조까지의 죄

ⓑ ⓐ의 죄로서 다른 법률에 따라 가중처벌되는 죄

㉦ ㉤의 ⓒ부터 ⓕ까지의 어느 하나에 해당하는 죄를 범하여 치료감호를 선고받고 그 집행이 종료된 날 또는 집행이 면제된 날부터 10년이 지나지 아니한 자 또는 ㉥의 어느 하나에 해당하는 죄를 범하여 치료감호를 선고받고 그 집행이 면제된 날부터 5년이 지나지 아니한 자

㉧ 이 법이나 이 법에 따른 명령을 위반하여 벌금형을 선고받은 날부터 5년이 지나지 아니하거나 금고 이상의 형을 선고받고 그 집행이 유예된 날부터 5년이 지나지 아니한 자

② 특수경비원의 결격사유(제2항): 다음의 어느 하나에 해당하는 자는 특수경비원이 될 수 없다.

㉠ 18세 미만이거나 60세 이상인 사람 또는 피성년후견인

㉡ 심신상실자, 알코올 중독자 등 대통령령으로 정하는 정신적 제약이 있는 자

㉢ 위 ①의 ㉡부터 ㉧까지의 어느 하나에 해당하는 자

ⓡ 금고 이상의 형의 선고유예를 받고 그 유예기간 중에 있는 자
ⓜ 행정안전부령이 정하는 신체조건에 미달되는 자

경비업법 제10조의2 【특수경비원의 당연 퇴직】 특수경비원이 제10조제2항에 따른 결격사유에 해당하게 될 때에는 당연 퇴직된다. 다만, 제10조제2항제1호는 나이가 60세가 되어 퇴직하는 경우에는 60세가 된 날이 1월부터 6월 사이에 있으면 6월 30일에, 7월부터 12월 사이에 있으면 12월 31일에 각각 당연 퇴직되고, 제10조제2항제3호 중 제10조제1항제2호는 파산선고를 받은 사람으로서 「채무자 회생 및 파산에 관한 법률」에 따라 신청기한 내에 면책신청을 하지 아니하였거나 면책불허가 결정 또는 면책 취소가 확정된 경우만 해당하며, 제10조제2항제4호는 「성폭력범죄의 처벌 등에 관한 특례법」 제2조, 「아동・청소년의 성보호에 관한 법률」 제2조제2호 및 직무와 관련하여 「형법」 제355조 또는 제356조에 규정된 죄를 범한 사람으로서 금고 이상의 형의 선고유예를 받은 경우만 해당한다.

3. 특수경비원의 직무 및 무기사용 등(제14조)

(1) 특수경비원의 직무

① 특수경비업자는 특수경비원으로 하여금 배치된 경비구역 안에서 관할 경찰서장 및 공항경찰대장 등 국가중요시설의 경비책임자(이하 '관할 경찰관서장'이라 한다)와 국가중요시설의 시설주의 감독을 받아 시설을 경비하고 도난・화재 그 밖의 위험의 발생을 방지하는 업무를 수행하게 하여야 한다.

② 특수경비원은 국가중요시설에 대한 경비업무수행 중 국가중요시설의 정상적인 운영을 해치는 장해를 일으켜서는 아니 된다.

(2) 특수경비원의 무기사용

① 시・도경찰청장은 국가중요시설에 대한 경비업무의 수행을 위하여 필요하다고 인정하는 때에는 시설주의 신청에 의하여 무기를 구입한다. 이 경우 시설주는 그 무기의 구입대금을 지불하고, 구입한 무기를 국가에 기부채납하여야 한다.

② 시・도경찰청장은 국가중요시설에 대한 경비업무의 수행을 위하여 필요하다고 인정하는 때에는 관할 경찰관서장으로 하여금 시설주의 신청에 의하여 시설주로부터 국가에 기부채납된 무기를 대여하게 하고, 시설주는 이를 특수경비원으로 하여금 휴대하게 할 수 있다. 이 경우 특수경비원은 정당한 사유없이 무기를 소지하고 배치된 경비구역을 벗어나서는 아니 된다.

③ 시설주가 대여받은 무기에 대하여 시설주 및 관할 경찰관서장은 무기의 관리책임을 지고, 관할 경찰관서장은 시설주 및 특수경비원의 무기관리상황을 대통령령이 정하는 바에 따라 지도・감독하여야 한다.

④ 관할 경찰관서장은 무기의 적정한 관리를 위하여 ②의 규정에 의하여 무기를 대여받은 시설주에 대하여 필요한 명령을 발할 수 있다.

⑤ 시설주로부터 무기의 관리를 위하여 지정받은 책임자(이하 '관리책임자'라 한다)는 다음에 의하여 이를 관리하여야 한다.
ⓖ 무기출납부 및 무기장비운영카드를 비치・기록하여야 한다.
ⓝ 무기는 관리책임자가 직접 지급・회수하여야 한다.

⑥ 특수경비원은 국가중요시설의 경비를 위하여 무기를 사용하지 아니하고는 다른 수단이 없다고 인정되는 때에는 필요한 한도 안에서 무기를 사용할 수 있다. 다만, 다음의 어느 하나에 해당하는 때를 제외하고는 사람에게 위해를 끼쳐서는 아니 된다.

㉠ 무기 또는 폭발물을 소지하고 국가중요시설에 침입한 자가 특수경비원으로부터 3회 이상 투기(投棄) 또는 투항(投降)을 요구받고도 이에 불응하면서 계속 항거하는 경우 이를 억제하기 위하여 무기를 사용하지 아니하고는 다른 수단이 없다고 인정되는 때

㉡ 국가중요시설에 침입한 무장간첩이 특수경비원으로부터 투항(投降)을 요구받고도 이에 불응한 때

(3) 특수경비원의 의무(제15조)

① **복종의무**: 특수경비원은 직무를 수행함에 있어 시설주・관할 경찰관서장 및 소속 상사의 직무상 명령에 복종하여야 한다.

② **경비구역 이탈금지**: 특수경비원은 소속 상사의 허가 또는 정당한 사유없이 경비구역을 벗어나서는 아니 된다.

③ **쟁의행위금지**: 특수경비원은 파업・태업 그 밖에 경비업무의 정상적인 운영을 저해하는 일체의 쟁의행위를 하여서는 아니 된다.

④ **무기의 안전사용수칙**: 특수경비원이 무기를 휴대하고 경비업무를 수행하는 때에는 다음의 어느 하나에 정하는 무기의 안전사용수칙을 지켜야 한다.

㉠ 특수경비원은 사람을 향하여 권총 또는 소총을 발사하고자 하는 때에는 미리 구두 또는 공포탄에 의한 사격으로 상대방에게 경고하여야 한다. 다만, 다음의 어느 하나에 해당하는 경우로서 부득이한 때에는 경고하지 아니할 수 있다.

ⓐ 특수경비원을 급습하거나 타인의 생명・신체에 대한 중대한 위험을 야기하는 범행이 목전에 실행되고 있는 등 상황이 급박하여 경고할 시간적 여유가 없는 경우

ⓑ 인질・간첩 또는 테러사건에 있어서 은밀히 작전을 수행하는 경우

㉡ 특수경비원은 무기를 사용하는 경우에 있어서 범죄와 무관한 다중의 생명・신체에 위해를 가할 우려가 있는 때에는 이를 사용하여서는 아니 된다. 다만, 무기를 사용하지 아니하고는 타인 또는 특수경비원의 생명・신체에 대한 중대한 위협을 방지할 수 없다고 인정되는 때에는 필요한 최소한의 범위 안에서 이를 사용할 수 있다.

㉢ 특수경비원은 총기 또는 폭발물을 가지고 대항하는 경우를 제외하고는 14세 미만의 자 또는 임산부에 대하여는 권총 또는 소총을 발사하여서는 아니 된다.

04 유실물법

1. 서설

유실물법(이하 '법'이라 한다)의 유실물이란 점유자의 의사에 의하지 않고 또는 타인에게 절취된 것이 아니면서 우연히 그 지배에서 벗어난 동산을 말하며, 점유자의 의사에 의하여 버린 물건이나 도품은 유실물에 해당하지 않는다.

2. 습득물의 처리

구분	내용
습득물의 조치 (제1조)	① 타인이 유실한 물건을 습득한 자는 이를 신속하게 유실자 또는 소유자, 그 밖에 물건회복의 청구권을 가진 자에게 반환하거나 경찰서(지구대·파출소 등 소속 경찰관서를 포함한다) 또는 제주특별자치도의 자치경찰단 사무소(이하 '자치경찰단'이라 한다)에 제출하여야 한다. 다만, 법률에 따라 소유 또는 소지가 금지되거나 범행에 사용되었다고 인정되는 물건은 신속하게 경찰서 또는 자치경찰단에 제출하여야 한다. ② 물건을 경찰서에 제출한 경우에는 경찰서장이, 자치경찰단에 제출한 경우에는 제주특별자치도지사가 물건을 반환받을 자에게 반환하여야 한다. 이 경우에 반환을 받을 자의 성명이나 주거를 알 수 없을 때에는 대통령령으로 정하는 바에 따라 공고하여야 한다. **유실물법 시행령** **제3조【습득공고 등】** ① 법 제1조 제1항에 따라 습득물을 제출받은 경찰서장 또는 제주특별자치도지사가 제출받은 습득물을 반환받을 자를 알 수 없어 법 제1조 제2항 후단에 따라 공고할 때에는 그 습득물을 제출받은 날부터 다음 각 호의 어느 하나에 해당하는 날까지 법 제16조에 따라 유실물에 관한 정보를 제공하는 인터넷 사이트에 해당 습득물에 관한 정보를 게시하여야 한다. 1. 습득물의 유실자 또는 소유자, 그 밖에 물건회복의 청구권을 가진 자(이하 '청구권자'라 한다) 또는 습득자가 습득물을 찾아간 날 2. 습득물이 법 제15조에 따라 국고 또는 제주특별자치도의 금고에 귀속하게 된 날
보관방법 (제2조)	① 경찰서장 또는 자치경찰단을 설치한 제주특별자치도지사는 보관한 물건이 멸실되거나 훼손될 우려가 있을 때 또는 보관에 과다한 비용이나 불편이 수반될 때에는 대통령령으로 정하는 방법으로 이를 매각할 수 있다. ② 매각에 드는 비용은 매각대금에서 충당한다. ③ 매각 비용을 공제한 매각대금의 남은 금액은 습득물로 간주하여 보관한다.
비용부담 (제3조)	습득물의 보관비, 공고비(公告費), 그 밖에 필요한 비용은 물건을 반환받는 자나 물건의 소유권을 취득하여 이를 인도(引渡)받는 자가 부담하되, 민법 제321조부터 제328조까지의 규정을 적용한다.
보상금 (제4조)	물건을 반환받는 자는 물건가액(物件價額)의 100분의 5 이상 100분의 20 이하의 범위에서 보상금(報償金)을 습득자에게 지급하여야 한다. 다만, 국가·지방자치단체와 그 밖에 대통령령으로 정하는 공공기관은 보상금을 청구할 수 없다.
비용 및 보상금의 청구기한 (제6조)	제3조의 비용과 제4조의 보상금은 물건을 반환한 후 1개월이 지나면 청구할 수 없다.
습득자의 권리 포기 (제7조)	습득자는 미리 신고하여 습득물에 관한 모든 권리를 포기하고 의무를 지지 아니할 수 있다.

유실자의 권리 포기 (제8조)	① 물건을 반환받을 자는 그 권리를 포기하고 유실물법 제3조의 비용과 제4조의 보상금 지급의 의무를 지지 아니할 수 있다. ② 물건을 반환받을 각 권리자가 그 권리를 포기한 경우에는 습득자가 그 물건의 소유권을 취득한다. 다만, 습득자는 그 취득권을 포기하고 제1항의 예에 따를 수 있다. ③ 법률에 따라 소유 또는 소지가 금지된 물건의 습득자는 소유권을 취득할 수 없다. 다만, 행정기관의 허가 또는 적법한 처분에 따라 그 소유 또는 소지가 예외적으로 허용되는 물건의 경우에는 그 습득자나 그 밖의 청구권자는 유실물법 제14조에 따른 기간 내에 허가 또는 적법한 처분을 받아 소유하거나 소지할 수 있다.
습득자의 권리 상실 (제9조)	습득물이나 그 밖에 이 법의 규정을 준용하는 물건을 횡령함으로써 처벌을 받은 자 및 습득일부터 7일 이내에 유실물법 제1조 제1항 또는 제11조 제1항의 절차를 밟지 아니한 자는 제3조의 비용과 제4조의 보상금을 받을 권리 및 습득물의 소유권을 취득할 권리를 상실한다.
수취하지 아니한 물건의 소유권 상실 (제14조)	이 법 및 민법 제253조, 제254조에 따라 물건의 소유권을 취득한 자가 그 취득한 날부터 3개월 이내에 물건을 경찰서 또는 자치경찰단으로부터 받아가지 아니할 때에는 그 소유권을 상실한다. **민법** **제253조【유실물의 소유권취득】** 유실물은 법률에 정한 바에 의하여 공고한 후 6개월 내에 그 소유자가 권리를 주장하지 아니하면 습득자가 그 소유권을 취득한다. **제254조【매장물의 소유권취득】** 매장물은 법률에 정한 바에 의하여 공고한 후 1년 내에 그 소유자가 권리를 주장하지 아니하면 발견자가 그 소유권을 취득한다. 그러나 타인의 토지 기타 물건으로부터 발견한 매장물은 그 토지 기타 물건의 소유자와 발견자가 절반하여 취득한다.
수취인이 없는 물건의 귀속 (제15조)	이 법의 규정에 따라 경찰서 또는 자치경찰단이 보관한 물건으로서 교부받을 자가 없는 경우에는 그 소유권은 국고 또는 제주특별자치도의 금고에 귀속한다.

3. 선박, 차량, 건축물 등에서의 습득(제10조)

(1) 관리자가 있는 선박, 차량, 건축물, 그 밖에 일반인의 통행을 금지한 구내에서 타인의 물건을 습득한 자는 그 물건을 관리자에게 인계하여야 한다. 이 경우에는 선박, 차량, 건축물 등의 점유자를 습득자로 한다. 자기가 관리하는 장소에서 타인의 물건을 습득한 경우에도 또한 같다.

(2) 보상금은 점유자와 실제로 물건을 습득한 자가 반씩 나누어야 한다.

4. 장물의 습득(제11조)

(1) 범죄자가 놓고 간 것으로 인정되는 물건을 습득한 자는 신속히 그 물건을 경찰서에 제출하여야 한다. 물건에 관하여는 법률에서 정하는 바에 따라 몰수할 것을 제외하고는 이 법 및 민법 제253조를 준용한다. 다만, 공소권이 소멸되는 날부터 6개월간 환부(還付)받는 자가 없을 때에만 습득자가 그 소유권을 취득한다.

(2) 범죄수사상 필요할 때에는 경찰서장은 공소권이 소멸되는 날까지 공고를 하지 아니할 수 있다.

(3) 경찰서장은 제출된 습득물이 장물(贓物)이 아니라고 판단되는 상당한 이유가 있고, 재산적 가치가 없거나 타인이 버린 것이 분명하다고 인정될 때에는 이를 습득자에게 반환할 수 있다.

5. 준유실물(제12조)

착오로 점유한 물건, 타인이 놓고 간 물건이나 일실(逸失)한 가축에 관하여는 이 법 및 민법 제253조를 준용한다. 다만, 착오로 점유한 물건에 대하여는 제3조의 비용과 제4조의 보상금을 청구할 수 없다.

✎ 유실 · 유기동물에 대해서는 유실물법을 적용하지 아니한다.

동물보호법

제14조【동물의 구조 · 보호】 ① 시 · 도지사(특별자치시장은 제외한다. 이하 이 조, 제15조, 제17조부터 제19조까지, 제21조, 제29조, 제38조의2, 제39조부터 제41조까지, 제41조의2, 제43조, 제45조 및 제47조에서 같다)와 시장 · 군수 · 구청장은 다음 각 호의 어느 하나에 해당하는 동물을 발견한 때에는 그 동물을 구조하여 제7조에 따라 치료 · 보호에 필요한 조치(이하 '보호조치' 라 한다)를 하여야 하며, 제2호 및 제3호에 해당하는 동물은 학대 재발 방지를 위하여 학대행위자로부터 격리하여야 한다. 다만, 제1호에 해당하는 동물 중 농림축산식품부령으로 정하는 동물은 구조 · 보호조치의 대상에서 제외한다.

1. 유실 · 유기동물
2. 피학대 동물 중 소유자를 알 수 없는 동물
3. 소유자로부터 제8조 제2항에 따른 학대를 받아 적정하게 치료 · 보호받을 수 없다고 판단되는 동물

제16조【신고 등】 ① 누구든지 다음 각 호의 어느 하나에 해당하는 동물을 발견한 때에는 관할 지방자치단체의 장 또는 동물보호센터에 신고할 수 있다.

1. 제8조에서 금지한 학대를 받는 동물
2. 유실 · 유기동물

제17조【공고】 시 · 도지사와 시장 · 군수 · 구청장은 제14조 제1항 제1호 및 제2호에 따른 동물을 보호하고 있는 경우에는 소유자 등이 보호조치 사실을 알 수 있도록 대통령령으로 정하는 바에 따라 지체 없이 7일 이상 그 사실을 공고하여야 한다.

제20조【동물의 소유권 취득】 시 · 도와 시 · 군 · 구가 동물의 소유권을 취득할 수 있는 경우는 다음 각 호와 같다.

1. 유실물법 제12조 및 민법 제253조에도 불구하고 제17조에 따라 공고한 날부터 10일이 지나도 동물의 소유자 등을 알 수 없는 경우
2. 제14조 제1항 제3호에 해당하는 동물의 소유자가 그 동물의 소유권을 포기한 경우
3. 제14조 제1항 제3호에 해당하는 동물의 소유자가 제19조 제2항에 따른 보호비용의 납부기한이 종료된 날부터 10일이 지나도 보호비용을 납부하지 아니한 경우
4. 동물의 소유자를 확인한 날부터 10일이 지나도 정당한 사유 없이 동물의 소유자와 연락이 되지 아니하거나 소유자가 반환받을 의사를 표시하지 아니한 경우

6. 매장물(제13조)

(1) 매장물(埋藏物)에 관하여는 선박, 차량, 건축물 등에서의 습득을 제외하고는 이 법을 준용한다.

(2) 매장물이 민법 제255조에서 정하는 물건인 경우 국가는 매장물을 발견한 자와 매장물이 발견된 토지의 소유자에게 통지하여 그 가액에 상당한 금액을 반으로 나누어 국고(國庫)에서 각자에게 지급하여야 한다. 다만, 매장물을 발견한 자와 매장물이 발견된 토지의 소유자가 같을 때에는 그 전액을 지급하여야 한다. 불복하는 자는 그 통지를 받은 날부터 6개월 이내에 민사소송을 제기할 수 있다.

05 풍속영업의 규제에 관한 법률

풍속영업의 규제에 관한 법률(이하 '법'이라 한다)은 풍속영업(風俗營業)을 하는 장소에서 선량한 풍속을 해치거나 청소년의 건전한 성장을 저해하는 행위 등을 규제하여 미풍양속을 보존하고 청소년을 유해한 환경으로부터 보호함을 목적으로 한다(제1조).

1. 풍속영업의 범위(제2조)

이 법에서 '풍속영업'이란 다음의 어느 하나에 해당하는 영업을 말한다.

(1) 게임산업진흥에 관한 법률 제2조 제6호에 따른 게임제공업 및 같은 법 제2조 제8호에 따른 복합유통게임제공업

(2) 영화 및 비디오물의 진흥에 관한 법률 제2조 제16호 가목에 따른 비디오물감상실업

(3) 음악산업진흥에 관한 법률 제2조 제13호에 따른 노래연습장업

(4) 공중위생관리법 제2조 제1항 제2호부터 제4호까지의 규정에 따른 숙박업, 목욕장업(沐浴場業), 이용업(理容業) 중 대통령령으로 정하는 것

(5) 식품위생법 제36조 제1항 제3호에 따른 식품접객업 중 대통령령으로 정하는 것

(6) 체육시설의 설치·이용에 관한 법률 제10조 제1항 제2호에 따른 무도학원업 및 무도장업

(7) 그 밖에 선량한 풍속을 해치거나 청소년의 건전한 성장을 저해할 우려가 있는 영업으로 대통령령으로 정하는 것

풍속영업의 규제에 관한 법률 시행령
제2조【풍속영업의 범위】 풍속영업의 규제에 관한 법률(이하 '법'이라 한다) 제2조 제5호 및 제7호에 따른 풍속영업의 범위는 다음과 같다.
1. 법 제2조 제5호에서 '식품접객업 중 대통령령으로 정하는 것'이란 식품위생법 시행령 제21조 제8호 다목에 따른 단란주점영업 및 같은 호 라목에 따른 유흥주점영업을 말한다.
2. 법 제2조 제7호에서 '그 밖에 선량한 풍속을 해치거나 청소년의 건전한 성장을 저해할 우려가 있는 영업으로 대통령령으로 정하는 것'이란 청소년 보호법 제2조 제5호 가목 8) 또는 9)에 따른 청소년 출입·고용금지업소에서의 영업을 말한다.

적용법	내용
게임산업진흥에 관한 법률	게임제공업 및 복합유통게임제공업
영화 및 비디오물의 진흥에 관한 법률	비디오물감상실업
음악산업진흥에 관한 법률	노래연습장업
공중위생관리법	숙박업, 목욕장업(沐浴場業), 이용업(理容業) 중 대통령령으로 정하는 것
식품위생법	유흥주점영업, 단란주점영업
체육시설의 설치·이용에 관한 법률	무도학원업 및 무도장업

2. 풍속영업자의 준수사항(제3조)

풍속영업을 하는 자(허가나 인가를 받지 아니하거나 등록이나 신고를 하지 아니하고 풍속영업을 하는 자를 포함한다. 이하 '풍속영업자'라 한다) 및 대통령령으로 정하는 종사자는 풍속영업을 하는 장소(이하 '풍속영업소'라 한다)에서 다음의 행위를 하여서는 아니 된다.

(1) 성매매알선 등 행위의 처벌에 관한 법률 제2조 제1항 제2호에 따른 성매매알선 등 행위

(2) 음란행위를 하게 하거나 이를 알선 또는 제공하는 행위

(3) 음란한 문서 · 도화(圖畵) · 영화 · 음반 · 비디오물, 그 밖의 음란한 물건에 대한 다음의 행위

① 반포(頒布) · 판매 · 대여하거나 이를 하게 하는 행위

② 관람 · 열람하게 하는 행위

③ 반포 · 판매 · 대여 · 관람 · 열람의 목적으로 진열하거나 보관하는 행위

(4) 도박이나 그 밖의 사행(射倖)행위를 하게 하는 행위

풍속영업의 규제에 관한 법률 시행령

제3조 【풍속영업종사자의 범위】 법 제3조 각 호 외의 부분, 제6조 제1항 및 제9조 제1항에서 '대통령령으로 정하는 종사자'란 명칭에 관계없이 영업자를 대리하거나 영업자의 지시를 받아 상시 또는 일시적으로 영업행위를 하는 대리인, 사용인, 그 밖의 종업원(무도학원업의 경우 강사 · 강사보조원을 포함한다)을 말한다.

위반시 벌칙

풍속영업의 규제에 관한 법률

제10조 【벌칙】 ① 제3조 제1호를 위반하여 풍속영업소에서 성매매알선 등 행위를 한 자는 3년 이하의 징역 또는 3천만원 이하의 벌금에 처한다.

② 제3조 제2호부터 제4호까지의 규정을 위반하여 음란행위를 하게 하는 등 풍속영업소에서 준수할 사항을 지키지 아니한 자는 3년 이하의 징역 또는 3천만원 이하의 벌금에 처한다.

성매매알선 등 행위의 처벌에 관한 법률

제19조 【벌칙】 ① 다음 각 호의 어느 하나에 해당하는 사람은 3년 이하의 징역 또는 3천만원 이하의 벌금에 처한다.

1. 성매매알선 등 행위를 한 사람
2. 성을 파는 행위를 할 사람을 모집한 사람
3. 성을 파는 행위를 하도록 직업을 소개 · 알선한 사람

② 다음 각 호의 어느 하나에 해당하는 사람은 7년 이하의 징역 또는 7천만원 이하의 벌금에 처한다.

1. 영업으로 성매매알선 등 행위를 한 사람
2. 성을 파는 행위를 할 사람을 모집하고 그 대가를 지급받은 사람
3. 성을 파는 행위를 하도록 직업을 소개 · 알선하고 그 대가를 지급받은 사람

판례

1. 숙박업소에서 위성방송수신기를 이용하여 수신한 외국의 음란한 위성방송프로그램에 대해 일정한 잠금장치를 설치하여 관람을 원하는 성인만을 상대로 방송을 시청하게 한 경우, 풍속영업의 규제에 관한 법률 위반에 해당한다(대판 2008.8.21, 2008도3975).
2. 풍속영업의 규제에 관한 법률 제3조 소정의 '풍속영업을 영위하는 자'는 식품위생법 등 개별법률에서 정한 영업허가나 신고, 등록의 유무를 묻지 아니하고, 같은 법 제2조에서 정하는 풍속영업의 범위에 속하는 영업을 실제로 하는 자이므로, 그 풍속영업자가 지켜야 할 준수사항도 실제로 하고 있는 영업형태에 따라 정하여지는 것이지, 그 자가 받은 영업허가 등에 의하여 정하여지는 것은 아니므로, 유흥주점영업허가를 받았다고 하더라도 실제로는 노래연습장 영업을 하고 있다면 유흥주점영업에 따른 영업자 준수사항을 지켜야 할 의무가 있다고 할 수 없다(대판 1997.9.30, 97도1873).
3. 풍속영업자가 풍속영업소에서 도박을 하게 한 때에는 그것이 일시 오락 정도에 불과하여 형법상 도박죄로 처벌할 수 없는 경우에도 풍속영업자의 준수사항 위반을 처벌하는 풍속영업의 규제에 관한 법률 제10조 제1항, 제3조 제3호의 구성요건 해당성이 있다고 할 것이나, 어떤 행위가 법규정의 문언상 일단 범죄 구성요건에 해당된다고 보이는 경우에도, 그것이 정상적인

생활형태의 하나로서 역사적으로 생성된 사회생활 질서의 범위 안에 있는 것이라고 생각되는 경우에는 사회상규에 위배되지 아니하는 행위로서 그 위법성이 조각되어 처벌할 수 없다. 일시 오락 정도에 불과한 도박행위의 동기나 목적, 그 수단이나 방법, 보호법익과 침해법익과의 균형성 그리고 일시 오락 정도에 불과한 도박은 그 재물의 경제적 가치가 근소하여 건전한 근로의식을 침해하지 않을 정도이므로 건전한 풍속을 해할 염려가 없는 정도의 단순한 오락에 그치는 경미한 행위에 불과하고, 일반 서민대중이 여가를 이용하여 평소의 심신의 긴장을 해소하는 오락은 이를 인정함이 국가정책적 입장에서 보더라도 허용된다. 풍속영업자가 자신이 운영하는 여관에서 친구들과 일시 오락 정도에 불과한 도박을 한 경우, 형법상 도박죄는 성립하지 아니하고 풍속영업의 규제에 관한 법률 위반죄의 구성요건에는 해당하나 사회상규에 위배되지 않는 행위로서 위법성이 조각된다고 한 사례(대판 2004.4.9, 2003도6351)

4. 유흥주점 여종업원들이 웃옷을 벗고 브래지어만 착용하거나 치마를 허벅지가 다 드러나도록 걷어 올리고 가슴이 보일 정도로 어깨끈을 밑으로 내린 채 손님을 접대한 사안에서, 위 종업원들의 행위와 노출 정도가 형사법상 규제의 대상으로 삼을 만큼 사회적으로 유해한 영향을 끼칠 위험성이 있다고 평가할 수 있을 정도로 노골적인 방법에 의하여 성적 부위를 노출하거나 성적 행위를 표현한 것이라고 단정하기에 부족하다는 이유로, 구 풍속영업의 규제에 관한 법률 제3조 제1호에 정한 '음란행위'에 해당한다고 판단한 원심판결을 파기한 사례(대판 2009.2.26, 2006도3119)

3. 풍속영업의 통보

(1) 허가관청의 통보(제4조)

① 다른 법률에 따라 풍속영업의 허가를 한 자(인가를 하거나 등록・신고를 접수한 자를 포함한다. 이하 '허가관청'이라 한다)는 풍속영업소의 소재지를 관할하는 경찰서장(이하 '경찰서장'이라 한다)에게 다음의 사항을 알려야 한다.

㉠ 풍속영업자의 성명 및 주소(법인인 경우에는 대표자의 성명과 주소를 포함한다)

㉡ 풍속영업소의 명칭 및 주소

㉢ 풍속영업의 종류

② 허가관청은 풍속영업자가 휴업・폐업하거나 그 영업내용이 변경된 경우와 그 밖에 대통령령으로 정하는 사유가 발생한 경우에는 경찰서장에게 그 사실을 알려야 한다.

(2) 위반사항의 통보 등(제6조)

① 경찰서장은 풍속영업자나 대통령령으로 정하는 종사자가 준수사항을 위반하면 그 사실을 허가관청에 허가관청에 알리고 과세에 필요한 자료를 국세청장에게 통보하여야 한다.

② 경찰서장의 통보를 받은 허가관청은 그 내용에 따라 허가취소・영업정지・시설개수명령 등 필요한 행정처분을 한 후 그 결과를 경찰서장에게 알려야 한다.

③ 경찰청장 및 지방자치단체의 장은 행정처분을 받은 풍속영업소에 관한 정보를 공유하기 위하여 정보공유시스템을 구축・운영하여야 한다.

4. 출입(제9조)

경찰서장은 특별히 필요한 경우 경찰공무원에게 풍속영업소에 출입하여 풍속영업자와 대통령령으로 정하는 종사자가 제3조의 준수사항을 지키고 있는지를 검사하게 할 수 있다. 이 때 풍속영업소에 출입하여 검사하는 경찰공무원은 그 권한을 표시하는 증표를 지니고 이를 관계인에게 내보여야 한다.

5. 양벌규정(제12조)

법인의 대표자나 법인 또는 개인의 대리인, 사용인, 그 밖의 종업원이 그 법인 또는 개인의 업무에 관하여 제10조의 위반행위를 하면 그 행위자를 벌하는 외에 그 법인 또는 개인에게도 해당 조문의 벌금형을 과(科)한다. 다만, 법인 또는 개인이 그 위반행위를 방지하기 위하여 해당 업무에 관하여 상당한 주의와 감독을 게을리하지 아니한 경우에는 그러하지 아니하다.

06 성매매알선 등 행위의 처벌에 관한 법률

성매매알선 등 행위의 처벌에 관한 법률(이하 '법'이라 한다)은 성매매, 성매매알선 등 행위 및 성매매 목적의 인신매매를 근절하고, 성매매피해자의 인권을 보호함을 목적으로 한다(제1조).

1. 용어의 정의(제2조)

성매매	불특정인을 상대로 금품이나 그 밖의 재산상의 이익을 수수(收受)하거나 수수하기로 약속하고 다음의 어느 하나에 해당하는 행위를 하거나 그 상대방이 되는 것을 말한다. ① 성교행위 ② 구강, 항문 등 신체의 일부 또는 도구를 이용한 유사 성교행위
성매매알선 등 행위	다음의 어느 하나에 해당하는 행위를 하는 것을 말한다. ① 성매매를 알선, 권유, 유인 또는 강요하는 행위 ② 성매매의 장소를 제공하는 행위 ③ 성매매에 제공되는 사실을 알면서 자금, 토지 또는 건물을 제공하는 행위
성매매 목적의 인신매매	다음의 어느 하나에 해당하는 행위를 하는 것을 말한다. ① 성을 파는 행위 또는 형법 제245조에 따른 음란행위를 하게 하거나, 성교행위 등 음란한 내용을 표현하는 사진·영상물 등의 촬영 대상으로 삼을 목적으로 위계(僞計), 위력(威力), 그 밖에 이에 준하는 방법으로 대상자를 지배·관리하면서 제3자에게 인계하는 행위 다음의 어느 하나에 해당하는 경우에는 대상자를 제1항 제3호 가목에 따른 지배·관리하에 둔 것으로 본다. ㉠ 선불금 제공 등의 방법으로 대상자의 동의를 받은 경우라도 그 의사에 반하여 이탈을 제지한 경우 ㉡ 다른 사람을 고용·감독하는 사람, 출입국·직업을 알선하는 사람 또는 그를 보조하는 사람이 성을 파는 행위를 하게 할 목적으로 여권이나 여권을 갈음하는 증명서를 채무이행 확보 등의 명목으로 받은 경우 ② ①과 같은 목적으로 미성년자, 사물을 변별하거나 의사를 결정할 능력이 없거나 미약한 사람 또는 대통령령으로 정하는 중대한 장애가 있는 사람이나 그를 보호·감독하는 사람에게 선불금 등 금품이나 그 밖의 재산상의 이익을 제공하거나 제공하기로 약속하고 대상자를 지배·관리하면서 제3자에게 인계하는 행위 ③ ① 및 ②의 행위가 행하여지는 것을 알면서 ①과 같은 목적이나 전매를 위하여 대상자를 인계받는 행위 ④ ①부터 ③까지의 행위를 위하여 대상자를 모집·이동·은닉하는 행위

성매매 피해자	다음의 어느 하나에 해당하는 사람을 말한다. ① 위계, 위력, 그 밖에 이에 준하는 방법으로 성매매를 강요당한 사람 ② 업무 관계, 고용 관계, 그 밖의 관계로 인하여 보호 또는 감독하는 사람에 의하여 마약류관리에 관한 법률 제2조에 따른 마약・향정신성의약품 또는 대마(이하 '마약 등'이라 한다)에 중독되어 성매매를 한 사람 ③ 미성년자, 사물을 변별하거나 의사를 결정할 능력이 없거나 미약한 사람 또는 대통령령으로 정하는 중대한 장애가 있는 사람으로서 성매매를 하도록 알선・유인된 사람 ④ 성매매 목적의 인신매매를 당한 사람

2. 국가 등의 책무(제3조)

(1) 국가 및 지방자치단체는 성매매, 성매매알선 등 행위 및 성매매 목적의 인신매매를 예방하고 근절하기 위한 교육 및 홍보 등에 관하여 법적・제도적 대책을 마련하고, 필요한 재원(財源)을 조달하여야 한다.

(2) 국가는 성매매 목적의 인신매매를 방지하기 위하여 국제협력의 증진과 형사사법의 공조(共助) 강화에 노력하여야 한다.

Tip 윤락행위에 대한 국가별 입법형태

1. 금지주의
윤락행위를 범죄로 간주하는 입법태도(한국, 필리핀, 태국, 대만, 뉴욕주 등)

2. 규제주의
경찰・행정당국의 허가를 받고 등록대장, 의료감시 등 통제수단을 활용하는 입법태도(독일, 네덜란드, 호주 등)

3. 폐지주의
윤락행위는 자유활동으로 성매매 자체를 처벌하는 규정을 두지 않는 입법형태(영국, 프랑스, 일본, 스위스, 오스트리아 등)

3. 금지행위(제4조)

누구든지 다음의 어느 하나에 해당하는 행위를 하여서는 아니 된다.

(1) 성매매

(2) 성매매알선 등 행위

(3) 성매매 목적의 인신매매

(4) 성을 파는 행위를 하게 할 목적으로 다른 사람을 고용・모집하거나 성매매가 행하여진다는 사실을 알고 직업을 소개・알선하는 행위

(5) (1), (2) 및 (4)의 행위 및 그 행위가 행하여지는 업소에 대한 광고행위

4. 다른 법률과의 관계(제5조)

이 법에서 규정한 사항에 관하여 아동・청소년의 성보호에 관한 법률 및 대중문화예술산업발전법에 특별한 규정이 있는 경우에는 그 법에서 정하는 바에 따른다.

5. 성매매피해자 등의 보호

(1) 성매매피해자에 대한 처벌특례와 보호(제6조)

① 처벌의 특례: 성매매피해자의 성매매는 처벌하지 아니한다.

② 수사과정에서의 통지: 검사 또는 사법경찰관은 수사과정에서 피의자 또는 참고인이 성매매피해자에 해당한다고 볼 만한 상당한 이유가 있을 때에는 지체 없이 법정대리인, 친족 또는 변호인에게 통지하고, 신변보호, 수사의 비공개, 친족 또는 지원시설 · 성매매피해상담소에의 인계 등 그 보호에 필요한 조치를 하여야 한다. 다만, 피의자 또는 참고인의 사생활 보호 등 부득이한 사유가 있는 경우에는 통지하지 아니할 수 있다.

Add

> 법원 또는 수사기관이 이 법에 규정된 범죄를 신고(고소 · 고발을 포함한다)한 사람 또는 성매매피해자(이하 '신고자 등'이라 한다)를 조사하거나 증인으로 신문(訊問)하는 경우에는 특정범죄 신고자 등 보호법 제7조부터 제13조까지의 규정을 준용한다. 이 경우 특정범죄 신고자 등 보호법 제9조와 제13조를 제외하고는 보복을 당할 우려가 있어야 한다는 요건이 필요하지 아니하다.

(2) 신고의무 등(제7조)

① 신고의무자: 성매매방지 및 피해자보호 등에 관한 법률 제5조 제1항에 따른 지원시설 및 같은 법 제10조에 따른 성매매피해상담소의 장이나 종사자가 업무와 관련하여 성매매 피해사실을 알게 되었을 때에는 지체 없이 수사기관에 신고하여야 한다.

② 신고자의 보호

㉠ 누구든지 이 법에 규정된 범죄를 신고한 사람에게 그 신고를 이유로 불이익을 주어서는 아니 된다.

㉡ 다른 법률에 규정이 있는 경우를 제외하고는 신고자 등의 인적사항이나 사진 등 그 신원을 알 수 있는 정보나 자료를 인터넷 또는 출판물에 게재하거나 방송매체를 통하여 방송하여서는 아니 된다. 이를 위반한 사람은 500만원 이하의 벌금에 처한다.

(3) 신뢰관계에 있는 사람의 동석(제8조)

① 법원은 신고자 등을 증인으로 신문할 때에는 직권으로 또는 본인 · 법정대리인이나 검사의 신청에 의하여 신뢰관계에 있는 사람을 동석하게 할 수 있다. 수사기관은 신고자 등을 조사할 때에는 직권으로 또는 본인 · 법정대리인의 신청에 의하여 신뢰관계에 있는 사람을 동석하게 할 수 있다.

② 법원 또는 수사기관은 미성년자, 사물을 변별하거나 의사를 결정할 능력이 없거나 미약한 사람 또는 대통령령으로 정하는 중대한 장애가 있는 사람에 대하여 위 ①에 따른 신청을 받은 경우에는 재판이나 수사에 지장을 줄 우려가 있는 등 특별한 사유가 없으면 신뢰관계에 있는 사람을 동석하게 하여야 한다.

✍ 위 규정에 따라 신문이나 조사에 동석하는 사람은 진술을 대리하거나 유도하는 등의 행위로 수사나 재판에 부당한 영향을 끼쳐서는 아니 된다.

(4) 심리의 비공개(제9조)

① 법원은 신고자 등의 사생활이나 신변을 보호하기 위하여 필요하면 결정으로 심리를 공개하지 아니할 수 있다.

② 증인으로 소환받은 신고자 등과 그 가족은 사생활이나 신변을 보호하기 위하여 증인신문의 비공개를 신청할 수 있다. 재판장은 증인신문의 비공개 신청을 받으면 그 허가 여부, 법정 외의 장소에서의 신문 등 신문의 방식 및 장소에 관하여 결정할 수 있다.

⑸ 불법원인으로 인한 채권무효(제10조)

① 다음의 어느 하나에 해당하는 사람이 그 행위와 관련하여 성을 파는 행위를 하였거나 할 사람에게 가지는 채권은 그 계약의 형식이나 명목에 관계없이 무효로 한다. 그 채권을 양도하거나 그 채무를 인수한 경우에도 또한 같다.

㉠ 성매매알선 등 행위를 한 사람

㉡ 성을 파는 행위를 할 사람을 고용·모집하거나 그 직업을 소개·알선한 사람

㉢ 성매매 목적의 인신매매를 한 사람

② 검사 또는 사법경찰관은 불법원인과 관련된 것으로 의심되는 채무의 불이행을 이유로 고소·고발된 사건을 수사할 때에는 금품이나 그 밖의 재산상의 이익 제공이 성매매의 유인·강요 수단이나 성매매 업소로부터의 이탈방지 수단으로 이용되었는지를 확인하여 수사에 참작하여야 한다.

③ 검사 또는 사법경찰관은 성을 파는 행위를 한 사람이나 성매매피해자를 조사할 때에는 채권이 무효라는 사실과 지원시설 등을 이용할 수 있음을 본인 또는 법정대리인 등에게 고지하여야 한다.

⑹ 외국인여성에 대한 특례(제11조)

① 외국인여성이 이 법에 규정된 범죄를 신고한 경우나 외국인여성을 성매매피해자로 수사하는 경우에는 해당 사건을 불기소처분하거나 공소를 제기할 때까지 출입국관리법 제46조에 따른 강제퇴거명령 또는 같은 법 제51조에 따른 보호의 집행을 하여서는 아니 된다. 이 경우 수사기관은 지방출입국·외국인관서에 해당 외국인여성의 인적사항과 주거를 통보하는 등 출입국 관리에 필요한 조치를 하여야 한다.

② 검사는 외국인여성 사건에 대하여 공소를 제기한 후에는 성매매피해 실태, 증언 또는 배상의 필요성, 그 밖의 정황을 고려하여 지방출입국·외국인관서의 장 등 관계 기관의 장에게 일정한 기간을 정하여 강제퇴거명령의 집행을 유예하거나 보호를 일시 해제할 것을 요청할 수 있다.

③ 외국인여성에 대하여 강제퇴거명령의 집행을 유예하거나 보호의 일시해제를 하는 기간에는 해당 외국인여성에게 지원시설 등을 이용하게 할 수 있다.

④ 수사기관은 외국인여성을 성매매피해자로 조사할 때에는 소송촉진 등에 관한 특례법에 따른 배상신청을 할 수 있음을 고지하여야 한다.

6. 보호사건

⑴ 보호사건의 처리(제12조)

① **검사의 송치**: 검사는 성매매를 한 사람에 대하여 사건의 성격·동기, 행위자의 성행(性行) 등을 고려하여 이 법에 따른 보호처분을 하는 것이 적절하다고 인정할 때에는 특별한 사정이 없으면 보호사건으로 관할 법원에 송치하여야 한다.

② **법원의 송치**: 법원은 성매매 사건의 심리 결과 이 법에 따른 보호처분을 하는 것이 적절하다고 인정할 때에는 결정으로 사건을 보호사건의 관할 법원에 송치할 수 있다.

⑵ 보호사건의 관할(제13조)

보호사건(이하 '보호사건'이라 한다)의 관할은 성매매를 한 장소나 성매매를 한 사람의 거주지 또는 현재지를 관할하는 가정법원으로 한다. 다만, 가정법원이 설치되어 있지 아니한 지역의 경우에는 해당 지역의 지방법원(지원을 포함한다)으로 한다. 보호사건의 심리와 결정은 단독판사가 한다.

⑶ 보호처분의 결정 등(제14조)

① 보호처분의 종류

㉠ 판사는 심리 결과 보호처분이 필요하다고 인정할 때에는 결정으로 다음의 어느 하나에 해당하는 처분을 할 수 있다.

ⓐ 성매매가 이루어질 우려가 있다고 인정되는 장소나 지역에의 출입금지

ⓑ 보호관찰 등에 관한 법률에 따른 보호관찰

ⓒ 보호관찰 등에 관한 법률에 따른 사회봉사・수강명령

ⓓ 성매매방지 및 피해자보호 등에 관한 법률 제10조에 따른 성매매피해상담소에의 상담위탁

ⓔ 성폭력방지 및 피해자보호 등에 관한 법률 제27조 제1항에 따른 전담의료기관에의 치료위탁

㉡ 각 처분은 병과(倂科)할 수 있다.

㉢ 법원은 보호처분의 결정을 한 경우에는 지체 없이 검사, 보호처분을 받은 사람, 보호관찰관 또는 보호처분을 위탁받아 행하는 지원시설・성매매피해상담소 또는 의료기관(이하 '수탁기관'이라 한다)의 장에게 통지하여야 한다. 다만, 국가가 운영하지 아니하는 수탁기관에 보호처분을 위탁할 때에는 그 기관의 장으로부터 수탁에 대한 동의를 받아야 한다.

㉣ 법원은 위 ㉠의 ⓑ부터 ⓔ까지의 처분을 한 경우에는 교육, 상담, 치료 또는 보호관찰에 필요한 자료를 보호관찰관 또는 수탁기관의 장에게 송부하여야 한다.

㉤ 보호관찰, 사회봉사・수강명령에 관하여 이 법에서 정한 사항 외의 사항에 관하여는 보호관찰 등에 관한 법률을 준용한다.

② 보호처분의 기간(제15조) : 보호처분기간은 6개월을, 사회봉사・수강명령은 100시간을 각각 초과할 수 없다.

③ 보호처분의 변경(제16조) : 법원은 검사, 보호관찰관 또는 수탁기관의 장이 청구하면 결정으로 한 번만 보호처분의 종류와 기간을 변경할 수 있다. 보호처분의 종류와 기간을 변경할 때에는 종전의 처분기간을 합산하여 보호처분기간은 1년을, 사회봉사・수강명령은 200시간을 각각 초과할 수 없다.

7. 형의 감면(제26조)

이 법에 규정된 죄를 범한 사람이 수사기관에 신고하거나 자수한 경우에는 형을 감경하거나 면제할 수 있다.

8. 양벌규정(제27조)

법인의 대표자나 법인 또는 개인의 대리인, 사용인, 그 밖의 종업원이 그 법인 또는 개인의 업무에 관하여 법 제18조부터 제23조까지의 어느 하나에 해당하는 위반행위를 하면 그 행위자를 벌하는 외에 그 법인 또는 개인에게도 해당 조문의 벌금형을 과(科)하고, 벌금형이 규정되어 있지 아니한 경우에는 1억원 이하의 벌금에 처한다. 다만, 법인 또는 개인이 그 위반행위를 방지하기 위하여 해당 업무에 관하여 상당한 주의와 감독을 게을리하지 아니한 경우에는 그러하지 아니하다.

9. 보상금(제28조)

제18조 제2항 제3호, 같은 조 제3항 제3호・제4호, 같은 조 제4항 및 제22조의 범죄 및 성매매 목적의 인신매매의 범죄를 수사기관에 신고한 사람에게는 보상금을 지급할 수 있다. 보상금의 지급기준 및 범위에 관하여 필요한 사항은 대통령령으로 정한다.

07 사행행위 등 규제 및 처벌 특례법

1. 서설

(1) 목적(제1조)

사행행위 등 규제 및 처벌 특례법(이하 '법'이라 한다)은 건전한 국민생활을 해치는 지나친 사행심(射倖心)의 유발을 방지하고 선량한 풍속을 유지하기 위하여 사행행위 관련 영업에 대한 지도와 규제에 관한 사항, 사행행위 관련 영업 외에 투전기(投錢機)나 사행성(射倖性) 유기기구(遊技機具)로 사행행위를 하는 자 등에 대한 처벌의 특례에 관한 사항을 규정함을 목적으로 한다.

(2) 정의(제2조)

이 법에서 사용하는 용어의 뜻은 다음과 같다.

<table>
<tr><td>사행행위</td><td colspan="3">여러 사람으로부터 재물이나 재산상의 이익(이하 '재물 등'이라 한다)을 모아 우연적(偶然的) 방법으로 득실(得失)을 결정하여 재산상의 이익이나 손실을 주는 행위를 말한다.</td></tr>
<tr><td rowspan="6">사행행위 영업</td><td>복권발행업</td><td colspan="2">특정한 표찰(컴퓨터프로그램 등 정보처리능력을 가진 장치에 의한 전자적 형태를 포함한다)을 이용하여 여러 사람으로부터 재물 등을 모아 추첨 등의 방법으로 당첨자에게 재산상의 이익을 주고 다른 참가자에게 손실을 주는 행위를 하는 영업</td></tr>
<tr><td>현상업</td><td colspan="2">특정한 설문 또는 예측에 대하여 그 답을 제시하거나 예측이 적중하면 이익을 준다는 조건으로 응모자로부터 재물 등을 모아 그 정답자나 적중자의 전부 또는 일부에게 재산상의 이익을 주고 다른 참가자에게 손실을 주는 행위를 하는 영업</td></tr>
<tr><td rowspan="4">그 밖의 사행행위업 (대통령령)</td><td colspan="2">영리를 목적으로 회전판돌리기, 추첨, 경품(景品) 등 사행심을 유발할 우려가 있는 기구 또는 방법 등을 이용하는 영업으로서 대통령령으로 정하는 영업</td></tr>
<tr><td>회전판 돌리기업</td><td>참가자에게 금품을 걸게한 후 그림이나 숫자 등의 기호가 표시된 회전판이 돌고 있는 상태에서 화살 등을 쏘거나 던지게 하여 회전판이 정지되었을 때 그 화살 등이 명중시킨 기호에 따라 당첨금을 교부하는 행위를 하는 영업</td></tr>
<tr><td>추첨업</td><td>참가자에게 번호를 기입한 증표를 제공하고 지정일시에 추첨 등으로 당첨자를 선정하여 일정한 지급기준에 따라 당첨금을 교부하는 행위를 하는 영업</td></tr>
<tr><td>경품업</td><td>참가자에게 등수를 기입한 증표를 제공하여 당해 증표에 표시된 등수 및 당첨금의 지급기준에 따라 당첨금을 교부하는 행위를 하는 영업</td></tr>
<tr><td>사행기구 제조업</td><td colspan="3">사행행위영업에 이용되는 기계, 기판(機板), 용구(用具) 또는 컴퓨터프로그램(이하 '사행기구'라 한다)을 제작·개조하거나 수리하는 영업을 말한다.</td></tr>
<tr><td>사행기구 판매업</td><td colspan="3">사행기구를 판매하거나 수입(輸入)하는 영업을 말한다.</td></tr>
<tr><td>투전기</td><td colspan="3">동전·지폐 또는 그 대용품(代用品)을 넣으면 우연의 결과에 따라 재물 등이 배출되어 이용자에게 재산상 이익이나 손실을 주는 기기를 말한다.</td></tr>
<tr><td>사행성 유기기구</td><td colspan="3">투전기 외에 기계식 구슬치기 기구와 사행성 전자식 유기기구 등 사행심을 유발할 우려가 있는 기계·기구 등을 말한다.</td></tr>
</table>

2. 사행행위영업

(1) 영업의 시설 및 허가 등

① 시설기준(제3조): 사행행위영업을 하는 자는 영업의 종류별로 행정안전부령으로 정하는 시설 및 사행기구를 갖추고 유지·관리하여야 한다.

② 허가 등(제4조)

㉠ 사행행위영업을 하려는 자는 제3조에 따른 시설 등을 갖추어 행정안전부령으로 정하는 바에 따라 시·도경찰청장의 허가를 받아야 한다. 다만, 그 영업의 대상 범위가 둘 이상의 특별시·광역시·도 또는 특별자치도에 걸치는 경우에는 경찰청장의 허가를 받아야 한다.

㉡ 위의 허가를 받은 자가 대통령령으로 정하는 중요 사항을 변경하려면 행정안전부령으로 정하는 바에 따라 경찰청장이나 시·도경찰청장의 허가를 받아야 한다.

㉢ 국가기관이나 지방자치단체가 사행행위영업을 하려면 경찰청장의 승인을 받아야 한다.

③ 허가의 요건(제5조): 경찰청장이나 시·도경찰청장은 사행행위영업의 허가신청을 받으면 다음의 어느 하나에 해당하는 경우에만 그 영업을 허가할 수 있다.

㉠ 공공복리의 증진을 위하여 특별히 필요하다고 인정되는 경우

㉡ 상품을 판매·선전하기 위하여 특별히 필요하다고 인정되는 경우

㉢ 관광 진흥과 관광객 유치를 위하여 특별히 필요하다고 인정되는 경우

✍ 각 사항의 '특별히 필요하다고 인정되는 경우'에 관하여는 대통령령으로 정한다.

사행행위 등 규제 및 처벌 특례법 시행령

제3조 【허가요건】 법 제5조 제2항의 규정에 의한 법 제5조 제1항 각 호의 허가요건 중 '특히 필요하다고 인정되는 경우'라 함은 공공의 안녕질서 및 선량한 풍속의 유지에 지장이 없다고 인정되는 경우로서 다음의 경우를 말한다.

1. 공공복리의 증진을 위하여 특히 필요하다고 인정되는 경우(법 제5조 제1항 제1호 관련)
   가. 천재·지변 기타 이에 준하는 재해구제를 위하여 관계 중앙행정기관의 장이 필요하다고 인정하는 경우
   나. 국가 또는 지방자치단체의 보조 또는 후원을 받는 사회복지사업을 추진하고자 하는 경우
   다. 공공기관에서 공익사업을 위한 재원을 마련하고자 하는 경우
2. 상품의 판매선전을 위하여 특히 필요하다고 인정되는 경우(법 제5조 제1항 제2호 관련)
   자기회사에서 생산하는 상품 또는 자가점포에서 판매하는 상품의 국내외 판매촉진을 위하여 관계 중앙행정기관의 장, 특별시장·광역시장 또는 도지사가 필요하다고 인정하는 경우
3. 삭제 〈1995.3.6.〉
4. 관광진흥과 관광객의 유치촉진을 위하여 특히 필요하다고 인정되는 경우(법 제5조 제1항 제4호 관련)
   가. 관광진흥법 제4조 제1항의 규정에 의하여 문화체육관광부장관에게 등록한 관광숙박업 중 1등급 이상의 관광호텔 및 관광객이용시설업 중 종합휴양업소의 동일구 내에서 사행행위영업을 하고자 하는 경우로서 관광진흥과 관광객의 유치촉진을 위하여 필요하다고 인정되는 경우
   나. 외국간을 왕래하는 5,000t급 이상의 여객선 안에서 사행행위영업을 하고자 하는 경우

④ 허가의 제한(제6조): 경찰청장이나 시·도경찰청장은 다음의 어느 하나에 해당하는 경우에는 사행행위영업의 허가(이하 '영업허가'라 한다)를 할 수 없다.

㉠ 영업허가가 취소되거나 영업소가 폐쇄된 후 2년이 지나지 아니한 장소에서 그 영업과 같은 종류의 영업을 하려는 경우

㉡ 사행행위영업을 하려는 자가 다음의 어느 하나에 해당하는 경우

ⓐ 미성년자, 피성년후견인 또는 피한정후견인

ⓑ 파산선고를 받고 복권(復權)되지 아니한 사람

ⓒ 정신건강증진 및 정신질환자 복지서비스 지원에 관한 법률 제3조 제1호에 따른 정신질환자. 다만, 정신과 전문의가 영업을 하기에 적합하다고 인정하는 사람은 그러하지 아니하다.
ⓓ 폭력행위 등 처벌에 관한 법률 제4조에 따른 단체 또는 집단을 구성하거나 그 단체 또는 집단에 자금을 제공하는 사람
ⓔ 금고 이상의 형을 선고받고 그 집행이 끝나거나 집행을 받지 아니하기로 확정된 날부터 2년이 지나지 아니한 사람
ⓕ 금고 이상의 형의 집행유예를 선고받고 그 유예기간 중에 있는 사람
ⓖ 금고 이상의 형의 선고유예를 받고 그 유예기간 중에 있는 사람
ⓗ 임원 중에 ⓐ부터 ⓖ까지의 어느 하나에 해당하는 사람이 있는 법인

㉢ 그 밖에 다른 법령에서 사행행위영업을 할 수 없도록 규정하고 있는 경우

⑤ 영업허가의 유효기간(제7조): 영업허가의 유효기간은 사행행위영업의 종류별로 대통령령으로 정하되, 3년을 초과할 수 없다. 영업허가의 유효기간이 지난 후 계속하여 영업을 하려는 자는 행정안전부령으로 정하는 바에 따라 다시 허가를 받아야 한다.

> **사행행위 등 규제 및 처벌 특례법 시행령**
> **제4조【허가의 유효기간】** 법 제7조 제1항에 따른 복권발행업, 현상업 및 그 밖의 사행행위업 허가의 유효기간은 90일로 한다.

⑥ 조건부 영업허가(제8조): 경찰청장이나 시·도경찰청장은 영업허가를 할 때 대통령령으로 정하는 기간에 시설 및 사행기구를 갖출 것을 조건으로 허가할 수 있다. 이때 경찰청장이나 시·도경찰청장은 허가를 받은 자가 정당한 사유 없이 정하여진 기간에 시설 및 사행기구를 갖추지 아니하면 그 허가를 취소하여야 한다.

> **사행행위 등 규제 및 처벌 특례법 시행령**
> **제5조【조건부 영업허가기간 등】** ① 법 제8조 제1항의 규정에 의한 조건부 영업허가의 기간은 그 허가를 받은 날부터 2월 이내로 한다. 다만, 부득이한 사정이 있다고 인정되는 경우에는 1회에 한하여 2월을 넘지 아니하는 범위 내에서 그 기간을 연장할 수 있다.

⑦ 영업의 승계 등(제9조): 다음 어느 하나에 해당하는 자는 영업허가를 받은 자(이하 '영업자'라 한다)의 지위를 승계한다. 영업자의 지위를 승계한 자는 행정안전부령으로 정하는 바에 따라 승계한 날부터 1개월 이내에 경찰청장이나 시·도경찰청장에게 신고하여야 한다.
㉠ 영업자가 사망한 경우 그 상속인
㉡ 영업자가 그 영업을 양도한 경우 그 양수인
㉢ 합병의 경우 합병 후 존속하는 법인이나 합병으로 설립되는 법인

(2) 영업의 운영

① 영업의 방법 및 제한(제11조): 영업의 방법과 당첨금에 필요한 사항은 대통령령으로 정한다. 경찰청장은 공익을 위하여 필요하거나 지나친 사행심 유발의 방지 등 선량한 풍속을 유지하기 위하여 필요하다고 인정하면 대통령령으로 정하는 바에 따라 사행행위영업의 영업시간, 영업소의 관리·운영 또는 그 밖에 영업에 관하여 필요한 제한을 할 수 있다.

② 영업자의 준수사항(제12조) : 영업자(대통령령으로 정하는 종사자를 포함한다)는 다음의 사항을 지켜야 한다.

㉠ 영업명의(營業名義)를 다른 사람에게 빌려주지 말 것

㉡ 법령을 위반하는 사행기구를 설치하거나 사용하지 아니할 것

㉢ 법령을 위반하여 사행기구를 변조하지 아니할 것

㉣ 행정안전부령으로 정하는 사행행위영업의 영업소에 청소년(청소년 보호법 제2조 제1호에 따른 청소년을 말한다)을 입장시키거나 인터넷 등 정보통신망을 이용하는 사행행위영업에 청소년이 참가하는 것을 허용하지 아니할 것

㉤ 지나친 사행심을 유발하는 등 선량한 풍속을 해칠 우려가 있는 광고 또는 선전을 하지 아니할 것

3. 사행기구의 제조 · 판매 등

(1) 사행기구 제조업의 허가 등(제13조)

① 사행기구 제조업을 하려는 자는 행정안전부령으로 정하는 시설 · 설비 및 인력 등을 갖추어 행정안전부령으로 정하는 바에 따라 경찰청장의 허가를 받아야 한다. 사행기구 판매업을 하려는 자는 행정안전부령으로 정하는 바에 따라 경찰청장의 허가를 받아야 한다.

② 사행기구 제조업의 허가를 받은 자(이하 '사행기구 제조업자'라 한다)와 사행기구 판매업의 허가를 받은 자(이하 '사행기구 판매업자'라 한다)가 대통령령으로 정하는 중요 사항을 변경하려면 행정안전부령으로 정하는 바에 따라 경찰청장의 허가를 받아야 한다.

③ 사행기구 제조업자는 사행기구 판매업의 허가를 받은 것으로 본다.

(2) 사행기구제조 · 판매업자의 준수사항(제17조)

사행기구제조 · 판매업자는 영업에 관하여 대통령령으로 정하는 사항을 지켜야 한다.

4. 영업자에 대한 지도 · 감독 등

(1) 출입 · 검사(제18조)

① 경찰청장이나 시 · 도경찰청장은 특별히 필요한 경우 영업자 및 사행기구제조 · 판매업자(이하 '영업자 등'이라 한다)에 대하여 필요한 보고를 하게 하거나, 관계 공무원으로 하여금 영업소에 출입하여 영업자 등이 지켜야 할 사항의 준수 상태, 영업시설, 사행기구, 관계 서류나 장부 등을 검사하게 할 수 있다. 이 경우 인터넷 등 정보통신망을 이용한 사행행위영업에 관하여도 검사할 수 있다.

② 영업소에 출입하여 검사하는 관계 공무원은 그 권한을 표시하는 증표를 지니고 이를 관계인에게 내보여야 한다.

(2) 행정지도 및 시정명령 등(제19조)

경찰청장이나 시 · 도경찰청장은 공익을 위하여 필요하거나 지나친 사행심 유발의 방지 등 선량한 풍속을 유지하기 위하여 필요한 경우 영업자 등에게 필요한 지도와 명령을 할 수 있다.

5. 사행행위영업소 이용자의 준수사항(제25조)

(1) 사행행위영업소를 이용하는 사람은 그 영업자에게 행정안전부령으로 정하는 지나친 사행심을 유발하는 행위 또는 선량한 풍속을 해치는 행위를 요구하여서는 아니 된다.

(2) 사행행위영업소에 입장하는 사람은 영업자가 청소년인지를 확인하기 위하여 주민등록증 등의 제시를 요구하거나 신분 확인을 위한 사항을 물으면 이에 협조하여야 한다.

게임산업진흥에 관한 법률상의 사행성 게임물

게임산업진흥에 관한 법률

제2조 【정의】 이 법에서 사용하는 용어의 정의는 다음과 같다.

1의2. '사행성 게임물'이라 함은 다음 각 목에 해당하는 게임물로서, 그 결과에 따라 재산상 이익 또는 손실을 주는 것을 말한다.

가. 베팅이나 배당을 내용으로 하는 게임물

나. 우연적인 방법으로 결과가 결정되는 게임물

다. 한국마사회법에서 규율하는 경마와 이를 모사한 게임물

라. 경륜 · 경정법에서 규율하는 경륜 · 경정과 이를 모사한 게임물

마. 관광진흥법에서 규율하는 카지노와 이를 모사한 게임물

바. 그 밖에 대통령령으로 정하는 게임물

게임산업진흥에 관한 법률 시행령

제1조의2 【사행성게임물】 게임산업진흥에 관한 법률(이하 '법'이라 한다) 제2조 제1호의2 바목에서 '그 밖에 대통령령이 정하는 게임물'이란 다음 각 호의 어느 하나에 해당하는 게임물을 말한다.

1. 사행행위 등 규제 및 처벌 특례법 제2조 제2호에 따른 사행행위영업을 모사한 게임물
2. 복권 및 복권기금법 제2조 제1호에 따른 복권을 모사한 게임물
3. 전통소싸움경기에 관한 법률 제2조 제1호에 따른 소싸움을 모사한 게임물

Tip 카지노업

카지노업은 관광진흥법상 관광사업의 종류에 해당한다.

1. 의의

전용영업장을 갖추고 주사위 · 트럼프 · 슬롯머신 등 특정한 기구 등을 이용하여 우연의 결과에 따라 특정인에게 재산상의 이익을 주고 다른 참가자에게 손실을 주는 행위 등을 하는 영업이다.

2. 허가권자

카지노업을 경영하고자 하는 자는 전용영업장 등 문화체육관광부령이 정하는 시설과 기구를 갖추어 문화체육관광부장관의 허가를 받아야 한다(관광진흥법 제5조 참조).

3. 슬롯머신

슬롯머신은 관광진흥법상 카지노의 영업종류로 인정된다.

08 기초질서 위반사범의 단속

1. 서설

기초질서 위반사범이란 일상생활에서 흔히 범하게 되는 경미한 법익의 침해행위를 한 사람을 말한다. 현행법상 경범죄 처벌법과 도로교통법에 그 범칙금통고처분의 대상에 해당하는 기초질서 위반행위 유형들이 규정되어 있다.

2. 경범죄 처벌법

경범죄 처벌법(이하 '법'이라 한다)은 경범죄의 종류 및 처벌에 필요한 사항을 정함으로써 국민의 자유와 권리를 보호하고 사회공공의 질서유지에 이바지함을 목적으로 한다(제1조).

(1) 남용금지(제2조)

이 법을 적용할 때에는 국민의 권리를 부당하게 침해하지 아니하도록 세심한 주의를 기울여야 하며, 본래의 목적에서 벗어나 다른 목적을 위하여 이 법을 적용하여서는 아니 된다.

(2) 경범죄의 종류와 처벌(제3조)

10만원 이하의 벌금, 구류 또는 과료	① (빈집 등에의 침입) 다른 사람이 살지 아니하고 관리하지 아니하는 집 또는 그 울타리・건조물(建造物)・배・자동차 안에 정당한 이유 없이 들어간 사람 ② (흉기의 은닉휴대) 칼・쇠몽둥이・쇠톱 등 사람의 생명 또는 신체에 중대한 위해를 끼치거나 집이나 그 밖의 건조물에 침입하는 데에 사용될 수 있는 연장이나 기구를 정당한 이유 없이 숨겨서 지니고 다니는 사람 ③ (폭행 등 예비) 다른 사람의 신체에 위해를 끼칠 것을 공모(共謀)하여 예비행위를 한 사람이 있는 경우 그 공모를 한 사람 ④ 삭제 <2013.5.22.> ⑤ (시체 현장변경 등) 사산아(死産兒)를 감추거나 정당한 이유 없이 변사체 또는 사산아가 있는 현장을 바꾸어 놓은 사람 ⑥ (도움이 필요한 사람 등의 신고불이행) 자기가 관리하고 있는 곳에 도움을 받아야 할 노인, 어린이, 장애인, 다친 사람 또는 병든 사람이 있거나 시체 또는 사산아가 있는 것을 알면서 이를 관계 공무원에게 지체 없이 신고하지 아니한 사람 ⑦ (관명사칭 등) 국내외의 공직(公職), 계급, 훈장, 학위 또는 그 밖에 법령에 따라 정하여진 명칭이나 칭호 등을 거짓으로 꾸며 대거나 자격이 없으면서 법령에 따라 정하여진 제복, 훈장, 기장 또는 기념장(記念章), 그 밖의 표장(標章) 또는 이와 비슷한 것을 사용한 사람 ⑧ (물품강매・호객행위) 요청하지 아니한 물품을 억지로 사라고 한 사람, 요청하지 아니한 일을 해주거나 재주 등을 부리고 그 대가로 돈을 달라고 한 사람 또는 여러 사람이 모이거나 다니는 곳에서 영업을 목적으로 떠들썩하게 손님을 부른 사람 ⑨ (광고물 무단부착 등) 다른 사람 또는 단체의 집이나 그 밖의 인공구조물과 자동차 등에 함부로 광고물 등을 붙이거나 내걸거나 끼우거나 글씨 또는 그림을 쓰거나 그리거나 새기는 행위 등을 한 사람 또는 다른 사람이나 단체의 간판, 그 밖의 표시물 또는 인공구조물을 함부로 옮기거나 더럽히거나 훼손한 사람 또는 공공장소에서 광고물 등을 함부로 뿌린 사람 ⑩ (마시는 물 사용방해) 사람이 마시는 물을 더럽히거나 사용하는 것을 방해한 사람 ⑪ (쓰레기 등 투기) 담배꽁초, 껌, 휴지, 쓰레기, 죽은 짐승, 그 밖의 더러운 물건이나 못쓰게 된 물건을 함부로 아무 곳에나 버린 사람

10만원 이하의 벌금, 구류 또는 과료	⑫ (노상방뇨 등) 길, 공원, 그 밖에 여러 사람이 모이거나 다니는 곳에서 함부로 침을 뱉거나 대소변을 보거나 또는 그렇게 하도록 시키거나 개 등 짐승을 끌고 와서 대변을 보게 하고 이를 치우지 아니한 사람 ⑬ (의식방해) 공공기관이나 그 밖의 단체 또는 개인이 하는 행사나 의식을 못된 장난 등으로 방해하거나 행사나 의식을 하는 자 또는 그 밖에 관계 있는 사람이 말려도 듣지 아니하고 행사나 의식을 방해할 우려가 뚜렷한 물건을 가지고 행사장 등에 들어간 사람 ⑭ (단체가입 강요) 싫다고 하는데도 되풀이하여 단체가입을 억지로 강요한 사람 ⑮ (자연훼손) 공원 · 명승지 · 유원지나 그 밖의 녹지구역 등에서 풀 · 꽃 · 나무 · 돌 등을 함부로 꺾거나 캔 사람 또는 바위 · 나무 등에 글씨를 새기거나 하여 자연을 훼손한 사람 ⑯ (타인의 가축 · 기계 등 무단조작) 다른 사람 또는 단체의 소나 말, 그 밖의 짐승 또는 매어 놓은 배 · 뗏목 등을 함부로 풀어 놓거나 자동차 등의 기계를 조작한 사람 ⑰ (물길의 흐름 방해) 개천 · 도랑이나 그 밖의 물길의 흐름에 방해될 행위를 한 사람 ⑱ (구걸행위 등) 다른 사람에게 구걸하도록 시켜 올바르지 아니한 이익을 얻은 사람 또는 공공장소에서 구걸을 하여 다른 사람의 통행을 방해하거나 귀찮게 한 사람 ⑲ (불안감 조성) 정당한 이유 없이 길을 막거나 시비를 걸거나 주위에 모여들거나 뒤따르거나 몹시 거칠게 겁을 주는 말이나 행동으로 다른 사람을 불안하게 하거나 귀찮고 불쾌하게 한 사람 또는 여러 사람이 이용하거나 다니는 도로 · 공원 등 공공장소에서 고의로 험악한 문신(文身)을 드러내어 다른 사람에게 혐오감을 준 사람 ⑳ (음주소란 등) 공회당 · 극장 · 음식점 등 여러 사람이 모이거나 다니는 곳 또는 여러 사람이 타는 기차 · 자동차 · 배 등에서 몹시 거친 말이나 행동으로 주위를 시끄럽게 하거나 술에 취하여 이유 없이 다른 사람에게 주정한 사람 ㉑ (인근소란 등) 악기 · 라디오 · 텔레비전 · 전축 · 종 · 확성기 · 전동기(電動機) 등의 소리를 지나치게 크게 내거나 큰소리로 떠들거나 노래를 불러 이웃을 시끄럽게 한 사람 ㉒ (위험한 불씨 사용) 충분한 주의를 하지 아니하고 건조물, 수풀 그 밖에 불붙기 쉬운 물건 가까이에서 불을 피우거나 휘발유 또는 그 밖에 불이 옮아붙기 쉬운 물건 가까이에서 불씨를 사용한 사람 ㉓ (물건 던지기 등 위험행위) 다른 사람의 신체나 다른 사람 또는 단체의 물건에 해를 끼칠 우려가 있는 곳에 충분한 주의를 하지 아니하고 물건을 던지거나 붓거나 또는 쏜 사람 ㉔ (인공구조물 등의 관리 소홀) 무너지거나 넘어지거나 떨어질 우려가 있는 인공구조물이나 그 밖의 물건에 대하여 관계 공무원으로부터 고칠 것을 요구받고도 필요한 조치를 게을리하여 여러 사람을 위험에 빠트릴 우려가 있게 한 사람 ㉕ (위험한 동물의 관리 소홀) 사람이나 가축에 해를 끼치는 버릇이 있는 개나 그 밖의 동물을 함부로 풀어놓거나 제대로 살피지 아니하여 나다니게 한 사람 ㉖ (동물 등에 의한 행패 등) 소나 말을 놀라게 하여 달아나게 하거나 개나 그 밖의 동물을 시켜 사람이나 가축에게 달려들게 한 사람 ㉗ (무단소등) 여러 사람이 다니거나 모이는 곳에 켜 놓은 등불이나 다른 사람 또는 단체가 표시를 하기 위하여 켜 놓은 등불을 함부로 끈 사람 ㉘ (공중통로 안전관리 소홀) 여러 사람이 다니는 곳에서 위험한 사고가 발생하는 것을 막을 의무가 있으면서도 등불을 켜 놓지 아니하거나 그 밖의 예방조치를 게을리한 사람 ㉙ (공무원 원조불응) 눈 · 비 · 바람 · 해일 · 지진 등으로 인한 재해, 화재 · 교통사고 · 범죄 그 밖의 급작스러운 사고가 발생하였을 때에 현장에 있으면서도 정당한 이유 없이 관계 공무원 또는 이를 돕는 사람의 현장출입에 관한 지시에 따르지 아니하거나 공무원이 도움을 요청하여도 도움을 주지 아니한 사람

10만원 이하의 벌금, 구류 또는 과료	㉚ (거짓 인적사항 사용) 성명, 주민등록번호, 등록기준지, 주소, 직업 등을 거짓으로 꾸며대고 배나 비행기를 타거나 인적사항을 물을 권한이 있는 공무원이 적법한 절차를 거쳐 묻는 경우 정당한 이유 없이 다른 사람의 인적사항을 자기의 것으로 거짓으로 꾸며댄 사람 ㉛ (미신요법) 근거 없이 신기하고 용한 약방문인 것처럼 내세우거나 그 밖의 미신적인 방법으로 병을 진찰·치료·예방한다고 하여 사람들의 마음을 홀리게 한 사람 ㉜ (야간통행제한 위반) 전시·사변·천재지변 그 밖에 사회에 위험이 생길 우려가 있을 경우에 경찰청장이나 해양경찰청장이 정하는 야간통행제한을 위반한 사람 ㉝ (과다노출) 공개된 장소에서 공공연하게 성기·엉덩이 등 신체의 주요한 부위를 노출하여 다른 사람에게 부끄러운 느낌이나 불쾌감을 준 사람 ㉞ (지문채취불응) 범죄 피의자로 입건된 사람의 신원을 지문조사 외의 다른 방법으로는 확인할 수 없어 경찰공무원이나 검사가 지문을 채취하려고 할 때에 정당한 이유 없이 이를 거부한 사람 ㉟ (자릿세 징수 등) 여러 사람이 모이거나 쓸 수 있도록 개방된 시설 또는 장소에서 좌석이나 주차할 자리를 잡아 주기로 하거나 잡아주면서, 돈을 받거나 요구하거나 돈을 받으려고 다른 사람을 귀찮게 따라다니는 사람 ㊱ (행렬방해) 공공장소에서 승차·승선, 입장·매표 등을 위한 행렬에 끼어들거나 떠밀거나 하여 그 행렬의 질서를 어지럽힌 사람 ㊲ (무단출입) 출입이 금지된 구역이나 시설 또는 장소에 정당한 이유 없이 들어간 사람 ㊳ (총포 등 조작장난) 여러 사람이 모이거나 다니는 곳에서 충분한 주의를 하지 아니하고 총포, 화약류, 그 밖에 폭발의 우려가 있는 물건을 다루거나 이를 가지고 장난한 사람 ㊴ (무임승차 및 무전취식) 영업용 차 또는 배 등을 타거나 다른 사람이 파는 음식을 먹고 정당한 이유 없이 제 값을 치르지 아니한 사람 ㊵ (장난전화 등) 정당한 이유 없이 다른 사람에게 전화·문자메시지·편지·전자우편·전자문서 등을 여러 차례 되풀이하여 괴롭힌 사람 ㊶ (지속적 괴롭힘) 상대방의 명시적 의사에 반하여 지속적으로 접근을 시도하여 면회 또는 교제를 요구하거나 지켜보기, 따라다니기, 잠복하여 기다리기 등의 행위를 반복하여 하는 사람
20만원 이하의 벌금, 구류 또는 과료	① (출판물의 부당게재 등) 올바르지 아니한 이익을 얻을 목적으로 다른 사람 또는 단체의 사업이나 사사로운 일에 관하여 신문, 잡지 그 밖의 출판물에 어떤 사항을 싣거나 싣지 아니할 것을 약속하고 돈이나 물건을 받은 사람 ② (거짓광고) 여러 사람에게 물품을 팔거나 나누어 주거나 일을 해주면서 다른 사람을 속이거나 잘못 알게 할 만한 사실을 들어 광고한 사람 ③ (업무방해) 못된 장난 등으로 다른 사람, 단체 또는 공무수행 중인 자의 업무를 방해한 사람 ④ (암표매매) 흥행장, 경기장, 역, 나루터, 정류장 그 밖에 정하여진 요금을 받고 입장시키거나 승차 또는 승선시키는 곳에서 웃돈을 받고 입장권·승차권 또는 승선권을 다른 사람에게 되판 사람(인터넷 중고거래 사이트를 통해 비대면으로 웃돈을 받고 유명가수의 콘서트 티켓을 되판 사람은 이 법상 암표매매로 처벌된다×)
60만원 이하의 벌금, 구류 또는 과료	① (관공서에서의 주취소란) 술에 취한 채로 관공서에서 몹시 거친 말과 행동으로 주정하거나 시끄럽게 한 사람 ② (거짓신고) 있지 아니한 범죄나 재해 사실을 공무원에게 거짓으로 신고한 사람

(3) 교사 · 방조(제4조)

경범죄 처벌법상의 죄를 짓도록 시키거나 도와준 사람은 죄를 지은 사람에 준하여 벌한다.

(4) 형의 면제와 병과(제5조)

경범죄 처벌법을 위반한 자를 벌할 때에는 그 사정과 형편을 헤아려서 그 형을 면제하거나 구류와 과료를 함께 과(科)할 수 있다.

(5) 경범죄 처벌의 특례(제6조)

① **범칙행위**: 범칙행위란 제3조 제1항(10만원 이하의 벌금, 구류 및 과료에 처하는 행위) 각 호 및 제2항(20만원 이하의 벌금, 구류 및 과료에 처하는 행위) 각 호의 어느 하나에 해당하는 위반행위를 말하며, 그 구체적인 범위는 대통령령으로 정한다.

근거 법조문	범칙행위	범칙금액
법 제3조 제1항 제1호 (빈집 등에의 침입)	다른 사람이 살지 않고 관리하지 않는 집 또는 그 울타리 · 건조물(建造物) · 배 · 자동차 안에 정당한 이유 없이 들어간 경우	8만원
법 제3조 제1항 제2호 (흉기의 은닉휴대)	칼 · 쇠몽둥이 · 쇠톱 등 사람의 생명 또는 신체에 중대한 위해를 끼치거나 집이나 그 밖의 건조물에 침입하는 데에 사용될 수 있는 연장이나 기구를 정당한 이유 없이 숨겨서 지니고 다니는 경우	8만원
법 제3조 제1항 제3호 (폭행 등 예비)	다른 사람의 신체에 위해를 끼칠 것을 공모(共謀)하여 예비행위를 한 사람이 있는 경우 그 공모를 한 경우	8만원
법 제3조 제1항 제5호 (시체 현장변경 등)	사산아(死産兒)를 감추거나 정당한 이유 없이 변사체 또는 사산아가 있는 현장을 바꾸어 놓은 경우	8만원
법 제3조 제1항 제6호 (도움이 필요한 사람 등의 신고불이행)	자기가 관리하고 있는 곳에 도움을 받아야 할 노인, 어린이, 장애인, 다친 사람 또는 병든 사람이 있거나 시체 또는 사산아가 있는 것을 알면서 이를 관계 공무원에게 지체 없이 신고하지 않은 경우	8만원
법 제3조 제1항 제7호 (관명사칭 등)	국내외의 공직(公職), 계급, 훈장, 학위 또는 그 밖에 법령에 따라 정해진 명칭이나 칭호 등을 거짓으로 꾸며 대거나 자격이 없으면서 법령에 따라 정해진 제복, 훈장, 기장 또는 기념장(記念章), 그 밖의 표장(標章) 또는 이와 비슷한 것을 사용한 경우	8만원
법 제3조 제1항 제8호 (물품강매 · 호객행위)	요청하지 않은 물품을 억지로 사라고 한 사람, 요청하지 않은 일을 해주거나 재주 등을 부리고 그 대가로 돈을 달라고 한 경우	8만원
	여러 사람이 모이거나 다니는 곳에서 영업을 목적으로 떠들썩하게 손님을 부른 경우	5만원
법 제3조 제1항 제9호 (광고물 무단부착 등)	다른 사람 또는 단체의 집이나 그 밖의 인공구조물과 자동차 등에 함부로 광고물 등을 붙이거나 내걸거나 끼우거나 글씨 또는 그림을 쓰거나 그리거나 새기는 행위 등을 한 사람 또는 공공장소에서 광고물 등을 함부로 뿌린 경우	5만원
	다른 사람이나 단체의 간판 그 밖의 표시물 또는 인공구조물을 함부로 옮기거나 더럽히거나 훼손한 경우	8만원

법 제3조 제1항 제10호 (마시는 물 사용방해)	사람이 마시는 물을 더럽히거나 사용하는 것을 방해한 경우	8만원
법 제3조 제1항 제11호 (쓰레기 등 투기)	쓰레기, 죽은 짐승 그 밖의 더러운 물건(나목에 규정된 것은 제외한다)이나 못 쓰게 된 물건을 함부로 아무 곳에나 버린 경우	5만원
	담배꽁초, 껌, 휴지를 아무 곳에나 버린 경우	3만원
법 제3조 제1항 제12호 (노상방뇨 등)	길, 공원 그 밖에 여러 사람이 모이거나 다니는 곳에서 대소변을 보거나 또는 그렇게 하도록 시키거나 개 등 짐승을 끌고 와서 대변을 보게 하고 이를 치우지 않은 경우	5만원
	길, 공원, 그 밖에 여러 사람이 모이거나 다니는 곳에서 함부로 침을 뱉은 경우	3만원
법 제3조 제1항 제13호 (의식방해)	공공기관이나 그 밖의 단체 또는 개인이 하는 행사나 의식을 못된 장난 등으로 방해하거나 행사나 의식을 하는 경우 또는 그 밖에 관계있는 사람이 말려도 듣지 않고 행사나 의식을 방해할 우려가 뚜렷한 물건을 가지고 행사장 등에 들어간 경우	8만원
법 제3조 제1항 제14호 (단체가입 강요)	싫다고 하는데도 되풀이하여 단체가입을 억지로 강요한 경우	5만원
법 제3조 제1항 제15호 (자연훼손)	공원·명승지·유원지나 그 밖의 녹지구역 등에서 풀·꽃·나무·돌 등을 함부로 꺾거나 캔 경우 또는 바위·나무 등에 글씨를 새기거나 하여 자연을 훼손한 경우	5만원
법 제3조 제1항 제16호 (타인의 가축·기계 등 무단조작)	다른 사람 또는 단체의 소나 말, 그 밖의 짐승 또는 매어 놓은 배·뗏목 등을 함부로 풀어 놓거나 자동차 등의 기계를 조작한 경우	8만원
법 제3조 제1항 제17호 (물길의 흐름 방해)	개천·도랑이나 그 밖의 물길의 흐름에 방해될 행위를 한 경우	2만원
법 제3조 제1항 제18호 (구걸행위 등)	다른 사람에게 구걸하도록 시켜 올바르지 않은 이익을 얻은 경우	8만원
	공공장소에서 구걸을 하여 다른 사람의 통행을 방해하거나 귀찮게 한 경우	5만원
법 제3조 제1항 제19호 (불안감조성)	정당한 이유 없이 길을 막거나 시비를 걸거나 주위에 모여들거나 뒤따르거나 몹시 거칠게 겁을 주는 말이나 행동으로 다른 사람을 불안하게 하거나 귀찮고 불쾌하게 한 경우 또는 여러 사람이 이용하거나 다니는 도로·공원 등 공공장소에서 고의로 험악한 문신(文身)을 드러내어 다른 사람에게 혐오감을 준 경우	5만원
법 제3조 제1항 제20호 (음주소란 등)	공회당·극장·음식점 등 여러 사람이 모이거나 다니는 곳 또는 여러 사람이 타는 기차·자동차·배 등에서 몹시 거친 말이나 행동으로 주위를 시끄럽게 하거나 술에 취하여 이유 없이 다른 사람에게 주정한 경우	5만원
법 제3조 제1항 제21호 (인근소란 등)	악기·라디오·텔레비전·전축·종·확성기·전동기(電動機) 등의 소리를 지나치게 크게 내거나 큰소리로 떠들거나 노래를 불러 이웃을 시끄럽게 한 경우	3만원
법 제3조 제1항 제22호 (위험한 불씨 사용)	충분한 주의를 하지 않고 건조물, 수풀, 그 밖에 불붙기 쉬운 물건 가까이에서 불을 피우거나 휘발유 또는 그 밖에 불이 옮아붙기 쉬운 물건 가까이에서 불씨를 사용한 경우	8만원

법 제3조 제1항 제23호 (물건 던지기 등 위험행위)	다른 사람의 신체나 다른 사람 또는 단체의 물건에 해를 끼칠 우려가 있는 곳에 충분한 주의를 하지 않고 물건을 던지거나 붓거나 또는 쏜 경우	3만원
법 제3조 제1항 제24호 (인공구조물 등의 관리소홀)	무너지거나 넘어지거나 떨어질 우려가 있는 인공구조물이나 그 밖의 물건에 대하여 관계 공무원으로부터 고칠 것을 요구받고도 필요한 조치를 게을리하여 여러 사람을 위험에 빠트릴 우려가 있게 한 경우	5만원
법 제3조 제1항 제25호 (위험한 동물의 관리 소홀)	사람이나 가축에 해를 끼치는 버릇이 있는 개나 그 밖의 동물을 함부로 풀어놓거나 제대로 살피지 않아 나다니게 한 경우	5만원
법 제3조 제1항 제26호 (동물 등에 의한 행패 등)	소나 말을 놀라게 하여 달아나게 한 경우	5만원
	개나 그 밖의 동물을 시켜 사람이나 가축에게 달려들게 한 경우	8만원
법 제3조 제1항 제27호 (무단소등)	여러 사람이 다니거나 모이는 곳에 켜 놓은 등불이나 다른 사람 또는 단체가 표시를 하기 위하여 켜 놓은 등불을 함부로 끈 경우	5만원
법 제3조 제1항 제28호 (공중통로 안전관리소홀)	여러 사람이 다니는 곳에서 위험한 사고가 발생하는 것을 막을 의무가 있으면서도 등불을 켜 놓지 않거나 그 밖의 예방조치를 게을리한 경우	5만원
법 제3조 제1항 제29호 (공무원 원조불응)	눈·비·바람·해일·지진 등으로 인한 재해, 화재·교통사고·범죄 그 밖의 급작스러운 사고가 발생하였을 때에 현장에 있으면서도 정당한 이유 없이 관계 공무원 또는 이를 돕는 사람의 현장출입에 관한 지시에 따르지 않거나 공무원이 도움을 요청하여도 도움을 주지 않은 경우	5만원
법 제3조 제1항 제30호 (거짓 인적 사항사용)	성명, 주민등록번호, 등록기준지, 주소, 직업 등을 거짓으로 꾸며대고 배나 비행기를 타거나 인적 사항을 물을 권한이 있는 공무원이 적법한 절차를 거쳐 묻는 상황에서 정당한 이유 없이 다른 사람의 인적 사항을 자기의 것으로 거짓으로 꾸며댄 경우	8만원
법 제3조 제1항 제31호 (미신요법)	근거 없이 신기하고 용한 약방문인 것처럼 내세우거나 그 밖의 미신적인 방법으로 병을 진찰·치료·예방한다고 하여 사람들의 마음을 홀리게 한 경우	2만원
법 제3조 제1항 제32호 (야간통행제한 위반)	전시·사변·천재지변 그 밖에 사회에 위험이 생길 우려가 있는 상황에서 경찰청장이나 해양경찰청장이 정하는 야간통행제한을 위반한 경우	3만원
법 제3조 제1항 제33호 (과다노출)	공개된 장소에서 공공연하게 성기·엉덩이 등 신체의 주요한 부위를 노출하여 다른 사람에게 부끄러운 느낌이나 불쾌감을 준 사람	5만원
법 제3조 제1항 제34호 (지문채취불응)	범죄 피의자로 입건된 사람의 신원을 지문조사 외의 다른 방법으로는 확인할 수 없어 경찰공무원이나 검사가 지문을 채취하려고 할 때에 정당한 이유 없이 이를 거부한 경우	5만원

법 제3조 제1항 제35호 (자릿세 징수 등)	여러 사람이 모이거나 쓸 수 있도록 개방된 시설 또는 장소에서 좌석이나 주차할 자리를 잡아 주기로 하거나 잡아주면서 돈을 받거나 요구하거나 돈을 받으려고 다른 사람을 귀찮게 따라다니는 경우	8만원
법 제3조 제1항 제36호 (행렬방해)	공공장소에서 승차·승선, 입장·매표 등을 위한 행렬에 끼어들거나 떠밀거나 하여 그 행렬의 질서를 어지럽힌 경우	5만원
법 제3조 제1항 제37호 (무단출입)	출입이 금지된 구역이나 시설 또는 장소에 정당한 이유 없이 들어간 경우	2만원
법 제3조 제1항 제38호 (총포 등 조작장난)	여러 사람이 모이거나 다니는 곳에서 충분한 주의를 하지 않고 총포, 화약류 그 밖에 폭발의 우려가 있는 물건을 다루거나 이를 가지고 장난한 경우	8만원
법 제3조 제1항 제39호 (무임승차 및 무전취식)	영업용 차 또는 배 등을 타거나 다른 사람이 파는 음식을 먹고 정당한 이유 없이 제 값을 치르지 않은 경우	5만원
법 제3조 제1항 제40호 (장난전화 등)	정당한 이유 없이 다른 사람에게 전화·문자메시지·편지·전자우편·전자문서 등을 여러 차례 되풀이하여 괴롭힌 경우	8만원
법 제3조 제1항 제41호 (지속적 괴롭힘)	상대방의 명시적 의사에 반하여 지속적으로 접근을 시도하여 면회 또는 교제를 요구하거나 지켜보기, 따라다니기, 잠복하여 기다리기 등의 행위를 반복하여 하는 경우	8만원
법 제3조 제2항 제1호 (출판물의 부당게재 등)	올바르지 않은 이익을 얻을 목적으로 다른 사람 또는 단체의 사업이나 사사로운 일에 관하여 신문, 잡지, 그 밖의 출판물에 어떤 사항을 싣거나 싣지 않을 것을 약속하고 돈이나 물건을 받은 경우	16만원
법 제3조 제2항 제2호 (거짓광고)	여러 사람에게 물품을 팔거나 나누어 주거나 일을 해주면서 다른 사람을 속이거나 잘못 알게 할 만한 사실을 들어 광고한 경우	16만원
법 제3조 제2항 제3호 (업무방해)	못된 장난 등으로 다른 사람, 단체 또는 공무수행 중인 자의 업무를 방해한 경우	16만원
법 제3조 제2항 제4호 (암표매매)	흥행장, 경기장, 역, 나루터, 정류장 그 밖에 정해진 요금을 받고 입장시키거나 승차 또는 승선시키는 곳에서 웃돈을 받고 입장권·승차권 또는 승선권을 다른 사람에게 되판 경우	16만원

비고: 범칙금의 납부 통고를 받은 사람이 통고처분을 불이행하여 경범죄 처벌법 제9조 제1항에 따라 통고받은 범칙금에 가산금을 더하여 납부할 경우에 최대 납부할 금액은 경범죄 처벌법 제3조 제1항 각 호의 행위로 인한 경우에는 10만원으로 하고, 경범죄 처벌법 제3조 제2항 각 호의 행위로 인한 경우에는 20만원으로 한다.

② **범칙자**: 범칙행위를 한 사람으로서 다음의 어느 하나에 해당하지 아니하는 사람을 말한다.

㉠ 범칙행위를 상습적으로 하는 사람

㉡ 죄를 지은 동기나 수단 및 결과를 헤아려볼 때 구류처분을 하는 것이 적절하다고 인정되는 사람

㉢ 피해자가 있는 행위를 한 사람

㉣ 18세 미만인 사람

③ **범칙금**: 범칙자가 통고처분에 따라 국고 또는 제주특별자치도의 금고에 납부하여야 할 금전을 말한다.

④ 통고처분(제7조)

㉠ 경찰서장, 해양경찰서장, 제주특별자치도지사 또는 철도특별사법경찰대장은 범칙자로 인정되는 사람에 대하여 그 이유를 명백히 나타낸 서면으로 범칙금을 부과하고 이를 납부할 것을 통고할 수 있다. 다만, 다음의 어느 하나에 해당하는 사람에게는 통고하지 아니한다.

ⓐ 통고처분서 받기를 거부한 사람

ⓑ 주거 또는 신원이 확실하지 아니한 사람

ⓒ 그 밖에 통고처분을 하기가 매우 어려운 사람

㉡ 통고할 범칙금의 액수는 범칙행위의 종류에 따라 대통령령으로 정한다.

㉢ 제주특별자치도지사, 철도특별사법경찰대장이 통고처분을 한 경우에는 관할 경찰서장에게 그 사실을 통보하여야 한다.

⑤ 범칙금의 납부(제8조)

✍ 범칙금을 납부한 사람은 그 범칙행위에 대하여 다시 처벌받지 아니한다.

1차 납부기한	통고처분서를 받은 사람은 통고처분서를 받은 날부터 10일 이내에 경찰청장・해양경찰청장 또는 철도특별사법경찰대장이 지정한 은행, 그 지점이나 대리점, 우체국 또는 제주특별자치도지사가 지정하는 금융기관이나 그 지점에 범칙금을 납부하여야 한다. 다만, 천재지변이나 그 밖의 부득이한 사유로 말미암아 그 기간 내에 범칙금을 납부할 수 없을 때에는 그 부득이한 사유가 없어지게 된 날부터 5일 이내에 납부하여야 한다.
2차 납부기한	1차 납부기간에 범칙금을 납부하지 아니한 사람은 납부기간의 마지막 날의 다음 날부터 20일 이내에 통고받은 범칙금에 그 금액의 100분의 20을 더한 금액을 납부하여야 한다.

경범죄 처벌법

제8조의2 【범칙금의 납부】 ① 범칙금은 제8조에 따른 납부 방법 외에 대통령령으로 정하는 범칙금 납부대행기관을 통하여 신용카드, 직불카드 등(이하 '신용카드 등'이라 한다)으로 낼 수 있다. 이 경우 '범칙금 납부대행기관'이란 정보통신망을 이용하여 신용카드 등에 의한 결제를 수행하는 기관으로서 대통령령으로 정하는 바에 따라 범칙금 납부대행기관으로 지정받은 자를 말한다.

② 제1항에 따라 신용카드 등으로 내는 경우에는 범칙금 납부대행기관의 승인일을 납부일로 본다.

③ 범칙금 납부대행기관은 납부자로부터 신용카드 등에 의한 과태료 납부대행 용역의 대가로 대통령령으로 정하는 바에 따라 납부대행 수수료를 받을 수 있다.

④ 범칙금 납부대행기관의 지정 및 운영, 납부대행 수수료 등에 관하여 필요한 사항은 대통령령으로 정한다.

⑥ 통고처분 불이행자 등의 처리(제9조)

㉠ 즉결심판의 청구: 경찰서장, 해양경찰서장 및 제주특별자치도지사는 다음의 어느 하나에 해당하는 사람에 대하여는 지체 없이 즉결심판을 청구하여야 한다. 다만, 즉결심판이 청구되기 전까지 통고받은 범칙금에 그 금액의 100분의 50을 더한 금액을 납부한 사람에 대하여는 그러하지 아니하다.

ⓐ 경범죄 처벌법 제7조 제1항 각 호(통고처분 제외 대상자)의 어느 하나에 해당하는 사람

ⓑ 경범죄 처벌법 제8조 제2항에 따른 납부기간에 범칙금을 납부하지 아니한 사람

㉡ 즉결심판청구의 취소

ⓐ 즉결심판이 청구된 피고인이 통고받은 범칙금에 그 금액의 100분의 50을 더한 금액을 납부하고 그 증명서류를 즉결심판 선고 전까지 제출하였을 때에는 경찰서장, 해양경찰서장 및 제주특별자치도지사는 그 피고인에 대한 즉결심판 청구를 취소하여야 한다.

ⓑ 범칙금을 납부한 사람은 그 범칙행위에 대하여 다시 처벌받지 아니한다.

3. 즉결심판에 관한 절차법

즉결심판에 관한 절차법(이하 '법'이라 한다)은 범증이 명백하고 죄질이 경미한 범죄사건을 신속·적정한 절차로 심판하기 위하여 즉결심판에 관한 절차를 정함을 목적으로 한다(제1조).

(1) 즉결심판의 대상(제2조)

지방법원, 지원 또는 시·군법원의 판사(이하 '판사'라 한다)는 즉결심판절차에 의하여 피고인에게 20만원 이하의 벌금, 구류 또는 과료에 처할 수 있다.

(2) 즉결심판의 절차

구분	내용
즉결심판청구 (제3조)	① 즉결심판은 관할 경찰서장 또는 관할 해양경찰서장(이하 '경찰서장'이라 한다)이 관할 법원에 이를 청구한다. ② 즉결심판을 청구함에는 즉결심판청구서를 제출하여야 하며, 즉결심판청구서에는 피고인의 성명 기타 피고인을 특정할 수 있는 사항, 죄명, 범죄사실과 적용법조를 기재하여야 한다. ③ 즉결심판을 청구할 때에는 사전에 피고인에게 즉결심판의 절차를 이해하는 데 필요한 사항을 서면 또는 구두로 알려주어야 한다.
관할에 대한 특례 (제3조의2)	지방법원 또는 그 지원의 판사는 소속 지방법원장의 명령을 받아 소속 법원의 관할 사무와 관계없이 즉결심판청구사건을 심판할 수 있다.
서류·증거물의 제출 (제4조)	경찰서장은 즉결심판의 청구와 동시에 즉결심판을 함에 필요한 서류 또는 증거물을 판사에게 제출하여야 한다.
청구의 기각 등 (제5조)	① 판사는 사건이 즉결심판을 할 수 없거나 즉결심판절차에 의하여 심판함이 적당하지 아니하다고 인정할 때에는 결정으로 즉결심판의 청구를 기각하여야 한다. ② 제1항의 결정이 있는 때에는 경찰서장은 지체 없이 사건을 관할 지방검찰청 또는 지청의 장에게 송치하여야 한다.
심판 (제6조)	즉결심판의 청구가 있는 때에는 판사는 제5조 제1항의 경우를 제외하고 즉시 심판을 하여야 한다.
개정 (제7조)	① 즉결심판절차에 의한 심리와 재판의 선고는 공개된 법정에서 행하되, 그 법정은 경찰관서(해양경찰관서를 포함한다)외의 장소에 설치되어야 한다. ② 법정은 판사와 법원서기관, 법원사무관, 법원주사 또는 법원주사보(이하 '법원사무관 등'이라 한다)가 열석하여 개정한다. ③ 제1항 및 제2항의 규정에 불구하고 판사는 상당한 이유가 있는 경우에는 개정없이 피고인의 진술서와 제4조의 서류 또는 증거물에 의하여 심판할 수 있다. 다만, 구류에 처하는 경우에는 그러하지 아니하다.
피고인의 출석 (제8조)	피고인이 기일에 출석하지 아니한 때에는 이 법 또는 다른 법률에 특별한 규정이 있는 경우를 제외하고는 개정할 수 없다.
불출석심판 (제8조의2)	① 벌금 또는 과료를 선고하는 경우에는 피고인이 출석하지 아니하더라도 심판할 수 있다. ② 피고인 또는 즉결심판출석통지서를 받은 자(이하 '피고인 등'이라 한다)는 법원에 불출석심판을 청구할 수 있고, 법원이 이를 허가한 때에는 피고인이 출석하지 아니하더라도 심판할 수 있다. ③ 제2항의 규정에 의한 불출석심판의 청구와 그 허가절차에 관하여 필요한 사항은 대법원규칙으로 정한다.

기일의 심리 (제9조)	① 판사는 피고인에게 피고사건의 내용과 형사소송법 제283조의2에 규정된 진술거부권이 있음을 알리고 변명할 기회를 주어야 한다. ② 판사는 필요하다고 인정할 때에는 적당한 방법에 의하여 재정하는 증거에 한하여 조사할 수 있다. ③ 변호인은 기일에 출석하여 제2항의 증거조사에 참여할 수 있으며 의견을 진술할 수 있다.
증거능력 (제10조)	즉결심판절차에 있어서는 형사소송법 제310조(불이익한 자백의 증거능력), 제312조 제3항 및 제313조의 규정은 적용하지 아니한다.

(3) 즉결심판의 선고 등

즉결심판의 선고 (제11조)	① 즉결심판으로 유죄를 선고할 때에는 형, 범죄사실과 적용법조를 명시하고 피고인은 7일 이내에 정식재판을 청구할 수 있다는 것을 고지하여야 한다. ② 참여한 법원사무관 등은 ①의 선고의 내용을 기록하여야 한다. ③ 피고인이 판사에게 정식재판청구의 의사를 표시하였을 때에는 이를 ②의 기록에 명시하여야 한다. ④ 제7조 제3항 또는 제8조의2의 경우에는 법원사무관 등은 7일 이내에 정식재판을 청구할 수 있음을 부기한 즉결심판서의 등본을 피고인에게 송달하여 고지한다. 다만, 제8조의2 제2항의 경우에 피고인 등이 미리 즉결심판서의 등본송달을 요하지 아니한다는 뜻을 표시한 때에는 그러하지 아니하다. ⑤ 판사는 사건이 무죄·면소 또는 공소기각을 함이 명백하다고 인정할 때에는 이를 선고·고지할 수 있다.
즉결심판서 (제12조)	① 유죄의 즉결심판서에는 피고인의 성명 기타 피고인을 특정할 수 있는 사항, 주문, 범죄사실과 적용법조를 명시하고 판사가 서명·날인하여야 한다. ② 피고인이 범죄사실을 자백하고 정식재판의 청구를 포기한 경우에는 제11조의 기록작성을 생략하고 즉결심판서에 선고한 주문과 적용법조를 명시하고 판사가 기명·날인한다.
즉결심판서 등의 보존 (제13조)	즉결심판의 판결이 확정된 때에는 즉결심판서 및 관계 서류와 증거는 관할 경찰서 또는 지방해양경찰관서가 이를 보존한다.

(4) 정식재판의 청구 등

정식재판의 청구 (제14조)	① 정식재판을 청구하고자 하는 피고인은 즉결심판의 선고·고지를 받은 날부터 7일 이내에 정식재판청구서를 경찰서장에게 제출하여야 한다. 정식재판청구서를 받은 경찰서장은 지체 없이 판사에게 이를 송부하여야 한다. ② 경찰서장은 제11조 제5항의 경우에 그 선고·고지를 한 날부터 7일 이내에 정식재판을 청구할 수 있다. 이 경우 경찰서장은 관할 지방검찰청 또는 지청의 검사(이하 '검사'라 한다)의 승인을 얻어 정식재판청구서를 판사에게 제출하여야 한다. ③ 판사는 정식재판청구서를 받은 날부터 7일 이내에 경찰서장에게 정식재판청구서를 첨부한 사건기록과 증거물을 송부하고, 경찰서장은 지체 없이 관할 지방검찰청 또는 지청의 장에게 이를 송부하여야 하며, 그 검찰청 또는 지청의 장은 지체 없이 관할 법원에 이를 송부하여야 한다. ④ 형사소송법 제340조 내지 제342조, 제344조 내지 제352조, 제354조, 제454조, 제455조의 규정은 정식재판의 청구 또는 그 포기·취하에 이를 준용한다.
즉결심판의 실효 (제15조)	즉결심판은 정식재판의 청구에 의한 판결이 있는 때에는 그 효력을 잃는다.
즉결심판의 효력 (제16조)	즉결심판은 정식재판의 청구기간의 경과, 정식재판청구권의 포기 또는 그 청구의 취하에 의하여 확정판결과 동일한 효력이 생긴다. 정식재판청구를 기각하는 재판이 확정된 때에도 같다.

유치명령 등 (제17조)	① 판사는 구류의 선고를 받은 피고인이 일정한 주소가 없거나 또는 도망할 염려가 있을 때에는 5일을 초과하지 아니하는 기간 경찰서유치장(지방해양경찰관서의 유치장을 포함한다)에 유치할 것을 명령할 수 있다. 다만, 이 기간은 선고기간을 초과할 수 없다. ② 집행된 유치기간은 본형의 집행에 산입한다. ③ 형사소송법 제334조의 규정은 판사가 벌금 또는 과료를 선고하였을 때에 이를 준용한다.
형의 집행 (제18조)	① 형의 집행은 경찰서장이 하고 그 집행결과를 지체 없이 검사에게 보고하여야 한다. ② 구류는 경찰서유치장·구치소 또는 교도소에서 집행하며 구치소 또는 교도소에서 집행할 때에는 검사가 이를 지휘한다. ③ 벌금, 과료, 몰수는 그 집행을 종료하면 지체 없이 검사에게 이를 인계하여야 한다. 다만, 즉결심판 확정 후 상당기간 내에 집행할 수 없을 때에는 검사에게 통지하여야 한다. 통지를 받은 검사는 형사소송법 제477조에 의하여 집행할 수 있다. ④ 형의 집행정지는 사전에 검사의 허가를 얻어야 한다.
형사소송법의 준용 (제19조)	즉결심판절차에 있어서 이 법에 특별한 규정이 없는 한 그 성질에 반하지 아니한 것은 형사소송법의 규정을 준용한다.

09 총포·도검·화약류 등의 안전관리에 관한 법률

1. 서설

(1) 목적(제1조)

총포·도검·화약류 등의 안전관리에 관한 법률(이하 '법'이라 한다)은 총포·도검·화약류·분사기·전자충격기·석궁의 제조·판매·임대·운반·소지·사용과 그 밖에 안전관리에 관한 사항을 정하여 총포·도검·화약류·분사기·전자충격기·석궁으로 인한 위험과 재해를 미리 방지함으로써 공공의 안전을 유지하는 데 이바지함을 목적으로 한다.

(2) 정의(제2조)

총포	권총, 소총, 기관총, 포, 엽총, 금속성 탄알이나 가스 등을 쏠 수 있는 장약총포(裝藥銃砲), 공기총(가스를 이용하는 것을 포함한다) 및 총포신·기관부 등 그 부품(이하 '부품'이라 한다)으로서 대통령령으로 정하는 것을 말한다.	
도검	칼날의 길이가 15cm 이상인 칼·검·창·치도(雉刀)·비수 등으로서 성질상 흉기로 쓰이는 것과 칼날의 길이가 15cm 미만이라 할지라도 흉기로 사용될 위험성이 뚜렷한 것 중에서 대통령령으로 정하는 것을 말한다.	
화약류	다음의 화약, 폭약 및 화공품(화약 및 폭약을 써서 만든 공작물을 말한다)을 말한다.	
	화약	① 흑색화약 또는 질산염을 주성분으로 하는 화약 ② 무연화약 또는 질산에스테르를 주성분으로 하는 화약 ③ 그 밖에 ① 및 ②의 화약과 비슷한 추진적 폭발에 사용될 수 있는 것으로서 대통령령으로 정하는 것

<table>
<tr><td rowspan="2">화약류</td><td>폭약</td><td>① 뇌홍(雷汞)·아지화연·로단염류·테트라센 등의 기폭제
② 초안폭약, 염소산칼리폭약, 카리트, 그 밖에 질산염·염소산염 또는 과염소산염을 주성분으로 하는 폭약
③ 니트로글리세린, 니트로글리콜, 그 밖에 폭약으로 사용되는 질산에스테르
④ 다이너마이트, 그 밖에 질산에스테르를 주성분으로 하는 폭약
⑤ 폭발에 쓰이는 트리니트로벤젠, 트리니트로톨루엔, 피크린산, 트리니트로클로로벤젠, 테트릴, 트리니트로아니졸, 핵사니트로디페닐아민, 트리메틸렌트리니트라민, 펜트리트, 그 밖에 니트로기 3 이상이 들어 있는 니트로화합물과 이들을 주성분으로 하는 폭약
⑥ 액체산소폭약, 그 밖의 액체폭약
⑦ 그 밖에 ①부터 ⑥까지의 폭약과 비슷한 파괴적 폭발에 사용될 수 있는 것으로서 대통령령으로 정하는 것</td></tr>
<tr><td>화공품</td><td>① 공업용뇌관·전기뇌관·비전기뇌관·전자뇌관·총용뇌관·신호뇌관 및 그 밖에 대통령령으로 정하는 뇌관류(시그널튜브 등 부품류를 포함한다)
② 실탄(實彈)(산탄을 포함한다) 및 공포탄(空砲彈)
③ 신관 및 화관
④ 도폭선, 미진동파쇄기, 도화선 및 전기도화선
⑤ 신호염관, 신호화전 및 신호용 화공품
⑥ 시동약(始動藥)
⑦ 꽃불
⑧ 장난감용 꽃불 등으로서 행정안전부령으로 정하는 것
⑨ 자동차 긴급신호용 불꽃신호기
⑩ 자동차 에어백용 등 인체보호용 가스발생기
⑪ 그 밖에 화약이나 폭약을 사용한 화공품으로 대통령령으로 정하는 것</td></tr>
<tr><td>분사기</td><td colspan="2">사람의 활동을 일시적으로 곤란하게 하는 최루(催淚) 또는 질식 등을 유발하는 작용제를 분사할 수 있는 기기로서 대통령령으로 정하는 것을 말한다.</td></tr>
<tr><td>전자충격기</td><td colspan="2">사람의 활동을 일시적으로 곤란하게 하거나 인명(人命)에 위해(危害)를 주는 전류를 방류할 수 있는 기기로서 대통령령으로 정하는 것을 말한다.</td></tr>
<tr><td>석궁</td><td colspan="2">활과 총의 원리를 이용하여 화살 등의 물체를 발사하여 인명에 위해를 줄 수 있는 것으로서 대통령령으로 정하는 것을 말한다.</td></tr>
<tr><td>식별표지</td><td colspan="2">총포에 제조시기, 제조자명, 제조장소 또는 국가, 일련번호 등을 확인하기 쉽게 표시하는 기호, 숫자, 문자 등으로서 행정안전부령으로 정하는 것을 말한다.</td></tr>
</table>

총포 · 도검 · 화약류 등의 안전관리에 관한 법률 시행령 제3조(총포)

<table>
<tr><td>총</td><td>권총(기관권총을 포함한다), 소총, 기관총(구경 20mm 미만, 기관권총 제외), 엽총, 사격총, 어획총, 마취총, 도살총, 산업용총, 구난구명총, 가스발사총, 폭발물분쇄총(구경 12.5mm 이상 40mm 이하에 한정), 기타 뇌관의 원리를 이용한 장약총의 13종</td></tr>
<tr><td>포</td><td>소구경포(구경 20mm 내지 40mm의 것에 한함), 중구경포(구경 40mm 초과 90mm 미만의 것에 한하며, 박격포 제외), 박격포, 포경포(소구경포에 한함)</td></tr>
<tr><td>도검</td><td>칼날의 길이가 15cm 이상되는 칼·검·창·치도·비수 등으로서 성질상 흉기로 쓰여지는 것과 칼날의 길이가 15cm 미만이라 할지라도 흉기로 사용될 위험성이 뚜렷이 있는 것 중에서 대통령령이 정하는 것
① 월도
② 장도</td></tr>
</table>

도검	③ 단도 ④ 검 ⑤ 창 ⑥ 치도 ⑦ 비수 ⑧ 재크나이프(칼날의 길이가 6cm 이상의 것에 한한다) ⑨ 비출나이프(칼날의 길이가 5.5cm 이상이고, 45° 이상 자동으로 펴지는 장치가 있는 것에 한한다) ⑩ 그 밖의 6cm 이상의 칼날이 있는 것으로 흉기로 사용될 위험성이 뚜렷이 있는 도검

(3) 적용의 배제(제3조 제3항)

군수용으로 제조·판매·수출·수입 또는 관리되는 총포·도검·화약류·분사기·전자충격기·석궁에 대해서는 이 법을 적용하지 아니한다.

2. 총포·도검·화약류·분사기·전자충격기·석궁의 제조·판매 등

(1) 총포 안전관리 계획의 수립(제3조의2)

① 경찰청장은 관계 행정기관의 장과 협의를 거쳐 총포 안전관리 계획을 수립하여 국가경찰과 자치경찰의 조직 및 운영에 관한 법률 제7조에 따른 국가경찰위원회에 보고하여야 한다. 계획을 변경하는 경우에도 또한 같다.

② 총포 안전관리 계획에는 다음의 사항이 포함되어야 한다.
- ㉠ 총포 안전관리의 기본방향
- ㉡ 총포 소지의 허가 현황 및 적정 허가수준 유지 방안
- ㉢ 불법 총포류 조사 및 회수 방안
- ㉣ 총포 소지자 안전교육
- ㉤ 수렵 총포 안전관리
- ㉥ 그 밖에 총포 안전관리를 위해 대통령령으로 정하는 사항

③ 경찰청장은 총포 안전관리 계획의 수립·변경 또는 시행을 위하여 필요한 경우에는 관계 행정기관의 장, 특별시장·광역시장·특별자치시장·도지사·특별자치도지사, 공공기관의 운영에 관한 법률 제4조에 따른 공공기관의 장에 대하여 관련 자료의 제출이나 협력을 요청할 수 있다. 이 경우 요청을 받은 자는 특별한 사유가 없으면 이에 따라야 한다.

④ 경찰청장은 총포 안전관리 계획을 수립 또는 변경한 경우에는 관보에 게재하고, 인터넷 등 정보통신망을 통하여 공고하여야 한다.

⑤ 경찰청장은 ①의 총포 안전관리 계획을 집행하기 위한 세부계획을 수립·시행하여야 한다.

⑥ 세부계획의 수립 시기, 그 밖에 세부계획의 수립·시행 등에 필요한 사항은 대통령령으로 정한다.

(2) 제조업의 허가(제4조)

① **총포·화약류의 제조업(총포의 개조·수리업과 화약류의 변형·가공업을 포함)**: 제조소마다 행정안전부령으로 정하는 바에 따라 경찰청장의 허가를 받아야 한다. 제조소의 위치·구조·시설 또는 설비를 변경하거나 제조하는 총포·화약류의 종류 또는 제조방법을 변경하려는 경우에도 또한 같다.

> **총포 · 도검 · 화약류 등의 안전관리에 관한 법률 시행령**
> **제83조 【권한의 위임】** ① 법 제68조의 규정에 의하여 경찰청장의 다음 각 호의 권한은 이를 시 · 도경찰청장에게 위임한다.
> 1. 법 제4조 제1항의 규정에 의한 엽총 · 사격총 · 어획총 · 마취총 · 도살총 · 산업용총 · 구난구명총 · 가스발사총 및 그 부품의 제조업(개조 · 수리업을 포함한다)과 화공품의 제조업(변형 · 가공업을 포함한다)의 허가에 관한 권한

② **도검 · 분사기 · 전자충격기 · 석궁의 제조업**: 제조소마다 행정안전부령으로 정하는 바에 따라 제조소의 소재지를 관할하는 시 · 도경찰청장의 허가를 받아야 한다. 제조소의 위치 · 구조 · 시설 또는 설비를 변경하거나 제조하는 도검 · 분사기 · 전자충격기 · 석궁의 종류 또는 제조방법을 변경하려는 경우에도 또한 같다.

③ **제조업자의 결격사유(제5조)**: 다음의 어느 하나에 해당하는 자는 총포 · 도검 · 화약류 · 분사기 · 전자충격기 · 석궁 제조업의 허가를 받을 수 없다.

㉠ 금고 이상의 실형을 선고받고 그 집행이 끝나거나 집행을 받지 아니하기로 확정된 후 3년이 지나지 아니한 자

㉡ 금고 이상의 형의 집행유예를 선고받고 그 유예기간이 끝난 날부터 1년이 지나지 아니한 자

㉢ 심신상실자, 마약 · 대마 · 향정신성의약품 또는 알코올 중독자, 그 밖에 이에 준하는 정신장애인

㉣ 20세 미만인 자

㉤ 피성년후견인 및 피한정후견인

㉥ 파산선고를 받고 복권되지 아니한 자

㉦ 법 제45조 제1항에 따라 허가가 취소(㉣부터 ㉥까지의 어느 하나에 해당하여 허가가 취소된 경우는 제외한다)된 후 3년이 지나지 아니한 자

㉧ 임원 중에 ㉠부터 ㉦까지의 어느 하나에 해당하는 자가 있는 법인 또는 단체

④ 위 결격사유는 판매업자의 결격사유에도 적용된다.

(3) 총포 · 도검 · 화약류 · 분사기 · 전자충격기 · 석궁의 판매업

① **판매업의 허가(제6조)**: 판매소마다 행정안전부령으로 정하는 바에 따라 판매소의 소재지를 관할하는 시 · 도경찰청장의 허가를 받아야 한다. 판매소의 위치 · 구조 · 시설 또는 설비를 변경하거나 판매하는 총포 · 도검 · 화약류 · 분사기 · 전자충격기 · 석궁의 종류를 변경하려는 경우에도 또한 같다.

② **옥외 등에서의 판매 · 임대 · 광고의 금지(제8조)**: 총포 · 도검 · 화약류 · 분사기 · 전자충격기 · 석궁은 행상 · 노점이나 그 밖에 옥외에서의 상행위, 인터넷 등을 이용한 전자상거래 등에서의 소비자보호에 관한 법률에 따른 전자상거래 · 통신판매 및 방문판매 등에 관한 법률에 따른 방문판매의 방법으로 판매 · 임대하거나 이를 목적으로 광고하지 못한다. 다만, 제조업자 · 판매업자 · 임대업자가 허가받은 제품에 대한 광고를 하는 경우에는 그러하지 아니하다.

(4) 수출입의 허가 등(제9조)

① **총포 · 화약류의 수출 또는 수입**: 행정안전부령으로 정하는 바에 따라 수출 또는 수입하려는 때마다 관련 증명서류 등을 경찰청장에게 제출하고 경찰청장의 허가를 받아야 한다. 이 경우 경찰청장은 수출허가를 하기 전에 수입국이 수입허가 등을 하였는지 여부 및 경유국이 동의하였는지 여부 등을 확인하여야 한다.

> **총포 · 도검 · 화약류 등의 안전관리에 관한 법률 시행령**
> **제83조 【권한의 위임】** ① 법 제68조의 규정에 의하여 경찰청장의 다음 각 호의 권한은 이를 시 · 도경찰청장에게 위임한다.
> 2. 법 제9조 제1항의 규정에 의한 총(권총 · 소총 및 기관총을 제외한다) 및 그 부품과 화공품의 수출입허가에 관한 권한

② **도검 · 분사기 · 전자충격기 · 석궁의 수출 또는 수입**: 행정안전부령으로 정하는 바에 따라 수출 또는 수입하려는 때마다 주된 사업장의 소재지를 관할하는 시 · 도경찰청장의 허가를 받아야 한다.

3. 총포 · 도검 · 화약류 · 분사기 · 전자충격기 · 석궁의 소지와 사용

(1) 소지의 금지(제10조)

누구든지 다음의 어느 하나에 해당하는 경우를 제외하고는 허가 없이 총포 · 도검 · 화약류 · 분사기 · 전자충격기 · 석궁을 소지하여서는 아니 된다.

① 법령에 따라 직무상 총포 · 도검 · 화약류 · 분사기 · 전자충격기 · 석궁을 소지하는 경우
② 제조업자가 자신이 제조한 총포 · 도검 · 화약류 · 분사기 · 전자충격기 · 석궁을 소지하는 경우
③ 법 제4조 제3항 단서에 따라 화약류를 제조한 자가 자신이 제조한 화약류를 소지하는 경우
④ 판매업자가 총포 · 도검 · 화약류 · 분사기 · 전자충격기 · 석궁을 소지하는 경우
⑤ 총포 판매업자가 법 제6조 제2항 단서에 따라 판매하는 총포의 실탄 또는 공포탄을 소지하는 경우
⑥ 임대업자가 총포 · 도검 · 분사기 · 전자충격기 · 석궁을 소지하는 경우
⑦ 법 제9조 제1항 또는 제2항에 따라 수출입허가를 받은 자가 그 총포 · 도검 · 화약류 · 분사기 · 전자충격기를 소지하는 경우
⑧ 법 제18조 제1항에 따른 화약류의 사용허가를 받은 자(법 제18조 제1항 단서에 따라 사용허가를 받지 아니하여도 되는 자를 포함한다)가 그 화약류를 소지하는 경우
⑨ 법 제21조 제1항에 따른 화약류의 양수허가를 받은 자(법 제21조 제1항 단서에 따라 양수허가를 받지 아니하여도 되는 자를 포함한다)가 그 화약류를 소지하는 경우
⑩ ②부터 ⑧까지의 어느 하나에 해당하는 자의 종업원이 그 직무상 총포 · 도검 · 화약류 · 분사기 · 전자충격기 · 석궁을 소지하는 경우
⑪ 대통령령으로 정하는 자가 총포 · 도검 · 화약류 · 분사기 · 전자충격기 · 석궁을 소지하는 경우

(2) 모의총포 등의 제조 · 판매 · 소지의 금지(제11조)

① 누구든지 총포와 아주 비슷하게 보이는 것으로서 대통령령으로 정하는 것[이하 '모의총포'(模擬銃砲)라 한다]을 제조 · 판매 또는 소지하여서는 아니 된다. 다만, 수출하기 위한 목적인 경우에는 그러하지 아니하다.
② 누구든지 고무줄 또는 스프링 등의 탄성을 이용하여 금속 또는 금속 외의 재질로 된 물체를 발사하여 인명 · 신체 · 재산상 위해를 가할 우려가 있는 발사장치로서 대통령령으로 정하는 것을 제조 · 판매 또는 소지하여서는 아니 된다. 다만, 수출하기 위한 목적인 경우에는 그러하지 아니하다.
③ ①의 단서 및 ②의 단서에 따라 수출하기 위한 목적으로 모의총포 등을 제조하는 경우에는 행정안전부령으로 정하는 바에 따라 제조소의 소재지를 관할하는 경찰서장에게 신고하여야 한다.

(3) 총포 · 도검 · 화약류 · 분사기 · 전자충격기 · 석궁의 소지허가(제12조)

① 총포 · 도검 · 화약류 · 분사기 · 전자충격기 · 석궁을 소지하려는 경우에는 행정안전부령으로 정하는 바에 따라 다음의 구분에 따라 허가를 받아야 한다. 다만, ① 및 ②의 총포 소지허가를 받으려는 경우에는 신청인의 정신질환 또는 성격장애 등을 확인할 수 있도록 행정안전부령으로 정하는 서류를 허가관청에 제출하여야 한다.

㉠ **총포(㉡에서 정하는 것은 제외한다)**: 주소지를 관할하는 시·도경찰청장

㉡ **총포 중 엽총·가스발사총·공기총·마취총·도살총·산업용총·구난구명총 또는 그 부품**: 주소지를 관할하는 경찰서장

㉢ **도검·화약류·분사기·전자충격기 및 석궁**: 주소지를 관할하는 경찰서장

② 건설공사·경비 등을 위하여 법인의 대표자 또는 대리인, 사용인, 그 밖에 종업원이 산업용총·가스발사총·마취총, 대통령령으로 정하는 폭발물 분쇄 용도의 총포(이하 '폭발물분쇄용 총포'라 한다), 분사기 또는 전자충격기를 소지하려는 경우에는 그 법인의 대표자가 허가받으려는 산업용총·가스발사총·마취총, 폭발물분쇄용 총포, 분사기 또는 전자충격기의 수 및 이를 소지할 사람을 특정하여 그 법인의 주된 사업장의 소재지를 관할하는 경찰서장의 허가를 받아야 한다. 이 경우 가스발사총의 소지허가는 이를 소지할 사람이 관계 법령에 따라 무기를 휴대할 수 있는 경우로 한정한다.

③ 영화·연극 등을 위한 예술소품용으로 사용할 목적으로 임대업자로부터 총포·도검·분사기·전자충격기·석궁을 빌려 연기자 등에게 일시 소지하도록 하려는 사람은 관리책임자(소지허가 받은 총포·도검·분사기·전자충격기·석궁을 영화 촬영이나 연극 상연 등에 사용할 때마다 직접 지급하고 회수하는 등 관리책임을 지는 사람을 말한다) 및 소지기간을 정하여 주소지를 관할하는 시·도경찰청장의 소지허가를 받아야 한다. 이 경우 해당 영화·연극 등을 위하여 영화 촬영이나 연극 상연 중에 임대한 총포·도검·분사기·전자충격기·석궁을 일시 소지하는 사람은 모두 소지허가를 받은 것으로 본다.

(4) 총포·도검·화약류·분사기·전자충격기·석궁 소지자의 결격사유 등(제13조)

다음의 어느 하나에 해당하는 자는 총포도검·화약류·분사기·전자충격기·석궁의 소지허가를 받을 수 없다.

① 20세 미만인 자. 다만, 대한체육회장이나 특별시·광역시·특별자치시·도 또는 특별자치도의 체육회장이 추천한 선수 또는 후보자가 사격경기용 총을 소지하려는 경우는 제외한다.

② 심신상실자, 마약·대마·향정신성의약품 또는 알코올 중독자, 정신질환자 또는 뇌전증 환자로서 대통령령으로 정하는 사람

③ 금고 이상의 실형을 선고받고 그 집행이 끝나거나(집행이 끝난 것으로 보는 경우를 포함한다) 면제된 날부터 5년이 지나지 아니한 자

④ 이 법을 위반하여 벌금형을 선고받고 5년이 지나지 아니한 자

⑤ 특정강력범죄의 처벌에 관한 특례법 제2조 제1항 각 호의 어느 하나에 해당하는 특정강력범죄를 범하여 벌금형의 선고 또는 징역 이상의 형의 집행유예를 선고받고 그 유예기간이 끝난 날부터 5년이 지나지 아니한 자

⑥ 이 법을 위반하여 금고 이상의 형의 집행유예를 선고받고 그 유예기간이 끝난 날부터 3년이 지나지 아니한 자

⑦ 다음의 어느 하나에 해당하는 죄를 범하여 벌금형을 선고받고 5년이 지나지 아니하거나 금고 이상의 형의 집행유예를 선고받고 그 유예기간이 끝난 날부터 5년이 지나지 아니한 사람

㉠ 형법 제114조의 죄

㉡ 형법 제257조 제1항·제2항, 제260조 및 제261조의 죄

㉢ 아동·청소년의 성보호에 관한 법률 제7조 및 제8조의 죄

⑧ 도로교통법 제148조의2의 죄(이하 '음주운전 등'이라 한다)로 벌금 이상의 형을 선고받은 날부터 5년 이내에 다시 음주운전 등으로 벌금 이상의 형을 선고받고 그 집행이 종료(집행이 종료된 것으로 보는 경우를 포함한다)되거나 집행이 면제된 날부터 5년이 지나지 아니한 사람

⑨ 법 제45조 또는 제46조 제1항에 따라 허가가 취소된 후 1년이 지나지 아니한 자

취급의 금지

> 다음의 어느 하나에 해당하는 자는 총포·도검·화약류·분사기·전자충격기·석궁을 취급(제조·판매·수수·적재·운반·저장·소지·사용·폐기 등을 말한다)하여서는 아니 되며, 누구든지 그들에게 이를 취급하게 하여서는 아니 된다. 다만, 제6조의2 제1항에 따른 총포·도검·분사기·전자충격기·석궁을 제12조 제3항에 따라 해당 영화 또는 연극 등을 위하여 일시 소지하는 경우에는 그러하지 아니하다.
> ㉠ 18세 미만인 자. 다만, 대한체육회장이나 특별시·광역시·특별자치시·도 또는 특별자치도의 체육회장이 추천한 선수 또는 후보자가 사격경기용 총포나 석궁을 소지하는 경우는 제외한다.
> ㉡ 제5조 각 호의 어느 하나(같은 조 제4호는 제외한다)에 해당하는 자
> ㉢ 제13조 제1항 제2호부터 제7호까지의 어느 하나에 해당하는 자

(5) 일시 출입국하는 사람 등에 대한 허가의 특례(제14조)

① 국내 또는 국외에서 개최되는 국제사격경기대회, 수렵대회 또는 무술대회 등에 참가하기 위하여 출국하거나 입국하는 사람은 행정안전부령으로 정하는 바에 따라 그 대회에서 사용할 총포·도검·석궁에 대하여 출입국항의 소재지를 관할하는 시·도경찰청장의 일시수출입 및 일시 소지의 허가(일시 소지허가의 경우는 외국인으로 한정한다)를 받아야 한다.

② 시·도경찰청장은 ①에 따른 허가신청을 받은 경우에는 기간을 정하여 일시 수출입 및 일시 소지를 허가할 수 있다.

③ 국내에 입국하는 국빈, 장관급 이상의 관료 및 이에 준하는 외국 요인(要人)·외교관 등에 대한 경호를 목적으로 총포를 소지하고 입국하려는 사람은 대통령령으로 정하는 바에 따라 총포의 일시 반출입 및 일시 소지에 관하여 경찰청장의 허가를 받아야 한다.

(6) 총포소지허가의 갱신(제16조)

총포의 소지허가를 받은 자는 허가를 받은 날부터 3년마다 이를 갱신하여야 한다.

총포·도검·화약류의 각종 허가권자

구분	허가권자	대상
제조업·수출입 허가권자	경찰청장	① 총(권총·소총·기관총) ② 포 ③ 화약류(화약·폭약)
	시·도경찰청장	① 기타 총 ② 도검·분사기·전자충격기·석궁 ③ 화공품
판매업 허가권자	시·도경찰청장	총포·도검·화약류·분사기·전자충격기·석궁
소지 허가권자	시·도경찰청장	① 권총·소총·기관총·어획총·사격총(공기총 제외) ② 포
	경찰서장	엽총·가스발사총·공기총·마취총·도살총·산업용총·구난구명총 또는 그 부품
화약류 허가권자	시·도경찰청장	1급·2급·도화선·수중·실탄·불꽃류·장난감용불꽃류 저장소 설치의 허가
	경찰서장	① 사용(발파·연소)허가 ② 양수의 허가 ③ 3급·간이저장소 설치의 허가

제3절 지역경찰업무

01 112신고의 운영 및 처리에 관한 법률

1. 서설

(1) 목적(제1조)

이 법은 112신고의 운영・처리에 관한 사항을 규정함으로써 범죄나 각종 사건・사고 등 위급한 상황으로부터 국민의 생명・신체 및 재산을 보호하고 공공의 안녕과 질서를 유지함을 목적으로 한다.

(2) 정의(제2조)

이 법에서 사용하는 용어의 뜻은 다음과 같다.

구분	내용
112	「전기통신사업법」 제48조에 따른 전기통신번호자원 관리계획에 따라 부여하는 특수번호인 112를 말한다.
112신고	범죄나 각종 사건・사고 등 위급한 상황이 발생하였거나 발생할 것이 예상될 때 그 피해자 또는 이를 인지한 사람이 112를 이용한 음성, 문자 신고와 그 밖의 인터넷, 영상, 스마트기기 등을 통하여 신고하는 것을 말한다.

(3) 국가의 책무(제3조)

① 국가는 112신고의 신속하고 효과적인 처리 및 대응을 위한 체계를 구축하여야 한다.

② 국가는 112신고의 공동대응을 위하여 관계 기관 간 협력체계를 구축・운영하여야 한다.

③ 국가는 누구든지 장애・언어, 그 밖의 이유로 112신고를 이용하는 데 불이익을 받지 아니하도록 접근성을 보장하여야 한다.

(4) 국민의 권리와 의무(제4조)

① 누구든지 범죄나 각종 사건・사고 등 위급한 상황이 발생하였거나 발생할 것이 예상되는 경우 112신고를 이용하여 국가로부터 신속한 대응을 요청할 권리를 가진다.

② 누구든지 범죄나 각종 사건・사고 등 위급한 상황에 대응하기 위한 목적 외의 다른 목적으로 112신고를 하거나 이를 거짓으로 꾸며 112신고를 하여서는 아니 된다.

(5) 다른 법률과의 관계(제5조)

112신고의 운영 및 처리에 관하여 다른 법률에 특별한 규정이 있는 경우를 제외하고는 이 법에 따른다.

2. 112신고의 접수 · 처리 등

구분	내용
112치안 종합상황실의 설치 · 운영 (제6조)	① 경찰청장, 시 · 도경찰청장 및 경찰서장(이하 "경찰청장등"이라 한다)은 112신고의 신속한 접수 · 처리와 이를 위한 112신고 정보의 분석 · 판단 · 전파와 공유 · 이관, 상황관리, 현장 지휘 · 조정 · 통제 및 공동대응 등의 업무를 수행하기 위하여 112치안종합상황실을 설치 · 운영하여야 한다. ② 112치안종합상황실의 설치 · 운영을 위하여 그 밖에 필요한 사항은 대통령령으로 정한다. **112신고의 운영 및 처리에 관한 법률 시행령 제2조 【112치안종합상황실의 설치 · 운영】** ① 「112신고의 운영 및 처리에 관한 법률」(이하 "법"이라 한다) 제6조제1항에 따른 112치안종합상황실(이하 "112치안종합상황실"이라 한다)은 경찰청, 시 · 도경찰청 및 경찰서에 설치한다. ② 112치안종합상황실은 24시간 운영체제를 유지해야 한다. ③ 경찰청장, 시 · 도경찰청장 및 경찰서장(이하 "경찰청장등"이라 한다)은 112치안종합상황실 근무요원을 관할구역의 지리 숙지 여부, 의사소통능력 및 상황대처능력 등을 고려하여 선발 · 배치해야 한다.
112신고의 접수 등 (제7조)	① 경찰청장등은 112신고를 받으면 「국가경찰과 자치경찰의 조직 및 운영에 관한 법률」 제4조 제1항에 따른 경찰사무의 구분이나 현장 출동이 필요한 지역의 관할에 관계없이 해당 112신고를 신속하게 접수하여 처리하여야 한다. ② 누구든지 정당한 사유 없이 위계 · 위력 · 폭행 또는 협박 등으로 112신고 접수 · 처리 업무를 방해하여서는 아니 된다. ③ 112신고의 접수 및 처리에 필요한 사항은 대통령령으로 정한다. **112신고의 운영 및 처리에 관한 법률 시행령 제3조 【112신고의 접수 등】** ① 경찰청장은 112신고의 접수 및 처리에 관한 업무를 총괄 · 조정한다. ② 경찰청장은 법 제7조제1항에 따른 112신고 접수 · 처리 업무를 효율적으로 수행하기 위해 112신고의 긴급성과 현장 출동의 필요성을 고려한 대응체계를 마련해야 한다. ③ 112신고를 접수한 경찰관은 법 제13조제1항에 따른 112시스템(이하 "112시스템"이라 한다)에 해당 신고 내용을 입력해야 한다. ④ 법 제8조제1항부터 제3항까지의 규정에 따라 필요한 조치를 한 경찰관은 112치안종합상황실에 조치 내용을 보고해야 한다. ⑤ 경찰청장등은 112신고의 처리를 종결한 후, 112신고를 한 사람(이하 "112신고자"라 한다)이 처리 결과 통보를 요청하는 경우에는 관계 법령에 따라 통보할 수 없는 경우를 제외하고는 112신고 처리 결과를 통보해야 한다. ⑥ 경찰청장등은 다른 기관의 소관 업무에 해당하는 내용의 112신고가 접수된 경우에는 「민원 처리에 관한 법률」 제16조 등 관계 법령에 따라 해당 기관에 112신고 정보를 지체 없이 이관해야 한다.
112신고에 대한 조치 (제8조)	① 경찰청장등은 112신고가 접수된 때에는 경찰관을 현장에 신속하게 출동시켜 위험 발생의 방지, 범죄의 예방 · 진압, 구호대상자의 구조 등 필요한 조치를 하게 하여야 한다. ② 필요한 조치를 한 경찰관은 해당 112신고와 관련하여 범죄의 혐의가 있다고 인정할 만한 상당한 이유가 있어 계속 수사할 필요가 있는 경우 지체 없이 해당 수사기관에 인계하여야 한다. ③ 경찰관은 필요한 조치를 할 때 사람의 생명 · 신체 또는 재산에 대한 급박한 위해가 발생할 우려가 있는 경우에는 그 위해를 방지하거나 피해자를 구조하기 위하여 부득이하다고 인정하면 합리적으로 판단하여 필요한 한도에서 다른 사람의 토지 · 건물 또는 그 밖의 물건을 일시사용, 사용의 제한 또는 처분을 하거나 다른 사람의 토지 · 건물 · 배 또는 차에 출입할 수 있다. ④ 경찰청장등은 112신고를 처리하는 과정에서 재난 · 재해, 범죄 또는 그 밖의 위급한 상황이 발생하여 사람의 생명 · 신체를 위험하게 할 것으로 인정할 때에는 일정한 구역을 정하여 그 구역에 있는 사람에게 그 구역 밖으로 피난할 것을 명할 수 있다.

112신고에 대한 조치 (제8조)	⑤ 경찰관은 출입 등 조치를 할 때에는 그 신분을 표시하는 증표를 제시하여야 하며, 소속과 성명을 밝히고 조치의 목적과 이유를 설명하여야 한다. ⑥ 국가는 제1항, 제3항 또는 제4항에 따른 조치나 명령으로 손실을 입은 자가 있는 경우에는 「경찰관 직무집행법」 제11조의2에 따라 그 손실을 보상하여야 한다.
공동대응 또는 협력 등 (제9조)	① 경찰청장등은 112신고 처리에 있어 다른 기관과의 공동대응 또는 협력이 필요한 경우에는 관계 기관에 이를 요청할 수 있다. 이 경우 요청을 받은 기관의 장은 특별한 사유가 없으면 이에 따라야 한다. ② 공동대응 또는 협력을 요청받은 관계 기관은 신속하고 안전하게 위험 발생의 방지, 범죄의 예방·진압, 구호대상자의 구조 등 필요한 조치를 하여야 한다. ③ 필요한 조치를 한 관계 기관은 해당 112신고와 관련하여 범죄의 혐의가 있다고 인정할 만한 상당한 이유가 있어 계속 수사할 필요가 있다고 판단되는 경우 지체 없이 해당 수사기관에 인계하여야 한다. ④ 공동대응·협력 요청, 관계 기관의 조치, 수사기관 인계 및 그 밖에 필요한 사항은 대통령령으로 정한다.
112신고자에 대한 보호 등 (제10조)	① 국가는 112신고를 처리할 때 112신고를 한 사람(이하 "112신고자"라 한다)이 범죄(이미 행하여졌거나 진행 중인 범죄와 눈앞에서 행하여지려고 하고 있다고 인정되는 범죄를 포함한다. 이하 같다) 피해자, 범죄를 목격한 사람, 그 밖에 각종 사건·사고 등 위급한 상황에서 구조를 요청한 사람에 해당하는 경우 그 신고자를 보호하여야 한다. ② 경찰청장등은 다음 각 호의 어느 하나에 해당하는 경우를 제외하고 112신고에 사용된 전화번호, 112신고자의 이름·주소·성별·나이·음성과 그 밖에 112신고자를 특정하거나 유추하는 데 사용될 수 있는 일체의 정보(이하 "112신고자 정보"라 한다)를 수집·이용 또는 제공하여서는 아니 된다. 1. 112신고의 처리를 위하여 112신고자 정보를 활용하는 경우 2. 112신고자가 동의하는 경우 3. 이 법 또는 다른 법률에 특별한 규정이 있는 경우 ③ 누구든지 112신고자 정보를 112신고 접수·처리 이외의 목적에 이용하여서는 아니 된다. ④ ②에 따라 수집·이용 또는 제공하는 112신고자 정보는 해당 업무를 수행하기 위하여 필요한 최소한의 범위에 그쳐야 한다.
출동 현장의 촬영·관리 (제11조)	① 경찰청장등은 112신고를 처리할 때 112치안종합상황실에서 출동 현장의 상황 등을 실시간으로 확인하고 지휘하기 위한 목적으로 순찰차 등에 영상촬영장치를 설치하여 출동 현장을 촬영할 수 있다. ② 수집된 영상정보의 보관·이용·폐기의 기간·방법·절차, 그 밖에 필요한 사항은 대통령령으로 정한다. **112신고의 운영 및 처리에 관한 법률 시행령 제5조【출동 현장의 촬영·관리】** ① 경찰청장등은 법 제11조 제1항에 따라 경찰차량 또는 무인비행장치에 영상촬영장치를 설치하거나 경찰관이 영상촬영장치를 착용 또는 휴대하도록 하여 출동 현장을 촬영할 수 있다. ② 제1항에 따라 출동 현장을 촬영할 때에는 불빛, 소리, 안내판, 안내서면, 안내방송 또는 그 밖에 이에 준하는 수단이나 방법으로 출동 현장에 있는 사람이 촬영 사실을 쉽게 알 수 있도록 표시하고 알려야 한다. ③ 경찰청장등은 제2항에 따른 방법으로 촬영 사실을 표시하거나 알리기 어려운 경우에는 개인정보 보호위원회가 구축하는 인터넷 사이트에 촬영 사실을 미리 공지하는 방법으로 알릴 수 있다. ④ 제1항에 따라 수집된 영상정보의 보관기간은 촬영일부터 30일로 한다. 다만, 범죄 수사를 위해 영상정보의 보관이 필요한 경우 등 경찰청장등이 필요하다고 인정하는 경우에는 30일의 범위에서 보관기간을 연장할 수 있다. ⑤ 경찰청장은 제1항에 따라 수집된 영상정보를 보호하고 관리하기 위해 영상정보관리체계를 구축·운영해야 한다. ③ 제1항에 따라 촬영된 영상정보의 보호 및 관리에 관한 사항은 이 법에서 정한 것을 제외하고는 「개인정보 보호법」에 따른다.

112신고의 기록·보존 등 (제12조)	① 경찰청장등은 112신고의 접수·처리 상황을 제13조에 따른 112시스템에 입력·녹음·녹화 등의 방법으로 기록하고 보존하여야 한다. ② 112신고 접수·처리 상황의 기록 방법·범위, 보존기간, 관리 및 폐기 등에 필요한 사항은 대통령령으로 정한다. **112신고의 운영 및 처리에 관한 법률 시행령 제6조【112신고의 기록·보존 등】** ① 법 제12조제1항에 따른 112신고 접수·처리 상황 기록의 보존기간은 다음 각 호의 구분에 따른다. 1. 112신고 접수 및 처리와 관련된 112시스템 입력자료: 3년. 다만, 단순 민원·상담 등 경찰청장이 정하는 경미한 내용의 112신고의 경우에는 1년으로 한다. 2. 112신고 접수 및 처리와 관련된 녹음·녹화자료: 3개월 ② 제1항에도 불구하고 범죄 수사를 위해 기록의 보존이 필요한 경우 등 경찰청장등이 필요하다고 인정하는 경우에는 다음 각 호의 구분에 따른 범위에서 112신고 접수·처리 상황 기록의 보존기간을 연장할 수 있다. 1. 제1항 제1호의 경우: 2년. 다만, 제1항제1호 단서에 해당하는 경우에는 1년으로 한다. 2. 제1항 제2호의 경우: 3개월 ③ 경찰청장등은 112신고의 처리 및 대응을 위해 필요한 경우 외에는 112신고 접수·처리 상황 기록이 외부에 누설되거나 권한 없는 사람이 이용하지 않도록 기관별로 관리책임자를 지정하는 등 필요한 조치를 해야 한다.

3. 112시스템의 구축·운영 등

구분	내용
112시스템의 구축·운영 (제13조)	① 경찰청장은 112신고의 접수·처리, 112신고 정보의 공유·이관 및 공동대응 등에 필요한 정보시스템(이하 "112시스템"이라 한다)을 구축·운영하여야 한다. ② 112시스템의 구축·운영에 필요한 사항은 대통령령으로 정한다.
다른 정보시스템과의 연계 (제14조)	① 경찰청장 및 시·도경찰청장은 급박한 사람의 생명, 신체, 재산의 보호를 위한 112신고 처리를 위하여 112신고 정보 등의 공유가 필요한 경우 관계 기관의 장에게 112시스템과 해당 기관의 정보시스템과의 연계를 요청할 수 있다. ② 경찰청장 및 시·도경찰청장은 제1항에 따라 관계 기관의 장에게 정보시스템의 연계를 요청할 경우 해당 기관의 장과 사전에 협의하여야 한다. ③ 정보시스템의 연계 기준·방법 및 절차, 관계 기관, 연계 정보의 범위 등에 필요한 사항은 대통령령으로 정한다.

4. 보칙

구분	내용
교육·훈련 및 홍보 (제15조)	① 경찰청장은 112시스템의 운영과 관련하여 전문인력의 양성과 기술향상에 필요한 교육·훈련 프로그램을 운영하여야 한다. ② 경찰청장등은 112신고의 서비스 편의성 개선 및 편리한 이용을 위하여 필요한 경우 대국민 홍보를 하여야 한다. ③ 교육·훈련 프로그램의 운영에 필요한 사항은 대통령령으로 정한다.
112신고자 포상 (제16조)	① 경찰청장등은 112신고를 통하여 범죄를 예방하고 다른 사람의 생명·신체 및 재산을 보호하는 데 기여한 공이 큰 112신고자에 대하여 포상을 하거나 예산의 범위에서 포상금을 지급할 수 있다. ② 포상 및 포상금의 지급 대상·기준·방법 및 절차 등에 관한 구체적인 사항은 대통령령으로 정한다.

112신고자 포상 (제16조)	**112신고의 운영 및 처리에 관한 법률 시행령 제10조【112신고자 포상 및 포상금 지급 대상자】** 법 제16조제1항에 따른 포상 및 포상금의 지급 대상은 다음 각 호와 같다. 1. 범죄 피해 예방에 기여한 공이 큰 사람 2. 각종 사건ㆍ사고 등 위급한 상황에서 다른 사람의 생명ㆍ신체 및 재산 보호에 기여한 공이 큰 사람 3. 그 밖에 제1호 및 제2호에 준하는 사람으로서 「정부 표창 규정」 제23조에 따른 기관공적심사위원회 또는 「경찰관 직무집행법」 제11조의3제2항 및 같은 법 시행령 제19조에 따른 보상금심사위원회(이하 "보상금심사위원회"라 한다)가 인정하는 사람 **제11조【112신고자 포상】** 법 제16조제1항에 따른 포상은 「정부 표창 규정」에 따르되, 포상 분야, 포상 인원과 그 밖에 필요한 사항은 경찰청장이 정하여 고시한다. **제12조【112신고자 포상금의 지급 기준 등】** ① 법 제16조제1항에 따른 포상금의 최고액은 5천만원으로 하며, 구체적인 포상금 지급 기준은 경찰청장이 정하여 고시한다. ② 제1항에 따른 포상금은 다른 법령에 따른 보상금ㆍ포상금 또는 구조금 등과 중복하여 지급할 수 없다. **제13조【112신고자 포상금의 지급 절차 등】** ① 경찰청장등은 포상금 지급사유가 발생한 경우에는 직권으로 또는 포상금을 지급받으려는 사람의 신청에 따라 보상금심사위원회의 심사ㆍ의결을 거쳐 포상금을 지급한다. ② 보상금심사위원회는 제12조제1항에 따라 경찰청장이 정하여 고시한 포상금 지급 기준에 따라 포상금액을 심사ㆍ의결한다. ③ 경찰청장등은 소속 보상금심사위원회의 포상금 심사를 위하여 필요한 경우에는 포상금 지급 대상자와 관계 공무원 또는 기관에 사실조사나 자료의 제출 등을 요청할 수 있다. **제14조【112신고자 포상금의 환수】** ① 경찰청장등은 다음 각 호의 어느 하나에 해당하는 경우에는 보상금심사위원회의 심사ㆍ의결을 거쳐 제13조제1항에 따라 지급한 포상금의 전부 또는 일부를 환수할 수 있다. 1. 거짓이나 그 밖의 부정한 방법으로 포상금을 지급받은 경우 2. 착오 등의 사유로 포상금이 잘못 지급된 경우 ② 경찰청장등은 제1항에 따라 포상금을 환수하려는 경우에는 포상금을 받은 사람에게 다음 각 호의 사항을 서면으로 통지해야 한다. 1. 환수사유 2. 환수금액 3. 납부기한 4. 납부기관 **제15조【112신고자 포상금의 지급 등에 필요한 사항】** 제10조 및 제12조부터 제14조까지에서 규정한 사항 외에 포상금의 지급 등에 필요한 사항은 경찰청장이 정하여 고시한다.

5. 벌칙

구분	내용
벌칙 (제17조)	제10조 제3항을 위반하여 112신고자 정보를 목적 외의 용도로 이용한 자는 5년 이하의 징역 또는 5천만원 이하의 벌금에 처한다.
과태료 (제18조)	① 제4조 제2항을 위반하여 범죄나 각종 사건ㆍ사고 등 위급한 상황을 거짓으로 꾸며 112신고를 한 사람에게는 500만원 이하의 과태료를 부과한다. ② 정당한 사유 없이 제8조 제3항에 따른 토지ㆍ물건 등의 일시사용, 사용의 제한, 처분 또는 토지ㆍ건물ㆍ배 또는 차에 출입을 거부 또는 방해한 자에게는 300만원 이하의 과태료를 부과한다. ③ 정당한 사유 없이 제8조 제4항에 따른 피난 명령을 위반한 자에게는 100만원 이하의 과태료를 부과한다. ④ 제1항부터 제3항까지에 따른 과태료는 대통령령으로 정하는 바에 따라 경찰청장등이 부과ㆍ징수한다.

02 112치안종합상황실 운영 및 신고처리 규칙

1. 서설

(1) 목적(제1조)

이 규칙은 「112신고의 운영 및 처리에 관한 법률」 및 같은 법 시행령에서 위임된 사항과 그 시행에 필요한 사항을 규정함을 목적으로 한다.

(2) 정의(제2조)

이 규칙에 사용되는 용어의 정의는 다음과 같다.

구분	내용
112신고의 처리	112신고 대응을 위하여 이루어지는 접수, 지령, 현장출동, 현장조치, 종결 등 일련의 처리과정을 말한다.
112치안종합상황실	112신고의 처리와 대응 등을 위해 경찰청, 시·도경찰청 및 경찰서에 설치·운영하는 부서를 말한다.
112치안종합상황실장	112치안종합상황실의 운영·관리를 책임지고 근무자를 지휘·감독하는 사람(경찰기관의 장이 「치안상황실 운영규칙」에 따른 "상황관리관"을 지정한 경우 "상황관리관"은 "112치안종합상황실장"으로 본다)을 말하며, 각급 경찰기관 112치안종합상황실장은 다음 각 목과 같다. 가. **경찰청**: 치안상황관리관 나. **시·도경찰청**: 112치안종합상황실장 다. **경찰서**: 범죄예방대응과장
상황팀장	경찰청, 시·도경찰청 및 경찰서 112치안종합상황실장의 지휘를 받아 112신고의 처리 및 상황관리 등의 임무를 수행하는 사람을 말한다.
출동 경찰관	112치안종합상황실의 지령을 받아 현장에 출동하여 112신고를 조치하는 경찰관을 말한다.
112시스템	112신고의 접수, 지령, 전파 및 순찰차 배치에 활용하는 전산 시스템을 말한다.
접수	112신고를 받아 사건의 내용을 확인하고, 112시스템에 신고내용을 입력하는 것을 말한다.
지령	유선·무선망 또는 전산망을 통해 112신고사항을 전파하여 조치토록 하는 것을 말한다.

2. 112종합상황실의 운영

구분	내용
기능 (제3조)	「112신고의 운영 및 처리에 관한 법률」(이하 "법"이라 한다) 제6조 제1항 및 같은 법 시행령(이하 "영"이라 한다) 제2조 제1항에 따른 112치안종합상황실은 다음 각 호의 업무를 수행한다. 1. 112신고의 접수와 지령 2. 112신고에 대한 상황 파악·전파 및 초동조치 지휘 3. 112신고의 접수 및 처리에 관한 기록유지 4. 112신고 관련 각종 통계의 작성·분석 및 보고 5. 112시스템 등 운영 및 장비 관리 6. 112신고 관계 기관과의 협력 7. 112치안종합상황실 근무요원(이하 "112근무요원"이라 한다)에 대한 교육 및 훈련

<table>
<tr><td rowspan="6">112근무
요원의
업무
(제4조)</td><td colspan="2">112근무요원은 다음 업무를 수행한다.</td></tr>
<tr><td>접수 업무</td><td>가. 112신고의 접수
나. 「위치정보의 보호 및 이용 등에 관한 법률」 제29조 제2항에 따른 위치정보의 제공요청</td></tr>
<tr><td>지령 업무</td><td>가. 112신고에 따른 지령 및 관련 정보의 제공
나. 112신고 관계 기관과 공동대응이 필요한 경우 협조 및 지원 요청</td></tr>
<tr><td>상황 · 분석
업무</td><td>가. 112신고에 대한 상황 보고 · 통보의 접수
나. 112신고 현장에 대한 파악 및 분석
다. 소속기관장 및 상급기관 등에 대한 112신고 상황의 보고
라. 주무부서 · 유관기관 등에의 통보 및 협조</td></tr>
<tr><td colspan="2">그 밖에 112치안종합상황실장(상황팀장)의 지시에 따른 사항</td></tr>
<tr><td colspan="2" style="display:none"></td></tr>
<tr><td>112근무
요원의
근무방법 등
(제5조)</td><td colspan="2">① 112근무요원은 4개조로 나누어 교대 근무를 실시하는 것을 원칙으로 한다. 다만, 인력 상황에 따라 3개조로 할 수 있다.
② 경찰청장, 시 · 도경찰청장 및 경찰서장(이하 “경찰청장등”이라 한다)은 근무수행에 지장이 없는 범위 내에서 「경찰기관 상시근무 공무원의 근무시간 등에 관한 규칙」 제4조 제1항에 따라 112근무요원에 대한 휴게를 지정해야 한다.
③ 경찰청장등은 인력운영, 긴급사건에 대한 즉응태세 유지 등을 위해 필요시 112근무요원에게 「경찰기관 상시근무 공무원의 근무시간 등에 관한 규칙」 제4조 제2항에 따라 휴게시간을 감축하거나 대기근무를 지정할 수 있다.
④ 대기근무로 지정된 112근무요원은 지정된 장소에서 유선 · 무선 등 연락체계를 갖추고 즉응태세를 유지해야 한다.
⑤ 112근무요원은 「경찰복제에 관한 규칙」 제5조 제2호의 근무복을 착용하는 것을 원칙으로 한다. 다만, 상황에 따라 경찰청장등의 지시로 다른 복장을 착용할 수 있다.</td></tr>
</table>

3. 112신고의 접수 및 처리

구분	내용
신고의 접수 (제6조)	① 112신고는 현장출동이 필요한 지역의 관할과 관계없이 신고를 받은 경찰관서에서 신속하게 접수한다. ② 경찰관서 방문 등 112신고 외의 방법으로 범죄나 각종 사건 · 사고 등 위급한 상황이 발생하였거나 발생할 것이 예상된다는 신고를 접수한 경찰관은 소속 경찰관서의 112시스템에 신고내용을 입력해야 한다. ③ 경찰청장등은 112신고자에게 영 제3조 제5항에 따른 처리결과 통보를 할 경우 서면(전자문서를 포함한다), 전화, 문자메시지 등의 방법으로 할 수 있다. 이 경우 서면으로 하는 통보의 요청, 통보여부 결정, 통보의 방법, 비용의 부담은 「공공기관의 정보공개에 관한 법률」에 따른다. ④ 경찰청장등은 처리결과를 통보하는 경우 관련 법령에 따라 112신고 관계인의 사생활의 비밀을 보호하고 명예나 신용이 훼손되지 않도록 유념해야 한다.
112신고의 대응체계 (제7조)	① 경찰청장은 112신고 내용의 긴급성과 출동 필요성 등을 고려하여 112신고 대응 코드(code)를 다음 각 호와 같이 분류한다. 1. **코드 0 신고**: 코드 1 신고 중 이동성 범죄, 강력범죄 현행범인 등 신고 대응을 위해 실시간 전파가 필요한 경우 2. **코드 1 신고**: 생명 · 신체에 대한 위험 발생이 임박하거나 진행 중 또는 그 직후인 경우 및 현행범인인 경우 3. **코드 2 신고**: 생명 · 신체에 대한 잠재적 위험이 있는 경우 및 범죄예방 등을 위해 필요한 경우

112신고의 대응체계 (제7조)	4. 코드 3 신고: 즉각적인 현장조치는 불필요하나 수사, 전문상담 등이 필요한 경우 5. 코드 4 신고: 긴급성이 없는 민원·상담 신고 ② 112근무요원은 112시스템에 신고내용을 입력할 경우 112신고 내용의 긴급성과 출동 필요성 등을 고려하여 ①의 어느 하나에 해당하는 112신고 대응 코드를 부여한다. ③ 112근무요원은 112신고가 완전하게 수신되지 않는 경우와 같이 정확한 신고내용을 파악하기 힘든 경우라도 신속한 처리를 위해 우선 임의의 112신고 대응 코드를 부여할 수 있다. ④ 112근무요원 및 출동 경찰관은 112신고 대응 코드를 변경할 만한 사실을 추가로 확인한 경우 이미 분류된 112신고 대응 코드를 다른 112신고 대응 코드로 변경할 수 있다.
지령 (제8조)	① 112신고를 접수한 112근무요원은 접수한 신고의 내용이 코드 0 신고부터 코드 3 신고의 유형에 해당하는 경우에는 출동 경찰관에게 출동할 장소, 신고내용, 신고유형 등을 고지하고 신고의 현장출동, 조치, 종결하도록 지령해야 한다. ② 112근무요원은 접수한 신고의 내용이 코드 4 신고의 유형에 해당하는 경우에는 출동 경찰관에게 지령하지 않고 자체 종결하거나, 담당 부서 또는 112신고 관계 기관에 신고내용을 통보하여 처리하도록 조치해야 한다.
신고의 이첩 (제9조)	① 112신고를 접수한 112근무요원은 다른 관할 지역에서의 출동조치가 필요한 때에는 지체 없이 관할 112치안종합상황실에 통보하여 그 112신고를 이첩한다. ② 이첩된 112신고는 제6조 제1항에 따라 접수된 것과 동일하게 처리한다. ③ ①의 통보는 112시스템에 의한 방법이나 유선·무선 및 팩스 등에 의한 방법으로 시행한다. 다만, 유선·무선 및 팩스에 의한 방법으로 통보한 경우에는 112시스템에 그 사실을 입력해야 한다.
신고의 공조 (제10조)	① 112신고를 접수한 112근무요원은 접수한 신고의 처리와 관련하여 다른 경찰관서의 출동 등 협력이 필요한 경우에는 해당 경찰관서의 관할 112치안종합상황실에 공조를 요청할 수 있다. ② 공조 요청을 받은 관할 112치안종합상황실에서는 요청받은 사항에 대해 조치를 취하고 그 결과를 통보해야 한다. 이때 통보의 방법은 제9조 제3항의 규정을 따른다.
신고의 이관·공동대응 등 (제11조)	① 112신고를 접수한 112근무요원은 그 신고 내용이 다른 기관의 소관 업무에 해당할 때에는 지체 없이 해당 기관에 신고를 이관한다. ② 112근무요원은 112신고 관계 기관의 공동대응이 필요한 신고를 접수한 때에는 지체 없이 해당 112신고 관계 기관에 공동대응을 요청해야 한다. ③ 112신고 관계 기관의 공동대응 요청을 받은 112근무요원은 출동 경찰관을 현장에 출동시켜 조치하고, 그 결과를 요청한 기관에 통보해야 한다. 다만, 사건 종료 또는 상황 변화로 인해 112 신고 관계 기관의 공동대응 요청이 철회된 경우에는 그렇지 않다. ④ 신고의 이관 및 공동대응의 요청은 제9조 제3항의 규정을 따른다.
광역사건의 처리 (제12조)	① 112근무요원은 광역성·이동성 범죄와 같이 동시에 여러 장소로 현장출동이 필요한 112신고가 접수된 경우 복수의 출동 경찰관에게 지령할 수 있다. ② 112근무요원은 제1항의 112신고 대응을 위해 소속 경찰관서의 관할지역을 넘어 인근 지역까지 수배, 차단 또는 검문 확대 필요가 있는 경우 상급관서의 112치안종합상황실에 보고해야 하며, 보고를 받은 상급관서의 112치안종합상황실에서는 그 내용을 판단하여 수배, 차단 또는 검문 확대 대상 구역을 정하여 조치해야 한다. ③ 수배, 차단 또는 검문을 확대할 때에는 지속적으로 대상을 추적하고, 상황이 종료된 때에는 수배, 차단 또는 검문을 해제한다.

현장출동 (제13조)	① 지령을 받은 출동 경찰관은 신고유형에 따라 다음 각 호의 기준에 따라 현장에 출동해야 한다. 1. 코드 0 신고 및 코드 1 신고: 코드 2 신고, 코드 3 신고 및 다른 업무의 처리에 우선하여 출동 2. 코드 2 신고: 코드 0 신고, 코드 1 신고 및 다른 중요한 업무의 처리에 지장을 초래하지 않는 범위 내에서 출동 3. 코드 3 신고: 당일 근무시간 내에 출동 ② 출동 경찰관은 소관 업무나 관할 등을 이유로 출동을 거부하거나 지연 출동해서는 안 된다.
현장보고 (제14조)	① 출동 경찰관은 112치안종합상황실에 다음 각 호의 보고를 해야 한다. 1. **최초보고**: 출동 경찰관은 112신고 현장에 도착한 즉시 도착 사실과 함께 현장 상황을 간략히 보고 2. **수시보고**: 현장 상황에 변화가 발생하거나 지원이 필요한 경우 수시로 보고 3. **종결보고**: 현장 초동조치가 종결된 경우 확인된 사건의 진상, 사건의 처리내용 및 결과 등을 상세히 보고 ② ①에도 불구하고 현장 상황이 급박하여 신속한 현장 조치가 필요한 경우 우선 조치 후 보고할 수 있다.
현장조치 (제15조)	① 출동한 경찰관이 112신고에 대한 현장조치를 할 때에는 다음 각 호의 사항을 준수해야 한다. 1. 신고사건은 내용에 따라 「경찰관 직무집행법」 등 관련 법령 및 규정에 따라 엄정하게 처리 2. 돌발상황에 대비하여 철저한 현장 경계 3. 다수의 경찰관이 필요하다고 판단되는 경우 112치안종합상황실에 지원요청 또는 인접 경찰관에게 직접 지원요청 4. 구급차·소방차의 투입 등 112신고 관계 기관의 공동대응 또는 협력이 필요한 사안은 출동 경찰관이 112신고 관계 기관에 직접 이를 요청하거나 112치안종합상황실에 유선·무선으로 보고하여 요청 ② 112근무요원은 ①의 3에 따른 지원요청에 대하여 다른 112신고의 처리 현황, 가용 인원 등을 고려하여 인접 지역에 근무 중인 경찰관에게 지원을 지시할 수 있다. ③ ①의 3에 따른 지원 요청 또는 ②에 따른 지원지시를 받은 경찰관은 특별한 사유가 없는 한 신속히 현장으로 출동하여 현장조치 중인 출동 경찰관을 지원해야 한다.
112신고의 종결 (제16조)	112근무요원은 다음 각 호의 경우 112신고처리를 종결할 수 있다. 1. 사건이 해결된 경우 2. 신고자가 신고를 취소한 경우. 다만, 신고자와 취소자가 동일인인지 여부 및 취소의 사유 등을 파악하여 신고취소의 진의 여부를 확인해야 한다. 3. 허위·오인으로 인한 신고인 경우 또는 신고내용이 경찰 소관이 아님이 확인된 경우 4. 현장에 출동하였으나 사건 내용을 확인할 수 없으며, 사건이 실제 발생하였다는 사실도 확인되지 않는 경우 5. 주무부서의 계속적 조치가 필요한 경우 및 추가적 수사의 필요 등으로 사건 해결에 장시간이 소요되어 해당 부서로 인계하여 처리하는 것이 효과적인 경우 6. 그 밖에 112치안종합상황실장(상황팀장)이 초동조치가 종결된 것으로 판단하는 경우
112신고의 처리 시 유의사항 (제17조)	112신고의 처리를 하는 사람은 다음 각 호의 사항에 유의해야 한다. 1. 무선통신은 음어 또는 약호 사용을 원칙으로 하며 통신보안에 저촉되는 행위를 해서는 안 된다. 2. 지령은 정확하고 간결하게 해야 하며, 무선망의 순위를 고려하여 타 무선망에 장애가 되지 않도록 유의해야 한다. 3. 누구든지 법률에 특별히 규정한 것을 제외하고는 교신의 직접 대상이 아닌 사람이 타인의 교신내용을 무단 수신 또는 발신하거나 알게 된 내용을 누설해서는 안 된다.

출동현장의 촬영·관리 (제18조)	① 경찰청장등은 수집된 영상정보를 외부에 누설하거나 권한 없는 사람이 이용하지 않도록 관리하기 위하여 경찰관서별 관리책임자를 지정하여 운영해야 한다. ② 경찰청장등이 구축·운영하는 영상정보관리체계는 다음 각호의 사항을 포함해야 한다. 1. 영상촬영장치의 설치 근거 및 설치 목적 2. 영상촬영장치의 설치 대수, 설치 위치 및 촬영 범위 3. 관리책임자, 담당 부서 및 영상정보에 대한 접근 권한이 있는 사람 4. 영상정보의 촬영시간, 보관기간, 보관장소 및 처리·폐기방법 5. 영상정보의 공동이용 방법 및 절차 6. 영상촬영장치운영자의 영상정보 확인 방법 및 장소 7. 정보주체의 영상정보 열람 등 요구에 대한 조치 8. 영상정보 보호를 위한 기술적·관리적 및 물리적 조치 9. 그 밖에 영상촬영장치의 설치·운영 및 관리에 필요한 사항

4. 자료의 취급 및 보안 등

구분	내용
통계분석 및 활용 (제19조)	① 경찰청장등은 112신고 통계 현황을 정기적으로 분석하고 이를 범죄예방대책 수립 등 치안활동에 반영해야 한다. ② 112치안종합상황실장은 112신고에 대한 현장조치 내용을 점검해 담당 부서에 통보하고 이를 반영한 112신고 대응 발전 계획을 수립해야 한다.
자료보존 기간 (제20조)	① 112신고 접수·처리자료의 보존기간은 다음 각 호의 구분에 따른다. 1. **112시스템 입력자료**: 112신고 대응 코드 0·코드 1·코드 2로 분류한 자료는 3년간, 코드 3·코드 4로 분류한 자료는 1년간 보존 2. **녹음·녹화자료**: 3개월간 보존 3. **그 밖에 문서 및 일지**: 「공공기록물 관리에 관한 법률」에서 정하는 바에 따라 보존 ② 경찰청장등은 112신고 접수·처리자료의 보존기간을 다음 각 호에 따른 범위에서 연장할 수 있다. 1. **①의 1의 경우**: 112신고 대응 코드 0·코드 1·코드 2로 분류한 자료는 2년, 코드 3·코드 4로 분류한 자료는 1년 2. **①의 2의 경우**: 3개월
112치안 종합 상황실의 보안 (제21조)	① 112치안종합상황실은 「보안업무규정 시행 세부규칙」 제60조에 따라 통제구역으로 설정하여 출입자 명부를 비치하고 고정출입자 이외의 출입상황을 기록해야 한다. ② 경찰청장등은 비인가자의 출입을 방지하기 위하여 필요한 경우 112치안종합상황실의 입구나 그 주위에 근무자를 배치할 수 있다. ③ 112치안종합상황실장(상황팀장)의 사전승인 없이는 112치안종합상황실에서 취급하는 상황보고서, 물품 및 장비 등을 복제, 복사하거나 사진을 촬영할 수 없으며 외부로 반출할 수 없다. ④ 그 밖에 112치안종합상황실의 보안에 관한 사항은 「보안업무규정」에 따른다.

5. 112시스템 운영 및 개선

구분	내용
112시스템 운영 (제22조)	① 경찰청장은 112시스템의 운영업무를 총괄하는 112시스템책임자를 지정하여 운영해야 한다. ② 112시스템책임자는 112시스템이 적정하게 운영되도록 최선을 다해야 하며 112시스템의 고장 또는 장애가 발생한 때에는 신속하게 복구해야 한다. ③ 경찰청장은 112시스템의 안정적인 운영과 관리를 위하여 필요하다고 인정하면 시스템의 유지관리 등 업무의 일부를 「형사사법절차 전자화 촉진법」 제8조 제3항의 정보화를 지원하는 법인에 위탁할 수 있다.
112시스템 보완 및 개선 (제23조)	① 경찰청장은 112시스템의 효율적인 운영을 위하여 112시스템 운영상황 등을 점검하여 112시스템 보완·개선계획을 매년 수립·시행해야 한다. ② 경찰청장은 112시스템 운영상황 등에 대한 보완·개선을 위하여 다음 각 호의 사항을 포함한 기준을 마련해야 한다. 1. 112신고 접수·공동대응·이관에 관한 사항 2. 112시스템 운영 및 장애 조치에 관한 사항 3. 정보통신망 운영·관리에 관한 사항 4. 다른 정보시스템과의 연계에 관한 사항 5. 운영인력 및 조직 등 유지관리 체계에 관한 사항 6. 정보보안에 관한 사항 7. 그 밖의 시스템 운영 및 개선에 필요한 사항

6. 112근무요원 등 전문성 제고 및 장비 관리 등

구분	내용
112근무요원·전문인력 교육 (제24조)	① 경찰청장등은 112근무요원의 자질향상과 상황처리 능력 배양을 위해 112근무요원에 대하여 112신고 관계 법령, 관계 규정, 음어 또는 약호의 사용 요령 및 112신고의 처리 업무수행에 필요한 전반적인 교육을 실시해야 한다. ② 경찰청장등은 관계 법령과 관계 규정 또는 상황처리 요령 등이 개정·변경된 경우에는 112근무요원에 대하여 수시로 개정·변경된 사항을 교육해야 한다. ③ 112치안종합상황실장(상황팀장)은 112근무요원의 직무수행 능력향상을 위하여 일일교양 및 지도감독을 철저히 해야 한다. ④ 112시스템 전문인력의 교육과 훈련에 관하여는 「경찰공무원 교육훈련규정」 제10조, 제12조 및 제14조를 준용한다.
112근무요원의 전문성 확보 (제25조)	① 112근무요원의 근무기간은 2년 이상으로 한다. ② 경찰청장은 112근무요원의 전문성 제고를 위해 112근무요원 전문인증제를 운영할 수 있다.
장비의 관리 (제26조)	① 112치안종합상황실장(상황팀장)은 무선장비 등 각종 112 운영장비가 적정하게 운영되도록 해야 한다. ② 112치안종합상황실장(상황팀장)은 무선망의 고장 또는 교신 장애가 발생한 때에는 다음 각 호의 기준에 따라 조치해야 하며, 조치 의뢰를 받은 정보통신 담당 부서에서는 다른 업무에 우선하여 처리해야 한다. 1. 중단 없는 무선망 소통을 위해 모바일단말기 등을 활용하여 우회소통 유지 2. 고장 발생 즉시 정보통신 담당 부서에 수리를 의뢰 3. 무선설비의 자체 수리가 불가능할 경우 상급관서에 보고하여 지휘를 받아 조치

지역정보의 관리 (제27조)	112치안종합상황실장(상황팀장)은 112시스템에 등록된 지역정보(주소, 전화번호 등이 지도와 연계된 정보를 말한다)를 수시로 점검하여 변동사항이 있는 경우 112시스템에 변동내용을 반영하거나 지역경찰로 하여금 반영하도록 조치해야 한다. 이때 지역경찰이 입력한 지역정보의 중복여부 등을 확인해야 한다.

03 지역경찰의 조직 및 운영에 관한 규칙

(1) 총칙

① 목적(제1조): 이 규칙은 효율적인 지역 치안활동 수행을 위해 지역경찰의 조직 및 운영 등에 관하여 필요한 사항을 규정함을 목적으로 한다.

② 정의(제2조): 이 규칙에서 사용하는 용어의 정의는 다음과 같다.

지역경찰관서	"지역경찰관서"란 「국가경찰과 자치경찰의 조직 및 운영에 관한 법률」 제30조 제3항 및 「경찰청과 그 소속기관 직제」 제43조에 규정된 지구대 및 파출소를 말한다. **국가경찰과 자치경찰의 조직 및 운영에 관한 법률** **제30조 【경찰서장】** ③ 경찰서장 소속으로 지구대 또는 파출소를 두고, 그 설치기준은 치안수요 · 교통 · 지리 등 관할 구역의 특성을 고려하여 행정안전부령으로 정한다. 다만, 필요한 경우에는 출장소를 둘 수 있다. **경찰청과 그 소속기관 직제** **제43조 【지구대 등】** ① 시 · 도경찰청장은 경찰서장의 소관사무를 분장하기 위하여 행정안전부령으로 정하는 바에 따라 경찰청장의 승인을 받아 지구대 또는 파출소를 둘 수 있다. ② 시 · 도경찰청장은 제1항에 따른 사무분장이 임시로 필요한 경우에는 출장소를 둘 수 있다.
지역경찰	지역경찰관서 소속 경찰공무원 및 전투경찰순경을 말한다.
지역경찰업무 담당부서	지역경찰관서 및 지역경찰과 관련된 사무를 처리하는 경찰청, 지방경찰청, 경찰서 소속의 모든 부서를 말한다.
일근근무	국가공무원 복무규정 제9조 제1항에 규정된 근무형태를 말한다.
상시 · 교대근무	경찰기관 상시근무 공무원의 근무시간 등에 관한 규칙 제2조에 규정된 '상시근무'와 '교대근무'를 포괄하는 형태의 근무를 말한다.

③ 적용범위(제3조): 이 규칙은 지역경찰관서와 지역경찰 및 지역경찰업무 담당부서에 적용한다.

(2) 조직 및 구성

① 지역경찰관서

설치 및 폐지 (제4조)	㉠ 시 · 도경찰청장은 인구, 면적, 행정구역, 교통 · 지리적 여건, 각종 사건사고 발생 등을 고려하여 경찰서의 관할 구역을 나누어 지역경찰관서를 설치한다. ㉡ 지역경찰관서의 명칭은 '○○경찰서 ○○지구대(파출소)'로 한다. **경찰청과 그 소속기관 직제** **제43조 【지구대 등】** ① 시 · 도경찰청장은 경찰서장의 소관사무를 분장하기 위하여 행정안전부령으로 정하는 바에 따라 경찰청장의 승인을 받아 지구대 또는 파출소를 둘 수 있다. ② 시 · 도경찰청장은 제1항에 따른 사무분장이 임시로 필요한 경우에는 출장소를 둘 수 있다.

<table>
<tr><td>설치 및 폐지
(제4조)</td><td colspan="2">경찰청과 그 소속기관 조직 및 정원관리 규칙
제10조【지구대, 파출소 및 출장소】 ① 시·도경찰청장이 지구대 또는 파출소를 설치하고자 할 때에는 별표 1 제4호에 준한 서류를 첨부하여 경찰청장에게 승인을 요청하여야 한다.
② 지구대장은 경정 또는 경감, 파출소장은 경정·경감 또는 경위로 한다.
③ 시·도경찰청장은 임시로 필요한 때에는 출장소를 둘 수 있으며, 출장소를 설치한 때에는 경찰청장에게 보고하여야 한다.
④ 출장소장은 경위 또는 경사로 한다.
⑤ 시·도경찰청장이 지구대 또는 파출소를 폐지하거나 명칭·위치 및 관할 구역을 변경하였을 때에는 경찰청장에게 보고하여야 한다.</td></tr>
<tr><td>지역경찰관서장
(제5조)</td><td colspan="2">지역경찰관서의 사무를 통할하고 소속 지역경찰을 지휘·감독하기 위해 지역경찰관서에 지구대장 및 파출소장(이하 '지역경찰관서장'이라 한다)을 둔다.</td></tr>
<tr><td rowspan="3">하부조직
(제6조)</td><td colspan="2">㉠ 지역경찰관서에는 관리팀과 상시·교대근무로 운영하는 복수의 순찰팀을 둔다.
㉡ 관리팀 및 순찰팀의 인원은 지역 치안수요 및 인력여건 등을 고려하여 경찰서장이 결정한다.</td></tr>
<tr><td>관리팀
(제7조)</td><td>관리팀은 문서의 접수 및 처리, 시설 및 장비의 관리, 예산의 집행 등 지역경찰관서의 행정업무를 담당한다.</td></tr>
<tr><td>순찰팀
(제8조)</td><td>㉠ 순찰팀의 수는 지역 치안수요 및 인력여건 등을 고려하여 시·도경찰청장이 결정한다.
㉡ 순찰팀은 범죄예방 순찰, 각종 사건사고에 대한 초동조치 등 현장 치안활동을 담당하며, 팀장은 경감 또는 경위로 보한다.
㉢ 순찰팀장을 보좌하고 순찰팀장 부재시 업무를 대행하기 위해 순찰팀별로 부팀장을 둘 수 있다.</td></tr>
<tr><td>지휘 및 감독
(제9조)</td><td colspan="2">㉠ 경찰서장: 지역경찰관서의 운영에 관하여 총괄 지휘·감독
㉡ 경찰서 각 과장: 각 과의 소관업무와 관련된 지역경찰의 업무에 관하여 지휘·감독
㉢ 지역경찰관서장: 지역경찰관서의 시설·장비·예산 및 소속 지역경찰의 근무에 관한 제반사항을 지휘·감독
㉣ 순찰팀장: 근무시간 중 소속 지역경찰을 지휘·감독</td></tr>
</table>

② 지역경찰관서장과 순찰팀장의 임무

구분	지역경찰관서장	순찰팀장
임무	㉠ 관내 치안상황의 분석 및 대책 수립 ㉡ 지역경찰관서의 시설·예산·장비의 관리 ㉢ 소속 지역경찰의 근무와 관련된 제반사항에 대한 지휘 및 감독 ㉣ 경찰 중요 시책의 홍보 및 협력치안 활동	㉠ 근무교대시 주요 취급사항 및 장비 등의 인수인계 확인 ㉡ 관리팀원 및 순찰팀원에 대한 일일근무 지정 및 지휘·감독 ㉢ 관내 중요 사건발생시 현장 지휘 ㉣ 지역경찰관서장 부재시 업무 대행 ㉤ 순찰팀원의 업무역량 향상을 위한 교육

③ 치안센터

구분		내용
설치 및 폐지 (제10조)		㉠ 시 · 도경찰청장은 지역치안을 효율적으로 수행하기 위하여 지역경찰관서장 소속하에 치안센터를 설치할 수 있다. ㉡ 치안센터의 명칭은 '○○지구대(파출소) ○○치안센터'로 한다.
소속 및 관할 (제11조)		㉠ 치안센터는 지역경찰관서장의 소속하에 두며, 치안센터의 인원, 장비, 예산 등은 지역경찰관서에서 통합 관리한다. ㉡ 치안센터의 관할 구역은 소속 지역경찰관서 관할 구역의 일부로 한다. ㉢ 치안센터 관할 구역의 크기는 설치목적, 배치 인원 및 장비, 교통 · 지리적 요건 등을 고려하여 경찰서장이 정한다.
운영시간 (제12조)		㉠ 치안센터는 24시간 상시 운영을 원칙으로 한다. ㉡ 경찰서장은 지역 치안여건 및 인원여건을 고려, 운영시간을 탄력적으로 조정할 수 있다.
근무자의 배치 (제13조)		㉠ 치안센터 운영시간에는 치안센터 관할 구역에 근무자를 배치함을 원칙으로 한다. ㉡ 경찰서장은 치안센터의 종류 및 지리적 여건 등을 고려하여 필요한 경우 치안센터에 전담근무자를 배치할 수 있다.
치안 센터장 (제14조)		㉠ 경찰서장은 치안센터에 전담근무자를 배치하는 경우 전담근무자 중 1명을 치안센터장으로 지정할 수 있으며, 치안센터장의 임무는 다음과 같다. ⓐ 경찰 민원접수 및 처리 ⓑ 관할 지역 내 주민여론 수렴 및 보고 ⓒ 타 기관 협조 등 협력방범활동 ⓓ 기타 치안센터 운영과 관련된 문제점 및 개선대책 수립 및 보고 ㉡ 치안센터장은 제20조에 따른 복장 외에 별도 1의 표시장을 패용한다. ㉢ 치안센터장은 민원인의 편의를 위해 별도 2의 확인용 인장을 제작하여 사용할 수 있다.
치안 센터의 종류 (제15조)		치안센터는 설치목적에 따라 검문소형과 출장소형으로 구분한다.
	검문소형 치안센터 (제16조)	㉠ 검문소형 치안센터는 적의 침투 예상로 또는 주요 간선도로의 취약요소 등에 교통통제 요소 등을 고려하여 설치한다. 다만, 지방경찰청 및 경찰서 관할의 경계에는 인접 관서장과 협의하여 단일 치안센터를 설치하는 것을 원칙으로 한다. ㉡ 검문소형 치안센터 근무자의 임무는 다음과 같다. ⓐ 거점 형성에 의한 지역 경계 ⓑ 불심검문 및 범법자의 단속 · 검거 ⓒ 지역경찰관서에서 즉시 출동하기 어려운 사건 · 사고 발생 시 초동조치
	출장소형 치안센터 (제17조)	㉠ 출장소형 치안센터는 지리적 여건 · 치안수요 등을 고려하여 필요한 경우 직주일체형으로 운영할 수 있다. ㉡ 출장소형 치안센터는 지역치안활동의 효율성 및 주민 편의 등을 고려하여 필요한 지역에 설치한다. ㉢ 출장소형 치안센터 근무자의 임무는 다음과 같다. ⓐ 관할 내 주민여론 청취 등 지역사회 경찰활동 ⓑ 방문민원접수 및 처리 ⓒ 범죄예방 순찰 및 위험발생 방지 ⓓ 지역경찰관서에서 즉시 출동하기 어려운 사건 · 사고 발생 시 초동조치 ㉣ 경찰서장은 도서, 접적지역 등 지리적 여건상 필요한 경우에는 출장소형 치안센터에 검문소형 치안센터의 임무를 병행토록 할 수 있다.

> **Tip** 직주일체형 치안센터(제18조~제19조)
>
> **1. 개념**
> 출장소형 치안센터 중 근무자가 치안센터 내에서 거주하면서 근무하는 형태의 치안센터를 말한다.
>
> **2. 근무특징**
> 직주일체형 치안센터에는 배우자와 함께 거주함을 원칙으로 하며, 배우자는 근무자 부재시 방문민원접수·처리 등 보조 역할을 수행한다. 직주일체형 치안센터에 배치된 근무자는 근무 종료 후에도 관할 구역 내에 위치하며 지역경찰관서와 연락체계를 유지하여야 한다. 다만, 휴무일은 제외한다.
>
> **3. 직주일체형 치안센터 근무자의 특례**
> 경찰서장은 직주일체형 치안센터에서 거주하는 근무자의 배우자에게 조력사례금을 지급하여야 하며, 지급기준 및 금액은 경찰청장이 정한다. 직주일체형 치안센터 근무자의 근무기간은 1년 이상으로 하며, 임기를 마친 경찰관은 희망부서로 배치하고, 차기 경비부서의 차출순서에서 1회 면제한다.

(3) 근무

복장 및 휴대장비 (제20조)	① 지역경찰은 근무 중 경찰복제에 관한 규칙 제15조 제1항에 규정된 근무장을 착용하는 것을 원칙으로 한다. ② 지역경찰은 근무 중 근무수행에 필요한 경찰봉, 수갑 등 경찰장구, 무기 및 무전기 등을 휴대하여야 한다. ③ 지역경찰관서장 및 순찰팀장(이하 '지역경찰관리자'라 한다)은 필요한 경우 지역경찰의 복장 및 휴대장비를 조정할 수 있다.
근무형태 및 시간 (제21조)	① 지역경찰관서장은 일근근무를 원칙으로 한다. 다만, 경찰서장은 필요하다고 인정되는 경우에는 지역경찰관서장의 근무시간을 조정하거나, 시간 외·휴일근무 등을 명할 수 있다. ② 관리팀은 일근근무를 원칙으로 한다. 다만, 지역경찰관서장은 필요하다고 인정되는 경우에는 근무시간을 조정하거나, 시간 외·휴일근무 등을 명할 수 있다. ③ 순찰팀장 및 순찰팀원은 상시·교대근무를 원칙으로 하며, 근무교대 시간 및 휴게시간, 휴무횟수 등 구체적인 사항은 국가공무원 복무규정 및 경찰기관 상시근무 공무원의 근무시간 등에 관한 규칙이 규정한 범위 안에서 시·도경찰청장이 정한다. ④ 치안센터 전담근무자의 근무형태 및 근무시간은 치안센터의 종류 및 운영시간 등을 고려하여 위 ①부터 ③까지의 규정을 준용하여 경찰서장이 정한다. ⑤ 전투경찰순경의 근무형태 및 시간은 지역 치안여건 등을 고려하여 전투경찰순경 등 관리규칙에 규정한 범위 내에서 지역경찰관서장이 정한다.

근무의 종류 (제22조)	지역경찰의 근무는 행정근무, 상황근무, 순찰근무, 경계근무, 대기근무, 기타 근무로 구분한다.	
	행정근무 (제23조)	① 문서의 접수 및 처리 ② 시설·장비의 관리 및 예산의 집행 ③ 각종 현황, 통계, 자료, 부책 관리 ④ 기타 행정업무 및 지역경찰관서장이 지시한 업무
	상황근무 (제24조)	① 시설 및 장비의 작동 여부 확인 ② 방문민원 및 각종 신고사건의 접수 및 처리 ③ 요보호자 또는 피의자에 대한 보호·감시 ④ 중요 사건·사고발생시 보고 및 전파 ⑤ 기타 필요한 문서의 작성
	순찰근무 (제25조)	① 순찰근무는 그 수단에 따라 112 순찰, 방범오토바이 순찰, 자전거 순찰 및 도보 순찰 등으로 구분한다. ② 112 순찰근무 및 야간 순찰근무는 반드시 2인 이상 합동으로 지정하여야 한다.

근무의 종류 (제22조)	순찰근무 (제25조)	③ 순찰근무를 지정받은 지역경찰은 지정된 근무구역에서 다음의 업무를 수행한다. ㉠ 주민여론 및 범죄첩보 수집 ㉡ 각종 사건·사고발생시 초동조치 및 보고, 전파 ㉢ 범죄예방 및 위험발생방지 활동 ㉣ 범법자의 단속 및 검거 ㉤ 경찰방문 및 방범진단 ㉥ 통행인 및 차량에 대한 검문검색 등 ④ 순찰근무를 할 때에는 다음의 사항에 유의하여야 한다. ㉠ 문제의식을 가지고 면밀하게 관찰 ㉡ 주민에 대한 정중하고 친절한 예우 ㉢ 돌발상황에 대한 대비 및 경계철저 ㉣ 지속적인 치안상황 확인 및 신속대응
	경계근무 (제26조)	① 경계근무는 반드시 2인 이상 합동으로 지정하여야 한다. ② 경계근무를 지정받은 지역경찰은 지정된 장소에서 다음의 업무를 수행한다. ㉠ 범법자 등을 단속·검거하기 위한 통행인 및 차량, 선박 등에 대한 검문검색 및 후속조치 ㉡ 비상 및 작전사태 등 발생시 차량, 선박 등의 통행 통제
	대기근무 (제27조)	① 대기근무는 경찰기관 상시근무 공무원의 근무시간 등에 관한 규칙 제2조 제6호의 '대기'를 뜻한다. ② 대기근무의 장소는 지역경찰관서 및 치안센터 내로 한다. 단, 식사시간을 대기근무로 지정한 경우에는 식사 장소를 대기근무 장소로 지정할 수 있다. ③ 대기근무를 지정받은 지역경찰은 지정된 장소에서 휴식을 취하되, 무전기를 청취하며 10분 이내 출동이 가능한 상태를 유지하여야 한다.
	기타 근무 (제28조)	① 기타근무란 제23조부터 제27조까지의 규정을 제외하고 치안상황에 효과적으로 대응하기 위하여 지역경찰 관리자가 지정하는 근무를 말한다. ② 기타 근무의 근무내용 및 방법 등은 지역경찰관리자가 정한다.
일일근무 지정 (제29조)		① 지역경찰관서장은 지역경찰관서 및 치안센터의 설치목적, 근무인원, 치안수요, 기타 업무량 등을 고려하여 근무의 종류 및 실시기준을 정한다. ② 순찰팀장은 ①에 따라 지역경찰관서장이 정한 기준을 준수하여 당해 근무시간 내 관리팀원 및 순찰팀원의 개인별 근무 종류, 근무 장소, 중점 근무사항 등을 별지 제1호 서식의 근무일지(갑지)에 구체적으로 지정하여야 한다. ③ 순찰팀장은 관리팀원에게 행정근무를 지정하고, 순찰팀원에게 상황 또는 순찰근무 지정하는 것을 원칙으로 하되, 필요한 경우에는 다른 근무를 지정하거나 병행하여 수행하도록 지정할 수 있다. ④ 순찰근무의 근무종류 및 근무구역은 지역 치안이 효율적으로 수행될 수 있도록 다음의 사항을 고려하여 지정하여야 한다. ㉠ 시간대별·장소별 치안수요 ㉡ 각종 사건·사고발생 ㉢ 순찰 인원 및 가용 장비 ㉣ 관할 면적 및 교통·지리적 여건 ⑤ 치안센터 전담근무자는 ①에 따라 지역경찰관서장이 정한 기준을 준수하여 별지 제2호 서식의 근무일지에 자율적으로 근무지정을 하고 근무를 수행한다. ⑥ 지역경찰관리자는 신고출동태세 유지 등을 위해 필요한 경우에는 휴게 및 식사시간도 대기근무로 지정할 수 있다.

근무내용의 변경 (제30조)	관리팀원 및 순찰팀원이 물품구입, 등서 등 기타 사유로 지정된 근무종류 및 근무구역 등을 변경하고자 할 때에는 순찰팀장에게 보고하여야 한다.

⑷ 지역경찰의 동원(제31조)

① 시·도경찰청장 또는 경찰서장은 다음에 정한 사유에 해당하는 경우로서 특히 필요하다고 인정되는 때에 한하여 지역경찰의 기본근무에 지장을 초래하지 않는 범위 내에서 지역경찰을 다른 근무에 동원할 수 있다.

㉠ 다중범죄 진압, 대간첩작전 기타의 비상사태

㉡ 경호경비 또는 각종 집회 및 행사의 경비

㉢ 중요범인의 체포를 위한 긴급배치

㉣ 화재, 폭발물, 풍수설해 등 중요사고의 발생

㉤ 기타 다수 경찰관의 동원을 필요로 하는 행사 또는 업무

② 지역경찰 동원은 근무자 동원을 원칙으로 하되, 불가피한 경우에 한하여 비번자, 휴무자 순으로 동원할 수 있다. 시·도경찰청장 또는 경찰서장은 휴무자를 동원한 때에는 경찰기관 상시근무 공무원의 근무시간 등에 관한 규칙 제5조가 정하는 바에 따라 초과근무수당을 지급하거나 추가 휴무를 부여하여야 한다.

⑸ 시설 및 장비

관서 표지 (제32조)	지역경찰관서 및 치안센터에 게시하는 모든 표지는 경찰기 및 관서 제표지 규칙이 정하는 바에 따른다.
시설 관리 (제33조)	① 경찰서장은 근무자가 신고출동 등으로 지역경찰관서 또는 치안센터를 비울 경우에 대비하여, 출입구 근처에 근무자와 통신할 수 있는 통신장치를 설치하여야 한다. ② 경찰서장은 필요한 경우에는 지역경찰관서 또는 치안센터에 자체 방호시설을 설치할 수 있다. ③ 지역경찰관서장은 지역경찰의 근무 및 주민 편의를 위해 청사 및 시설을 수시로 점검, 보완하여야 한다.
112 순찰차 (제34조)	① 112 순찰 근무자는 차량의 적정관리를 위해 운행사항 등을 112 순찰일지에 매일 기록하여야 한다. ② 112 순찰차에는 신속한 현장조치 등을 위해 필요한 장비를 탑재해야 하며 경찰서장은 지역 실정에 맞게 탑재장비의 종류 및 수량 등을 정해야 한다.
통신망의 구축 및 점검 (제35조)	① 경찰서장은 경찰서, 지역경찰관서, 치안센터간 상호 원활한 유·무선 통신망을 구축해야 한다. ② 경찰서장은 ①에 따라 구축된 통신장비를 수시로 점검하여 통신두절을 방지하여야 한다.

기타 지역경찰이 사용하는 장비의 운영, 관리, 점검 등에 관한 사항은 경찰장비관리규칙에서 정하는 바에 따른다(제36조).

⑹ 인사관리(제37조)

① 경찰서장은 지역경찰관서의 관할 면적, 치안수요 등을 고려하여 지역경찰관서에 적정한 인원을 배치하여야 하며 지역경찰의 정원을 다른 부서에 우선하여 충원하여야 한다.

② 시·도경찰청장은 소속 지방경찰청의 지역경찰 정원충원 현황을 연 2회 이상 점검하고 현원이 정원에 미달할 경우, 지역경찰 정원충원 대책을 수립, 시행하여야 한다.

CHAPTER 01

(7) 교육 및 평가

① 교육(제39조) : 시・도경찰청장 및 경찰서장은 지역경찰의 올바른 직무수행 및 자질 향상을 위해 필요한 교육을 실시하여야 한다. 교육시간, 방법, 내용 등 지역경찰 교육과 관련된 세부적인 기준은 경찰청장이 따로 정한다.

② 상시교육(제39조의2)

ⓐ 지역경찰관리자는 주간근무시간에 신고사건 처리에 지장이 없는 범위에서 별도의 시간을 지정하여 지역경찰의 직무수행 능력 향상을 위한 상시교육을 실시할 수 있다.

ⓑ 경찰서 112치안종합상황실장은 필요한 경우 상시교육 계획을 수립하여 지역경찰관서에 사전에 공지해야 한다.

ⓒ 교육방식과 내용은 지역경찰관서 실정에 따라 지역경찰관리자가 정한다.

ⓓ 지역경찰관리자는 신고출동 지령시 상시교육 중에 있는 지역경찰을 최후순위 출동요소로 지정한다.

ⓔ 상시교육을 실시한 시간은 지정학습(「경찰공무원 상시학습제도 운영에 관한규칙」 제2조제2호에 따른 지정학습을 말한다.)시간으로 인정할 수 있다.

③ 지도방문(제40조) : 시・도경찰청장 및 경찰서장은 소속 지역경찰의 업무 지도 및 현장 의견 수렴, 사기관리 등을 위해 지도방문 계획을 수립・시행하여야 한다.

④ 실적평가와 포상(제41조) : 경찰청장, 시・도경찰청장 및 경찰서장은 지역경찰의 사기 진작 및 지역경찰활동의 활성화를 위하여 근무실적에 대한 공정한 평가를 실시하고 우수 경찰공무원을 포상하여야 한다.

(8) 문서 관리

① 근무일지의 기록・보관(제42조) : 지역경찰관리자와 상황근무자는 근무 중 주요사항을 근무일지(을지)에 기재하여야 한다. 근무일지는 3년간 보관한다.

② 근무일지 등 작성(제42조의2) : 제29조제2항의 근무일지(갑지), 제34조제1항의 112순찰차 점검일지, 제42조제1항의 근무일지(을지)는 전산화 업무시스템에 작성한다. 다만, 천재지변 등으로 전산화 업무시스템을 사용할 수 없는 경우 수기로 작성할 수 있다.

③ 정기보고기간(제43조)

㉠ 지역경찰 업무담당부서에서 지역경찰관서장에게 각종 현황 및 통계 등을 정기적으로 보고하도록 지시한 경우 지시의 효력은 최초 보고받은 날로부터 1년이 경과하면 자동으로 소멸한다.

㉡ 지역경찰 업무담당부서에서는 지시의 효력을 연장할 필요가 있는 경우 소속 관서의 112치안종합상황실장과 협의하여 1년 단위로 연장할 수 있다.

④ 문서부책(제44조) : 지구대와 파출소 등에는 업무수행에 필요한 최소한의 부책만을 비치하여야 한다. 비치 문서와 부책은 시・도경찰청장이 정한다.

04 순찰

(1) 순찰의 의의

순찰이란 지역경찰관이 개괄적인 경찰임무의 수행과 관내정황을 파악하기 위하여 일정한 지역을 순회시찰하는 근무를 말한다. 비상배치 근무자의 범인검거를 위한 순회와 같은 특정한 목적을 가진 활동은 순찰의 개념에 해당하지 않으며 평상시의 일상적인 근무가 순찰에 해당한다.

(2) 순찰의 기능 및 순찰의 필요성

C. D. Hale	S. Walker
① 범죄예방과 범인검거 ② 법집행과 질서유지 ③ 대민 서비스 제공 ④ 교통지도단속	① 범죄의 억제 ② 공공 안전감의 증진 ③ 대민 서비스 제공

(3) 순찰의 효과 연구

뉴욕경찰의 25구역 순찰실험	뉴욕시 관할 구역 중 범죄가 많이 발생하는 지역인 맨해튼 동부 25구역에 경찰관을 2배로 증원·배치하여 순찰을 실시한 결과 범죄가 감소하였다.
캔사스시의 예방순찰실험	차량순찰을 증가시켜도 범죄는 감소하지 않았고, 반면에 일상적인 차량순찰을 생략해도 범죄는 증가하지 않았다. 또한, 대부분의 시민들은 순찰수준의 변화조차 인식하지 못했다.
뉴왁시의 도보순찰실험	도보순찰을 증가시켜도 실제로는 범죄발생이 감소되지 않았으나, 다른 지역 주민들에 비해 자신들의 구역 내에서 범죄가 줄고 있다고 생각하고 있었던 것으로 나타났다.
플린트시의 도보순찰프로그램	플린트시의 순찰실험 평가결과에 의하면, 공식적인 범죄가 실험기간 동안에 증가하였음에도 불구하고 도보순찰의 결과 시민들은 오히려 더 안전하다고 느끼고 있음이 밝혀졌다.

(4) 순찰노선에 따른 순찰의 종류

구분	내용	특성
정선순찰	가급적 관할 구역 전부에 미칠 수 있도록 사전에 정하여진 노선을 규칙적으로 순찰하는 방법	① 사전 정해진 노선을 규칙적으로 순찰, 순찰함이 많이 설정된다. ② 순찰노선이 일정하고 경찰관의 행동이 규칙적이므로 감독·연락이 용이하다. ③ 범죄자가 순찰경로와 시간을 예측하고 출현할 수 있어 범죄예방효과가 낮아질 수 있다.
난선순찰	경찰사고 발생상황 등을 고려하여 임의적으로 순찰지역이나 노선을 선정하고, 불규칙적으로 순찰하는 방법	① 사전에 순찰노선을 정해 놓지 않고 임의로 불규칙적으로 순찰을 실시한다. ② 순찰근무자의 위치추적이 곤란하고, 근무자의 태만과 소홀을 조장할 우려가 있다. ③ 범죄자의 예측을 교란시킬 수 있고, 다양한 경로를 이용한 순찰을 통해 범죄예방 효과를 증대시킬 수 있다.
요점순찰	순찰구역 내의 중요지점을 지정하여 순찰근무자는 반드시 그곳을 통과하며, 지정된 요점과 요점 사이에서는 난선순찰 방식에 따라 순찰하는 방법	① 정선순찰과 난선순찰의 장점을 살리고 단점도 보완되도록 절충한 방식 ② 중요 요점에만 순찰함이 놓이게 되므로 순찰함이 정선순찰에 비해 적게 소요된다.
자율순찰	인간에 대한 신뢰와 자율성을 바탕으로 창의적 임무를 수행하도록 하는 방법	① 경찰관에게 순찰시간과 구역을 정해주고, 주어진 시간 내에 경찰관의 판단과 업무 필요에 따라 창의적으로 순찰하게 하는 방법이다. ② Y이론에 기초한다.
구역순찰 (담당구역 자율순찰)	지구대의 관할 지역을 몇 개의 소구역으로 나누고 개인별 담당구역을 요점순찰하는 방법	구역책임 자율순찰(현 경찰의 순찰제도)은 순찰구역을 2~5개의 소구역으로 분할하고 그 구역 내에서는 순찰자가 책임의식을 가지고 자유로이 순찰하는 방식이다.

(5) 순찰인원수에 따른 순찰의 종류

① 단독순찰: 순찰근무자 1인이 수행하는 순찰로서 한정된 인원으로 순찰근무를 편성하는데 용이하다. 그러나 다수 범법자에 대한 효과적 직무집행이 어렵고 불의의 공격에 의한 피해 위험이 존재하기 때문에 가급적 주간 순찰시에 실시한다.

② 복수순찰: 2인 이상이 실시하는 순찰로 범죄대처능력과 초동조치, 현장 사건・사고처리 등에서 단독순찰보다 효과가 좋으나 많은 인원이 소요된다. 강력사건 예상지역, 다중범죄지역, 유흥업소 밀집지역 등에서 실시한다.

(6) 순찰수단에 따른 순찰의 종류

구분	장점	단점
도보 순찰	① 사고발생시 신속한 대응 가능 ② 자세하고 치밀한 주변 정황의 관찰이 가능 ③ 야간 등 청력을 필요로 하는 경우에 유리 ④ 주민과의 접촉이 용이 ⑤ 도로사정과 장소여건 등에 대한 제약이 없음 ⑥ 은밀한 순찰로 현행범 발견이 용이함	① 순찰근무자의 피로도 증가로 인해 순찰노선의 단축과 순찰횟수 감소를 야기 ② 기동성의 부족 ③ 장비 휴대의 한계 ④ 다수의 통행인이 있을 경우 경찰력 발휘가 어려워 짐
자동차 순찰	① 높은 가시적 방범효과 ② 기동성에 의한 신속한 사건・사고처리, 다양한 장비의 적재 가능	① 좁은 골목길 주행이 불가능 ② 정황관찰 범위가 제한 ③ 많은 경비의 소요
오토바이 순찰	① 자동차가 주행할 수 없는 좁은 지역을 순찰 ② 빠른 기동성 ③ 시가지나 고속도로상에서 추적시 효과적	잦은 사고로 인한 인명의 손실과 장비의 수리비용이 많이 발생
자전거 순찰	① 도보순찰보다 넓은 범위를 순찰 ② 신체적 피로가 도보순찰보다 감소 ③ 정황관찰과 시민과의 접촉이 비교적 용이	기동성의 약화

CHAPTER 02 생활안전교통경찰

제1절 여성안전 · 청소년보호업무

01 아동 · 청소년의 성보호에 관한 법률

아동 · 청소년의 성보호에 관한 법률(이하 '법'이라 한다)은 아동 · 청소년대상 성범죄의 처벌과 절차에 관한 특례를 규정하고 피해아동 · 청소년을 위한 구제 및 지원 절차를 마련하며 아동 · 청소년대상 성범죄자를 체계적으로 관리함으로써 아동 · 청소년을 성범죄로부터 보호하고 아동 · 청소년이 건강한 사회구성원으로 성장할 수 있도록 함을 목적으로 한다(제1조).

1. 용어의 정의(제2조)

이 법에서 사용하는 용어의 뜻은 다음과 같다.

구분	내용
아동 · 청소년	19세 미만의 사람을 말한다.
아동 · 청소년 대상 성범죄	다음의 어느 하나에 해당하는 죄를 말한다. ① 제7조, 제7조의2, 제8조, 제8조의2, 제9조부터 제11조까지, 제11조의2, 제12조부터 제15조까지 및 제15조의2의 죄 ② 아동 · 청소년에 대한 성폭력범죄의 처벌 등에 관한 특례법 제3조부터 제15조까지의 죄 ③ 아동 · 청소년에 대한 형법 제297조, 제297조의2 및 제298조부터 제301조까지, 제301조의2, 제302조, 제303조, 제305조, 제339조 및 제342조(제339조의 미수범에 한정한다)의 죄 ④ 아동 · 청소년에 대한 아동복지법 제17조 제2호의 죄
아동 · 청소년대상 성폭력범죄	아동 · 청소년대상 성범죄에서 제11조, 제11조의2, 제12조부터 제15조까지 및 제15조의2의 죄를 제외한 죄를 말한다.
성인대상 성범죄	성폭력범죄의 처벌 등에 관한 특례법 제2조에 따른 성폭력범죄를 말한다. 다만, 아동 · 청소년에 대한 형법 제302조 및 제305조의 죄는 제외한다.
아동 · 청소년의 성을 사는 행위	아동 · 청소년, 아동 · 청소년의 성(性)을 사는 행위를 알선한 자 또는 아동 · 청소년을 실질적으로 보호 · 감독하는 자 등에게 금품이나 그 밖의 재산상 이익, 직무 · 편의제공 등 대가를 제공하거나 약속하고 다음의 어느 하나에 해당하는 행위를 아동 · 청소년을 대상으로 하거나 아동 · 청소년으로 하여금 하게 하는 것을 말한다. ① 성교행위 ② 구강 · 항문 등 신체의 일부나 도구를 이용한 유사 성교행위 ③ 신체의 전부 또는 일부를 접촉 · 노출하는 행위로서 일반인의 성적 수치심이나 혐오감을 일으키는 행위 ④ 자위행위

아동 · 청소년 성착취물	아동 · 청소년 또는 아동 · 청소년으로 명백하게 인식될 수 있는 사람이나 표현물이 등장하여 아동 · 청소년의 성을 사는 행위의 어느 하나에 해당하는 행위를 하거나 그 밖의 성적 행위를 하는 내용을 표현하는 것으로서 필름 · 비디오물 · 게임물 또는 컴퓨터나 그 밖의 통신매체를 통한 화상 · 영상 등의 형태로 된 것을 말한다.
피해아동 · 청소년	제2호나목부터 라목까지, 제7조, 제7조의2, 제8조, 제8조의2, 제9조부터 제11조까지, 제11조의2, 제12조부터 제15조까지 및 제15조의2의 죄의 피해자가 된 아동 · 청소년(제13조제1항의 죄의 상대방이 된 아동 · 청소년을 포함한다)을 말한다.
성매매 피해아동 · 청소년	피해아동 · 청소년 중 제13조 제1항의 죄의 상대방 또는 제13조 제2항 · 제14조 · 제15조의 죄의 피해자가 된 아동 · 청소년을 말한다.
등록정보	법무부장관이 성폭력범죄의 처벌 등에 관한 특례법 제42조 제1항의 등록대상자에 대하여 같은 법 제44조 제1항에 따라 등록한 정보를 말한다.

기타 사항

아동 · 청소년의 성보호에 관한 법률

제3조 【해석상 · 적용상의 주의】 이 법을 해석 · 적용할 때에는 아동 · 청소년의 권익을 우선적으로 고려하여야 하며, 이해관계인과 그 가족의 권리가 부당하게 침해되지 아니하도록 주의하여야 한다.

제4조 【국가와 지방자치단체의 의무】 ① 국가와 지방자치단체는 아동 · 청소년대상 성범죄를 예방하고, 아동 · 청소년을 성적 착취와 학대 행위로부터 보호하기 위하여 필요한 조사 · 연구 · 교육 및 계도와 더불어 법적 · 제도적 장치를 마련하며 필요한 재원을 조달하여야 한다.

② 국가는 아동 · 청소년에 대한 성적 착취와 학대행위가 국제적 범죄임을 인식하고 범죄 정보의 공유, 범죄 조사 · 연구, 국제 사법 공조, 범죄인 인도 등 국제협력을 강화하는 노력을 하여야 한다.

제5조 【사회의 책임】 모든 국민은 아동 · 청소년이 이 법에서 정한 범죄의 피해자가 되거나 이 법에서 정한 범죄를 저지르지 아니하도록 사회 환경을 정비하고 아동 · 청소년을 보호 · 지원 · 교육하는 데에 최선을 다하여야 한다.

제6조 【홍보영상의 제작 · 배포 · 송출】 ① 여성가족부장관은 아동 · 청소년대상 성범죄의 예방과 계도, 피해자의 치료와 재활 등에 관한 홍보영상을 제작하여 방송법 제2조 제23호의 방송편성책임자에게 배포하여야 한다.

② 여성가족부장관은 방송법 제2조 제3호 가목의 지상파방송사업자(이하 '방송사업자'라 한다)에게 같은 법 제73조 제4항에 따라 대통령령으로 정하는 비상업적 공익광고 편성비율의 범위에서 제1항의 홍보영상을 채널별로 송출하도록 요청할 수 있다.

③ 방송사업자는 제1항의 홍보영상 외에 독자적인 홍보영상을 제작하여 송출할 수 있다. 이 경우 여성가족부장관에게 필요한 협조 및 지원을 요청할 수 있다.

2. 아동 · 청소년대상 성범죄의 처벌

(1) 아동 · 청소년대상 성범죄의 처벌 대상행위

구분	내용	미수처벌
아동 · 청소년에 대한 강간 · 강제추행 등 (제7조)	① 폭행 또는 협박으로 아동 · 청소년을 강간한 사람은 무기징역 또는 5년 이상의 유기징역에 처한다. ② 아동 · 청소년에 대하여 폭행이나 협박으로 다음의 어느 하나에 해당하는 행위를 한 자는 5년 이상의 유기징역에 처한다. ㉠ 구강 · 항문 등 신체(성기는 제외한다)의 내부에 성기를 넣는 행위 ㉡ 성기 · 항문에 손가락 등 신체(성기는 제외한다)의 일부나 도구를 넣는 행위 ③ 아동 · 청소년에 대하여 형법 제298조의 죄를 범한 자는 2년 이상의 유기징역 또는 1천만원 이상 3천만원 이하의 벌금에 처한다.	○

아동 · 청소년에 대한 강간 · 강제추행 등 (제7조)	④ 아동 · 청소년에 대하여 형법 제299조의 죄를 범한 자는 제1항부터 제3항까지의 예에 따른다. ⑤ 위계(僞計) 또는 위력으로써 아동 · 청소년을 간음하거나 아동 · 청소년을 추행한 자는 ①부터 ③까지의 예에 따른다.	○
장애인인 아동 · 청소년에 대한 간음 등 (제8조)	① 19세 이상의 사람이 13세 이상의 장애 아동 · 청소년(장애인복지법 제2조 제1항에 따른 장애인으로서 신체적인 또는 정신적인 장애로 사물을 변별하거나 의사를 결정할 능력이 미약한 아동 · 청소년을 말한다)을 간음하거나 13세 이상의 장애 아동 · 청소년으로 하여금 다른 사람을 간음하게 하는 경우에는 3년 이상의 유기징역에 처한다. ② 19세 이상의 사람이 장애 아동 · 청소년을 추행한 경우 또는 장애 아동 · 청소년으로 하여금 다른 사람을 추행하게 하는 경우에는 10년 이하의 징역 또는 5천만원 이하의 벌금에 처한다.	×
13세 이상 16세 미만 아동 · 청소년에 대한 간음 등 (제8조의2)	① 19세 이상의 사람이 13세 이상 16세 미만인 아동 · 청소년(제8조에 따른 장애 아동 · 청소년으로서 16세 미만인 자는 제외한다)의 궁박(窮迫)한 상태를 이용하여 해당 아동 · 청소년을 간음하거나 해당 아동 · 청소년으로 하여금 다른 사람을 간음하게 하는 경우에는 3년 이상의 유기징역에 처한다. ② 19세 이상의 사람이 13세 이상 16세 미만인 아동 · 청소년의 궁박한 상태를 이용하여 해당 아동 · 청소년을 추행한 경우 또는 해당 아동 · 청소년으로 하여금 다른 사람을 추행하게 하는 경우에는 10년 이하의 징역 또는 5천만원 이하의 벌금에 처한다.	×
강간 등 상해 · 치상 (제9조)	제7조의 죄를 범한 사람이 다른 사람을 상해하거나 상해에 이르게 한 때에는 무기징역 또는 7년 이상의 징역에 처한다.	
강간 등 살인 · 치사 (제10조)	① 제7조의 죄를 범한 사람이 다른 사람을 살해한 때에는 사형 또는 무기징역에 처한다. ② 제7조의 죄를 범한 사람이 다른 사람을 사망에 이르게 한 때에는 사형, 무기징역 또는 10년 이상의 징역에 처한다.	
아동 · 청소년 성착취물의 제작 · 배포 등 (제11조)	① 아동 · 청소년성착취물을 제작 · 수입 또는 수출한 자는 무기징역 또는 5년 이상의 유기징역에 처한다.	○
	② 영리를 목적으로 아동 · 청소년성착취물을 판매 · 대여 · 배포 · 제공하거나 이를 목적으로 소지 · 운반 · 광고 · 소개하거나 공연히 전시 또는 상영한 자는 5년 이상의 징역에 처한다. ③ 아동 · 청소년성착취물을 배포 · 제공하거나 이를 목적으로 광고 · 소개하거나 공연히 전시 또는 상영한 자는 3년 이상의 징역에 처한다. ④ 아동 · 청소년성착취물을 제작할 것이라는 정황을 알면서 아동 · 청소년을 아동 · 청소년성착취물의 제작자에게 알선한 자는 3년 이상의 징역에 처한다. ⑤ 아동 · 청소년성착취물을 구입하거나 아동 · 청소년성착취물임을 알면서 이를 소지 · 시청한 자는 1년 이상의 징역에 처한다. ⑥ 상습적으로 ①의 죄를 범한 자는 그 죄에 대하여 정하는 형의 2분의 1까지 가중한다.	×
아동 · 청소년성 착취물을 이용한 협박 · 강요 (제11조의2)	① 아동 · 청소년성착취물을 이용하여 그 아동 · 청소년을 협박한 자는 3년 이상의 유기징역에 처한다. ② 제1항에 따른 협박으로 그 아동 · 청소년의 권리행사를 방해하거나 의무 없는 일을 하게 한 자는 5년 이상의 유기징역에 처한다. ③ 상습적으로 제1항 및 제2항의 죄를 범한 자는 그 죄에 대하여 정하는 형의 2분의 1까지 가중한다.	○

아동·청소년 매매행위 (제12조)	아동·청소년의 성을 사는 행위 또는 아동·청소년성착취물을 제작하는 행위의 대상이 될 것을 알면서 아동·청소년을 매매 또는 국외에 이송하거나 국외에 거주하는 아동·청소년을 국내에 이송한 자는 무기징역 또는 5년 이상의 징역에 처한다.	○
아동·청소년의 성을 사는 행위 등 (제13조)	① 아동·청소년의 성을 사는 행위를 한 자는 1년 이상 10년 이하의 징역 또는 2천만원 이상 5천만원 이하의 벌금에 처한다. ② 아동·청소년의 성을 사기 위하여 아동·청소년을 유인하거나 성을 팔도록 권유한 자는 3년 이하의 징역 또는 3천만원 이하의 벌금에 처한다. ③ 16세 미만의 아동·청소년 및 장애 아동·청소년을 대상으로 ① 또는 ②의 죄를 범한 경우에는 그 죄에 정한 형의 2분의 1까지 가중처벌한다.	×
아동·청소년에 대한 강요행위 등 (제14조)	① 다음의 어느 하나에 해당하는 자는 5년 이상의 유기징역에 처한다. ㉠ 폭행이나 협박으로 아동·청소년으로 하여금 아동·청소년의 성을 사는 행위의 상대방이 되게 한 자 ㉡ 선불금(先拂金), 그 밖의 채무를 이용하는 등의 방법으로 아동·청소년을 곤경에 빠뜨리거나 위계 또는 위력으로 아동·청소년으로 하여금 아동·청소년의 성을 사는 행위의 상대방이 되게 한 자 ㉢ 업무·고용이나 그 밖의 관계로 자신의 보호 또는 감독을 받는 것을 이용하여 아동·청소년으로 하여금 아동·청소년의 성을 사는 행위의 상대방이 되게 한 자 ㉣ 영업으로 아동·청소년을 아동·청소년의 성을 사는 행위의 상대방이 되도록 유인·권유한 자 ② ①의 ㉠부터 ㉢까지의 죄를 범한 자가 그 대가의 전부 또는 일부를 받거나 이를 요구 또는 약속한 때에는 7년 이상의 유기징역에 처한다.	○
	③ 아동·청소년의 성을 사는 행위의 상대방이 되도록 유인·권유한 자는 7년 이하의 징역 또는 5천만원 이하의 벌금에 처한다.	×
알선영업 행위 등 (제15조)	① 다음의 어느 하나에 해당하는 자는 7년 이상의 유기징역에 처한다. ㉠ 아동·청소년의 성을 사는 행위의 장소를 제공하는 행위를 업으로 하는 자 ㉡ 아동·청소년의 성을 사는 행위를 알선하거나 정보통신망(정보통신망 이용촉진 및 정보보호 등에 관한 법률 제2조 제1항 제1호의 정보통신망을 말한다)에서 알선정보를 제공하는 행위를 업으로 하는 자 ㉢ ㉠ 또는 ㉡의 범죄에 사용되는 사실을 알면서 자금·토지 또는 건물을 제공한 자 ㉣ 영업으로 아동·청소년의 성을 사는 행위의 장소를 제공·알선하는 업소에 아동·청소년을 고용하도록 한 자 ② 다음의 어느 하나에 해당하는 자는 7년 이하의 징역 또는 5천만원 이하의 벌금에 처한다. ㉠ 영업으로 아동·청소년의 성을 사는 행위를 하도록 유인·권유 또는 강요한 자 ㉡ 아동·청소년의 성을 사는 행위의 장소를 제공한 자 ㉢ 아동·청소년의 성을 사는 행위를 알선하거나 정보통신망에서 알선정보를 제공한 자 ㉣ 영업으로 ㉡ 또는 ㉢의 행위를 약속한 자 ③ 아동·청소년의 성을 사는 행위를 하도록 유인·권유 또는 강요한 자는 5년 이하의 징역 또는 3천만원 이하의 벌금에 처한다.	×

아동·청소년에 대한 성착취 목적 대화 등 (제15조의2)	① 19세 이상의 사람이 성적 착취를 목적으로 정보통신망을 통하여 아동·청소년에게 다음의 어느 하나에 해당하는 행위를 한 경우에는 3년 이하의 징역 또는 3천만원 이하의 벌금에 처한다. ㉠ 성적 욕망이나 수치심 또는 혐오감을 유발할 수 있는 대화를 지속적 또는 반복적으로 하거나 그러한 대화에 지속적 또는 반복적으로 참여시키는 행위 ㉡ 제2조 제4호 각 목의 어느 하나에 해당하는 행위를 하도록 유인·권유하는 행위 ② 19세 이상의 사람이 정보통신망을 통하여 16세 미만인 아동·청소년에게 ①의 각 사항의 어느 하나에 해당하는 행위를 한 경우 제1항과 동일한 형으로 처벌한다.	×
피해자 등에 대한 강요행위 (제16조)	폭행이나 협박으로 아동·청소년 대상성범죄의 피해자 또는 아동복지법 제3조 제3호에 따른 보호자를 상대로 합의를 강요한 자는 7년 이하의 유기징역에 처한다.	×

(2) 신고의무자의 성범죄에 대한 가중처벌(제18조)

보호기관·시설 또는 단체의 장과 그 종사자가 자기의 보호·감독 또는 진료를 받는 아동·청소년을 대상으로 성범죄를 범한 경우에는 그 죄에 정한 형의 2분의 1까지 가중처벌한다.

(3) 형법상 감경규정에 관한 특례(제19조)

음주 또는 약물로 인한 심신장애 상태에서 아동·청소년대상 성폭력범죄를 범한 때에는 형법 제10조 제1항·제2항 및 제11조를 적용하지 아니할 수 있다.

> **형법**
> **제10조 【심신장애인】** ① 심신장애로 인하여 사물을 변별할 능력이 없거나 의사를 결정할 능력이 없는 자의 행위는 벌하지 아니한다.
> ② 심신장애로 인하여 전항의 능력이 미약한 자의 행위는 형을 감경할 수 있다.
> ③ 위험의 발생을 예견하고 자의로 심신장애를 야기한 자의 행위에는 전2항의 규정을 적용하지 아니한다.
> **제11조 【청각 및 언어장애인】** 듣거나 말하는 데 모두 장애가 있는 사람의 행위에 대해서는 형을 감경한다.

3. 처벌절차상의 특례

(1) 공소시효에 관한 특례(제20조)

① 공소시효의 기산시점: 아동·청소년대상 성범죄의 공소시효는 형사소송법 제252조 제1항에도 불구하고 해당 성범죄로 피해를 당한 아동·청소년이 성년에 달한 날부터 진행한다.

> **형사소송법**
> **제252조 【시효의 기산점】** ① 시효는 범죄행위의 종료한 때로부터 진행한다.
> ② 공범에는 최종행위의 종료한 때로부터 전 공범에 대한 시효기간을 기산한다.

② 공소시효의 연장: 아동·청소년에 대한 강간·강제추행 등(제7조)의 죄는 디엔에이(DNA)증거 등 그 죄를 증명할 수 있는 과학적인 증거가 있는 때에는 공소시효가 10년 연장된다.

③ 공소시효 적용의 배제

㉠ 13세 미만의 사람 및 신체적인 또는 정신적인 장애가 있는 사람에 대한 범죄: 다음의 죄를 범한 경우에는 형사소송법 제249조부터 제253조까지 및 군사법원법 제291조부터 제295조까지에 규정된 공소시효를 적용하지 아니한다.

ⓐ 형법 제297조(강간), 제298조(강제추행), 제299조(준강간, 준강제추행), 제301조(강간 등 상해 · 치상), 제301조의2(강간 등 살인 · 치사) 또는 제305조(미성년자에 대한 간음 · 추행)의 죄

ⓑ 제9조 및 제10조의 죄

ⓒ 성폭력범죄의 처벌 등에 관한 특례법 제6조 제2항, 제7조 제2항 · 제5항, 제8조, 제9조의 죄

㉡ **일반적인 아동 · 청소년에 대한 범죄**: 다음의 죄를 범한 경우에는 ①과 ②에도 불구하고 형사소송법 제249조부터 제253조까지 및 군사법원법 제291조부터 제295조까지에 규정된 공소시효를 적용하지 아니한다.

ⓐ 형법 제301조의2(강간 등 살인 · 치사)의 죄(강간 등 살인에 한정한다)

ⓑ 이 법 제10조 제1항 및 제11조 제1항의 죄

ⓒ 성폭력범죄의 처벌 등에 관한 특례법 제9조 제1항의 죄

(2) 형벌과 수강명령 등의 병과(제21조)

① **보호관찰**: 법원은 아동 · 청소년대상 성범죄를 범한 소년법 제2조의 소년에 대하여 형의 선고를 유예하는 경우에는 반드시 보호관찰을 명하여야 한다.

② **수강명령과 이수명령**: 법원은 아동 · 청소년대상 성범죄를 범한 자에 대하여 유죄판결을 선고하거나 약식명령을 고지하는 경우에는 500시간의 범위에서 재범예방에 필요한 수강명령 또는 성폭력 치료프로그램의 이수명령(이하 '이수명령'이라 한다)을 병과(倂科)하여야 한다. 다만, 수강명령 또는 이수명령을 부과할 수 없는 특별한 사정이 있는 경우에는 그러하지 아니하다.

③ 병과의 기준

㉠ 아동 · 청소년대상 성범죄를 범한 자에 대하여 위 ②의 수강명령은 형의 집행을 유예할 경우에 그 집행유예기간 내에서 병과하고, 이수명령은 벌금 이상의 형을 선고하거나 약식명령을 고지할 경우에 병과한다. 다만, 이수명령은 아동 · 청소년대상 성범죄자가 전자장치 부착 등에 관한 법률 제9조의2 제1항 제4호에 따른 성폭력 치료프로그램의 이수명령을 부과받은 경우에는 병과하지 아니한다.

㉡ 법원이 아동 · 청소년대상 성범죄를 범한 사람에 대하여 형의 집행을 유예하는 경우에는 ②에 따른 수강명령 외에 그 집행유예기간 내에서 보호관찰 또는 사회봉사 중 하나 이상의 처분을 병과할 수 있다.

④ 집행

㉠ 수강명령 또는 이수명령은 형의 집행을 유예할 경우에는 그 집행유예기간 내에, 벌금형을 선고할 경우에는 형 확정일부터 6개월 이내에, 징역형 이상의 실형(實刑)을 선고할 경우에는 형기 내에 각각 집행한다. 다만, 수강명령 또는 이수명령은 아동 · 청소년대상 성범죄를 범한 사람이 성폭력범죄의 처벌 등에 관한 특례법 제16조에 따른 수강명령 또는 이수명령을 부과받은 경우에는 병과하지 아니한다.

㉡ 수강명령 또는 이수명령이 형의 집행유예 또는 벌금형과 병과된 경우에는 보호관찰소의 장이 집행하고, 징역형 이상의 실형과 병과된 경우에는 교정시설의 장이 집행한다. 다만, 징역형 이상의 실형과 병과된 수강명령 또는 이수명령을 모두 이행하기 전에 석방 또는 가석방되거나 미결구금일수 산입 등의 사유로 형을 집행할 수 없게 된 경우에는 보호관찰소의 장이 남은 수강명령 또는 이수명령을 집행한다.

> **Tip** 수강명령 또는 이수명령의 내용
>
> 1. 일탈적 이상행동의 진단 · 상담
> 2. 성에 대한 건전한 이해를 위한 교육
> 3. 그 밖에 성범죄를 범한 사람의 재범예방을 위하여 필요한 사항

(3) 재범 여부 조사(제21조의2)

① 법무부장관은 수강명령 또는 이수명령을 선고받아 그 집행을 마친 사람에 대하여 그 효과를 평가하기 위하여 아동·청소년대상 성범죄 재범 여부를 조사할 수 있다.

② 법무부장관은 재범 여부 조사를 위하여 수강명령 또는 이수명령의 집행을 마친 때부터 5년 동안 관계 기관의 장에게 그 사람에 관한 범죄경력자료 및 수사경력자료를 요청할 수 있다.

4. 친권상실청구(제23조)

(1) 아동·청소년대상 성범죄 사건을 수사하는 검사는 그 사건의 가해자가 피해아동·청소년의 친권자나 후견인인 경우에 법원에 친권상실선고 또는 후견인 변경 결정을 청구하여야 한다. 다만, 친권상실선고 또는 후견인 변경결정을 하여서는 아니 될 특별한 사정이 있는 경우에는 그러하지 아니하다.

(2) 다음의 기관·시설 또는 단체의 장은 검사에게 친권상실청구를 하도록 요청할 수 있다. 이 경우 청구를 요청받은 검사는 요청받은 날부터 30일 내에 해당 기관·시설 또는 단체의 장에게 그 처리 결과를 통보하여야 한다.

① 아동복지법 제10조의2에 따른 아동권리보장원 또는 같은 법 제45조에 따른 아동보호전문기관

② 성폭력방지 및 피해자보호 등에 관한 법률 제10조의 성폭력피해상담소 및 같은 법 제12조의 성폭력피해자보호시설

③ 청소년복지 지원법 제29조 제1항에 따른 청소년상담복지센터 및 같은 법 제31조 제1호에 따른 청소년쉼터

5. 피해아동·청소년의 보호조치결정(제24조)

법원은 아동·청소년대상 성범죄 사건의 가해자에게 친권상실선고를 하는 경우에는 피해아동·청소년을 다른 친권자 또는 친족에게 인도하거나 기관·시설 또는 단체에 인도하는 등의 보호조치를 결정할 수 있다. 이 경우 그 아동·청소년의 의견을 존중하여야 한다.

6. 수사 및 재판절차에서의 배려(제25조)

(1) 수사기관과 법원 및 소송관계인은 아동·청소년대상 성범죄를 당한 피해자의 나이, 심리상태 또는 후유장애의 유무 등을 신중하게 고려하여 조사 및 심리·재판 과정에서 피해자의 인격이나 명예가 손상되거나 사적인 비밀이 침해되지 아니하도록 주의하여야 한다.

(2) 수사기관과 법원은 아동·청소년대상 성범죄의 피해자를 조사하거나 심리·재판할 때 피해자가 편안한 상태에서 진술할 수 있는 환경을 조성하여야 하며, 조사 및 심리·재판 횟수는 필요한 범위에서 최소한으로 하여야 한다.

7. 아동·청소년대상 디지털 성범죄의 수사

(1) 아동·청소년대상 디지털 성범죄의 수사 특례(제25조의2)

① 사법경찰관리는 다음의 어느 하나에 해당하는 범죄(이하 '디지털 성범죄'라 한다)에 대하여 신분을 비공개하고 범죄현장(정보통신망을 포함한다) 또는 범인으로 추정되는 자들에게 접근하여 범죄행위의 증거 및 자료 등을 수집(이하 '신분비공개수사'라 한다)할 수 있다.

㉠ 제11조 및 제15조의2의 죄

㉡ 아동·청소년에 대한 성폭력범죄의 처벌 등에 관한 특례법 제14조 제2항 및 제3항의 죄

② 사법경찰관리는 디지털 성범죄를 계획 또는 실행하고 있거나 실행하였다고 의심할 만한 충분한 이유가 있고, 다른 방법으로는 그 범죄의 실행을 저지하거나 범인의 체포 또는 증거의 수집이 어려운 경우에 한정하여 수사 목적을 달성하기 위하여 부득이한 때에는 다음의 행위(이하 '신분위장수사'라 한다)를 할 수 있다.
㉠ 신분을 위장하기 위한 문서, 도화 및 전자기록 등의 작성, 변경 또는 행사
㉡ 위장 신분을 사용한 계약・거래
㉢ 아동・청소년성착취물 또는 성폭력범죄의 처벌 등에 관한 특례법 제14조 제2항의 촬영물 또는 복제물(복제물의 복제물을 포함한다)의 소지, 판매 또는 광고

③ 수사의 방법 등에 필요한 사항은 대통령령으로 정한다.

(2) 아동・청소년대상 디지털 성범죄 수사 특례의 절차(제25조의3)

① 사법경찰관리가 신분비공개수사를 진행하고자 할 때에는 사전에 상급 경찰관서 수사부서의 장의 승인을 받아야 한다. 이 경우 그 수사기간은 3개월을 초과할 수 없다.

② ①의 승인의 절차 및 방법 등에 필요한 사항은 대통령령으로 정한다.

③ 사법경찰관리는 신분위장수사를 하려는 경우에는 검사에게 신분위장수사에 대한 허가를 신청하고, 검사는 법원에 그 허가를 청구한다.

④ ③의 신청은 필요한 신분위장수사의 종류・목적・대상・범위・기간・장소・방법 및 해당 신분위장수사가 제25조의2 제2항의 요건을 충족하는 사유 등의 신청사유를 기재한 서면으로 하여야 하며, 신청사유에 대한 소명자료를 첨부하여야 한다.

⑤ 법원은 ③의 신청이 이유 있다고 인정하는 경우에는 신분위장수사를 허가하고, 이를 증명하는 서류(이하 '허가서'라 한다)를 신청인에게 발부한다.

⑥ 허가서에는 신분위장수사의 종류・목적・대상・범위・기간・장소・방법 등을 특정하여 기재하여야 한다.

⑦ 신분위장수사의 기간은 3개월을 초과할 수 없으며, 그 수사기간 중 수사의 목적이 달성되었을 경우에는 즉시 종료하여야 한다.

⑧ ⑦에도 불구하고 제25조의2 제2항의 요건이 존속하여 그 수사기간을 연장할 필요가 있는 경우에는 사법경찰관리는 소명자료를 첨부하여 3개월의 범위에서 수사기간의 연장을 검사에게 신청하고, 검사는 법원에 그 연장을 청구한다. 이 경우 신분위장수사의 총 기간은 1년을 초과할 수 없다.

(3) 아동・청소년대상 디지털 성범죄에 대한 긴급 신분비공개수사(제25조의4)

① 사법경찰관리는 디지털 성범죄에 대하여 제25조의3제1항 및 제2항에 따른 절차를 거칠 수 없는 긴급을 요하는 때에는 상급 경찰관서 수사부서의 장의 승인 없이 신분비공개수사를 할 수 있다.

② 사법경찰관리는 제1항에 따른 신분비공개수사 개시 후 지체 없이 상급 경찰관서 수사부서의 장에게 보고하여야 하고, 사법경찰관리는 48시간 이내에 상급 경찰관서 수사부서의 장의 승인을 받지 못한 때에는 즉시 신분비공개수사를 중지하여야 한다.

③ ① 및 ②에 따른 신분비공개수사 기간에 대해서는 제25조의3제1항 후단을 준용한다.

(4) 아동・청소년대상 디지털 성범죄에 대한 긴급 신분위장수사(제25조의5)

① 사법경찰관리는 제25조의2 제2항의 요건을 구비하고, 제25조의3 제3항부터 제8항까지에 따른 절차를 거칠 수 없는 긴급을 요하는 때에는 법원의 허가 없이 신분위장수사를 할 수 있다.

② 사법경찰관리는 ①에 따른 신분위장수사 개시 후 지체 없이 검사에게 허가를 신청하여야 하고, 사법경찰관리는 48시간 이내에 법원의 허가를 받지 못한 때에는 즉시 신분위장수사를 중지하여야 한다.

③ ① 및 ②에 따른 신분위장수사 기간에 대해서는 제25조의3 제7항 및 제8항을 준용한다.

(5) 아동 · 청소년대상 디지털 성범죄에 대한 신분비공개수사 또는 신분위장수사로 수집한 증거 및 자료 등의 사용제한(제25조의6)

사법경찰관리가 제25조의2부터 제25조의4까지에 따라 수집한 증거 및 자료 등은 다음의 어느 하나에 해당하는 경우 외에는 사용할 수 없다.

> ① 신분비공개수사 또는 신분위장수사의 목적이 된 디지털 성범죄나 이와 관련되는 범죄를 수사 · 소추하거나 그 범죄를 예방하기 위하여 사용하는 경우
> ② 신분비공개수사 또는 신분위장수사의 목적이 된 디지털 성범죄나 이와 관련되는 범죄로 인한 징계절차에 사용하는 경우
> ③ 증거 및 자료 수집의 대상자가 제기하는 손해배상청구소송에서 사용하는 경우
> ④ 그 밖에 다른 법률의 규정에 의하여 사용하는 경우

(6) 국가경찰위원회와 국회의 통제(제25조의7)

① 국가경찰과 자치경찰의 조직 및 운영에 관한 법률 제16조 제1항에 따른 국가수사본부장(이하 '국가수사본부장'이라 한다)은 신분비공개수사가 종료된 즉시 대통령령으로 정하는 바에 따라 같은 법 제7조 제1항에 따른 국가경찰위원회에 수사 관련 자료를 보고하여야 한다.

② 국가수사본부장은 대통령령으로 정하는 바에 따라 국회 소관 상임위원회에 신분비공개수사 관련 자료를 반기별로 보고하여야 한다.

(7) 비밀준수의 의무(제25조의8)

① 제25조의2부터 제25조의7까지에 따른 신분비공개수사 또는 신분위장수사에 대한 승인 · 집행 · 보고 및 각종 서류작성 등에 관여한 공무원 또는 그 직에 있었던 자는 직무상 알게 된 신분비공개수사 또는 신분위장수사에 관한 사항을 외부에 공개하거나 누설하여서는 아니 된다.

② ①의 비밀유지에 관하여 필요한 사항은 대통령령으로 정한다.

(8) 면책(제25조의9)

① 사법경찰관리가 신분비공개수사 또는 신분위장수사 중 부득이한 사유로 위법행위를 한 경우 그 행위에 고의나 중대한 과실이 없는 경우에는 벌하지 아니한다.

② ①에 따른 위법행위가 국가공무원법 제78조 제1항에 따른 징계 사유에 해당하더라도 그 행위에 고의나 중대한 과실이 없는 경우에는 징계 요구 또는 문책 요구 등 책임을 묻지 아니한다.

③ 신분비공개수사 또는 신분위장수사 행위로 타인에게 손해가 발생한 경우라도 사법경찰관리는 그 행위에 고의나 중대한 과실이 없는 경우에는 그 손해에 대한 책임을 지지 아니한다.

(9) 수사 지원 및 교육(제25조의10)

상급 경찰관서 수사부서의 장은 신분비공개수사 또는 신분위장수사를 승인하거나 보고받은 경우 사법경찰관리에게 수사에 필요한 인적 · 물적 지원을 하고, 전문지식과 피해자 보호를 위한 수사방법 및 수사절차 등에 관한 교육을 실시하여야 한다.

8. 영상물의 촬영 · 보존 등(제26조)

(1) 아동 · 청소년대상 성범죄 피해자의 진술내용과 조사과정은 비디오녹화기 등 영상물 녹화장치로 촬영 · 보존하여야 한다.

(2) 영상물 녹화는 피해자 또는 법정대리인이 이를 원하지 아니하는 의사를 표시한 때에는 촬영을 하여서는 아니 된다. 다만, 가해자가 친권자 중 일방인 경우는 그러하지 아니하다.

(3) 검사 또는 사법경찰관은 피해자 또는 법정대리인이 신청하는 경우에는 영상물 촬영과정에서 작성한 조서의 사본을 신청인에게 교부하거나 영상물을 재생하여 시청하게 하여야 한다.

(4) 적법절차에 따라 촬영한 영상물에 수록된 피해자의 진술은 공판준비기일 또는 공판기일에 피해자 또는 조사과정에 동석하였던 신뢰관계에 있는 자의 진술에 의하여 그 성립의 진정함이 인정된 때에는 증거로 할 수 있다.

9. 증거보전의 특례(제27조)

(1) 아동 · 청소년대상 성범죄의 피해자, 그 법정대리인 또는 경찰은 피해자가 공판기일에 출석하여 증언하는 것에 현저히 곤란한 사정이 있을 때에는 그 사유를 소명하여 제26조에 따라 촬영된 영상물 또는 그 밖의 다른 증거물에 대하여 해당 성범죄를 수사하는 검사에게 형사소송법 제184조 제1항에 따른 증거보전의 청구를 할 것을 요청할 수 있다.

(2) (1)의 요청을 받은 검사는 그 요청이 상당한 이유가 있다고 인정하는 때에는 증거보전의 청구를 하여야 한다.

10. 신뢰관계에 있는 사람의 동석(제28조)

(1) 법원은 아동 · 청소년대상 성범죄의 피해자를 증인으로 신문하는 경우에 검사, 피해자 또는 법정대리인이 신청하는 경우에는 재판에 지장을 줄 우려가 있는 등 부득이한 경우가 아니면 피해자와 신뢰관계에 있는 사람을 동석하게 하여야 한다. 이는 수사기관이 피해자를 조사하는 경우에 관하여 준용한다.

(2) 법원과 수사기관은 피해자와 신뢰관계에 있는 사람이 피해자에게 불리하거나 피해자가 원하지 아니하는 경우에는 동석하게 하여서는 아니 된다.

11. 아동 · 청소년대상 성범죄의 신고 · 응급조치와 지원

(1) 아동 · 청소년대상 성범죄의 신고(제34조)

① 누구든지 아동 · 청소년대상 성범죄의 발생 사실을 알게 된 때에는 수사기관에 신고할 수 있다.

② 다음의 어느 하나에 해당하는 기관 · 시설 또는 단체의 장과 그 종사자는 직무상 아동 · 청소년대상 성범죄의 발생 사실을 알게 된 때에는 즉시 수사기관에 신고하여야 한다.

ⓐ 유아교육법 제2조 제2호의 유치원

ⓑ 초 · 중등교육법 제2조의 학교, 같은 법 제28조와 같은 법 시행령 제54조에 따른 위탁 교육기관 및 고등교육법 제2조의 학교

ⓒ 특별시 · 광역시 · 특별자치시 · 도 · 특별자치도 교육청 또는 지방교육자치에 관한 법률 제34조에 따른 교육지원청이 초 · 중등교육법 제28조에 따라 직접 설치 · 운영하거나 위탁하여 운영하는 학생상담지원시설 또는 위탁 교육시설

ⓓ 제주특별자치도 설치 및 국제자유도시 조성을 위한 특별법 제223조에 따라 설립된 국제학교

ⓔ 의료법 제3조의 의료기관
ⓕ 아동복지법 제3조 제10호의 아동복지시설 및 같은 법 제37조에 따른 통합서비스 수행기관
ⓖ 장애인복지법 제58조의 장애인복지시설
ⓗ 영유아보육법 제2조 제3호의 어린이집
ⓘ 학원의 설립·운영 및 과외교습에 관한 법률 제2조 제1호의 학원 및 같은 조 제2호의 교습소
ⓙ 성매매방지 및 피해자보호 등에 관한 법률 제9조의 성매매피해자 등을 위한 지원시설 및 같은 법 제17조의 성매매피해상담소
ⓚ 한부모가족지원법 제19조에 따른 한부모가족복지시설
ⓛ 가정폭력방지 및 피해자보호 등에 관한 법률 제5조의 가정폭력 관련 상담소 및 같은 법 제7조의 가정폭력 피해자 보호시설
ⓜ 성폭력방지 및 피해자보호 등에 관한 법률 제10조의 성폭력피해상담소 및 같은 법 제12조의 성폭력피해자 보호시설
ⓝ 청소년활동 진흥법 제2조 제2호의 청소년활동시설
ⓞ 청소년복지 지원법 제29조 제1항에 따른 청소년상담복지센터 및 같은 법 제31조 제1호에 따른 청소년쉼터
ⓟ 학교 밖 청소년 지원에 관한 법률 제12조에 따른 학교 밖 청소년 지원센터
ⓠ 청소년 보호법 제35조의 청소년 보호·재활센터
ⓡ 국민체육진흥법 제2조 제9호가목 및 나목의 체육단체
ⓢ 대중문화예술산업발전법 제2조 제7호에 따른 대중문화예술기획업자가 같은 조 제6호에 따른 대중문화예술기획업 중 같은 조 제3호에 따른 대중문화예술인에 대한 훈련·지도·상담 등을 하는 영업장(이하 '대중문화예술기획업소'라 한다)

(2) 신고의무자에 대한 교육(제35조)

관계 행정기관의 장은 위 (1)의 ②의 각 기관·시설 또는 단체의 장과 그 종사자의 자격취득 과정에 아동·청소년 대상 성범죄예방 및 신고의무와 관련된 교육내용을 포함시켜야 한다.

12. 성범죄로 유죄판결이 확정된 자의 신상정보 공개 등

(1) 등록정보의 공개(제49조)

① 법원은 다음의 어느 하나에 해당하는 자에 대하여 판결로 공개정보를 성폭력범죄의 처벌 등에 관한 특례법 제45조 제1항의 등록기간 동안 정보통신망을 이용하여 공개하도록 하는 명령(이하 '공개명령'이라 한다)을 등록대상 사건의 판결과 동시에 선고하여야 한다. 다만, 피고인이 아동·청소년인 경우, 그 밖에 신상정보를 공개하여서는 아니 될 특별한 사정이 있다고 판단하는 경우에는 그러하지 아니하다.
㉠ 아동·청소년대상 성범죄를 저지른 자
㉡ 성폭력범죄의 처벌 등에 관한 특례법 제2조 제1항 제3호·제4호, 같은 조 제2항(제1항 제3호·제4호에 한정한다), 제3조부터 제15조까지의 범죄를 저지른 자
㉢ ㉠ 또는 ㉡의 죄를 범하였으나 형법 제10조 제1항에 따라 처벌할 수 없는 자로서 ㉠ 또는 ㉡의 죄를 다시 범할 위험성이 있다고 인정되는 자

성폭력범죄의 처벌 등에 관한 특례법

제45조 【등록정보의 관리】 ① 법무부장관은 제44조 제1항 또는 제4항에 따라 기본신상정보를 최초로 등록한 날(이하 '최초등록일'이라 한다)부터 다음 각 호의 구분에 따른 기간(이하 '등록기간'이라 한다) 동안 등록정보를 보존·관리하여야 한다. 다만, 법원이 제4항에 따라 등록기간을 정한 경우에는 그 기간 동안 등록정보를 보존·관리하여야 한다.

1. 신상정보 등록의 원인이 된 성범죄로 사형, 무기징역·무기금고형 또는 10년 초과의 징역·금고형을 선고받은 사람: 30년
2. 신상정보 등록의 원인이 된 성범죄로 3년 초과 10년 이하의 징역·금고형을 선고받은 사람: 20년
3. 신상정보 등록의 원인이 된 성범죄로 3년 이하의 징역·금고형을 선고받은 사람 또는 아동·청소년의 성보호에 관한 법률 제49조 제1항 제4호에 따라 공개명령이 확정된 사람: 15년
4. 신상정보 등록의 원인이 된 성범죄로 벌금형을 선고받은 사람: 10년

② 등록정보의 공개기간(형의 실효 등에 관한 법률 제7조에 따른 기간을 초과하지 못한다)은 판결이 확정된 때부터 기산한다.

③ 다음의 기간은 위 ①에 따른 공개기간에 넣어 계산하지 아니한다.

㉠ 공개명령을 받은 자(이하 '공개대상자'라 한다)가 신상정보 공개의 원인이 된 성범죄로 교정시설 또는 치료감호시설에 수용된 기간. 이 경우 신상정보 공개의 원인이 된 성범죄와 다른 범죄가 형법 제37조(판결이 확정되지 아니한 수개의 죄를 경합범으로 하는 경우로 한정한다)에 따라 경합되어 같은 법 제38조에 따라 형이 선고된 경우에는 그 선고형 전부를 신상정보 공개의 원인이 된 성범죄로 인한 선고형으로 본다.

㉡ ㉠에 따른 기간 이전의 기간으로서 ㉠에 따른 기간과 이어져 공개대상자가 다른 범죄로 교정시설 또는 치료감호시설에 수용된 기간

㉢ ㉠에 따른 기간 이후의 기간으로서 ㉠에 따른 기간과 이어져 공개대상자가 다른 범죄로 교정시설 또는 치료감호시설에 수용된 기간

Tip 공개하도록 제공되는 등록정보(제49조 제4항)

1. 성명
2. 나이
3. 주소 및 실제거주지(도로명주소법 제2조 제3호에 따른 도로명 및 같은 조 제5호에 따른 건물번호까지로 한다)
4. 신체정보(키와 몸무게)
5. 사진
6. 등록대상 성범죄 요지(판결일자, 죄명, 선고형량을 포함한다)
7. 성폭력범죄 전과사실(죄명 및 횟수)
8. 전자장치 부착 등에 관한 법률에 따른 전자장치 부착 여부

특정중대범죄 피의자 등 신상정보 공개에 관한 법률

제3조 【다른 법률과의 관계】 수사 및 재판 단계에서 신상정보의 공개에 대하여는 다른 법률의 규정에도 불구하고 이 법을 우선 적용한다.

제4조 【피의자의 신상정보 공개】 ① 검사와 사법경찰관은 다음 각 호의 요건을 모두 갖춘 특정중대범죄사건의 피의자의 얼굴, 성명 및 나이(이하 "신상정보"라 한다)를 공개할 수 있다. 다만, 피의자가 미성년자인 경우에는 공개하지 아니한다.

1. 범행수단이 잔인하고 중대한 피해가 발생하였을 것(제2조제3호부터 제6호까지의 죄에 한정한다)
2. 피의자가 그 죄를 범하였다고 믿을 만한 충분한 증거가 있을 것
3. 국민의 알권리 보장, 피의자의 재범 방지 및 범죄예방 등 오로지 공공의 이익을 위하여 필요할 것

② 검사와 사법경찰관은 제1항에 따라 신상정보 공개를 결정할 때에는 범죄의 중대성, 범행 후 정황, 피해자 보호 필요성, 피해자(피해자가 사망한 경우 피해자의 유족을 포함한다)의 의사 등을 종합적으로 고려하여야 한다.

③ 검사와 사법경찰관은 제1항에 따라 신상정보를 공개할 때에는 피의자의 인권을 고려하여 신중하게 결정하고 이를 남용하여서는 아니 된다.
④ 제1항에 따라 공개하는 피의자의 얼굴은 특별한 사정이 없으면 공개 결정일 전후 30일 이내의 모습으로 한다. 이 경우 검사와 사법경찰관은 다른 법령에 따라 적법하게 수집·보관하고 있는 사진, 영상물 등이 있는 때에는 이를 활용하여 공개할 수 있다.
⑤ 검사와 사법경찰관은 제1항에 따라 피의자의 얼굴을 공개하기 위하여 필요한 경우 피의자를 식별할 수 있도록 피의자의 얼굴을 촬영할 수 있다. 이 경우 피의자는 이에 따라야 한다.
⑥ 검사와 사법경찰관은 제1항에 따라 피의자의 신상정보 공개를 결정하기 전에 피의자에게 의견을 진술할 기회를 주어야 한다. 다만, 신상정보공개심의위원회에서 피의자의 의견을 청취한 경우에는 이를 생략할 수 있다.
⑦ 검사와 사법경찰관은 피의자에게 신상정보 공개를 통지한 날부터 5일 이상의 유예기간을 두고 신상정보를 공개하여야 한다. 다만, 피의자가 신상정보 공개 결정에 대하여 서면으로 이의 없음을 표시한 때에는 유예기간을 두지 아니할 수 있다.
⑧ 검사와 사법경찰관은 정보통신망을 이용하여 그 신상정보를 30일간 공개한다.
⑨ 신상정보의 공개 등에 관한 절차와 방법 등 그 밖에 필요한 사항은 대통령령으로 정한다.
제8조【신상정보공개심의위원회】 ① 검찰총장 및 경찰청장은 제4조에 따른 신상정보 공개 여부에 관한 사항을 심의하기 위하여 신상정보공개심의위원회를 둘 수 있다.
② 신상정보공개심의위원회는 위원장을 포함하여 10인 이내의 위원으로 구성한다.
③ 신상정보공개심의위원회는 신상정보 공개 여부에 관한 사항을 심의할 때 피의자에게 의견을 진술할 기회를 주어야 한다.
④ 신상정보공개심의위원회 위원 또는 위원이었던 사람은 심의 과정에서 알게 된 비밀을 외부에 공개하거나 누설하여서는 아니 된다.

(2) 등록정보의 고지(제50조)

① **등록정보의 고지대상자**: 법원은 공개대상자 중 다음의 어느 하나에 해당하는 자에 대하여 판결로 공개명령기간 동안 고지정보를 규정된 사람에 대하여 고지하도록 하는 명령(이하 '고지명령'이라 한다)을 등록대상 성범죄 사건의 판결과 동시에 선고하여야 한다. 다만, 피고인이 아동·청소년인 경우, 그 밖에 신상정보를 고지하여서는 아니 될 특별한 사정이 있다고 판단하는 경우에는 그러하지 아니하다.
   ㉠ 아동·청소년대상 성범죄를 저지른 자
   ㉡ 성폭력범죄의 처벌 등에 관한 특례법 제2조 제1항 제3호·제4호, 같은 조 제2항(제1항 제3호·제4호에 한정한다), 제3조부터 제15조까지의 범죄를 저지른 자
   ㉢ 위 ㉠ 또는 ㉡의 죄를 범하였으나 형법 제10조 제1항에 따라 처벌할 수 없는 자로서 ㉠ 또는 ㉡의 죄를 다시 범할 위험성이 있다고 인정되는 자

② **간주규정**: 고지명령을 선고받은 자(이하 '고지대상자'라 한다)는 공개명령을 선고받은 자로 본다.

③ **고지명령의 기간**: 고지명령은 다음의 기간 내에 하여야 한다.
   ㉠ 집행유예를 선고받은 고지대상자는 신상정보 최초 등록일부터 1개월 이내
   ㉡ 금고 이상의 실형을 선고받은 고지대상자는 출소 후 거주할 지역에 전입한 날부터 1개월 이내
   ㉢ 고지대상자가 다른 지역으로 전출하는 경우에는 변경정보 등록일부터 1개월 이내

④ **고지정보**: 고지정보는 다음과 같다.
   ㉠ 고지대상자가 이미 거주하고 있거나 전입하는 경우에는 제49조 제4항의 공개정보. 다만, 주소 및 실제거주지는 상세주소를 포함한다.
   ㉡ 고지대상자가 전출하는 경우에는 ㉠의 고지정보와 그 대상자의 전출 정보

⑤ **고지의 대상**: 고지정보는 고지대상자가 거주하는 읍·면·동의 아동·청소년의 친권자 또는 법정대리인이 있는 가구, 영유아보육법에 따른 어린이집의 원장, 유아교육법에 따른 유치원의 장, 초·중등교육법 제2조에 따른 학교의 장, 읍·면사무소와 동 주민자치센터의 장(경계를 같이 하는 읍·면 또는 동을 포함한다), 학원의 설립·운영 및 과외교습에 관한 법률 제2조의2에 따른 학교교과교습학원의 장과 아동복지법 제52조 제1항 제8호에 따른 지역아동센터 및 청소년활동 진흥법 제10조 제1호에 따른 청소년수련시설의 장에게 고지한다.

(3) 고지명령의 집행(제51조)

① **고지명령의 집행**: 고지명령의 집행은 여성가족부장관이 한다.

② **법원의 조치**: 법원은 고지명령의 판결이 확정되면 판결문등본을 판결이 확정된 날부터 14일 이내에 법무부장관에게 송달하여야 하며, 법무부장관은 위 (2)의 ③에 따른 기간 내에 고지명령이 집행될 수 있도록 최초등록 및 변경등록시 고지대상자, 고지기간 및 위 (2)의 ④에 따른 고지정보를 지체 없이 여성가족부장관에게 송부하여야 한다.

③ **법무부장관의 조치**: 법무부장관은 고지대상자가 출소하는 경우 출소 1개월 전까지 다음의 정보를 여성가족부장관에게 송부하여야 한다.

㉠ 고지대상자의 출소 예정일

㉡ 고지대상자의 출소 후 거주지 상세주소

④ **여성가족부장관의 조치**: 여성가족부장관은 위 (2)의 ④에 따른 고지정보를 관할 구역에 거주하는 아동·청소년의 친권자 또는 법정대리인이 있는 가구, 영유아보육법에 따른 어린이집의 원장 및 유아교육법에 따른 유치원의 장과 초·중등교육법 제2조에 따른 학교의 장, 읍·면사무소와 동 주민자치센터의 장, 학원의 설립·운영 및 과외교습에 관한 법률 제2조의2에 따른 학교교과교습학원의 장과 아동복지법 제52조 제1항 제8호에 따른 지역아동센터 및 청소년활동 진흥법 제10조 제1호에 따른 청소년수련시설의 장에게 우편으로 송부하고, 읍·면 사무소 또는 동(경계를 같이 하는 읍·면 또는 동을 포함한다) 주민자치센터 게시판에 30일간 게시하는 방법으로 고지명령을 집행한다.

(4) 공개명령의 집행(제52조)

① 공개명령은 여성가족부장관이 정보통신망을 이용하여 집행한다.

② 법원은 공개명령의 판결이 확정되면 판결문 등본을 판결이 확정된 날부터 14일 이내에 법무부장관에게 송달하여야 하며, 법무부장관은 법 제49조 제2항에 따른 공개기간 동안 공개명령이 집행될 수 있도록 최초등록 및 변경등록시 공개대상자, 공개기간 및 같은 조 제4항 각 호에 규정된 공개정보를 지체 없이 여성가족부장관에게 송부하여야 한다.

③ 공개명령의 집행·공개절차·관리 등에 관한 세부사항은 대통령령으로 정한다.

13. 아동·청소년 관련 기관 등에의 취업제한

(1) 취업의 제한(제56조)

① 법원은 아동·청소년대상 성범죄 또는 성인대상 성범죄(이하 '성범죄'라 한다)로 형 또는 치료감호를 선고하는 경우에는 판결(약식명령을 포함한다)로 그 형 또는 치료감호의 전부 또는 일부의 집행을 종료하거나 집행이 유예·면제된 날(벌금형을 선고받은 경우에는 그 형이 확정된 날)부터 일정기간(이하 '취업제한기간'이라 한다) 동안 다음에 따른 시설·기관 또는 사업장(이하 '아동·청소년 관련 기관 등'이라 한다)을 운영하거나 아동·청소년 관련 기관 등에 취업 또는 사실상 노무를 제공할 수 없도록 하는 명령(이하 '취업제한명령'이라 한다)을

성범죄 사건의 판결과 동시에 선고(약식명령의 경우에는 고지)하여야 한다. 다만, 재범의 위험성이 현저히 낮은 경우, 그 밖에 취업을 제한하여서는 아니 되는 특별한 사정이 있다고 판단하는 경우에는 그러하지 아니한다.

ⓐ 유아교육법 제2조 제2호의 유치원
ⓑ 초·중등교육법 제2조의 학교, 같은 법 제28조와 같은 법 시행령 제54조에 따른 위탁 교육기관 및 고등교육법 제2조의 학교
ⓒ 특별시·광역시·특별자치시·도·특별자치도 교육청 또는 지방교육자치에 관한 법률 제34조에 따른 교육지원청이 초·중등교육법 제28조에 따라 직접 설치·운영하거나 위탁하여 운영하는 학생상담지원시설 또는 위탁 교육시설
ⓓ 제주특별자치도 설치 및 국제자유도시 조성을 위한 특별법 제223조에 따라 설립된 국제학교
ⓔ 학원의 설립·운영 및 과외교습에 관한 법률 제2조 제1호의 학원, 같은 조 제2호의 교습소 및 같은 조 제3호의 개인과외교습자(아동·청소년의 이용이 제한되지 아니하는 학원·교습소로서 교육부장관이 지정하는 학원·교습소 및 아동·청소년을 대상으로 하는 개인과외교습자를 말한다)
ⓕ 청소년 보호법 제35조의 청소년 보호·재활센터
ⓖ 청소년활동 진흥법 제2조 제2호의 청소년활동시설
ⓗ 청소년복지 지원법 제29조 제1항에 따른 청소년상담복지센터 및 같은 법 제31조 제1호에 따른 청소년쉼터
ⓘ 학교 밖 청소년 지원에 관한 법률 제12조의 학교 밖 청소년 지원센터
ⓙ 영유아보육법 제2조 제3호의 어린이집
ⓚ 아동복지법 제3조 제10호의 아동복지시설 및 같은 법 제37조에 따른 통합서비스 수행기관
ⓛ 성매매방지 및 피해자보호 등에 관한 법률 제9조 제1항 제2호의 청소년 지원시설과 같은 법 제17조의 성매매피해상담소
ⓜ 주택법 제2조 제3호의 공동주택의 관리사무소. 이 경우 경비업무에 직접 종사하는 사람에 한정한다.
ⓝ 체육시설의 설치·이용에 관한 법률 제3조에 따라 설립된 체육시설 중 아동·청소년의 이용이 제한되지 아니하는 체육시설로서 문화체육관광부장관이 지정하는 체육시설
ⓞ 의료법 제3조의 의료기관(같은 법 제2조의 의사·치과의사·한의사·조산사, 「간호법」 제2조의 간호사·간호조무사 및 「의료기사 등에 관한 법률」 제2조의 의료기사로 한정한다)
ⓟ **게임산업진흥에 관한 법률에 따른 다음의 영업을 하는 사업장**
  ㉮ 게임산업진흥에 관한 법률 제2조 제7호의 인터넷컴퓨터 게임시설 제공업
  ㉯ 게임산업진흥에 관한 법률 제2조 제8호의 복합유통 게임 제공업
ⓠ 경비업법 제2조 제1호의 경비업을 행하는 법인. 이 경우 경비업무에 직접 종사하는 사람에 한정한다.
ⓡ 영리의 목적으로 청소년 기본법 제3조 제3호의 청소년활동의 기획·주관·운영을 하는 사업장(이하 '청소년활동기획업소'라 한다)
ⓢ 대중문화예술기획업소
ⓣ **아동·청소년의 고용 또는 출입이 허용되는 다음의 어느 하나에 해당하는 기관·시설 또는 사업장(이하 '시설 등'이라 한다)으로서 대통령령으로 정하는 유형의 시설 등**
  ㉮ 아동·청소년과 해당 시설 등의 운영자·근로자 또는 사실상 노무 제공자 사이에 업무상 또는 사실상 위력 관계가 존재하거나 존재할 개연성이 있는 시설 등
  ㉯ 아동·청소년이 선호하거나 자주 출입하는 시설 등으로서 해당 시설 등의 운영 과정에서 운영자·근로자 또는 사실상 노무 제공자에 의한 아동·청소년대상 성범죄의 발생이 우려되는 시설 등
ⓤ 가정을 방문하거나 아동·청소년이 찾아오는 방식 등으로 아동·청소년에게 직접교육서비스를 제공하는 사람을 모집하거나 채용하는 사업장(이하 '가정방문 등 학습교사 사업장'이라 한다). 이 경우 아동·청소년에게 직접 교육서비스를 제공하는 업무에 종사하는 사람에 한정한다.
ⓥ 장애인 등에 대한 특수교육법 제11조의 특수교육지원센터 및 같은 법 제28조에 따라 특수교육 관련 서비스를 제공하는 기관·단체
ⓦ 지방자치법 제161조에 따른 공공시설 중 아동·청소년이 이용하는 시설로서 행정안전부장관이 지정하는 공공시설
ⓧ 지방교육자치에 관한 법률 제32조에 따른 교육기관 중 아동·청소년을 대상으로 하는 교육기관
ⓨ 어린이 식생활안전관리 특별법 제21조 제1항의 어린이급식관리지원센터

② 취업제한 기간은 10년을 초과하지 못한다.

⑵ 취업자의 해임요구(제58조)

중앙행정기관의 장, 시・도지사, 시장・군수・구청장 또는 교육감은 제56조 제1항에 따른 취업제한 기간 중에 아동・청소년 관련기관 등에 취업하거나 사실상 노무를 제공하는 자가 있으면 아동・청소년 관련기관 등의 장에게 그의 해임을 요구할 수 있다.

14. 보호관찰

⑴ 보호관찰의 청구(제61조)

① **검사의 청구**: 검사는 아동・청소년대상 성범죄를 범하고 재범의 위험성이 있다고 인정되는 사람에 대하여는 형의 집행이 종료한 때부터 보호관찰 등에 관한 법률에 따른 보호관찰을 받도록 하는 명령(이하 '보호관찰명령'이라 한다)을 법원에 청구하여야 한다. 다만, 검사가 전자장치 부착 등에 관한 법률 제21조의2에 따른 보호관찰명령을 청구한 경우에는 그러하지 아니하다.

② **법원의 요청**: 법원은 공소가 제기된 아동・청소년대상 성범죄 사건을 심리한 결과 보호관찰명령을 선고할 필요가 있다고 인정하는 때에는 검사에게 보호관찰명령의 청구를 요청할 수 있다.

⑵ 보호관찰명령(제61조)

법원은 아동・청소년대상 성범죄를 범한 사람이 금고 이상의 선고형에 해당하고 보호관찰명령 청구가 이유있다고 인정하는 때에는 2년 이상 5년 이하의 범위에서 기간을 정하여 보호관찰명령을 병과하여 선고하여야 한다.

⑶ 보호관찰대상자의 보호관찰기간 연장(제62조)

보호관찰대상자가 보호관찰기간 중에 보호관찰 등에 관한 법률 제32조에 따른 준수사항을 위반하는 등 재범의 위험성이 증대한 경우에 법원은 보호관찰소의 장의 신청에 따른 검사의 청구로 위 ⑵에 따른 5년을 초과하여 보호관찰의 기간을 연장할 수 있다.

02 청소년 보호법

1. 서설

⑴ 목적(제1조)

청소년 보호법(이하 '법'이라 한다)은 청소년에게 유해한 매체물과 약물 등이 청소년에게 유통되는 것과 청소년이 유해한 업소에 출입하는 것 등을 규제하고 청소년을 청소년폭력・학대 등 청소년유해행위를 포함한 각종 유해한 환경으로부터 보호・구제함으로써 청소년이 건전한 인격체로 성장할 수 있도록 함을 목적으로 한다.

⑵ 정의(제2조)

이 법에서 사용하는 용어의 정의는 다음과 같다.

청소년	만 19세 미만인 사람을 말한다. 다만, 만 19세가 되는 해의 1월 1일을 맞이한 사람은 제외한다.
매체물	다음의 어느 하나에 해당하는 것을 말한다. ① 영화 및 비디오물의 진흥에 관한 법률에 따른 영화 및 비디오물 ② 게임산업진흥에 관한 법률에 따른 게임물 ③ 음악산업진흥에 관한 법률에 따른 음반, 음악파일, 음악영상물 및 음악영상파일 ④ 공연법에 따른 공연(국악공연은 제외한다)

매체물	⑤ 전기통신사업법에 따른 전기통신을 통한 부호・문언・음향 또는 영상정보 ⑥ 방송법에 따른 방송프로그램(보도 방송프로그램은 제외한다) ⑦ 신문 등의 진흥에 관한 법률에 따른 일반일간신문(주로 정치・경제・사회에 관한 보도・논평 및 여론을 전파하는 신문은 제외한다), 특수일간신문(경제・산업・과학・종교 분야는 제외한다), 일반주간신문(정치・경제 분야는 제외한다), 특수주간신문(경제・산업・과학・시사・종교 분야는 제외한다), 인터넷신문(주로 보도・논평 및 여론을 전파하는 기사는 제외한다) 및 인터넷 뉴스 서비스 ⑧ 잡지 등 정기간행물의 진흥에 관한 법률에 따른 잡지(정치・경제・사회・시사・산업・과학・종교 분야는 제외한다), 정보간행물, 전자간행물 및 그 밖의 간행물 ⑨ 출판문화산업 진흥법에 따른 간행물, 전자출판물 및 외국간행물(⑦ 및 ⑧에 해당하는 매체물은 제외한다) ⑩ 옥외광고물 등 관리법에 따른 옥외광고물과 ①부터 ⑨까지의 매체물에 수록・게재・전시되거나 그 밖의 방법으로 포함된 상업적 광고선전물 ⑪ 그 밖에 청소년의 정신적・신체적 건강을 해칠 우려가 있어 대통령령으로 정하는 매체물
청소년 유해매체물	다음의 어느 하나에 해당하는 것을 말한다. ① 제7조 제1항 본문 및 제11조에 따라 청소년보호위원회가 청소년에게 유해한 것으로 결정하거나 확인하여 여성가족부장관이 고시한 매체물 ② 제7조 제1항 단서 및 제11조에 따라 각 심의기관이 청소년에게 유해한 것으로 심의하거나 확인하여 여성가족부장관이 고시한 매체물
청소년 유해약물 등	청소년에게 유해한 것으로 인정되는 다음 ①의 약물(이하 '청소년유해약물'이라 한다)과 청소년에게 유해한 것으로 인정되는 다음 ②의 물건(이하 '청소년유해물건'이라 한다)을 말한다. ① 청소년유해약물 ㉠ 주세법에 따른 주류 ㉡ 담배사업법에 따른 담배 ㉢ 마약류 관리에 관한 법률에 따른 마약류 ㉣ 유해화학물질 관리법에 따른 환각물질 ㉤ 그 밖에 중추신경에 작용하여 습관성, 중독성, 내성 등을 유발하여 인체에 유해하게 작용할 수 있는 약물 등 청소년의 사용을 제한하지 아니하면 청소년의 심신을 심각하게 손상시킬 우려가 있는 약물로서 대통령령으로 정하는 기준에 따라 관계 기관의 의견을 들어 제36조에 따른 청소년보호위원회(이하 '청소년보호위원회'라 한다)가 결정하고 여성가족부장관이 고시한 것 ② 청소년유해물건 ㉠ 청소년에게 음란한 행위를 조장하는 성기구 등 청소년의 사용을 제한하지 아니하면 청소년의 심신을 심각하게 손상시킬 우려가 있는 성 관련 물건으로서 대통령령으로 정하는 기준에 따라 청소년보호위원회가 결정하고 여성가족부장관이 고시한 것 ㉡ 청소년에게 음란성・포악성・잔인성・사행성 등을 조장하는 완구류 등 청소년의 사용을 제한하지 아니하면 청소년의 심신을 심각하게 손상시킬 우려가 있는 물건으로서 대통령령으로 정하는 기준에 따라 청소년보호위원회가 결정하고 여성가족부장관이 고시한 것
청소년 유해업소	청소년의 출입과 고용이 청소년에게 유해한 것으로 인정되는 다음 ①의 업소(이하 '청소년 출입・고용금지업소'라 한다)와 청소년의 출입은 가능하나 고용이 청소년에게 유해한 것으로 인정되는 다음 ②의 업소(이하 '청소년고용금지업소'라 한다)를 말한다. 이 경우 업소의 구분은 그 업소가 영업을 할 때 다른 법령에 따라 요구되는 허가・인가・등록・신고 등의 여부와 관계없이 실제로 이루어지고 있는 영업행위를 기준으로 한다.

청소년 유해업소	① 청소년 출입ㆍ고용금지업소 ㉠ 게임산업진흥에 관한 법률에 따른 일반게임제공업 및 복합유통게임제공업 중 대통령령으로 정하는 것 ㉡ 사행행위 등 규제 및 처벌 특례법에 따른 사행행위영업 ㉢ 식품위생법에 따른 식품접객업 중 대통령령으로 정하는 것 **청소년 보호법 시행령** **제5조【청소년 출입ㆍ고용금지업소의 범위】** ② 법 제2조 제5호 가목 3)에서 '대통령령으로 정하는 것'이란 단란주점영업 및 유흥주점영업을 말한다. ㉣ 영화 및 비디오물의 진흥에 관한 법률 제2조 제16호에 따른 비디오물감상실업ㆍ제한관람가비디오물소극장업 및 복합영상물제공업 ㉤ 음악산업진흥에 관한 법률에 따른 노래연습장업 중 대통령령으로 정하는 것 **청소년 보호법 시행령** **제5조【청소년 출입ㆍ고용금지업소의 범위】** ③ 법 제2조 제5호 가목 5)에서 '대통령령으로 정하는 것'이란 노래연습장업을 말한다. 다만, 청소년실을 갖춘 노래연습장업의 경우에는 청소년실에 한정하여 청소년의 출입을 허용한다. ㉥ 체육시설의 설치ㆍ이용에 관한 법률에 따른 무도학원업 및 무도장업 ㉦ 전기통신설비를 갖추고 불특정한 사람들 사이의 음성대화 또는 화상대화를 매개하는 것을 주된 목적으로 하는 영업. 다만, 전기통신사업법 등 다른 법률에 따라 통신을 매개하는 영업은 제외한다. ㉧ 불특정한 사람 사이의 신체적인 접촉 또는 은밀한 부분의 노출 등 성적 행위가 이루어지거나 이와 유사한 행위가 이루어질 우려가 있는 서비스를 제공하는 영업으로서 청소년보호위원회가 결정하고 여성가족부장관이 고시한 것 ㉨ 청소년유해매체물 및 청소년유해약물 등을 제작ㆍ생산ㆍ유통하는 영업 등 청소년의 출입과 고용이 청소년에게 유해하다고 인정되는 영업으로서 대통령령으로 정하는 기준에 따라 청소년보호위원회가 결정하고 여성가족부장관이 고시한 것 ㉩ 한국마사회법 제6조 제2항에 따른 장외발매소 ㉪ 경륜ㆍ경정법 제9조 제2항에 따른 장외매장 ② 청소년고용금지업소 ㉠ 게임산업진흥에 관한 법률에 따른 청소년게임제공업 및 인터넷컴퓨터게임시설제공업 ㉡ 공중위생관리법에 따른 숙박업, 목욕장업, 이용업 중 대통령령으로 정하는 것 ㉢ 식품위생법에 따른 식품접객업 중 대통령령으로 정하는 것 **청소년 보호법 시행령** **제6조【청소년고용금지업소의 범위】** ② 법 제2조 제5호 나목 3)에서 '대통령령으로 정하는 것'이란 다음 각 호의 어느 하나에 해당하는 영업을 말한다. 1. 휴게음식점영업으로서 주로 차 종류를 조리ㆍ판매하는 영업 중 종업원에게 영업장을 벗어나 차 종류 등을 배달ㆍ판매하게 하면서 소요 시간에 따라 대가를 받게 하거나 이를 조장 또는 묵인하는 형태로 운영되는 영업 2. 일반음식점영업 중 음식류의 조리ㆍ판매보다는 주로 주류의 조리ㆍ판매를 목적으로 하는 소주방ㆍ호프ㆍ카페 등의 형태로 운영되는 영업

청소년 유해업소	㉣ 영화 및 비디오물의 진흥에 관한 법률에 따른 비디오물소극장업 ㉤ 화학물질관리법에 따른 유해화학물질영업. 다만, 유해화학물질 사용과 직접 관련이 없는 영업으로서 대통령령으로 정하는 영업은 제외한다. ㉥ 회비 등을 받거나 유료로 만화를 빌려 주는 만화대여업 ㉦ 청소년유해매체물 및 청소년유해약물 등을 제작·생산·유통하는 영업 등 청소년의 고용이 청소년에게 유해하다고 인정되는 영업으로서 대통령령으로 정하는 기준에 따라 청소년보호위원회가 결정하고 여성가족부장관이 고시한 것
유통	매체물 또는 약물 등을 판매·대여·배포·방송·공연·상영·전시·진열·광고하거나 시청 또는 이용하도록 제공하는 행위와 이러한 목적으로 매체물 또는 약물 등을 인쇄·복제 또는 수입하는 행위를 말한다.
청소년 폭력·학대	폭력이나 학대를 통하여 청소년에게 신체적·정신적 피해를 발생하게 하는 행위를 말한다.
청소년 유해환경	청소년유해매체물, 청소년유해약물 등, 청소년유해업소 및 청소년폭력·학대를 말한다.

(3) 각 사회주체의 책임

① 가정의 역할과 책임(제3조)

㉠ 청소년에 대하여 친권을 행사하는 사람 또는 친권자를 대신하여 청소년을 보호하는 사람(이하 '친권자 등'이라 한다)은 청소년이 청소년유해환경에 접촉하거나 출입하지 못하도록 필요한 노력을 하여야 하며, 청소년이 유해한 매체물 또는 유해한 약물 등을 이용하고 있거나 유해한 업소에 출입하려고 하면 즉시 제지하여야 한다.

㉡ 친권자 등은 위의 노력이나 제지를 할 때 필요한 경우에는 청소년 보호와 관련된 상담기관과 단체 등에 상담하여야 하고, 해당 청소년이 가출하거나 비행 등을 할 우려가 있다고 인정되면 청소년 보호와 관련된 지도·단속 기관에 협조를 요청하여야 한다.

② 사회의 책임(제4조)

㉠ 누구든지 청소년 보호를 위하여 다음의 조치 등 필요한 노력을 하여야 한다.

ⓐ 청소년이 청소년유해환경에 접할 수 없도록 하거나 출입을 하지 못하도록 할 것

ⓑ 청소년이 유해한 매체물 또는 유해한 약물 등을 이용하고 있거나 청소년폭력·학대 등을 하고 있음을 알게 되었을 때에는 이를 제지하고 선도할 것

ⓒ 청소년에게 유해한 매체물과 유해한 약물 등이 유통되고 있거나 청소년유해업소에 청소년이 고용되어 있거나 출입하고 있음을 알게 되었을 때 또는 청소년이 청소년폭력·학대 등의 피해를 입고 있음을 알게 되었을 때에는 관계 기관 등에 신고·고발하는 등의 조치를 할 것

㉡ 매체물과 약물 등의 유통을 업으로 하거나 청소년유해업소의 경영을 업으로 하는 자와 이들로 구성된 단체 및 협회 등은 청소년유해매체물과 청소년유해약물 등이 청소년에게 유통되지 아니하도록 하고 청소년유해업소에 청소년을 고용하거나 청소년이 출입하지 못하도록 하는 등 청소년을 보호하기 위하여 자율적인 노력을 다하여야 한다.

③ 국가와 지방자치단체의 책무(제5조)

㉠ 국가는 청소년 보호를 위하여 청소년유해환경의 개선에 필요한 시책을 마련하고 시행하여야 하며, 지방자치단체는 해당 지역의 청소년유해환경으로부터 청소년을 보호하기 위하여 필요한 노력을 하여야 한다.

㉡ 국가와 지방자치단체는 전자·통신기술 및 의약품 등의 발달에 따라 등장하는 새로운 형태의 매체물과 약물 등이 청소년의 정신적·신체적 건강을 해칠 우려가 있음을 인식하고, 이들 매체물과 약물 등으로부터

청소년을 보호하기 위하여 필요한 기술개발과 연구사업의 지원, 국가간의 협력체제 구축 등 필요한 노력을 하여야 한다.

㉢ 국가와 지방자치단체는 청소년 관련 단체 등 민간의 자율적인 유해환경 감시·고발 활동을 장려하고 이에 필요한 지원을 할 수 있으며 민간의 건의사항을 관련 시책에 반영할 수 있다.

㉣ 국가와 지방자치단체는 청소년을 보호하기 위하여 청소년유해환경을 규제할 때 그 의무를 충실히 수행하여야 한다.

(4) 다른 법률과의 관계(제6조)

이 법은 청소년유해환경의 규제에 관한 형사처벌을 할 때 다른 법률보다 우선하여 적용한다.

2. 청소년유해약물 등, 청소년유해업소 등의 규제

구분	내용
청소년 유해약물 등의 판매·대여 등의 금지 (제28조)	① 누구든지 청소년을 대상으로 청소년유해약물 등을 판매·대여·배포(자동기계장치·무인판매장치·통신장치를 통하여 판매·대여·배포하는 경우를 포함한다)하거나 무상으로 제공하여서는 아니 된다. 다만, 교육·실험 또는 치료를 위한 경우로서 대통령령으로 정하는 경우는 예외로 한다. ② 누구든지 청소년의 의뢰를 받아 청소년유해약물 등을 구입하여 청소년에게 제공하여서는 아니 된다. ③ 누구든지 청소년에게 권유·유인·강요하여 청소년유해약물 등을 구매하게 하여서는 아니 된다. ④ 청소년유해약물 등을 판매·대여·배포하고자 하는 자는 그 상대방의 나이 및 본인 여부를 확인하여야 한다. ⑤ 다음의 어느 하나에 해당하는 자가 청소년유해약물 중 주류나 담배(이하 '주류 등'이라 한다)를 판매·대여·배포하는 경우 그 업소(자동기계장치·무인판매장치를 포함한다)에 청소년을 대상으로 주류 등의 판매·대여·배포를 금지하는 내용을 표시하여야 한다. 다만, 청소년 출입·고용금지업소는 제외한다. ㉠ 주류 면허 등에 관한 법률에 따른 주류소매업의 영업자 ㉡ 담배사업법에 따른 담배소매업의 영업자 ㉢ 그 밖에 대통령령으로 정하는 업소의 영업자 ⑥ 여성가족부장관은 청소년유해약물 등 목록표를 작성하여 청소년유해약물 등과 관련이 있는 관계 기관 등에 통보하여야 하고, 필요한 경우 약물 유통을 업으로 하는 개인·법인·단체에 통보할 수 있으며, 친권자 등의 요청이 있는 경우 친권자 등에게 통지할 수 있다. ⑦ 다음의 어느 하나에 해당하는 자는 청소년유해약물 등에 대하여 청소년유해표시를 하여야 한다. ㉠ 청소년유해약물을 제조·수입한 자 ㉡ 청소년유해물건을 제작·수입한 자 ⑧ ⑥에 따른 청소년유해약물 등 목록표의 작성 방법, 통보 시기, 통보 대상, 그 밖에 필요한 사항은 여성가족부령으로 정한다. ⑨ ⑤에 따른 표시의 문구, 크기와 ⑥에 따른 청소년유해표시의 종류와 시기·방법, 그 밖에 필요한 사항은 대통령령으로 정한다. ⑩ 청소년유해약물 등의 포장에 관하여는 제14조 및 제15조를 준용한다. 이 경우 '청소년유해매체물' 및 '매체물'은 각각 '청소년유해약물 등'으로 본다.
청소년 고용금지 및 출입제한 등 (제29조)	① 청소년유해업소의 업주는 청소년을 고용하여서는 아니 된다. 청소년유해업소의 업주가 종업원을 고용하려면 미리 나이를 확인하여야 한다. ② 청소년 출입·고용금지업소의 업주와 종사자는 출입자의 나이를 확인하여 청소년이 그 업소에 출입하지 못하게 하여야 한다.

청소년 고용금지 및 출입제한 등 (제29조)	③ 제2조 제5호 나목 2)의 숙박업을 운영하는 업주는 종사자를 배치하거나 대통령령으로 정하는 설비 등을 갖추어 출입자의 나이를 확인하고 제30조 제8호의 우려가 있는 경우에는 청소년의 출입을 제한하여야 한다. ④ 청소년유해업소의 업주와 종사자는 ①부터 ③까지에 따른 나이 확인을 위하여 필요한 경우 주민등록증(모바일 주민등록증을 포함한다)이나 그 밖에 나이를 확인할 수 있는 증표(이하 '증표'라 한다)의 제시를 요구할 수 있으며, 증표 제시를 요구받고도 정당한 사유 없이 증표를 제시하지 아니하는 사람에게는 그 업소의 출입을 제한할 수 있다. ⑤ ②에도 불구하고 청소년이 친권자 등을 동반할 때에는 대통령령으로 정하는 바에 따라 출입하게 할 수 있다. 다만, 식품위생법에 따른 식품접객업 중 대통령령으로 정하는 업소의 경우에는 출입할 수 없다. ⑥ 청소년유해업소의 업주와 종사자는 그 업소에 대통령령으로 정하는 바에 따라 청소년의 출입과 고용을 제한하는 내용을 표시하여야 한다.

3. 청소년유해행위의 금지(제30조)

(1) 금지행위

누구든지 청소년에게 다음의 어느 하나에 해당하는 행위를 하여서는 아니 된다.

① 영리를 목적으로 청소년으로 하여금 신체적인 접촉 또는 은밀한 부분의 노출 등 성적 접대행위를 하게 하거나 이러한 행위를 알선·매개하는 행위

② 영리를 목적으로 청소년으로 하여금 손님과 함께 술을 마시거나 노래 또는 춤 등으로 손님의 유흥을 돋우는 접객행위를 하게 하거나 이러한 행위를 알선·매개하는 행위

③ 영리나 흥행을 목적으로 청소년에게 음란한 행위를 하게 하는 행위

④ 영리나 흥행을 목적으로 청소년의 장애나 기형 등의 모습을 일반인들에게 관람시키는 행위

⑤ 청소년에게 구걸을 시키거나 청소년을 이용하여 구걸하는 행위

⑥ 청소년을 학대하는 행위

⑦ 영리를 목적으로 청소년으로 하여금 거리에서 손님을 유인하는 행위를 하게 하는 행위

⑧ 청소년을 남녀 혼숙하게 하는 등 풍기를 문란하게 하는 영업행위를 하거나 이를 목적으로 장소를 제공하는 행위

⑨ 주로 차 종류를 조리·판매하는 업소에서 청소년으로 하여금 영업장을 벗어나 차 종류를 배달하는 행위를 하게 하거나 이를 조장하거나 묵인하는 행위

(2) 청소년에 대하여 가지는 채권의 효력 제한(제32조)

① 청소년유해행위를 한 자가 그 행위와 관련하여 청소년에 대하여 가지는 채권은 그 계약의 형식이나 명목에 관계없이 무효로 한다.

② 제2조 제5호 가목 3) 및 나목 3)에 따른 업소의 업주가 고용과 관련하여 청소년에 대하여 가지는 채권은 그 계약의 형식이나 명목에 관계없이 무효로 한다.

4. 청소년 통행금지 · 제한구역의 지정 등(제31조)

(1) 청소년 통행금지 · 제한구역의 지정

특별자치시장 · 특별자치도지사 · 시장 · 군수 · 구청장(구청장은 자치구의 구청장을 말하며, 이하 '시장 · 군수 · 구청장'이라 한다)은 청소년 보호를 위하여 필요하다고 인정할 경우 청소년의 정신적 · 신체적 건강을 해칠 우려가 있는 구역을 청소년 통행금지구역 또는 청소년 통행제한구역으로 지정하여야 한다.

(2) 청소년 통행금지 · 제한시간의 지정

시장 · 군수 · 구청장은 청소년 범죄 또는 탈선의 예방 등 특별한 이유가 있으면 대통령령으로 정하는 바에 따라 시간을 정하여 지정된 구역에 청소년이 통행하는 것을 금지하거나 제한할 수 있다.

(3) 위임

청소년 통행금지구역 또는 통행제한구역의 구체적인 지정기준과 선도 및 단속 방법 등은 조례로 정하여야 한다. 이 경우 관할 경찰관서 및 학교 등 해당 지역의 관계 기관과 지역 주민의 의견을 반영하여야 한다.

(4) 조치의 내용

시장 · 군수 · 구청장 및 관할 경찰서장은 청소년이 위 (2)를 위반하여 청소년 통행금지구역 또는 통행제한구역을 통행하려고 할 때에는 통행을 막을 수 있으며, 통행하고 있는 청소년은 해당 구역 밖으로 나가게 할 수 있다.

Tip 청소년 보호법상 '유흥접객행위'와 '성적접대행위'

1. **유흥접객행위**
   - ① 각종 술집에서 19세 미만 청소년(남 · 녀 구분없이 모든 청소년)으로 하여금 술시중을 들게 하거나, 노래, 춤 등을 하게 하는 일체의 행위를 말한다.
   - ② 일반음식점에서의 이러한 행위도 처벌된다.
   - ③ 보도방, 무허가직업소개소 등의 19세 미만 접대부 소개행위도 처벌대상이 된다.
2. **성적접대행위**
   - ① 안마시술소, 퇴폐이발소, 증기탕 등에서 19세 미만 청소년에게 퇴폐적 안마, 목욕보조, 알몸접대 등을 하게 하는 것은 성적접대행위에 포함된다.
   - ② '홀딱쇼' 등 은밀한 부분을 노출시키고 접대하는 행위도 성적 접대행위에 포함된다.

판례

1. **청소년 보호법 위반**

   구 청소년 보호법(1998.2.28, 법률 제5529호로 개정되기 전의 것)은 일반 사법인 민법과는 다른 차원에서 청소년에게 유해한 매체물과 약물 등이 청소년에게 유통되는 것과 청소년이 유해한 업소에 출입하는 것 등을 규제함으로써 청소년을 유해한 각종 사회환경으로부터 보호 · 구제하고 나아가 이들을 건전한 인격체로 성장할 수 있도록 함을 그 목적으로 하여 제정된 법으로서, 그 제2조에서 18세 미만의 자를 청소년으로 정의하고 술을 청소년유해약물의 하나로 규정하면서, 제26조 제1항에서는 누구든지 청소년을 대상으로 하여 청소년유해약물 등을 판매 · 대여 · 배포하여서는 아니 된다고 규정하고, 제51조 제8호에서 위 규정에 위반하여 청소년에게 술이나 담배를 판매한 자를 처벌하도록 규정하고 있는바, 위와 같은 위 법의 입법 취지와 목적 및 규정 내용 등에 비추어 볼 때, 18세 미만의 청소년에게 술을 판매함에 있어서 가사 그의 민법상 법정대리인의 동의를 받았다고 하더라도 그러한 사정만으로 위 행위가 정당화될 수는 없다(대판 1999.7.13, 99도2151).

2. 청소년 보호법 위반

[1] 청소년 보호법 제2조 제1호에서 "청소년이라 함은 만 19세 미만의 자를 말한다. 다만, 만 19세에 도달하는 해의 1월 1일을 맞이한 자를 제외한다."고 규정하고 있고, 형법과 청소년 보호법이 연령 계산에 관하여 민법과 달리 규정하고 있지 않으므로 "연령 계산에는 출생일을 포함한다."는 민법 제158조에 따라 청소년인지 여부를 판단하여야 하는 점, 청소년을 각종 유해한 환경으로부터 보호·구제함으로써 청소년이 건전한 인격체로 성장할 수 있도록 한다는 청소년 보호법의 입법 목적 등에 비추어 볼 때, 이때의 연령은 호적 등 공부상의 나이가 아니라 실제의 나이를 기준으로 하여야 한다.

[2] 공부상 출생일과 다른 실제의 출생일을 기준으로 청소년 보호법상의 청소년에서 제외되는 자임이 역수상 명백하다고 하여, 피고인을 주류판매에 관한 청소년 보호법 위반죄로 처벌할 수 없다(대구지법 2009.9.11, 2009노1765).

3. 청소년 보호법 및 음반·비디오물 및 게임물에 관한 법률 위반

[1] 청소년 보호법 제24조 제1항의 규정에 의하면, 청소년유해업소인 노래연습장 또는 유흥주점의 각 업주는 청소년을 접대부로 고용할 수 없는바, 여기의 고용에는 시간제로 보수를 받고 근무하는 경우도 포함된다.

[2] 청소년이 이른바 '티켓걸'로서 노래연습장 또는 유흥주점에서 손님들의 흥을 돋우어 주고 시간당 보수를 받은 사안에서 업소주인이 청소년을 시간제 접대부로 고용한 것으로 보고 업소주인을 청소년보호법 위반죄로 처단한 원심의 조치는 정당하다(대판 2005.7.29, 2005도3801).

4. 청소년 보호법 위반

식품위생법 제21조 제2항, 식품위생법 시행령 제7조 제8호 (나)목은 일반음식점 영업을 '음식류를 조리·판매하는 영업으로서 식사와 함께 부수적으로 음주행위가 허용되는 영업'이라고 규정하고 있지만, 청소년 보호법 제2조 제5호는 청소년고용금지업소 등 청소년유해업소의 구분은 그 업소가 영업을 함에 있어서 다른 법령에 의하여 요구되는 허가·인가·등록·신고 등의 여부에 불구하고 실제로 이루어지고 있는 영업행위를 기준으로 하도록 규정하고 있으므로, 음식류를 조리·판매하면서 식사와 함께 부수적으로 음주행위가 허용되는 영업을 하겠다면서 식품위생법상의 일반음식점 영업허가를 받은 업소라고 하더라도 실제로는 음식류의 조리·판매보다는 주로 주류를 조리·판매하는 영업행위가 이루어지고 있는 경우에는 청소년 보호법상의 청소년고용금지업소에 해당하며, 나아가 일반음식점의 실제의 영업형태 중에서는 주간에는 주로 음식류를 조리·판매하고 야간에는 주로 주류를 조리·판매하는 형태도 있을 수 있는데, 이러한 경우 음식류의 조리·판매보다는 주로 주류를 조리·판매하는 야간의 영업형태에 있어서의 그 업소는 위 청소년 보호법의 입법취지에 비추어 볼 때 청소년 보호법상의 청소년고용금지업소에 해당한다(대판 2004.2.12, 2003도6282).

03 아동학대범죄의 처벌 등에 관한 특례법

아동학대범죄의 처벌 등에 관한 특례법(이하 '법'이라 한다)은 아동학대범죄의 처벌 및 그 절차에 관한 특례와 피해아동에 대한 보호절차 및 아동학대행위자에 대한 보호처분을 규정함으로써 아동을 보호하여 아동이 건강한 사회 구성원으로 성장하도록 함을 목적으로 한다(제1조).

1. 용어의 정의(제2조)

이 법에서 사용하는 용어의 뜻은 다음과 같다.

아동	아동복지법 제3조 제1호에 따른 아동을 말한다. **아동복지법** **제3조 【정의】** 이 법에서 사용하는 용어의 뜻은 다음과 같다. 1. '아동'이란 18세 미만인 사람을 말한다.
보호자	아동복지법 제3조 제3호에 따른 보호자를 말한다.

아동학대	아동복지법 제3조 제7호에 따른 아동학대를 말한다. 다만, 「유아교육법」과 「초·중등교육법」에 따른 교원의 정당한 교육활동과 학생생활지도는 아동학대로 보지 아니한다.
아동학대범죄	보호자에 의한 아동학대로서 다음의 어느 하나에 해당하는 죄를 말한다. ① 형법 제2편 제25장 상해와 폭행의 죄 중 제257조(상해) 제1항·제3항, 제260조(폭행) 제1항, 제261조(특수폭행) 및 제262조(폭행치사상)(상해에 이르게 한 때에만 해당한다)의 죄 ② 형법 제2편 제28장 유기와 학대의 죄 중 제271조(유기) 제1항, 제272조(영아유기), 제273조(학대) 제1항, 제274조(아동혹사) 및 제275조(유기 등 치사상)(상해에 이르게 한 때에만 해당한다)의 죄 ③ 형법 제2편 제29장 체포와 감금의 죄 중 제276조(체포, 감금) 제1항, 제277조(중체포, 중감금) 제1항, 제278조(특수체포, 특수감금), 제280조(미수범) 및 제281조(체포·감금 등의 치사상)(상해에 이르게 한 때에만 해당한다)의 죄 ④ 형법 제2편 제30장 협박의 죄 중 제283조(협박) 제1항, 제284조(특수협박) 및 제286조(미수범)의 죄 ⑤ 형법 제2편 제31장 약취, 유인 및 인신매매의 죄 중 제287조(미성년자 약취, 유인), 제288조(추행 등 목적 약취, 유인 등), 제289조(인신매매) 및 제290조(약취, 유인, 매매, 이송 등 상해·치상)의 죄 ⑥ 형법 제2편 제32장 강간과 추행의 죄 중 제297조(강간), 제297조의2(유사강간), 제298조(강제추행), 제299조(준강간, 준강제추행), 제300조(미수범), 제301조(강간 등 상해·치상), 제301조의2(강간 등 살인·치사), 제302조(미성년자 등에 대한 간음), 제303조(업무상 위력 등에 의한 간음) 및 제305조(미성년자에 대한 간음, 추행)의 죄 ⑦ 형법 제2편 제33장 명예에 관한 죄 중 제307조(명예훼손), 제309조(출판물 등에 의한 명예훼손) 및 제311조(모욕)의 죄 ⑧ 형법 제2편 제36장 주거침입의 죄 중 제321조(주거·신체 수색)의 죄 ⑨ 형법 제2편 제37장 권리행사를 방해하는 죄 중 제324조(강요) 및 제324조의5(미수범)(제324조의 죄에만 해당한다)의 죄 ⑩ 형법 제2편 제39장 사기와 공갈의 죄 중 제350조(공갈) 및 제352조(미수범)(제350조의 죄에만 해당한다)의 죄 ⑪ 형법 제2편 제42장 손괴의 죄 중 제366조(재물손괴 등)의 죄 ⑫ 아동복지법 제71조 제1항 각 호의 죄(제3호의 죄는 제외한다) ⑬ ①부터 ⑫까지의 죄로서 다른 법률에 따라 가중처벌되는 죄 ⑭ 제4조(아동학대살해·치사), 제5조(아동학대중상해) 및 제6조(상습범)의 죄
아동학대범죄신고 등	아동학대범죄에 관한 신고·진정·고소·고발 등 수사 단서의 제공, 진술 또는 증언이나 그 밖의 자료제출행위 및 범인검거를 위한 제보 또는 검거활동을 말한다.
아동학대범죄신고자 등	아동학대범죄신고 등을 한 자를 말한다.
아동학대행위자	아동학대범죄를 범한 사람 및 그 공범을 말한다.
피해아동	아동학대범죄로 인하여 직접적으로 피해를 입은 아동을 말한다.
아동보호사건	아동학대범죄로 인하여 제36조 제1항에 따른 보호처분(이하 '보호처분'이라 한다)의 대상이 되는 사건을 말한다.
피해아동보호명령사건	아동학대범죄로 인하여 제47조에 따른 피해아동보호명령의 대상이 되는 사건을 말한다.
아동보호전문기관	아동복지법 제45조에 따른 아동보호전문기관을 말한다.
가정위탁지원센터	아동복지법 제48조에 따른 가정위탁지원센터를 말한다.

아동복지시설	아동복지법 제50조에 따라 설치된 시설을 말한다.
아동복지시설의 종사자	아동복지시설에서 아동의 상담 · 지도 · 치료 · 양육, 그 밖에 아동의 복지에 관한 업무를 담당하는 사람을 말한다.

아동학대범죄의 처벌 등에 관한 특례법
제3조 【다른 법률과의 관계】 아동학대범죄에 대하여는 이 법을 우선 적용한다. 다만, 성폭력범죄의 처벌 등에 관한 특례법, 아동 · 청소년의 성보호에 관한 법률에서 가중처벌되는 경우에는 그 법에서 정한 바에 따른다.

2. 아동학대범죄의 처벌에 관한 특례

(1) 아동복지시설의 종사자 등에 대한 가중처벌(제7조)

아동학대 신고의무자가 보호하는 아동에 대하여 아동학대범죄를 범한 때에는 그 죄에 정한 형의 2분의 1까지 가중한다.

(2) 형벌과 수강명령 등의 병과(제8조)

① 법원은 아동학대행위자에 대하여 유죄판결(선고유예는 제외한다)을 선고하면서 200시간의 범위에서 재범예방에 필요한 수강명령(보호관찰 등에 관한 법률에 따른 수강명령을 말한다) 또는 아동학대 치료프로그램의 이수명령(이하 '이수명령'이라 한다)을 병과할 수 있다.

② 수강명령 또는 이수명령은 다음의 내용으로 한다.
㉠ 아동학대 행동의 진단 · 상담
㉡ 보호자로서의 기본 소양을 갖추게 하기 위한 교육
㉢ 그 밖에 아동학대행위자의 재범예방을 위하여 필요한 사항

(3) 친권상실청구 등(제9조)

① 아동학대행위자가 아동학대중상해 또는 상습적으로 범죄를 저지른 때에는 검사는 그 사건의 아동학대행위자가 피해아동의 친권자나 후견인인 경우에 법원에 친권상실의 선고 또는 후견인의 변경 심판을 청구하여야 한다. 다만, 친권상실의 선고 또는 후견인의 변경 심판을 하여서는 아니 될 특별한 사정이 있는 경우에는 그러하지 아니하다.

② 검사가 ①에 따른 청구를 하지 아니한 때에는 특별시장 · 광역시장 · 특별자치시장 · 도지사 · 특별자치도지사(이하 '시 · 도지사'라 한다) 또는 시장 · 군수 · 구청장(자치구의 구청장을 말한다)은 검사에게 ①의 청구를 하도록 요청할 수 있다. 이 경우 청구를 요청받은 검사는 요청받은 날부터 30일 내에 그 처리 결과를 시 · 도지사 또는 시장 · 군수 · 구청장에게 통보하여야 한다.

③ ②의 후단에 따라 처리 결과를 통보받은 시 · 도지사 또는 시장 · 군수 · 구청장은 그 처리 결과에 대하여 이의가 있을 경우 통보받은 날부터 30일 내에 직접 법원에 ①의 청구를 할 수 있다.

3. 아동학대범죄의 처리절차에 관한 특례

(1) 아동학대범죄 신고의무와 절차(제10조)

① 누구든지 아동학대범죄를 알게 된 경우나 그 의심이 있는 경우에는 특별시 · 광역시 · 특별자치시 · 도 · 특별자치도(이하 '시 · 도'라 한다), 시 · 군 · 구(자치구를 말한다) 또는 수사기관에 신고할 수 있다.

② 다음의 어느 하나에 해당하는 사람이 직무를 수행하면서 아동학대범죄를 알게 된 경우나 그 의심이 있는 경우에는 시·도, 시·군·구 또는 수사기관에 즉시 신고하여야 한다.

ⓐ 아동복지법 제10조의2에 따른 아동권리보장원(이하 '아동권리보장원'이라 한다) 및 가정위탁지원센터의 장과 그 종사자

ⓑ 아동복지시설의 장과 그 종사자(아동보호전문기관의 장과 그 종사자는 제외한다)

ⓒ 아동복지법 제13조에 따른 아동복지전담공무원

ⓓ 가정폭력방지 및 피해자보호 등에 관한 법률 제5조에 따른 가정폭력 관련 상담소 및 같은 법 제7조의2에 따른 가정폭력피해자 보호시설의 장과 그 종사자

ⓔ 건강가정기본법 제35조에 따른 건강가정지원센터의 장과 그 종사자

ⓕ 다문화가족지원법 제12조에 따른 다문화가족지원센터의 장과 그 종사자

ⓖ 사회보장급여의 이용·제공 및 수급권자 발굴에 관한 법률 제43조에 따른 사회복지전담공무원 및 사회복지사업법 제34조에 따른 사회복지시설의 장과 그 종사자

ⓗ 성매매방지 및 피해자보호 등에 관한 법률 제9조에 따른 지원시설 및 같은 법 제17조에 따른 성매매피해상담소의 장과 그 종사자

ⓘ 성폭력방지 및 피해자보호 등에 관한 법률 제10조에 따른 성폭력피해상담소, 같은 법 제12조에 따른 성폭력피해자보호시설의 장과 그 종사자 및 같은 법 제18조에 따른 성폭력피해자통합지원센터의 장과 그 종사자

ⓙ 119구조·구급에 관한 법률 제2조 제4호에 따른 119구급대의 대원

ⓚ 응급의료에 관한 법률 제2조 제7호에 따른 응급의료기관 등에 종사하는 응급구조사

ⓛ 영유아보육법 제7조에 따른 육아종합지원센터의 장과 그 종사자 및 제10조에 따른 어린이집의 원장 등 보육교직원

ⓜ 유아교육법 제2조 제2호에 따른 유치원의 장과 그 종사자

ⓝ 아동보호전문기관의 장과 그 종사자

ⓞ 의료법 제3조 제1항에 따른 의료기관의 장과 그 의료기관에 종사하는 의료인 및 의료기사

ⓟ 장애인복지법 제58조에 따른 장애인복지시설의 장과 그 종사자로서 시설에서 장애아동에 대한 상담·치료·훈련 또는 요양 업무를 수행하는 사람

ⓠ 정신건강증진 및 정신질환자 복지서비스 지원에 관한 법률 제3조 제3호에 따른 정신건강복지센터, 같은 조 제5호에 따른 정신의료기관, 같은 조 제6호에 따른 정신요양시설 및 같은 조 제7호에 따른 정신재활시설의 장과 그 종사자

ⓡ 청소년 기본법 제3조 제6호에 따른 청소년시설 및 같은 조 제8호에 따른 청소년단체의 장과 그 종사자

ⓢ 청소년 보호법 제35조에 따른 청소년 보호·재활센터의 장과 그 종사자

ⓣ 초·중등교육법 제2조에 따른 학교의 장과 그 종사자

ⓤ 한부모가족지원법 제19조에 따른 한부모가족복지시설의 장과 그 종사자

ⓥ 학원의 설립·운영 및 과외교습에 관한 법률 제6조에 따른 학원의 운영자·강사·직원 및 같은 법 제14조에 따른 교습소의 교습자·직원

ⓦ 아이돌봄 지원법 제2조 제4호에 따른 아이돌보미

ⓧ 아동복지법 제37조에 따른 취약계층 아동에 대한 통합서비스지원 수행인력

ⓨ 입양특례법 제20조에 따른 입양기관의 장과 그 종사자

> **Add ⊕**
>
> 피해아동이 보호자의 학대를 당연하게 받아들이고 이를 학대로 인식하지 못하는 미인지성 때문에 아동학대범죄의 처벌 등에 관한 특례법은 아동학대 신고의무자를 광범위하게 규정하고 있다.

③ 누구든지 위 ① 및 ②에 따른 신고인의 인적사항 또는 신고인임을 미루어 알 수 있는 사실을 다른 사람에게 알려주거나 공개 또는 보도하여서는 아니 된다.

④ 위 ②에 따른 신고가 있는 경우 시・도, 시・군・구 또는 수사기관은 정당한 사유가 없으면 즉시 조사 또는 수사에 착수하여야 한다.

(2) 불이익조치의 금지(제10조의2)

누구든지 아동학대범죄신고자 등에게 아동학대범죄신고 등을 이유로 불이익조치를 하여서는 아니 된다.

(3) 아동학대범죄신고자 등에 대한 보호조치(제10조의3)

아동학대범죄신고자 등에 대하여는 특정범죄신고자 등 보호법 제7조부터 제13조까지의 규정을 준용한다.

(4) 고소에 대한 특례(제10조의4)

① 피해아동 또는 그 법정대리인은 아동학대행위자를 고소할 수 있다. 피해아동의 법정대리인이 아동학대행위자인 경우 또는 아동학대행위자와 공동으로 아동학대범죄를 범한 경우에는 피해아동의 친족이 고소할 수 있다.

② 피해아동은 형사소송법 제224조에도 불구하고 아동학대행위자가 자기 또는 배우자의 직계존속인 경우에도 고소할 수 있다. 법정대리인이 고소하는 경우에도 또한 같다.

③ 피해아동에게 고소할 법정대리인이나 친족이 없는 경우에 이해관계인이 신청하면 검사는 10일 이내에 고소할 수 있는 사람을 지정하여야 한다.

(5) 현장출동(제11조)

① 아동학대범죄 신고를 접수한 사법경찰관리나 아동복지법 제22조 제4항에 따른 아동학대전담공무원(이하 '아동학대전담공무원'이라 한다)은 지체 없이 아동학대범죄의 현장에 출동하여야 한다. 이 경우 수사기관의 장이나 시・도지사 또는 시장・군수・구청장은 서로 동행하여 줄 것을 요청할 수 있으며, 그 요청을 받은 수사기관의 장이나 시・도지사 또는 시장・군수・구청장은 정당한 사유가 없으면 사법경찰관리나 아동학대전담공무원이 아동학대범죄 현장에 동행하도록 조치하여야 한다.

② 아동학대범죄 신고를 접수한 사법경찰관리나 아동학대전담공무원은 아동학대범죄가 행하여지고 있는 것으로 신고된 현장 또는 피해아동을 보호하기 위하여 필요한 장소에 출입하여 아동 또는 아동학대행위자 등 관계인에 대하여 조사를 하거나 질문을 할 수 있다. 다만, 아동학대전담공무원은 피해아동의 보호, 아동복지법 제22조의4의 사례관리계획에 따른 사례관리를 위한 범위에서만 아동학대행위자 등 관계인에 대하여 조사 또는 질문을 할 수 있다.

③ 시・도지사 또는 시장・군수・구청장은 ①에 따른 현장출동시 아동보호 및 사례관리를 위하여 필요한 경우 아동보호전문기관의 장에게 아동보호전문기관의 직원이 동행할 것을 요청할 수 있다. 이 경우 아동보호전문기관의 직원은 피해아동의 보호 및 사례관리를 위한 범위에서 아동학대전담공무원의 조사에 참여할 수 있다.

④ 출입이나 조사를 하는 사법경찰관리, 아동학대전담공무원 또는 아동보호전문기관의 직원은 그 권한을 표시하는 증표를 지니고 이를 관계인에게 내보여야 한다.

⑤ 위 ②에 따라 조사 또는 질문을 하는 사법경찰관리 또는 아동학대전담공무원은 피해아동, 아동학대범죄신고자 등, 목격자 등이 자유롭게 진술할 수 있도록 아동학대행위자로부터 분리된 곳에서 조사하는 등 필요한 조치를 하여야 한다.

⑥ 누구든지 현장에 출동한 사법경찰관리, 아동학대전담공무원 또는 아동보호전문기관의 직원이 업무를 수행할 때에 폭행·협박이나 현장조사를 거부하는 등 그 업무수행을 방해하는 행위를 하여서는 아니 된다.

⑦ 위 ①에 따른 현장출동이 동행하여 이루어지지 아니한 경우 수사기관의 장이나 시·도지사 또는 시장·군수·구청장은 현장출동에 따른 조사 등의 결과를 서로에게 통지하여야 한다.

(6) 피해아동 등에 대한 응급조치(제12조)

① 현장에 출동하거나 아동학대범죄 현장을 발견한 경우 또는 학대현장 이외의 장소에서 학대피해가 확인되고 재학대의 위험이 급박·현저한 경우, 사법경찰관리 또는 아동학대전담공무원은 피해아동, 피해아동의 형제자매인 아동 및 피해아동과 동거하는 아동(이하 '피해아동 등'이라 한다)의 보호를 위하여 즉시 다음의 조치(이하 '응급조치'라 한다)를 하여야 한다. 이 경우 ㉢의 조치를 하는 때에는 피해아동 등의 이익을 최우선으로 고려하여야 하며, 피해아동 등을 보호하여야 할 필요가 있는 등 특별한 사정이 있는 경우를 제외하고는 피해아동 등의 의사를 존중하여야 한다.

㉠ 아동학대범죄 행위의 제지

㉡ 아동학대행위자를 피해아동 등으로부터 격리

㉢ 피해아동 등을 아동학대 관련 보호시설로 인도

㉣ 긴급치료가 필요한 피해아동을 의료기관으로 인도

② ①의 ㉡부터 ㉣까지의 규정에 따른 응급조치는 72시간을 넘을 수 없다. 다만, 본문의 기간에 공휴일이나 토요일이 포함되는 경우로서 피해아동 등의 보호를 위하여 필요하다고 인정되는 경우에는 48시간의 범위에서 그 기간을 연장할 수 있다.

③ 다만, 검사가 임시조치를 법원에 청구한 경우에는 법원의 임시조치결정시까지 응급조치 기간이 연장된다.

④ 사법경찰관리 또는 아동학대전담공무원이 ①에 따라 응급조치를 한 경우에는 즉시 응급조치결과보고서를 작성하여야 한다. 이 경우 사법경찰관리가 응급조치를 한 경우에는 관할 경찰관서의 장이 시·도지사 또는 시장·군수·구청장에게, 아동학대전담공무원이 응급조치를 한 경우에는 소속 시·도지사 또는 시장·군수·구청장이 관할 경찰관서의 장에게 작성된 응급조치결과보고서를 지체 없이 송부하여야 한다.

⑤ 사법경찰관리는 위 ①의 ㉠ 또는 ㉡의 조치를 위하여 다른 사람의 토지·건물·배 또는 차에 출입할 수 있다.

(7) 아동학대행위자에 대한 긴급임시조치(제13조)

① 사법경찰관은 응급조치에도 불구하고 아동학대범죄가 재발될 우려가 있고, 긴급을 요하여 법원의 임시조치결정을 받을 수 없을 때에는 직권이나 피해아동 등, 그 법정대리인(아동학대행위자를 제외한다), 변호사, 시·도지사, 시장·군수·구청장 또는 아동보호전문기관의 장의 신청에 따라 제19조 제1항 제1호부터 제3호까지의 어느 하나에 해당하는 조치를 할 수 있다.

아동학대범죄의 처벌 등에 관한 특례법
제19조【아동학대행위자에 대한 임시조치】 ① 판사는 아동학대범죄의 원활한 조사·심리 또는 피해아동 등의 보호를 위하여 필요하다고 인정하는 경우에는 결정으로 아동학대행위자에게 다음 각 호의 어느 하나에 해당하는 조치(이하 '임시조치'라 한다)를 할 수 있다.

1. 피해아동 등 또는 가정구성원(가정폭력범죄의 처벌 등에 관한 특례법 제2조 제2호에 따른 가정구성원을 말한다. 이하 같다)의 주거로부터 퇴거 등 격리
2. 피해아동 등 또는 가정구성원의 주거, 학교 또는 보호시설 등에서 100m 이내의 접근금지
3. 피해아동 등 또는 가정구성원에 대한 전기통신기본법 제2조 제1호의 전기통신을 이용한 접근금지
4. 친권 또는 후견인 권한 행사의 제한 또는 정지
5. 아동보호전문기관 등에의 상담 및 교육 위탁
6. 의료기관이나 그 밖의 요양시설에의 위탁
7. 경찰관서의 유치장 또는 구치소에의 유치

② 사법경찰관은 ①에 따른 조치(이하 '긴급임시조치'라 한다)를 한 경우에는 즉시 긴급임시조치결정서를 작성하여야 한다.

③ 긴급임시조치결정서에는 범죄사실의 요지, 긴급임시조치가 필요한 사유, 긴급임시조치의 내용 등을 기재하여야 한다.

(8) 임시조치의 청구(제14조)

① 검사는 아동학대범죄가 재발될 우려가 있다고 인정하는 경우에는 직권으로 또는 사법경찰관이나 보호관찰관의 신청에 따라 법원에 임시조치를 청구할 수 있다.

② 피해아동 등, 그 법정대리인, 변호사, 시·도지사, 시장·군수·구청장 또는 아동보호전문기관의 장은 검사 또는 사법경찰관에게 임시조치의 청구 또는 그 신청을 요청하거나 이에 관하여 의견을 진술할 수 있다.

③ ②에 따른 요청을 받은 사법경찰관은 임시조치를 신청하지 아니하는 경우에는 검사 및 임시조치를 요청한 자에게 그 사유를 통지하여야 한다.

(9) 응급조치·긴급임시조치 후 임시조치의 청구(제15조)

① 사법경찰관이 응급조치 또는 긴급임시조치를 하였거나 시·도지사 또는 시장·군수·구청장으로부터 응급조치가 행하여졌다는 통지를 받은 때에는 지체 없이 검사에게 임시조치의 청구를 신청하여야 한다.

② 신청을 받은 검사는 임시조치를 청구하는 때에는 응급조치가 있었던 때부터 72시간(제12조 제3항 단서에 따라 응급조치 기간이 연장된 경우에는 그 기간을 말한다) 이내에, 긴급임시조치가 있었던 때부터 48시간 이내에 하여야 한다. 이 경우 응급조치결과보고서 및 긴급임시조치결정서를 첨부하여야 한다.

③ 사법경찰관은 검사가 ②에 따라 임시조치를 청구하지 아니하거나 법원이 임시조치의 결정을 하지 아니한 때에는 즉시 그 긴급임시조치를 취소하여야 한다.

(10) 증인에 대한 신변안전조치(제17조의2)

① 검사는 아동학대범죄사건의 증인이 피고인 또는 그 밖의 사람으로부터 생명·신체에 해를 입거나 입을 염려가 있다고 인정될 때에는 관할 경찰서장에게 증인의 신변안전을 위하여 필요한 조치를 할 것을 요청하여야 한다.

② 증인은 검사에게 위 ①의 조치를 하도록 청구할 수 있다.

③ 재판장은 검사에게 위 ①의 조치를 하도록 요청할 수 있다.

④ 위 ①의 요청을 받은 관할 경찰서장은 즉시 증인의 신변안전을 위하여 필요한 조치를 하고 그 사실을 검사에게 통보하여야 한다.

4. 아동보호사건

(1) 관할(제18조)

① 아동보호사건의 관할은 아동학대행위자의 행위지, 거주지 또는 현재지를 관할하는 가정법원으로 한다. 다만, 가정법원이 설치되지 아니한 지역에서는 해당 지역의 지방법원(지원을 포함한다)으로 한다.

② 아동보호사건의 심리와 결정은 단독판사(이하 '판사'라 한다)가 한다.

(2) 아동학대행위자에 대한 임시조치(제19조)

① 판사는 아동학대범죄의 원활한 조사・심리 또는 피해아동 등의 보호를 위하여 필요하다고 인정하는 경우에는 결정으로 아동학대행위자에게 다음의 어느 하나에 해당하는 조치(이하 '임시조치'라 한다)를 할 수 있다.

㉠ 피해아동 등 또는 가정구성원(가정폭력범죄의 처벌 등에 관한 특례법 제2조 제2호에 따른 가정구성원을 말한다)의 주거로부터 퇴거 등 격리

㉡ 피해아동 등 또는 가정구성원의 주거, 학교 또는 보호시설 등에서 100m 이내의 접근금지

㉢ 피해아동 등 또는 가정구성원에 대한 전기통신기본법 제2조 제1호의 전기통신을 이용한 접근금지

㉣ 친권 또는 후견인 권한 행사의 제한 또는 정지

㉤ 아동보호전문기관 등에의 상담 및 교육 위탁

㉥ 의료기관이나 그 밖의 요양시설에의 위탁

㉦ 경찰관서의 유치장 또는 구치소에의 유치

② ①의 각 처분은 병과할 수 있다.

③ 판사는 피해아동 등에 대하여 응급조치가 행하여진 경우에는 임시조치가 청구된 때로부터 24시간 이내에 임시조치 여부를 결정하여야 한다.

④ 임시조치기간은 2개월을 초과할 수 없다. 다만, 피해아동 등의 보호를 위하여 그 기간을 연장할 필요가 있다고 인정하는 경우에는 결정으로 ①의 ㉠부터 ㉢까지의 규정에 따른 임시조치는 두 차례만, ㉣부터 ㉦까지의 규정에 따른 임시조치는 한 차례만 각 기간의 범위에서 연장할 수 있다.

(3) 임시조치의 변경(제22조)

① 아동학대행위자, 그 법정대리인이나 보조인은 임시조치결정의 취소 또는 그 종류의 변경을 관할 법원에 신청할 수 있다.

② 판사는 정당한 이유가 있다고 인정하는 경우에는 직권 또는 신청에 따라 결정으로 해당 임시조치를 취소하거나 그 종류를 변경할 수 있다.

③ 판사는 임시조치를 받은 아동학대행위자가 임시조치 결정을 이행하지 아니하거나 그 집행에 따르지 아니하면 직권 또는 검사, 시・도지사, 시장・군수・구청장, 피해아동 등, 그 법정대리인이나 변호사 또는 위탁 대상이 되는 기관의 장의 청구에 따라 결정으로 그 임시조치를 변경할 수 있다.

(4) 사법경찰관의 사건송치(제24조)

사법경찰관은 아동학대범죄를 신속히 수사하여 사건을 검사에게 송치하여야 한다. 이 경우 사법경찰관은 해당 사건을 아동보호사건으로 처리하는 것이 적절한 지에 관한 의견을 제시할 수 있다.

(5) 조건부 기소유예(제26조)

검사는 아동학대범죄를 수사한 결과 다음의 사유를 고려하여 필요하다고 인정하는 경우에는 아동학대행위자에 대하여 상담, 치료 또는 교육받는 것을 조건으로 기소유예를 할 수 있다.

① 사건의 성질·동기 및 결과

② 아동학대행위자와 피해아동과의 관계

③ 아동학대행위자의 성행(性行) 및 개선 가능성

④ 원가정보호의 필요성

⑤ 피해아동 또는 그 법정대리인의 의사

(6) 아동보호사건의 처리(제27조)

① 검사는 아동학대범죄로서 보호처분을 하는 것이 적절하다고 인정하는 경우에는 아동보호사건으로 처리할 수 있다.

② 다음의 경우에는 위 ①을 적용할 수 있다.

㉠ 피해자의 고소가 있어야 공소를 제기할 수 있는 아동학대범죄에서 고소가 없거나 취소된 경우

㉡ 피해자의 명시적인 의사에 반하여 공소를 제기할 수 없는 아동학대범죄에서 피해자가 처벌을 희망하지 아니한다는 명시적 의사표시를 하였거나 처벌을 희망하는 의사표시를 철회한 경우

(7) 검사의 송치(제28조)

① 검사는 아동보호사건으로 처리하는 경우에는 그 사건을 관할 법원(이하 '관할 법원'이라 한다)에 송치하여야 한다.

② 검사는 아동학대범죄와 그 외의 범죄가 경합(競合)하는 경우에는 아동학대범죄에 대한 사건만을 분리하여 관할 법원에 송치할 수 있다.

(8) 법원의 송치(제29조)

법원은 아동학대행위자에 대한 피고사건을 심리한 결과 보호처분을 하는 것이 적절하다고 인정하는 경우에는 결정으로 사건을 관할 법원에 송치할 수 있다.

(9) 보호처분의 효력(제33조)

보호처분이 확정된 경우에는 그 아동학대행위자에 대하여 같은 범죄사실로 다시 공소를 제기할 수 없다. 다만, 검사가 송치한 사건인 경우에는 그러하지 아니하다.

(10) 공소시효의 정지와 효력(제34조)

① 아동학대범죄의 공소시효는 형사소송법 제252조에도 불구하고 해당 아동학대범죄의 피해아동이 성년에 달한 날부터 진행한다.

② 아동학대범죄에 대한 공소시효는 해당 아동보호사건이 법원에 송치된 때부터 시효 진행이 정지된다. 다만, 다음의 어느 하나에 해당하는 경우에는 그때부터 진행된다.

㉠ 해당 아동보호사건에 대하여 제44조에 따라 준용되는 가정폭력범죄의 처벌 등에 관한 특례법 제37조 제1항 제1호에 따른 처분을 하지 아니한다는 결정이 확정된 때

ⓛ 해당 아동보호사건이 제41조 또는 제44조에 따라 준용되는 가정폭력범죄의 처벌 등에 관한 특례법 제27조 제2항 및 제37조 제2항에 따라 송치된 때

③ 공범 중 1명에 대한 시효정지는 다른 공범자에게도 효력을 미친다.

(11) 보호처분의 결정 등(제36조)

① 판사는 심리의 결과 보호처분이 필요하다고 인정하는 경우에는 결정으로 다음의 어느 하나에 해당하는 보호처분을 할 수 있다.

㉠ 아동학대행위자가 피해아동 또는 가정구성원에게 접근하는 행위의 제한

㉡ 아동학대행위자가 피해아동 또는 가정구성원에게 전기통신기본법 제2조 제1호의 전기통신을 이용하여 접근하는 행위의 제한

㉢ 피해아동에 대한 친권 또는 후견인 권한 행사의 제한 또는 정지

㉣ 보호관찰 등에 관한 법률에 따른 사회봉사·수강명령

㉤ 보호관찰 등에 관한 법률에 따른 보호관찰

㉥ 법무부장관 소속으로 설치한 감호위탁시설 또는 법무부장관이 정하는 보호시설에의 감호위탁

㉦ 의료기관에의 치료위탁

㉧ 아동보호전문기관, 상담소 등에의 상담위탁

② 위 ①의 각 처분은 병과할 수 있다.

(12) 보호처분의 기간(제37조)

보호처분의 기간은 1년을 초과할 수 없으며, 사회봉사·수강명령의 시간은 각각 200시간을 초과할 수 없다.

(13) 보호처분의 변경(제40조)

① 법원은 보호처분이 진행되는 동안 필요하다고 인정하는 경우에는 직권 또는 검사, 시·도지사, 시장·군수·구청장, 보호관찰관 또는 수탁기관의 장의 청구에 의하여 결정으로 보호처분의 종류와 기간을 변경할 수 있다.

② 법원은 필요한 경우 집행담당자로 하여금 집행상황을 보고하도록 할 수 있으며, 가정보호사건조사관으로 하여금 보호처분에 관한 집행상황에 대하여 조사하도록 할 수 있다.

③ ①에 따라 보호처분의 종류와 기간을 변경하는 경우 종전의 처분기간을 합산하여 보호처분의 기간은 2년을, 사회봉사·수강명령의 시간은 400시간을 각각 초과할 수 없다.

(14) 보호처분의 취소(제41조)

법원은 보호처분을 받은 아동학대행위자가 보호처분 결정을 이행하지 아니하거나 그 집행에 따르지 아니하면 직권 또는 검사, 피해아동, 그 법정대리인, 변호사, 시·도지사, 시장·군수·구청장, 보호관찰관이나 수탁기관의 장의 청구에 의하여 결정으로 그 보호처분을 취소하고 다음에 따라 처리하여야 한다.

① 검사가 송치한 사건인 경우에는 관할 법원에 대응하는 검찰청의 검사에게 송치

② 법원이 송치한 사건인 경우에는 송치한 법원에 이송

(15) 보호처분의 종료(제42조)

법원은 아동학대행위자의 성행이 교정되어 정상적인 가정생활이 유지될 수 있다고 판단되거나 그 밖에 보호처분을 계속할 필요가 없다고 인정하는 경우에는 직권 또는 검사, 피해아동, 그 법정대리인, 변호사, 시·도지사, 시장·군수·구청장, 보호관찰관이나 수탁기관의 장의 청구에 의하여 결정으로 보호처분의 전부 또는 일부를 종료할 수 있다.

⒃ 비용의 부담(제43조)

① 임시조치 또는 보호처분을 받은 아동학대행위자는 위탁 또는 보호처분에 필요한 비용을 부담한다. 다만, 아동학대행위자가 지급할 능력이 없는 경우에는 국가가 부담할 수 있다.

② 판사는 아동학대행위자에게 ①에 따른 비용의 예납(豫納)을 명할 수 있다.

5. 피해아동보호명령

⑴ 피해아동보호명령사건의 관할(제46조)

① 피해아동보호명령사건의 관할은 아동학대행위자의 행위지 · 거주지 또는 현재지 및 피해아동의 거주지 또는 현재지를 관할하는 가정법원으로 한다. 다만, 가정법원이 설치되지 아니하는 지역에 있어서는 해당 지역의 지방법원으로 한다.

② 피해아동보호명령사건의 심리와 결정은 판사가 한다.

⑵ 가정법원의 피해아동에 대한 보호명령(제47조)

① 판사는 직권 또는 피해아동, 그 법정대리인, 변호사, 시 · 도지사 또는 시장 · 군수 · 구청장의 청구에 따라 결정으로 피해아동의 보호를 위하여 다음의 피해아동보호명령을 할 수 있다.

㉠ 아동학대행위자를 피해아동의 주거지 또는 점유하는 방실(房室)로부터의 퇴거 등 격리

㉡ 아동학대행위자가 피해아동 또는 가정구성원에게 접근하는 행위의 제한

㉢ 아동학대행위자가 피해아동 또는 가정구성원에게 전기통신기본법 제2조 제1호의 전기통신을 이용하여 접근하는 행위의 제한

㉣ 피해아동을 아동복지시설 또는 장애인복지시설로의 보호위탁

㉤ 피해아동을 의료기관으로의 치료위탁

㉥ 피해아동을 아동보호전문기관, 상담소 등으로의 상담치료위탁

㉦ 피해아동을 연고자 등에게 가정위탁

㉧ 친권자인 아동학대행위자의 피해아동에 대한 친권 행사의 제한 또는 정지

㉨ 후견인인 아동학대행위자의 피해아동에 대한 후견인 권한의 제한 또는 정지

㉩ 친권자 또는 후견인의 의사표시를 갈음하는 결정

② 아동보호전문기관의 장은 시 · 도지사 또는 시장 · 군수 · 구청장에게 ①에 따른 피해아동보호명령의 청구를 요청할 수 있다. 이 경우 시 · 도지사 또는 시장 · 군수 · 구청장은 요청을 신속히 처리해야 하며, 요청받은 날부터 15일 이내에 그 처리 결과를 아동보호전문기관의 장에게 통보하여야 한다.

③ 위 ①의 각 처분은 병과할 수 있다.

⑶ 피해아동보호명령의 기간(제51조)

피해아동보호명령의 기간은 1년을 초과할 수 없다. 다만, 관할 법원의 판사는 피해아동의 보호를 위하여 그 기간의 연장이 필요하다고 인정하는 경우 직권 또는 피해아동, 그 법정대리인, 변호사, 시 · 도지사 또는 시장 · 군수 · 구청장의 청구에 따른 결정으로 6개월 단위로 그 기간을 연장할 수 있다.

✎ 연장된 기간은 피해아동이 성년에 도달하는 때를 초과할 수 없다.

04 실종아동 등 및 가출인 업무

1. 실종아동 등의 보호 및 지원에 관한 법률

실종아동 등의 보호 및 지원에 관한 법률(이하 '법'이라 한다)은 실종아동 등의 발생을 예방하고 조속한 발견과 복귀를 도모하며 복귀 후의 사회 적응을 지원함으로써 실종아동 등과 가정의 복지증진에 이바지함을 목적으로 한다(제1조).

(1) 정의(제2조)

이 법에서 사용하는 용어의 정의는 다음과 같다.

아동 등	다음의 어느 하나에 해당하는 사람을 말한다. ① 실종 당시 18세 미만인 아동 ② 장애인복지법 제2조의 장애인 중 지적장애인, 자폐성장애인 또는 정신장애인 ③ 치매관리법 제2조 제2호의 치매환자
실종아동 등	약취(略取)·유인(誘引) 또는 유기(遺棄)되거나 사고를 당하거나 가출하거나 길을 잃는 등의 사유로 인하여 보호자로부터 이탈(離脫)된 아동등을 말한다.
보호자	친권자, 후견인이나 그 밖에 다른 법률에 따라 아동 등을 보호하거나 부양할 의무가 있는 사람을 말한다. 다만, 보호시설의 장 또는 종사자는 제외한다.
보호시설	사회복지사업법 제2조 제4호에 따른 사회복지시설 및 인가·신고 등이 없이 아동 등을 보호하는 시설로서 사회복지시설에 준하는 시설을 말한다.
유전자검사	개인 식별(識別)을 목적으로 혈액·머리카락·침 등의 검사대상물로부터 유전자를 분석하는 행위를 말한다.
유전정보	유전자검사의 결과로 얻어진 정보를 말한다.
신상정보	이름·나이·사진 등 특정인(特定人)임을 식별하기 위한 정보를 말한다.

(2) 다른 법률과의 관계(제4조)

실종아동 등에 관하여 다른 법률에 제11조부터 제15조까지의 규정과 다른 규정이 있는 경우에는 이 법의 규정에 따른다.

(3) 신고의무 등(제6조)

① 다음의 어느 하나에 해당하는 사람은 그 직무를 수행하면서 실종아동 등임을 알게 되었을 때에는 경찰청장이 구축하여 운영하는 신고체계(이하 '경찰신고체계'라 한다)로 지체 없이 신고하여야 한다.
   ㉠ 보호시설의 장 또는 그 종사자
   ㉡ 아동복지법 제13조에 따른 아동복지전담공무원
   ㉢ 청소년 보호법 제35조에 따른 청소년 보호·재활센터의 장 또는 그 종사자
   ㉣ 사회복지사업법 제14조에 따른 사회복지전담공무원
   ㉤ 의료법 제3조에 따른 의료기관의 장 또는 의료인
   ㉥ 업무·고용 등의 관계로 사실상 아동 등을 보호·감독하는 사람

② 지방자치단체의 장이 관계 법률에 따라 아동 등을 보호조치할 때에는 아동 등의 신상을 기록한 신고접수서를 작성하여 경찰신고체계로 제출하여야 한다.

(4) 미신고 보호행위의 금지(제7조)

누구든지 정당한 사유 없이 실종아동 등을 경찰관서의 장에게 신고하지 아니하고 보호할 수 없다.

(5) 실종아동 등 신고 · 발견을 위한 정보시스템의 구축 · 운영(제8조의2)

① 경찰청장은 실종아동 등에 대한 신속한 신고 및 발견 체계를 갖추기 위한 정보시스템(이하 '정보시스템'이라 한다)을 구축 · 운영하여야 한다.

② 경찰청장은 실종아동 등의 조속한 발견을 위하여 구축 · 운영 중인 정보연계시스템을 사회복지업무 관련 정보시스템*과 연계하여 해당 정보시스템이 보유한 실종아동 등의 신상정보의 내용을 활용할 수 있다.

* 사회복지사업법 제6조의2 제2항에 따라 구축 · 운영하는 사회복지업무 관련 정보시스템을 말한다.

(6) 수색 또는 수사의 실시 등(제9조)

① 경찰관서의 장은 실종아동 등의 발생신고를 접수하면 지체 없이 수색 또는 수사의 실시 여부를 결정하여야 한다.

② 경찰관서의 장은 실종아동 등(범죄로 인한 경우를 제외한다)의 조속한 발견을 위하여 필요한 때에는 다음의 어느 하나에 해당하는 자에게 실종아동 등의 위치 확인에 필요한 위치정보의 보호 및 이용 등에 관한 법률 제2조 제2호에 따른 개인위치정보, 인터넷주소자원에 관한 법률 제2조 제1호에 따른 인터넷주소 및 통신비밀보호법 제2조 제11호 마목 · 사목에 따른 통신사실확인자료(이하 '개인위치정보 등'이라 한다)의 제공을 요청할 수 있다. 이 경우 경찰관서의 장의 요청을 받은 자는 통신비밀보호법 제3조에도 불구하고 정당한 사유가 없으면 이에 따라야 한다.

㉠ 위치정보의 보호 및 이용 등에 관한 법률 제5조 제7항에 따른 개인위치정보사업자

㉡ 정보통신망 이용촉진 및 정보보호 등에 관한 법률 제2조 제1항 제3호에 따른 정보통신서비스 제공자 중에서 대통령령으로 정하는 기준을 충족하는 제공자

㉢ 정보통신망 이용촉진 및 정보보호 등에 관한 법률 제23조의3에 따른 본인확인기관

㉣ 개인정보 보호법 제24조의2에 따른 주민등록번호 대체가입수단 제공기관

③ ②의 요청을 받은 자는 그 실종아동 등의 동의 없이 개인위치정보 등을 수집할 수 있으며, 실종아동 등의 동의가 없음을 이유로 경찰관서의 장의 요청을 거부하여서는 아니 된다.

④ 경찰관서와 경찰관서에 종사하거나 종사하였던 자는 실종아동 등을 찾기 위한 목적으로 제공받은 개인위치정보 등을 실종아동 등을 찾기 위한 목적 외의 용도로 이용하여서는 아니 되며, 목적을 달성하였을 때에는 지체 없이 파기하여야 한다.

⑤ ①의 수색 또는 수사 등에 필요한 사항은 행정안전부령으로 정하고, ②에 따른 개인위치정보 등의 제공을 요청하는 방법 및 절차, ④에 따른 파기 방법 및 절차 등에 필요한 사항은 대통령령으로 정한다.

2. 실종아동 등 및 가출인 업무처리 규칙

실종아동 등 및 가출인 업무처리 규칙(이하 '규칙'이라 한다)은 실종아동 등 및 가출인의 신속한 발견 등을 위한 업무를 효율적으로 처리하기 위해 필요한 사항을 규정함을 목적으로 한다(제1조).

(1) 용어의 정의(제2조)

이 규칙에서 사용하는 용어의 뜻은 다음과 같다.

아동 등	실종아동 등의 보호 및 지원에 관한 법률 제2조 제1호에 따른 실종 당시 18세 미만 아동, 지적·자폐성·정신장애인, 치매환자를 말한다.
실종아동 등	법 제2조 제2호에 따른 사유로 인하여 보호자로부터 이탈된 아동 등을 말한다.
찾는실종아동 등	실종아동 등 중 보호자가 찾고 있는 아동 등을 말한다.
보호실종아동 등	보호자가 확인되지 않아 경찰관이 보호하고 있는 아동 등을 말한다.
장기실종아동 등	보호자로부터 신고를 접수한 지 48시간이 경과한 후에도 발견되지 않은 찾는실종아동 등을 말한다.
가출인	신고 당시 보호자로부터 이탈된 만 18세 이상의 사람을 말한다.
발생지	실종아동 등 및 가출인이 실종·가출 전 최종적으로 목격되었거나 목격되었을 것으로 추정하여 신고자 등이 진술한 장소를 말하며, 신고자 등이 최종 목격 장소를 진술하지 못하거나, 목격되었을 것으로 추정되는 장소가 대중교통시설 등일 경우 또는 실종·가출 발생 후 1개월이 경과한 때에는 실종아동 등 및 가출인의 실종 전 최종 주거지를 말한다.
발견지	실종아동 등 또는 가출인을 발견하여 보호 중인 장소를 말하며, 발견한 장소와 보호 중인 장소가 서로 다른 경우에는 보호 중인 장소를 말한다.
국가경찰 수사 범죄	자치경찰사무와 시·도자치경찰위원회의 조직 및 운영 등에 관한 규정 제3조 제1호부터 제5호까지 또는 제6호 나목의 범죄가 아닌 범죄를 말한다.
실종·유괴경보 문자메시지	실종·유괴경보가 발령된 경우 실종아동 등의 보호 및 지원에 관한 법률 시행령(이하 '영'이라 한다) 제4조의5 제7항에 따른 공개정보(이하 '공개정보'라 한다)를 시민들에게 널리 알리기 위하여 휴대폰에 전달하는 문자메시지를 말한다.

(2) 실종아동찾기센터(제4조)

① 실종아동찾기센터의 설치: 실종아동 등의 조속한 발견 등 관련 업무를 효율적으로 수행하기 위해 경찰청에 실종아동찾기센터를 설치한다.

② 실종아동찾기센터의 업무

㉠ 전국에서 발생하는 실종아동 등의 신고접수·등록·조회 및 등록해제 등 실종아동 등 발견·보호·지원을 위한 업무

㉡ 실종·가출 신고용 특수번호 '182'의 운영

㉢ 제25조 제1항에 따른 실종·유괴경보 문자메시지의 송출과 관련된 업무

㉣ 그 밖의 실종아동 등과 관련하여 경찰청장이 지시하는 사항

(3) 장기실종자 추적팀(제5조)

① 장기실종아동 등에 대한 전담 추적·조사를 위해 경찰청 또는 시·도경찰청에 장기실종자 추적팀을 설치할 수 있다.

② 장기실종자 추적팀은 다음의 업무를 수행한다.

㉠ 장기실종아동 등에 대한 전담 조사

㉡ 실종아동 등·가출인 관련 사건의 수색·수사 지도

㉢ 그 밖의 소속 경찰관서의 장이 지시하는 실종아동 등 관련 업무

(4) 정보시스템의 운영(제6조)

경찰청 생활안전국장은 정보시스템으로 실종아동 등 프로파일링시스템 및 실종아동찾기센터 홈페이지(이하 '인터넷 안전드림'이라 한다)를 운영한다.

① 실종아동 등 프로파일링시스템의 운영

㉠ 실종아동 등 프로파일링시스템은 경찰관서 내에서만 사용할 수 있도록 제한하고, 인터넷 안전드림은 누구든 사용할 수 있도록 공개하는 등 분리하여 운영한다. 다만, 자료의 전송 등을 위해 필요한 경우 상호 연계할 수 있다.

㉡ 경찰관서의 장은 실종아동 등 프로파일링시스템에 업무담당자 등 필요하다고 인정되는 사람만 접근할 수 있도록 권한을 부여하는 등의 방법으로 통제・관리하여야 한다.

㉢ 인터넷 안전드림은 실종아동 등의 신고 또는 예방・홍보 등과 관련된 정보를 제공한다.

② 정보시스템 입력 대상 및 정보 관리(제7조)

㉠ 실종아동 등 프로파일링시스템에 입력하는 대상은 다음과 같다.

ⓐ 실종아동 등

ⓑ 가출인

ⓒ 보호시설 입소자 중 보호자가 확인되지 않는 사람(이하 '보호시설 무연고자'라 한다)

㉡ 경찰관서의 장은 실종아동 등 또는 가출인에 대한 신고를 접수한 후 신고대상자가 다음의 어느 하나에 해당하는 경우에는 신고 내용을 실종아동 등 프로파일링시스템에 입력하지 않을 수 있다.

ⓐ 채무관계 해결, 형사사건 당사자 소재 확인 등 실종아동 등 및 가출인 발견 외 다른 목적으로 신고된 사람

ⓑ 수사기관으로부터 지명수배 또는 지명통보된 사람

ⓒ 허위로 신고된 사람

ⓓ 보호자가 가출시 동행한 아동 등

ⓔ 그 밖에 신고 내용을 종합하였을 때 명백히 ㉠에 따른 입력대상이 아니라고 판단되는 사람

③ 실종아동 등 프로파일링시스템 등록(제8조 제1항): 경찰관서의 장은 위 ②의 ㉠에 각 대상에 대하여 별지 제2호 서식의 실종아동 등 프로파일링시스템 입력자료를 시스템에 등록한다.

④ 실종아동 등 프로파일링시스템 수배해제(제8조 제3항)

㉠ 경찰관서의 장은 다음의 어느 하나에 해당하는 경우에는 별지 제3호 서식에 따른 수정・해제자료를 작성하여 실종아동 등 프로파일링시스템에 수배된 자료를 해제하여야 한다. 다만, ⓔ에 해당하는 경우에는 수배 해제사유의 진위(眞僞) 여부를 확인한 후 해제한다.

ⓐ 찾는실종아동 등 및 가출인의 소재를 발견한 경우

ⓑ 보호실종아동 등의 신원을 확인하거나 보호자를 확인한 경우

ⓒ 허위 또는 오인신고인 경우

ⓓ 지명수배 또는 지명통보대상자임을 확인한 경우

ⓔ 보호자가 해제를 요청한 경우

㉡ 실종아동 등에 대한 수배 또는 수배 해제는 실종아동찾기센터에서 하며, 시・도경찰청장 및 경찰서장이 수배 또는 수배 해제하려면 실종아동찾기센터로 요청하여야 한다.

⑤ 자료의 보존기간(제7조): 실종아동 등 프로파일링시스템에서 데이터베이스로 관리하는 자료의 보존기간은 다음과 같다. 다만, 대상자가 사망하거나 보호자가 삭제를 요구한 경우는 즉시 삭제하여야 한다.

구분	보존기간
발견된 18세 미만 아동 및 가출인	수배 해제 후로부터 5년간 보관
발견된 지적 · 자폐성 · 정신장애인 등 및 치매환자	수배 해제 후로부터 10년간 보관
미발견자	소재 발견시까지 보관
보호시설 무연고자	본인 요청시

(5) 인터넷 안전드림(제7조)

① 경찰관서의 장은 본인 또는 보호자의 동의를 받아 실종아동 등 프로파일링시스템에서 데이터베이스로 관리하는 실종아동 등 및 보호시설 무연고자 자료를 인터넷 안전드림에 공개할 수 있다.

② 경찰관서의 장은 다음의 어느 하나에 해당하는 때에는 지체 없이 인터넷 안전드림에 공개된 자료를 삭제하여야 한다.

㉠ 찾는실종아동 등을 발견한 때

㉡ 보호실종아동 등 또는 보호시설 무연고자의 보호자를 확인한 때

㉢ 본인 또는 보호자가 공개된 자료의 삭제를 요청하는 때

(6) 실종아동 등의 처리

신고접수 (제10조)	① 실종아동 등 신고는 관할에 관계 없이 실종아동찾기센터, 각 시 · 도경찰청 및 경찰서에서 전화, 서면, 구술 등의 방법으로 접수하며, 신고를 접수한 경찰관은 범죄와의 관련 여부 등을 확인해야 한다. ② 경찰청 실종아동찾기센터는 실종아동 등에 대한 신고를 접수하거나, 신고 접수에 대한 보고를 받은 때에는 즉시 실종아동 등 프로파일링시스템에 입력, 관할 경찰관서를 지정하는 등 필요한 조치를 하여야 한다. 이 경우 관할 경찰관서는 발생지 관할 경찰관서 등 실종아동 등을 신속히 발견할 수 있는 관서로 지정해야 한다.
신고에 대한 조치 등 (제11조)	① 경찰관서의 장은 찾는실종아동 등에 대한 신고를 접수한 때에는 정보시스템의 자료를 조회하는 등의 방법으로 실종아동 등을 찾기 위한 조치를 취하고, 실종아동 등을 발견한 경우에는 즉시 보호자에게 인계하는 등 필요한 조치를 하여야 한다. ② 경찰관서의 장은 보호실종아동 등에 대한 신고를 접수한 때에는 ①의 절차에 따라 보호자를 찾기 위한 조치를 취하고, 보호자가 확인된 경우에는 즉시 보호자에게 인계하는 등 필요한 조치를 하여야 한다. ③ 경찰관서의 장은 ②에 따른 조치에도 불구하고 보호자를 발견하지 못한 경우에는 관할 지방자치단체의 장에게 보호실종아동 등을 인계한다. ④ 경찰관서의 장은 정보시스템 검색, 다른 자료와의 대조, 주변인물과의 연락 등 실종아동 등의 조속한 발견을 위하여 지속적인 추적을 하여야 한다. ⑤ 경찰관서의 장은 실종아동 등에 대하여 제18조의 현장 탐문 및 수색 후 그 결과를 즉시 보호자에게 통보하여야 한다. 이후에는 실종아동 등 프로파일링시스템에 등록한 날로부터 1개월까지는 15일에 1회, 1개월이 경과한 후부터는 분기별 1회 보호자에게 추적 진행사항을 통보한다. ⑥ 경찰관서의 장은 찾는실종아동 등을 발견하거나, 보호실종아동 등의 보호자를 발견한 경우에는 실종아동 등 프로파일링시스템에서 등록 해제하고, 해당 실종아동 등에 대한 발견 관서와 관할 관서가 다른 경우에는 발견과 관련된 사실을 관할 경찰관서의 장에게 지체 없이 알려야 한다.

출생신고 지연 아동의 확인 (제12조)	경찰관서의 장은 법 제6조 제4항에 따라 지방자치단체의 장으로부터 출생 후 6개월이 경과한 아동의 신상카드 사본을 제출받은 경우에는 지체 없이 정보시스템에서 관리하는 자료와의 비교·검색 등을 통해 해당 아동이 실종아동인지를 확인하여 그 결과를 지방자치단체의 장에게 통보하여야 한다.
아동 등 지문등정보의 사전등록 및 관리 (제13조)	① 경찰관서의 장은 법 제7조의2에 따라 보호자가 사전등록을 신청하는 때에는 신청서를 제출받아 실종아동 등 프로파일링시스템에 등록한 후 개인정보 보호법 제21조 제1항에 따라 지체 없이 폐기한다. ② 경찰관서의 장은 가족관계 기록사항에 관한 증명서, 장애인등록증 등 필요한 서류를 확인하는 등의 방법으로 아동 등이 사전등록대상에 해당하는지를 확인하여야 한다. ③ 경찰관서의 장은 보호자의 신청을 받아 아동 등의 지문·얼굴사진정보를 수집 및 인적사항 등 신청서상 기재된 개인정보를 확인하여 사전등록시스템에 입력할 수 있다. 다만, 보호자가 지문 또는 얼굴사진 정보의 수집을 거부하는 때에는 그 의사에 반하여 정보를 수집할 수 없다. ④ 경찰관서의 장은 보호실종아동 등을 발견한 때에는 해당 아동 등의 지문·얼굴사진정보를 수집 및 신체특징을 확인한 후 사전등록시스템의 데이터베이스와 비교 검색하는 등의 방법으로 신원을 확인하기 위한 조치를 하여야 한다. 다만, 해당 아동 등이 지문 또는 얼굴사진 정보의 수집을 진정한 의사에 의해 명시적으로 거부할 때에는 그 의사에 반하여 정보를 수집할 수 없다. ⑤ 경찰관서의 장은 ④의 조치에도 불구하고 보호실종아동 등의 신원을 확인하지 못한 때에는 제11조의 규정에 따른 조치를 하여야 한다. ⑥ 경찰관서의 장은 영 제3조의3 제2항에 따라 사전등록된 데이터베이스를 폐기하는 때에는 어떠한 방법으로도 복구할 수 없도록 기술적 조치를 하여야 한다. ⑦ 경찰관서의 장은 영 제3조의3 제2항 제2호에 따라 보호자가 사전등록된 데이터베이스의 폐기를 요청하는 때에는 즉시 해당 데이터베이스를 폐기하고, 제출받은 요청서는 10년간 보관하여야 한다.
실종아동 등의 위치정보를 요청하는 방법 및 절차 (제14조)	① 찾는실종아동 등의 신고를 접수하여 현장에 출동한 경찰관은 보호자·목격자의 진술, 실종 당시의 정황 등을 종합하여 실종아동 등의 조속한 발견을 위해 법 제9조제2항에 따른 개인위치정보 등 및 제9조의2제1항 각 호에 따른 정보(이하 이 조에서 "정보"라 한다) 제공 요청의 필요 여부를 판단하여야 한다. ② 현장출동 경찰관은 신고자로부터 가족관계 등록사항에 관한 증명서, 장애인등록증 등 필요한 서류를 확인하는 등의 방법으로 신고대상자가 실종아동 등에 해당하는지와 신고자가 실종아동 등의 보호자가 맞는지 확인하여야 한다. 다만, 현장에서 관련 서류를 확인하기 어려운 때에는 신고자의 진술로 이를 확인할 수 있다. ③ 경찰관이 정보 제공을 요청하는 때에는 다음에 따른 결재권자의 결재를 받아 요청하여야 한다. 다만, 야간 또는 공석 등의 이유로 즉시 결재를 받기 어려운 때에는 사후에 보고하도록 해야 한다. ㉠ **지구대·파출소 지역경찰관**: 지구대장 또는 파출소장 ㉡ **경찰서 담당 경찰관**: 소속 과장 ㉢ **시·도경찰청 담당 경찰관**: 소속 계장 ④ 담당 경찰관은 찾는실종아동 등의 정보를 제공받아 수색하는 과정에서 해당 실종아동 등이 범죄피해로 인해 실종되었다고 확인되는 때에는 지체없이 해당 정보를 폐기하여야 한다. ⑤ 경찰관서의 장은 정보가 실종아동 등 찾기 이외의 목적으로 오·남용되지 않도록 관리하여야 한다.

(7) 가출인의 처리

신고접수 (제15조)	① 가출인 신고는 관할에 관계없이 접수하여야 하며, 신고를 접수한 경찰관은 범죄와 관련 여부를 확인하여야 한다. ② 경찰서장은 가출인에 대한 신고를 접수한 때에는 정보시스템의 자료 조회, 신고자의 진술을 청취하는 방법 등으로 가출인을 발견하기 위한 조치를 하여야 하며, 가출인을 발견하지 못한 경우에는 즉시 실종아동 등 프로파일링시스템에 가출인에 대한 사항을 입력한다. ③ 경찰서장은 접수한 가출인 신고가 다른 관할인 경우 ②의 조치 후 지체 없이 가출인의 발생지를 관할하는 경찰서장에게 이첩하여야 한다.
신고에 대한 조치 등 (제16조)	① 가출인 사건을 관할하는 경찰서장은 정보시스템 자료의 조회, 다른 자료와의 대조, 주변인물과의 연락 등 가출인을 발견하기 위해 지속적으로 추적하고, 실종아동 등 프로파일링시스템에 등록한 날로부터 반기별 1회 보호자에게 귀가 여부를 확인한다. ② 경찰서장은 가출인을 발견한 때에는 등록을 해제하고, 해당 가출인을 발견한 경찰서와 관할하는 경찰서가 다른 경우에는 발견 사실을 관할 경찰서장에게 지체 없이 알려야 한다. ③ 경찰서장은 가출인을 발견한 경우에는 가출신고가 되어 있음을 고지하고, 보호자에게 통보한다. 다만, 가출인이 거부하는 때에는 보호자에게 가출인의 소재(所在)를 알 수 있는 사항을 통보하여서는 아니 된다.

(8) 보호시설 무연고자 등록 · 해제

보호시설 무연고자 (제17조)	경찰관서의 장은 관내 보호시설을 방문하였을 때에 보호시설 무연고자의 자료가 실종아동등 프로파일링시스템에 있는 지 확인한 후 없는 경우에는 별지 제5호서식의 보호시설 무연고자 실종아동등 프로파일링시스템 입력자료를 작성하여 실종아동등 프로파일링시스템에 등록하고, 변경사항이 있거나, 보호자가 확인된 경우에는 별지 제6호서식의 보호시설 무연고자 실종아동등 프로파일링시스템 수정 · 해제자료를 작성하여 변경하거나 등록을 해제한다.

(9) 초동조치 및 추적 · 수사

현장 탐문 및 수색 (제18조)	① 찾는실종아동 등 및 가출인발생신고를 접수 또는 이첩 받은 발생지 관할 경찰서장은 즉시 현장출동 경찰관을 지정하여 탐문 · 수색하도록 하여야 한다. 다만, 경찰관서장이 판단하여 수색의 실익이 없거나 현저히 곤란한 경우에는 탐문 · 수색을 생략하거나 중단할 수 있다. ② 경찰서장은 ①의 규정에 따라 현장을 탐문 · 수색한 결과, 정밀수색이 필요하다고 인정될 경우에는 추가로 필요한 경찰관 등을 출동시킬 수 있다. ③ 현장출동 경찰관은 ①의 규정에 따라 현장을 탐문 · 수색한 결과에 대해 필요한 보고서를 작성하여 실종아동 등 포로파일링시스템에 등록하고 경찰서장에게 보고하여야 한다.
추적 및 수사 (제19조)	① 찾는실종아동 등 및 가출인에 대한 발생지 관할 경찰서장은 신고자 · 목격자 조사, 최종 목격지 및 주거지 수색, 위치추적 등 통신수사, 유전자검사, 실종아동 등 프로파일링시스템 정보조회 등의 방법을 통해 실종아동 등 및 가출인을 발견하기 위한 추적에 착수한다. ② 경찰서장은 실종아동 등 및 가출인이 범죄 관련 여부가 의심되는 경우, 신속히 수사에 착수하여야 한다.
실종수사 조정위원회 (제20조)	① 경찰서장은 실종아동 등 및 가출인의 수색 · 추적 중 인지된 국가경찰 수사 범죄의 업무를 조정하기 위하여 실종수사 조정위원회를 구성하여 운영할 수 있다. ㉠ 위원회는 위원장을 경찰서장으로 하고, 위원은 여성청소년과장(미직제시 생활안전과장), 형사과장(미직제시 수사과장) 등 과장 3인 이상으로 구성한다.

실종수사 조정위원회 (제20조)	㉡ 위원회는 경찰서 여성청소년과장이 회부한 강력범죄 의심 사건의 범죄관련성 여부 판단 및 담당부서를 결정한다. ② 위원회는 경찰서 여성청소년과장의 안건 회부 후 24시간 내에 서면으로 결정하여야 한다. ③ 경찰서장은 위원회 결정에 따라 실종아동 등 및 가출인 발견을 위해 신속히 추적 또는 수사에 착수하여야 한다.

(10) 유전자검사

① 실종아동 등 여부 사전확인(제21조)

㉠ 경찰관서의 장은 대상자로부터 유전자검사 대상물을 채취하려면 실종아동 등 프로파일링시스템의 자료 검색 등을 통하여 검사 대상자와 인적사항 등이 유사한 자료가 있는지 미리 확인하여야 한다.

㉡ 경찰관서의 장은 ①에 따른 검색을 통하여 검사 대상자가 실종아동 등이라는 것이 확인된 경우에는 해당 자료 화면을 출력하여 유전자검사동의서 등 유전자검사 대상물 채취 관련 서류와 함께 보관한다.

㉢ 유전자검사 대상물을 채취하고자 하는 아동 등이 ①의 방법으로 확인되지 않을 때에는 해당 아동 등에게 보호시설 입・퇴소 기록 및 신상카드 등을 확인한 후 유전자검사 대상물을 채취한다. 이 때 해당 기록 및 신상카드 사본은 제출받아 유전자검사 대상물 채취 관련 서류와 함께 보관하여야 한다.

② 유전자검사 동의서 사본 교부(제22조): 경찰관서의 장은 유전자검사 대상물 채취시 작성한 유전자검사동의서 사본을 본인 또는 법정대리인에게 교부하여야 한다.

(11) 실종・유괴경보의 발령

① 실종・유괴경보 체계의 구축・운영 등(제23조)

㉠ 경찰청장은 법 제9조의2 제1항에 따라 실종・유괴경보 정책 수립 및 제도 개선 등에 관한 사항을 총괄하며 다음의 업무를 수행한다.

ⓐ 실종・유괴경보와 관련하여 협약을 체결한 기관・단체(이하 '협약기관'이라 한다)와의 협조체계 구축・운영

ⓑ 실종・유괴경보 발령시스템 구축 및 유지 관리

ⓒ 행정안전부, 영 제4조의5 제2항에 따른 주요 전기통신사업자(이하 '주요 전기통신사업자'라 한다) 등 관계기관과의 협력

ⓓ 실종・유괴경보 발령 기준 및 표준문안・도안 개선

ⓔ 실종・유괴경보 운영실태 파악 및 통계 관리

ⓕ 관련 매뉴얼 및 교육자료 제작

ⓖ 그 밖에 실종・유괴경보 정책 수립 및 제도 개선 등과 관련된 제반사항

㉡ 시・도경찰청장은 실종・유괴경보와 관련하여 다음의 업무를 수행한다.

ⓐ 협약기관과의 협조체계 구축・운영

ⓑ 실종・유괴경보의 발령 및 해제

ⓒ 타 시・도경찰청장의 발령 요청 등에 대한 협조

ⓓ 소속 경찰관에 대한 교육

ⓔ 그 밖에 실종・유괴경보 발령 및 해제와 관련된 제반사항

㉢ 경찰서장은 다음의 업무를 수행한다.
ⓐ 협약기관과의 협조체계 구축 · 운영
ⓑ 실종 · 유괴경보의 발령 요청
ⓒ 소속 경찰관에 대한 교육

㉣ 시 · 도경찰청장과 경찰서장은 실종 · 유괴경보와 관련한 업무를 수행하기 위하여 다음의 구분에 따라 운영책임자를 둔다.
ⓐ 실종경보 운영책임자
㉮ 시 · 도경찰청: 여성청소년과장(미직제시 생활안전교통과장)
㉯ 경찰서: 여성청소년과장(미직제시 생활안전과장 또는 생활안전교통과장)
ⓑ 유괴경보 운영책임자
㉮ 시 · 도경찰청: 형사과장(미직제시 수사과장)
㉯ 경찰서: 형사과장(미직제시 수사과장)

② 실종 · 유괴경보의 발령(제24조)

㉠ 시 · 도경찰청장은 실종아동 등의 조속한 발견과 복귀를 위하여 실종 · 유괴경보의 발령이 필요하다고 판단되는 경우 별표 1의 발령 요건 · 기준에 따라 실종 · 유괴경보를 발령할 수 있다.

㉡ ㉠에 따라 실종경보를 발령한 시 · 도경찰청장은 타 시 · 도경찰청장의 관할 구역에도 실종경보의 발령이 필요하다고 인정하는 경우 타 시 · 도경찰청장에게 같은 내용의 경보발령을 요청할 수 있고, 경보발령을 요청받은 시 · 도경찰청장은 특별한 사유가 없는 한 지체 없이 실종경보의 발령에 협조하여야 한다.

㉢ 시 · 도경찰청장은 별표 1에 규정된 경보해제 사유에 해당하는 경우 즉시 당해 실종 · 유괴경보를 해제하여야 한다.

③ 실종 · 유괴경보 문자메시지 송출(제25조)

㉠ 경찰청장은 법 제9조의2 제2항 제1호에 따라 주요 전기통신사업자에게 실종 · 유괴경보 문자메시지의 송출을 요청하기 위한 시스템을 직접 구축 · 운영하거나 행정안전부장관과 사전 협의하여 재난 및 안전관리 기본법 제38조의2 제1항과 재난문자방송 기준 및 운영규정 제4조 제1항에 따라 구축된 재난문자방송 송출 시스템을 이용할 수 있다.

㉡ 시 · 도경찰청장은 제24조 제1항에 따른 실종 · 유괴경보를 발령함에 있어 실종 · 유괴경보 문자메시지의 송출이 필요하다고 판단되는 경우 별표 2의 송출 기준에 따라 별표 3의 송출 문안을 정하여 실종아동찾기센터로 송출을 의뢰할 수 있다. 다만, 유괴경보 문자메시지의 송출을 의뢰하는 경우에는 국가수사본부장의 사전 승인을 받아야 한다.

㉢ 시 · 도경찰청장이 실종경보 문자메시지의 송출을 의뢰함에 있어 송출 지역이 타 시 · 도경찰청장의 관할 구역에 속하는 경우 제24조 제2항의 규정에도 불구하고 타 시 · 도경찰청장이 관할 구역에 대한 실종경보 문자메시지의 송출에 협조한 것으로 간주한다.

㉣ ㉡에 따라 송출 의뢰를 받은 실종아동찾기센터는 ㉠에 따른 송출시스템을 통하여 주요 전기통신사업자에게 실종 · 유괴경보 문자메시지의 송출을 요청하여야 한다. 다만, 시 · 도경찰청장이 의뢰한 내용에 대하여는 ㉠ 및 ㉡에 따른 요건의 충족 여부를 확인하여야 하며, 위 요건에 대한 흠결이 있을 때에는 시 · 도경찰청장에게 보정을 요구할 수 있고, 그 흠결이 경미한 때에는 시 · 도경찰청장으로부터 그 내용을 확인하여 직권으로 보정할 수 있다.

05 소년법

1. 목적(제1조)

이 법은 반사회성(反社會性)이 있는 소년의 환경 조정과 품행 교정(矯正)을 위한 보호처분 등의 필요한 조치를 하고, 형사처분에 관한 특별조치를 함으로써 소년이 건전하게 성장하도록 돕는 것을 목적으로 한다.

2. 소년 및 보호자(제2조)

'소년'이란 19세 미만인 자를 말하며, '보호자'란 법률상 감호교육(監護教育)을 할 의무가 있는 자 또는 현재 감호하는 자를 말한다.

3. 보호사건

구분	내용
관할 및 직능 (제3조)	① 소년 보호사건의 관할은 소년의 행위지, 거주지 또는 현재지로 한다. ② 소년 보호사건은 가정법원소년부 또는 지방법원소년부[이하 '소년부(少年部)'라 한다]에 속한다. ③ 소년 보호사건의 심리(審理)와 처분 결정은 소년부 단독판사가 한다.
보호의 대상과 송치 및 통고 (제4조)	다음의 어느 하나에 해당하는 소년은 소년부의 보호사건으로 심리한다. ① 죄를 범한 소년 ② 형벌 법령에 저촉되는 행위를 한 10세 이상 14세 미만인 소년 ③ 다음에 해당하는 사유가 있고 그의 성격이나 환경에 비추어 앞으로 형벌 법령에 저촉되는 행위를 할 우려가 있는 10세 이상인 소년 ㉠ 집단적으로 몰려다니며 주위 사람들에게 불안감을 조성하는 성벽(性癖)이 있는 것 ㉡ 정당한 이유 없이 가출하는 것 ㉢ 술을 마시고 소란을 피우거나 유해환경에 접하는 성벽이 있는 것
형사처분 등을 위한 관할 검찰청으로의 송치 (제7조)	① 소년부는 조사 또는 심리한 결과 금고 이상의 형에 해당하는 범죄 사실이 발견된 경우 그 동기와 죄질이 형사처분을 할 필요가 있다고 인정하면 결정으로써 사건을 관할 지방법원에 대응한 검찰청 검사에게 송치하여야 한다. ② 소년부는 조사 또는 심리한 결과 사건의 본인이 19세 이상인 것으로 밝혀진 경우에는 결정으로써 사건을 관할 지방법원에 대응하는 검찰청 검사에게 송치하여야 한다.
임시조치 (제18조)	① 소년부 판사는 사건을 조사 또는 심리하는 데에 필요하다고 인정하면 소년의 감호에 관하여 결정으로써 다음의 어느 하나에 해당하는 조치를 할 수 있다. ㉠ 보호자, 소년을 보호할 수 있는 적당한 자 또는 시설에 위탁 ㉡ 병원이나 그 밖의 요양소에 위탁 ㉢ 소년분류심사원에 위탁 ② 동행된 소년 또는 제52조 제1항에 따라 인도된 소년에 대하여는 도착한 때로부터 24시간 이내에 ①의 조치를 하여야 한다. ③ ①의 ㉠ 및 ㉡의 위탁기간은 3개월을, ①의 ㉢의 위탁기간은 1개월을 초과하지 못한다. 다만, 특별히 계속 조치할 필요가 있을 때에는 한 번에 한하여 결정으로써 연장할 수 있다.
보호처분의 결정 (제32조)	소년부 판사는 심리 결과 보호처분을 할 필요가 있다고 인정하면 결정으로써 다음의 어느 하나에 해당하는 처분을 하여야 한다. ① 보호자 또는 보호자를 대신하여 소년을 보호할 수 있는 자에게 감호 위탁 ② 수강명령 ③ 사회봉사명령

보호처분의 결정 (제32조)	④ 보호관찰관의 단기(短期) 보호관찰 ⑤ 보호관찰관의 장기(長期) 보호관찰 ⑥ 아동복지법에 따른 아동복지시설이나 그 밖의 소년보호시설에 감호 위탁 ⑦ 병원, 요양소 또는 보호소년 등의 처우에 관한 법률에 따른 의료재활소년원에 위탁 ⑧ 1개월 이내의 소년원 송치 ⑨ 단기 소년원 송치 ⑩ 장기 소년원 송치

4. 형사사건

사형 및 무기형의 완화 (제59조)	죄를 범할 당시 18세 미만인 소년에 대하여 사형 또는 무기형(無期刑)으로 처할 경우에는 15년의 유기징역으로 한다.
부정기형 (제60조)	소년이 법정형으로 장기 2년 이상의 유기형(有期刑)에 해당하는 죄를 범한 경우에는 그 형의 범위에서 장기와 단기를 정하여 선고한다. 다만, 장기는 10년, 단기는 5년을 초과하지 못한다.
환형처분의 금지 (제62조)	18세 미만인 소년에게는 형법 제70조에 따른 유치선고를 하지 못한다. 다만, 판결선고 전 구속되었거나 제18조 제1항 제3호의 조치가 있었을 때에는 그 구속 또는 위탁의 기간에 해당하는 기간은 노역장(勞役場)에 유치된 것으로 보아 형법 제57조를 적용할 수 있다.
징역 · 금고의 집행 (제63조)	징역 또는 금고를 선고받은 소년에 대하여는 특별히 설치된 교도소 또는 일반 교도소 안에 특별히 분리된 장소에서 그 형을 집행한다. 다만, 소년이 형의 집행 중에 23세가 되면 일반 교도소에서 집행할 수 있다.
보호처분과 형의 집행 (제64조)	보호처분이 계속 중일 때에 징역, 금고 또는 구류를 선고받은 소년에 대하여는 먼저 그 형을 집행한다.

06 성폭력범죄

1. 성폭력범죄의 처벌 등에 관한 특례법

성폭력범죄의 처벌 등에 관한 특례법(이하 '법'이라 한다)은 성폭력범죄의 처벌 및 그 절차에 관한 특례를 규정함으로써 성폭력범죄 피해자의 생명과 신체의 안전을 보장하고 건강한 사회질서의 확립에 이바지함을 목적으로 한다(제1조).

(1) 정의(제2조)

성폭력범죄	① 형법 제2편 제22장 성풍속에 관한 죄 중 제242조(음행매개), 제243조(음화반포 등), 제244조(음화제조 등) 및 제245조(공연음란)의 죄 ② 형법 제2편 제31장 약취(略取), 유인(誘引) 및 인신매매의 죄 중 추행, 간음 또는 성매매와 성적 착취를 목적으로 범한 제288조 또는 추행, 간음 또는 성매매와 성적 착취를 목적으로 범한 제289조, 제290조(추행, 간음 또는 성매매와 성적 착취를 목적으로 제288조 또는 추행, 간음 또는 성매매와 성적 착취를 목적으로 제289조의 죄를 범하여 약취, 유인, 매매된 사람을 상해하거나 상해에 이르게 한 경우에 한정한다), 제291조(추행, 간음 또는 성매매와 성적 착취를 목적으로 제288조 또는 추행, 간음 또는 성매매와 성적 착취를 목적으로 제289조의 죄를 범하여 약취, 유인,

성폭력범죄	매매된 사람을 살해하거나 사망에 이르게 한 경우에 한정한다), 제292조[추행, 간음 또는 성매매와 성적 착취를 목적으로 한 제288조 또는 추행, 간음 또는 성매매와 성적 착취를 목적으로 한 제289조의 죄로 약취, 유인, 매매된 사람을 수수(授受) 또는 은닉한 죄, 추행, 간음 또는 성매매와 성적 착취를 목적으로 한 제288조 또는 추행, 간음 또는 성매매와 성적 착취를 목적으로 한 제289조의 죄를 범할 목적으로 사람을 모집, 운송, 전달한 경우에 한정한다] 및 제294조(추행, 간음 또는 성매매와 성적 착취를 목적으로 범한 제288조의 미수범 또는 추행, 간음 또는 성매매와 성적 착취를 목적으로 범한 제289조의 미수범, 추행, 간음 또는 성매매와 성적 착취를 목적으로 제288조 또는 추행, 간음 또는 성매매와 성적 착취를 목적으로 제289조의 죄를 범하여 발생한 제290조 제1항의 미수범 또는 추행, 간음 또는 성매매와 성적 착취를 목적으로 제288조 또는 추행, 간음 또는 성매매와 성적 착취를 목적으로 제289조의 죄를 범하여 발생한 제291조 제1항의 미수범 및 제292조 제1항의 미수범 중 추행, 간음 또는 성매매와 성적 착취를 목적으로 약취, 유인, 매매된 사람을 수수, 은닉한 죄의 미수범으로 한정한다)의 죄 ③ 형법 제2편 제32장 강간과 추행의 죄 중 제297조(강간), 제297조의2(유사강간), 제298조(강제추행), 제299조(준강간, 준강제추행), 제300조(미수범), 제301조(강간 등 상해 · 치상), 제301조의2(강간 등 살인 · 치사), 제302조(미성년자 등에 대한 간음), 제303조(업무상 위력 등에 의한 간음) 및 제305조(미성년자에 대한 간음, 추행)의 죄 ④ 형법 제339조(강도강간)의 죄 및 제342조(제339조의 미수범으로 한정한다)의 죄 ⑤ 이 법 제3조(특수강도강간 등)부터 제15조(미수범)까지의 죄

위 표에서 규정한 범죄로서 다른 법률에 따라 가중처벌되는 죄는 성폭력범죄로 본다.

(2) 성폭력범죄의 처벌

특수강도 강간 등 (제3조)	① 형법 제319조 제1항(주거침입), 제330조(야간주거침입절도), 제331조(특수절도) 또는 제342조(미수범. 다만, 제330조 및 제331조의 미수범으로 한정한다)의 죄를 범한 사람이 같은 법 제297조(강간), 제297조의2(유사강간), 제298조(강제추행) 및 제299조(준강간, 준강제추행)의 죄를 범한 경우에는 무기징역 또는 7년 이상의 징역에 처한다. ② 형법 제334조(특수강도) 또는 제342조(미수범. 다만, 제334조의 미수범으로 한정한다)의 죄를 범한 사람이 같은 법 제297조(강간), 제297조의2(유사강간), 제298조(강제추행) 및 제299조(준강간, 준강제추행)의 죄를 범한 경우에는 사형, 무기징역 또는 10년 이상의 징역에 처한다.
특수강간 등 (제4조)	① 흉기나 그 밖의 위험한 물건을 지닌 채 또는 2명 이상이 합동하여 형법 제297조(강간)의 죄를 범한 사람은 무기징역 또는 7년 이상의 징역에 처한다. ② ①의 방법으로 형법 제298조(강제추행)의 죄를 범한 사람은 5년 이상의 유기징역에 처한다. ③ ①의 방법으로 형법 제299조(준강간, 준강제추행)의 죄를 범한 사람은 ① 또는 ②의 예에 따라 처벌한다.
친족관계에 의한 강간 등 (제5조)	① 친족관계인 사람이 폭행 또는 협박으로 사람을 강간한 경우에는 7년 이상의 유기징역에 처한다. ② 친족관계인 사람이 폭행 또는 협박으로 사람을 강제추행한 경우에는 5년 이상의 유기징역에 처한다. ③ 친족관계인 사람이 사람에 대하여 형법 제299조(준강간, 준강제추행)의 죄를 범한 경우에는 ① 또는 ②의 예에 따라 처벌한다. ④ ①부터 ③까지의 친족의 범위는 4촌 이내의 혈족 · 인척과 동거하는 친족으로 한다. ⑤ ①부터 ③까지의 친족은 사실상의 관계에 의한 친족을 포함한다.

장애인에 대한 강간·강제추행 등 (제6조)	① 신체적인 또는 정신적인 장애가 있는 사람에 대하여 형법 제297조(강간)의 죄를 범한 사람은 무기징역 또는 7년 이상의 징역에 처한다. ② 신체적인 또는 정신적인 장애가 있는 사람에 대하여 폭행이나 협박으로 다음의 어느 하나에 해당하는 행위를 한 사람은 5년 이상의 유기징역에 처한다. ㉠ 구강·항문 등 신체(성기는 제외한다)의 내부에 성기를 넣는 행위 ㉡ 성기·항문에 손가락 등 신체(성기는 제외한다)의 일부나 도구를 넣는 행위 ③ 신체적인 또는 정신적인 장애가 있는 사람에 대하여 형법 제298조(강제추행)의 죄를 범한 사람은 3년 이상의 유기징역 또는 3천만원 이상 5천만원 이하의 벌금에 처한다. ④ 신체적인 또는 정신적인 장애로 항거불능 또는 항거곤란 상태에 있음을 이용하여 사람을 간음하거나 추행한 사람은 ①부터 ③까지의 예에 따라 처벌한다. ⑤ 위계(僞計) 또는 위력(威力)으로써 신체적인 또는 정신적인 장애가 있는 사람을 간음한 사람은 5년 이상의 유기징역에 처한다. ⑥ 위계 또는 위력으로써 신체적인 또는 정신적인 장애가 있는 사람을 추행한 사람은 1년 이상의 유기징역 또는 1천만원 이상 3천만원 이하의 벌금에 처한다. ⑦ 장애인의 보호, 교육 등을 목적으로 하는 시설의 장 또는 종사자가 보호, 감독의 대상인 장애인에 대하여 ①부터 ⑥까지의 죄를 범한 경우에는 그 죄에 정한 형의 2분의 1까지 가중한다.
13세 미만의 미성년자에 대한 강간·강제추행 등 (제7조)	① 13세 미만의 사람에 대하여 형법 제297조(강간)의 죄를 범한 사람은 무기징역 또는 10년 이상의 징역에 처한다. ② 13세 미만의 사람에 대하여 폭행이나 협박으로 다음의 어느 하나에 해당하는 행위를 한 사람은 7년 이상의 유기징역에 처한다. ㉠ 구강·항문 등 신체(성기는 제외한다)의 내부에 성기를 넣는 행위 ㉡ 성기·항문에 손가락 등 신체(성기는 제외한다)의 일부나 도구를 넣는 행위 ③ 13세 미만의 사람에 대하여 형법 제298조(강제추행)의 죄를 범한 사람은 5년 이상의 유기징역에 처한다. ④ 13세 미만의 사람에 대하여 형법 제299조(준강간, 준강제추행)의 죄를 범한 사람은 ①부터 ③까지의 예에 따라 처벌한다. ⑤ 위계 또는 위력으로써 13세 미만의 사람을 간음하거나 추행한 사람은 ①부터 ③까지의 예에 따라 처벌한다.
강간 등 상해·치상 (제8조)	① 제3조 제1항, 제4조, 제6조, 제7조 또는 제15조(제3조 제1항, 제4조, 제6조 또는 제7조의 미수범으로 한정한다)의 죄를 범한 사람이 다른 사람을 상해하거나 상해에 이르게 한 때에는 무기징역 또는 10년 이상의 징역에 처한다. ② 제5조 또는 제15조(제5조의 미수범으로 한정한다)의 죄를 범한 사람이 다른 사람을 상해하거나 상해에 이르게 한 때에는 무기징역 또는 7년 이상의 징역에 처한다.
강간 등 살인·치사 (제9조)	① 제3조부터 제7조까지, 제15조(제3조부터 제7조까지의 미수범으로 한정한다)의 죄 또는 형법 제297조(강간), 제297조의2(유사강간) 및 제298조(강제추행)부터 제300조(미수범)까지의 죄를 범한 사람이 다른 사람을 살해한 때에는 사형 또는 무기징역에 처한다. ② 제4조, 제5조 또는 제15조(제4조 또는 제5조의 미수범으로 한정한다)의 죄를 범한 사람이 다른 사람을 사망에 이르게 한 때에는 무기징역 또는 10년 이상의 징역에 처한다. ③ 제6조, 제7조 또는 제15조(제6조 또는 제7조의 미수범으로 한정한다)의 죄를 범한 사람이 다른 사람을 사망에 이르게 한 때에는 사형, 무기징역 또는 10년 이상의 징역에 처한다.

업무상 위력 등에 의한 추행 (제10조)	① 업무, 고용이나 그 밖의 관계로 인하여 자기의 보호, 감독을 받는 사람에 대하여 위계 또는 위력으로 추행한 사람은 3년 이하의 징역 또는 1천500만원 이하의 벌금에 처한다. ② 법률에 따라 구금된 사람을 감호하는 사람이 그 사람을 추행한 때에는 5년 이하의 징역 또는 2천만원 이하의 벌금에 처한다. **성폭력범죄의 처벌 등에 관한 특례법** **제11조【공중 밀집 장소에서의 추행】** 대중교통수단, 공연·집회 장소, 그 밖에 공중(公衆)이 밀집하는 장소에서 사람을 추행한 사람은 3년 이하의 징역 또는 3천만원 이하의 벌금에 처한다.
성적 목적을 위한 다중이용장소 침입행위 (제12조)	자기의 성적 욕망을 만족시킬 목적으로 화장실, 목욕장·목욕실 또는 발한실(發汗室), 모유수유시설, 탈의실 등 불특정다수가 이용하는 다중이용장소에 침입하거나 같은 장소에서 퇴거의 요구를 받고 응하지 아니하는 사람은 1년 이하의 징역 또는 1천만원 이하의 벌금에 처한다.
통신매체를 이용한 음란행위 (제13조)	자기 또는 다른 사람의 성적 욕망을 유발하거나 만족시킬 목적으로 전화, 우편, 컴퓨터, 그 밖의 통신매체를 통하여 성적 수치심이나 혐오감을 일으키는 말, 음향, 글, 그림, 영상 또는 물건을 상대방에게 도달하게 한 사람은 2년 이하의 징역 또는 2천만원 이하의 벌금에 처한다.
카메라 등을 이용한 촬영 (제14조)	① 카메라나 그 밖에 이와 유사한 기능을 갖춘 기계장치를 이용하여 성적 욕망 또는 수치심을 유발할 수 있는 사람의 신체를 촬영대상자의 의사에 반하여 촬영한 자는 7년 이하의 징역 또는 5천만원 이하의 벌금에 처한다. ② ①에 따른 촬영물 또는 복제물(복제물의 복제물을 포함한다)을 반포·판매·임대·제공 또는 공공연하게 전시·상영(이하 '반포 등'이라 한다)한 자 또는 ①의 촬영이 촬영 당시에는 촬영대상자의 의사에 반하지 아니한 경우(자신의 신체를 직접 촬영한 경우를 포함한다)에도 사후에 그 촬영물 또는 복제물을 촬영대상자의 의사에 반하여 반포 등을 한 자는 7년 이하의 징역 또는 5천만원 이하의 벌금에 처한다. ③ 영리를 목적으로 촬영대상자의 의사에 반하여 정보통신망 이용촉진 및 정보보호 등에 관한 법률 제2조 제1항 제1호의 정보통신망(이하 '정보통신망'이라 한다)을 이용하여 제2항의 죄를 범한 자는 3년 이상의 유기징역에 처한다. ④ ① 또는 ②의 촬영물 또는 복제물을 소지·구입·저장 또는 시청한 자는 3년 이하의 징역 또는 3천만원 이하의 벌금에 처한다. ⑤ 상습으로 ①부터 ③까지의 죄를 범한 때에는 그 죄에 정한 형의 2분의 1까지 가중한다.
허위영상물 등의 반포 등 (제14조의2)	① 사람의 얼굴·신체 또는 음성을 대상으로 한 촬영물·영상물 또는 음성물(이하 '영상물 등'이라 한다)을 영상물 등의 대상자의 의사에 반하여 성적 욕망 또는 수치심을 유발할 수 있는 형태로 편집·합성 또는 가공(이하 '편집 등'이라 한다)한 자는 5년 이하의 징역 또는 5천만원 이하의 벌금에 처한다. ② ①에 따른 편집물·합성물·가공물(이하 '편집물 등'이라 한다) 또는 복제물(복제물의 복제물을 포함한다)을 반포 등을 한 자 또는 ①의 편집 등을 할 당시에는 영상물 등의 대상자의 의사에 반하지 아니한 경우에도 사후에 그 편집물 등 또는 복제물을 영상물 등의 대상자의 의사에 반하여 반포 등을 한 자는 5년 이하의 징역 또는 5천만원 이하의 벌금에 처한다. ③ 영리를 목적으로 영상물 등의 대상자의 의사에 반하여 정보통신망을 이용하여 ②의 죄를 범한 자는 3년 이상의 유기징역에 처한다. ④ 제1항 또는 제2항의 편집물등 또는 복제물을 소지·구입·저장 또는 시청한 자는 3년 이하의 징역 또는 3천만원 이하의 벌금에 처한다. ⑤ 상습으로 제1항부터 제3항까지의 죄를 범한 때에는 그 죄에 정한 형의 2분의 1까지 가중한다.

촬영물과 편집물 등을 이용한 협박 · 강요 (제14조의3)	① 성적 욕망 또는 수치심을 유발할 수 있는 촬영물 또는 복제물(복제물의 복제물을 포함한다), 제14조의2제2항에 따른 편집물등 또는 복제물(복제물의 복제물을 포함한다)을 이용하여 사람을 협박한 자는 1년 이상의 유기징역에 처한다. ② 제1항에 따른 협박으로 사람의 권리행사를 방해하거나 의무 없는 일을 하게 한 자는 3년 이상의 유기징역에 처한다. ③ 상습으로 제1항 및 제2항의 죄를 범한 경우에는 그 죄에 정한 형의 2분의 1까지 가중한다.

(3) 성폭력범죄의 처벌절차

① 미수범(제15조)

제3조(특수강도 강간 등)부터 제9조(강간 등 살인 · 치사)까지, 제14조(카메라 등을 이용한 촬영) 및 제14조의2 및 14조의3의 미수범은 처벌한다.

② 형벌과 수강명령 등의 병과(제16조)

㉠ 보호관찰: 법원이 성폭력범죄를 범한 사람에 대하여 형의 선고를 유예하는 경우에는 1년 동안 보호관찰을 받을 것을 명할 수 있다. 다만, 성폭력범죄를 범한 소년법 제2조에 따른 소년에 대하여 형의 선고를 유예하는 경우에는 반드시 보호관찰을 명하여야 한다.

㉡ 수강명령 · 이수명령: 법원이 성폭력범죄를 범한 사람에 대하여 유죄판결(선고유예는 제외한다)을 선고하거나 약식명령을 고지하는 경우에는 500시간의 범위에서 재범예방에 필요한 수강명령 또는 성폭력 치료프로그램의 이수명령(이하 '이수명령'이라 한다)을 병과하여야 한다. 다만, 수강명령 또는 이수명령을 부과할 수 없는 특별한 사정이 있는 경우에는 그러하지 아니하다.

③ 판결 전 조사(제17조)

㉠ 법원의 조사요구

ⓐ 법원은 성폭력범죄를 범한 피고인에 대하여 보호관찰, 사회봉사, 수강명령 또는 이수명령을 부과하기 위하여 필요하다고 인정하면 그 법원의 소재지 또는 피고인의 주거지를 관할하는 보호관찰소의 장에게 피고인의 신체적 · 심리적 특성 및 상태, 정신성적 발달과정, 성장배경, 가정환경, 직업, 생활환경, 교우관계, 범행동기, 병력(病歷), 피해자와의 관계, 재범위험성 등 피고인에 관한 사항의 조사를 요구할 수 있다.

ⓑ 법원은 보호관찰소의 장에게 조사진행상황에 관한 보고를 요구할 수 있다

㉡ 보호관찰소장의 조치: 법원의 요구를 받은 보호관찰소의 장은 지체 없이 이를 조사하여 서면으로 해당 법원에 알려야 한다. 이 경우 필요하다고 인정하면 피고인이나 그 밖의 관계인을 소환하여 심문하거나 소속 보호관찰관에게 필요한 사항을 조사하게 할 수 있다.

④ 고소 제한에 대한 예외(제18조)

성폭력범죄에 대하여는 형사소송법 제224조(고소의 제한) 및 군사법원법 제266조에도 불구하고 자기 또는 배우자의 직계존속을 고소할 수 있다.

⑤ 형법상 감경규정에 관한 특례(제20조)

음주 또는 약물로 인한 심신장애 상태에서 성폭력범죄(제2조 제1항 제1호의 죄는 제외한다)를 범한 때에는 형법 제10조 제1항 · 제2항 및 제11조를 적용하지 아니할 수 있다.

형법
제10조【심신장애인】 ① 심신장애로 인하여 사물을 변별할 능력이 없거나 의사를 결정할 능력이 없는 자의 행위는 벌하지 아니한다.
② 심신장애로 인하여 전항의 능력이 미약한 자의 행위는 형을 감경할 수 있다.
③ 위험의 발생을 예견하고 자의로 심신장애를 야기한 자의 행위에는 전2항의 규정을 적용하지 아니한다.
제11조【청각 및 언어 장애인】 듣거나 말하는데 모두 장애가 있는 사람의 행위에 대해서는 형을 감경한다.

⑥ 공소시효에 관한 특례(제21조)

㉠ **미성년자에 대한 특례**: 미성년자에 대한 성폭력범죄의 공소시효는 형사소송법 제252조 제1항 및 군사법원법 제294조 제1항에도 불구하고 해당 성폭력범죄로 피해를 당한 미성년자가 성년에 달한 날부터 진행한다.

㉡ **공소시효의 연장**: 법 제2조 제3호 및 제4호의 죄와 제3조부터 제9조까지의 죄는 디엔에이(DNA)증거 등 그 죄를 증명할 수 있는 과학적인 증거가 있는 때에는 공소시효가 10년 연장된다.

㉢ 13세 미만**의 사람 및 신체적인 또는 정신적인 장애가 있는 사람에 대한 성범죄자의 공소시효 관련 규정의 적용 배제**: 13세 미만의 사람 및 신체적인 또는 정신적인 장애가 있는 사람에 대하여 다음의 죄를 범한 경우에는 ㉠과 ㉡에도 불구하고 형사소송법 제249조부터 제253조까지 및 군사법원법 제291조부터 제295조까지에 규정된 공소시효를 적용하지 아니한다.

ⓐ 형법 제297조(강간), 제298조(강제추행), 제299조(준강간, 준강제추행), 제301조(강간 등 상해・치상), 제301조의2(강간 등 살인・치사) 또는 제305조(미성년자에 대한 간음, 추행)의 죄

ⓑ 제6조 제2항, 제7조 제2항 및 제5항, 제8조, 제9조의 죄

ⓒ 아동・청소년의 성보호에 관한 법률 제9조 또는 제10조의 죄

㉣ **일반인에 대한 성범죄자의 공소시효 관련 규정의 적용 배제**: 다음의 죄를 범한 경우에는 ㉠과 ㉡에도 불구하고 형사소송법 제249조부터 제253조까지 및 군사법원법 제291조부터 제295조까지에 규정된 공소시효를 적용하지 아니한다.

ⓐ 형법 제301조의2(강간 등 살인・치사)의 죄(강간 등 살인에 한정한다)

ⓑ 제9조 제1항의 죄

ⓒ 아동・청소년의 성보호에 관한 법률 제10조 제1항의 죄

ⓓ 군형법 제92조의8의 죄(강간 등 살인에 한정한다)

(4) 기타 사항

특정강력범죄의 처벌에 관한 특례법의 준용 (제22조)	성폭력범죄에 대한 처벌절차에는 특정강력범죄의 처벌에 관한 특례법 제7조(증인에 대한 신변안전조치), 제8조(출판물 게재 등으로부터의 피해자 보호), 제9조(소송 진행의 협의), 제12조(간이공판절차의 결정) 및 제13조(판결선고)를 준용한다.
피해자, 신고인 등에 대한 보호조치 (제23조)	법원 또는 수사기관이 성폭력범죄의 피해자, 성폭력범죄를 신고(고소・고발을 포함한다)한 사람을 증인으로 신문하거나 조사하는 경우에는 특정범죄신고자 등 보호법 제5조 및 제7조부터 제13조까지의 규정을 준용한다. 이 경우 특정범죄신고자 등 보호법 제9조와 제13조를 제외하고는 보복을 당할 우려가 있음을 요하지 아니한다.

피해자의 신원과 사생활 비밀 누설 금지 (제24조)	① 성폭력범죄의 수사 또는 재판을 담당하거나 이에 관여하는 공무원 또는 그 직에 있었던 사람은 피해자의 주소, 성명, 나이, 직업, 학교, 용모, 그밖에 피해자를 특정하여 파악할 수 있게 하는 인적사항과 사진 등 또는 그 피해자의 사생활에 관한 비밀을 공개하거나 다른 사람에게 누설하여서는 아니 된다. ② 누구든지 ①에 따른 피해자의 주소, 성명, 나이, 직업, 학교, 용모, 그 밖에 피해자를 특정하여 파악할 수 있는 인적사항이나 사진 등을 피해자의 동의를 받지 아니하고 신문 등 인쇄물에 싣거나 방송법 제2조 제1호에 따른 방송 또는 정보통신망을 통하여 공개하여서는 아니 된다.
성폭력범죄의 피해자에 대한 전담조사제 (제26조)	① 검찰총장은 각 지방검찰청 검사장으로 하여금 성폭력범죄 전담 검사를 지정하도록 하여 특별한 사정이 없으면 이들로 하여금 피해자를 조사하게 하여야 한다. ② 경찰청장은 각 경찰서장으로 하여금 성폭력범죄 전담 사법경찰관을 지정하도록 하여 특별한 사정이 없으면 이들로 하여금 피해자를 조사하게 하여야 한다. ③ 국가는 ①의 검사 및 ②의 사법경찰관에게 성폭력범죄의 수사에 필요한 전문지식과 피해자보호를 위한 수사방법 및 수사절차, 아동 심리 및 아동·장애인 조사 면담기법 등에 관한 교육을 실시하여야 한다. ④ 성폭력범죄를 전담하여 조사하는 제1항의 검사 및 제2항의 사법경찰관은 19세 미만인 피해자나 신체적인 또는 정신적인 장애로 사물을 변별하거나 의사를 결정할 능력이 미약한 피해자(이하 "19세미만피해자등"이라 한다)를 조사할 때에는 피해자의 나이, 인지적 발달 단계, 심리 상태, 장애 정도 등을 종합적으로 고려하여야 한다.
성폭력범죄 피해자에 대한 변호사 선임의 특례 (제27조)	① 성폭력범죄의 피해자 및 그 법정대리인(이하 '피해자 등'이라 한다)은 형사절차상 입을 수 있는 피해를 방어하고 법률적 조력을 보장하기 위하여 변호사를 선임할 수 있다. ② ①에 따른 변호사는 검사 또는 사법경찰관의 피해자 등에 대한 조사에 참여하여 의견을 진술할 수 있다. 다만, 조사 도중에는 검사 또는 사법경찰관의 승인을 받아 의견을 진술할 수 있다. ③ ①에 따른 변호사는 피의자에 대한 구속 전 피의자심문, 증거보전절차, 공판준비기일 및 공판절차에 출석하여 의견을 진술할 수 있다. 이 경우 필요한 절차에 관한 구체적 사항은 대법원규칙으로 정한다. ④ ①에 따른 변호사는 증거보전 후 관계 서류나 증거물, 소송계속 중의 관계 서류나 증거물을 열람하거나 등사할 수 있다. ⑤ ①에 따른 변호사는 형사절차에서 피해자 등의 대리가 허용될 수 있는 모든 소송행위에 대한 포괄적인 대리권을 가진다. ⑥ 검사는 피해자에게 변호사가 없는 경우 국선변호사를 선정하여 형사절차에서 피해자의 권익을 보호할 수 있다. 다만, 19세미만피해자등에게 변호사가 없는 경우에는 국선변호사를 선정하여야 한다.
성폭력범죄에 대한 전담재판부 (제28조)	지방법원장 또는 고등법원장은 특별한 사정이 없으면 성폭력범죄 전담재판부를 지정하여 성폭력범죄에 대하여 재판하게 하여야 한다.
수사 및 재판절차에서의 배려 (제29조)	① 수사기관과 법원 및 소송관계인은 성폭력범죄를 당한 피해자의 나이, 심리 상태 또는 후유장애의 유무 등을 신중하게 고려하여 조사 및 심리·재판 과정에서 피해자의 인격이나 명예가 손상되거나 사적인 비밀이 침해되지 아니하도록 주의하여야 한다. ② 수사기관과 법원은 성폭력범죄의 피해자를 조사하거나 심리·재판할 때 피해자가 편안한 상태에서 진술할 수 있는 환경을 조성하여야 하며, 조사 및 심리·재판 횟수는 필요한 범위에서 최소한으로 하여야 한다.

수사 및 재판절차에서의 배려 (제29조)	③ 수사기관과 법원은 조사 및 심리・재판 과정에서 19세미만피해자등의 최상의 이익을 고려하여 다음 각 호에 따른 보호조치를 하도록 노력하여야 한다. ㉠ 19세미만피해자등의 진술을 듣는 절차가 타당한 이유 없이 지연되지 아니하도록 할 것 ㉡ 19세미만피해자등의 진술을 위하여 아동 등에게 친화적으로 설계된 장소에서 피해자 조사 및 증인신문을 할 것 ㉢ 19세미만피해자등이 피의자 또는 피고인과 접촉하거나 마주치지 아니하도록 할 것 ㉣ 19세미만피해자등에게 조사 및 심리・재판 과정에 대하여 명확하고 충분히 설명할 것 ㉤ 그 밖에 조사 및 심리・재판 과정에서 19세미만피해자등의 보호 및 지원 등을 위하여 필요한 조치를 할 것
19세미만피해자등 진술 내용 등의 영상녹화 및 보존 등 (제30조)	① 검사 또는 사법경찰관은 19세미만피해자등의 진술 내용과 조사 과정을 영상녹화장치로 녹화(녹음이 포함된 것을 말하며, 이하 "영상녹화"라 한다)하고, 그 영상녹화물을 보존하여야 한다. ② 검사 또는 사법경찰관은 19세미만피해자등을 조사하기 전에 다음 각 호의 사실을 피해자의 나이, 인지적 발달 단계, 심리 상태, 장애 정도 등을 고려한 적절한 방식으로 피해자에게 설명하여야 한다. 1. 조사 과정이 영상녹화된다는 사실 2. 영상녹화된 영상녹화물이 증거로 사용될 수 있다는 사실 ③ 제1항에도 불구하고 19세미만피해자등 또는 그 법정대리인(법정대리인이 가해자이거나 가해자의 배우자인 경우는 제외한다)이 이를 원하지 아니하는 의사를 표시하는 경우에는 영상녹화를 하여서는 아니 된다. ④ 검사 또는 사법경찰관은 제1항에 따른 영상녹화를 마쳤을 때에는 지체 없이 피해자 또는 변호사 앞에서 봉인하고 피해자로 하여금 기명날인 또는 서명하게 하여야 한다. ⑤ 검사 또는 사법경찰관은 제1항에 따른 영상녹화 과정의 진행 경과를 조서(별도의 서면을 포함한다. 이하 같다)에 기록한 후 수사기록에 편철하여야 한다. ⑥ 제5항에 따라 영상녹화 과정의 진행 경과를 기록할 때에는 다음 각 호의 사항을 구체적으로 적어야 한다. 1. 피해자가 영상녹화 장소에 도착한 시각 2. 영상녹화를 시작하고 마친 시각 3. 그 밖에 영상녹화 과정의 진행경과를 확인하기 위하여 필요한 사항 ⑦ 검사 또는 사법경찰관은 19세미만피해자등이나 그 법정대리인이 신청하는 경우에는 영상녹화 과정에서 작성한 조서의 사본 또는 영상녹화물에 녹음된 내용을 옮겨 적은 녹취서의 사본을 신청인에게 발급하거나 영상녹화물을 재생하여 시청하게 하여야 한다. ⑧ 누구든지 제1항에 따라 영상녹화한 영상녹화물을 수사 및 재판의 용도 외에 다른 목적으로 사용하여서는 아니 된다.
영상녹화물의 증거능력 특례 (제30조의2)	① 제30조제1항에 따라 19세미만피해자등의 진술이 영상녹화된 영상녹화물은 같은 조 제4항부터 제6항까지에서 정한 절차와 방식에 따라 영상녹화된 것으로서 다음 각 호의 어느 하나의 경우에 증거로 할 수 있다. 1. 증거보전기일, 공판준비기일 또는 공판기일에 그 내용에 대하여 피의자, 피고인 또는 변호인이 피해자를 신문할 수 있었던 경우. 다만, 증거보전기일에서의 신문의 경우 법원이 피의자나 피고인의 방어권이 보장된 상태에서 피해자에 대한 반대신문이 충분히 이루어졌다고 인정하는 경우로 한정한다.

영상녹화물의 증거능력 특례 (제30조의2)	2. 19세미만피해자등이 다음 각 목의 어느 하나에 해당하는 사유로 공판준비기일 또는 공판기일에 출석하여 진술할 수 없는 경우. 다만, 영상녹화된 진술 및 영상녹화가 특별히 신빙(信憑)할 수 있는 상태에서 이루어졌음이 증명된 경우로 한정한다. 가. 사망 나. 외국 거주 다. 신체적, 정신적 질병·장애 라. 소재불명 마. 그 밖에 이에 준하는 경우 ② 법원은 제1항제2호에 따라 증거능력이 있는 영상녹화물을 유죄의 증거로 할지를 결정할 때에는 피고인과의 관계, 범행의 내용, 피해자의 나이, 심신의 상태, 피해자가 증언으로 인하여 겪을 수 있는 심리적 외상, 영상녹화물에 수록된 19세미만피해자등의 진술 내용 및 진술 태도 등을 고려하여야 한다. 이 경우 법원은 전문심리위원 또는 제33조에 따른 전문가의 의견을 들어야 한다.
심리의 비공개 (제31조)	① 성폭력범죄에 대한 심리는 그 피해자의 사생활을 보호하기 위하여 결정으로써 공개하지 아니할 수 있다. ② 증인으로 소환받은 성폭력범죄의 피해자와 그 가족은 사생활보호 등의 사유로 증인신문의 비공개를 신청할 수 있다. ③ 재판장은 ②에 따른 신청을 받으면 그 허가 및 공개 여부, 법정 외의 장소에서의 신문 등 증인의 신문 방식 및 장소에 관하여 결정할 수 있다. ④ ① 및 ③의 경우에는 법원조직법 제57조(재판의 공개) ②·③ 및 군사법원법 제67조 제2항·제3항을 준용한다.
증인지원시설의 설치·운영 등 (제32조)	① 각급 법원은 증인으로 법원에 출석하는 피해자 등이 재판 전후에 피고인이나 그 가족과 마주치지 아니하도록 하고, 보호와 지원을 받을 수 있는 적절한 시설을 설치한다. ② 각급 법원은 ①의 시설을 관리·운영하고 피해자 등의 보호와 지원을 담당하는 직원(이하 '증인지원관'이라 한다)을 둔다. ③ 법원은 증인지원관에 대하여 인권 감수성 향상에 필요한 교육을 정기적으로 실시한다. ④ 증인지원관의 업무·자격 및 교육 등에 필요한 사항은 대법원규칙으로 정한다.
전문가의 의견 조회 (제33조)	① 법원은 정신건강의학과의사, 심리학자, 사회복지학자, 그 밖의 관련 전문가로부터 행위자 또는 피해자의 정신·심리 상태에 대한 진단 소견 및 피해자의 진술 내용에 관한 의견을 조회할 수 있다. ② 법원은 성폭력범죄를 조사·심리할 때에는 ①에 따른 의견 조회의 결과를 고려하여야 한다. ③ 법원은 법원행정처장이 정하는 관련 전문가 후보자 중에서 제1항에 따른 전문가를 지정하여야 한다. ④ ①부터 ③까지의 규정은 수사기관이 성폭력범죄를 수사하는 경우에 준용한다. 다만, 피해자가 13세 미만이거나 신체적인 또는 정신적인 장애로 사물을 변별하거나 의사를 결정할 능력이 미약한 경우에는 관련 전문가에게 피해자의 정신·심리 상태에 대한 진단 소견 및 진술 내용에 관한 의견을 조회하여야 한다. ⑤ ④에 따라 준용할 경우 '법원행정처장'은 '검찰총장 또는 경찰청장'으로 본다.

신뢰관계에 있는 사람의 동석 (제34조)	① 법원은 다음 각 호의 어느 하나에 해당하는 피해자를 증인으로 신문하는 경우에 검사, 피해자 또는 그 법정대리인이 신청할 때에는 재판에 지장을 줄 우려가 있는 등 부득이한 경우가 아니면 피해자와 신뢰관계에 있는 사람을 동석하게 하여야 한다. 1. 제3조부터 제8조까지, 제10조, 제14조, 제14조의2, 제14조의3, 제15조(제9조의 미수범은 제외한다) 및 제15조의2에 따른 범죄의 피해자 2. 19세미만피해자등 ② ①은 수사기관이 같은 항 각 호의 피해자를 조사하는 경우에 관하여 준용한다. ③ ① 및 ②의 경우 법원과 수사기관은 피해자와 신뢰관계에 있는 사람이 피해자에게 불리하거나 피해자가 원하지 아니하는 경우에는 동석하게 하여서는 아니 된다.
진술조력인 양성 등 (제35조)	① 법무부장관은 의사소통 및 의사표현에 어려움이 있는 성폭력범죄의 피해자에 대한 형사사법절차에서의 조력을 위하여 진술조력인을 양성하여야 한다. ② 진술조력인은 정신건강의학, 심리학, 사회복지학, 교육학 등 아동·장애인의 심리나 의사소통 관련 전문지식이 있거나 관련 분야에서 상당 기간 종사한 사람으로 법무부장관이 정하는 교육을 이수하여야 한다. 진술조력인의 자격, 양성 및 배치 등에 관하여 필요한 사항은 법무부령으로 정한다. ③ 법무부장관은 ①에 따라 양성한 진술조력인 명부를 작성하여야 한다.
진술조력인의 수사과정 참여 (제36조)	① 검사 또는 사법경찰관은 성폭력범죄의 피해자가 19세미만피해자등인 경우 형사사법절차에서의 조력과 원활한 조사를 위하여 직권이나 피해자, 그 법정대리인 또는 변호사의 신청에 따라 진술조력인으로 하여금 조사과정에 참여하여 의사소통을 중개하거나 보조하게 할 수 있다. 다만, 피해자 또는 그 법정대리인이 이를 원하지 아니하는 의사를 표시한 경우에는 그러하지 아니하다. ② 검사 또는 사법경찰관은 ①의 피해자를 조사하기 전에 피해자, 법정대리인 또는 변호사에게 진술조력인에 의한 의사소통 중개나 보조를 신청할 수 있음을 고지하여야 한다. ③ 진술조력인은 조사 전에 피해자를 면담하여 진술조력인 조력 필요성에 관하여 평가한 의견을 수사기관에 제출할 수 있다. ④ ①에 따라 조사과정에 참여한 진술조력인은 피해자의 의사소통이나 표현 능력, 특성 등에 관한 의견을 수사기관이나 법원에 제출할 수 있다. ⑤ ①부터 ④까지의 규정은 검증에 관하여 준용한다. ⑥ 그 밖에 진술조력인의 수사절차 참여에 관한 절차와 방법 등 필요한 사항은 법무부령으로 정한다.
진술조력인의 재판과정 참여 (제37조)	① 법원은 성폭력범죄의 피해자가 19세미만피해자등인 경우 재판과정에서의 조력과 원활한 증인 신문을 위하여 직권 또는 검사, 피해자, 그 법정대리인 및 변호사의 신청에 의한 결정으로 진술조력인으로 하여금 증인 신문에 참여하여 중개하거나 보조하게 할 수 있다. ② 법원은 증인이 ①에 해당하는 경우에는 신문 전에 피해자, 법정대리인 및 변호사에게 진술조력인에 의한 의사소통 중개나 보조를 신청할 수 있음을 고지하여야 한다. ③ 진술조력인의 소송절차 참여에 관한 구체적 절차와 방법은 대법원규칙으로 정한다.
진술조력인의 의무 (제38조)	① 진술조력인은 수사 및 재판 과정에 참여함에 있어 중립적인 지위에서 상호간의 진술이 왜곡 없이 전달될 수 있도록 노력하여야 한다. ② 진술조력인은 그 직무상 알게 된 피해자의 주소, 성명, 나이, 직업, 학교, 용모, 그 밖에 피해자를 특정하여 파악할 수 있게 하는 인적사항과 사진 및 사생활에 관한 비밀을 공개하거나 다른 사람에게 누설하여서는 아니 된다.

벌칙적용에 있어서 공무원의 의제 (제39조)	진술조력인은 형법 제129조부터 제132조까지에 따른 벌칙의 적용에 있어서 이를 공무원으로 본다.
비디오 등 중계장치에 의한 증인신문 (제40조)	① 법원은 제2조 제1항 제3호부터 제5호까지의 범죄의 피해자를 증인으로 신문하는 경우 검사와 피고인 또는 변호인의 의견을 들어 비디오 등 중계장치에 의한 중계를 통하여 신문할 수 있다. ② ①에 따른 증인신문의 절차·방법 등에 관하여 필요한 사항은 대법원규칙으로 정한다.
19세미만피해자등에 대한 증인신문을 위한 공판준비절차 (제40조의2)	① 법원은 19세미만피해자등을 증인으로 신문하려는 경우에는 19세미만피해자등의 보호와 원활한 심리를 위하여 필요한 경우 검사, 피고인 또는 변호인의 의견을 들어 사건을 공판준비절차에 부칠 수 있다. ② 법원은 제1항에 따라 공판준비절차에 부치는 경우 증인신문을 위한 심리계획을 수립하기 위하여 공판준비기일을 지정하여야 한다. ③ 법원은 제2항에 따라 지정한 공판준비기일에 증인신문을 중개하거나 보조할 진술조력인을 출석하게 할 수 있다. ④ 19세미만피해자등의 변호사는 제2항에 따라 지정된 공판준비기일에 출석할 수 있다. ⑤ 법원은 제1항에 따른 공판준비절차에서 검사, 피고인 또는 변호인에게 신문할 사항을 기재한 서면을 법원에 미리 제출하게 할 수 있다. 다만, 제출한 신문사항은 증인신문을 하기 전까지는 열람·복사 등을 통하여 상대방에게 공개하지 아니한다. ⑥ 법원은 제2항에 따라 지정된 공판준비기일에서 검사, 피고인, 변호인, 19세미만피해자등의 변호사 및 진술조력인에게 신문사항과 신문방법 등에 관한 의견을 구할 수 있다.
19세미만피해자등의 증인신문 장소 등에 대한 특례 (제40조의3)	① 법원은 19세미만피해자등을 증인으로 신문하는 경우 사전에 피해자에게 「형사소송법」 제165조의2제1항에 따라 비디오 등 중계장치에 의한 중계시설을 통하여 신문할 수 있음을 고지하여야 한다. ② 19세미만피해자등은 제1항의 중계시설을 통하여 증인신문을 진행할지 여부 및 증인으로 출석할 장소에 관하여 법원에 의견을 진술할 수 있다. ③ 제1항에 따른 중계시설을 통하여 19세미만피해자등을 증인으로 신문하는 경우 그 중계시설은 특별한 사정이 없으면 제30조제1항에 따른 영상녹화가 이루어진 장소로 한다. 다만, 피해자가 다른 장소를 원하는 의사를 표시하거나, 제30조제1항에 따른 영상녹화가 이루어진 장소가 경찰서 등 수사기관의 시설인 경우에는 법원이 중계시설을 지정할 수 있다.
증거보전의 특례 (제41조)	① 피해자나 그 법정대리인 또는 사법경찰관은 피해자가 공판기일에 출석하여 증언하는 것에 현저히 곤란한 사정이 있을 때에는 그 사유를 소명하여 제30조에 따라 영상녹화된 영상녹화물 또는 그 밖의 다른 증거에 대하여 해당 성폭력범죄를 수사하는 검사에게 형사소송법 제184조(증거보전의 청구와 그 절차) 제1항에 따른 증거보전의 청구를 할 것을 요청할 수 있다. 이 경우 피해자가 19세미만피해자등인 경우에는 공판기일에 출석하여 증언하는 것에 현저히 곤란한 사정이 있는 것으로 본다. ② ①의 요청을 받은 검사는 그 요청이 타당하다고 인정할 때에는 증거보전의 청구를 할 수 있다. 다만, 19세미만피해자등이나 그 법정대리인이 제1항의 요청을 하는 경우에는 특별한 사정이 없는 한 「형사소송법」 제184조제1항에 따라 관할 지방법원판사에게 증거보전을 청구하여야 한다.

(5) 신상정보 등록 등

신상정보 등록대상자 (제42조)	① 제2조 제1항 제3호・제4호, 같은 조 제2항(제1항 제3호・제4호에 한정한다), 제3조부터 제15조까지의 범죄 및 아동・청소년의 성보호에 관한 법률 제2조 제2호 가목・라목의 범죄(이하 '등록대상 성범죄'라 한다)로 유죄판결이나 약식명령이 확정된 자 또는 같은 법 제49조 제1항 제4호에 따라 공개명령이 확정된 자는 신상정보 등록대상자(이하 '등록대상자'라 한다)가 된다. 다만, 제12조・제13조의 범죄 및 아동・청소년의 성보호에 관한 법률 제11조 제3항 및 제5항의 범죄로 벌금형을 선고받은 자는 제외한다. ② 법원은 등록대상 성범죄로 유죄판결을 선고하거나 약식명령을 고지하는 경우에는 등록대상자라는 사실과 제43조에 따른 신상정보 제출 의무가 있음을 등록대상자에게 알려 주어야 한다. ③ ②에 따른 통지는 판결을 선고하는 때에는 구두 또는 서면으로 하고, 약식명령을 고지하는 때에는 통지사항이 기재된 서면을 송달하는 방법으로 한다. ④ 법원은 ①의 판결이나 약식명령이 확정된 날부터 14일 이내에 판결문(제45조 제4항에 따라 법원이 등록기간을 달리 정한 경우에는 그 사실을 포함한다) 또는 약식명령등본을 법무부장관에게 송달하여야 한다.
신상정보의 제출의무 (제43조)	① 등록대상자는 제42조 제1항의 판결이 확정된 날부터 30일 이내에 다음의 신상정보(이하 '기본신상정보'라 한다)를 자신의 주소지를 관할하는 경찰관서의 장(이하 '관할 경찰관서의 장'이라 한다)에게 제출하여야 한다. 다만, 등록대상자가 교정시설 또는 치료감호시설에 수용된 경우에는 그 교정시설등의 장에게 기본신상정보를 제출함으로써 이를 갈음할 수 있다. ㉠ 성명 ㉡ 주민등록번호 ㉢ 주소 및 실제거주지 ㉣ 직업 및 직장 등의 소재지 ㉤ 연락처(전화번호, 전자우편주소를 말한다) ㉥ 신체정보(키와 몸무게) ㉦ 소유차량의 등록번호 ② 관할 경찰관서의 장 또는 교정시설 등의 장은 ①에 따라 등록대상자가 기본신상정보를 제출할 때에 등록대상자의 정면・좌측・우측 상반신 및 전신 컬러사진을 촬영하여 전자기록으로 저장・보관하여야 한다. ③ 등록대상자는 ①에 따라 제출한 기본신상정보가 변경된 경우에는 그 사유와 변경내용(이하 '변경정보'라 한다)을 변경사유가 발생한 날부터 20일 이내에 ①에 따라 제출하여야 한다. ④ 등록대상자는 ①에 따라 기본신상정보를 제출한 경우에는 그 다음 해부터 매년 12월 31일까지 주소지를 관할하는 경찰관서에 출석하여 경찰관서의 장으로 하여금 자신의 정면・좌측・우측 상반신 및 전신 컬러사진을 촬영하여 전자기록으로 저장・보관하도록 하여야 한다. 다만, 교정시설 등의 장은 등록대상자가 교정시설 등에 수용된 경우에는 석방 또는 치료감호 종료 전에 등록대상자의 정면・좌측・우측 상반신 및 전신 컬러사진을 새로 촬영하여 전자기록으로 저장・보관하여야 한다. ⑤ 관할 경찰관서의 장 또는 교정시설 등의 장은 등록대상자로부터 제출받은 기본신상정보 및 변경정보와 ② 및 ④에 따라 저장・보관하는 전자기록을 지체 없이 법무부장관에게 송달하여야 한다. ⑥ ⑤에 따라 등록대상자에 대한 기본신상정보를 송달할 때에 관할 경찰관서의 장은 등록대상자에 대한 형의 실효 등에 관한 법률 제2조 제5호에 따른 범죄경력자료를 함께 송달하여야 한다. ⑦ 기본신상정보 및 변경정보의 송달, 등록에 관한 절차와 방법 등 필요한 사항은 대통령령으로 정한다.

출입국시 신고의무 등 (제43조의2)	① 등록대상자가 6개월 이상 국외에 체류하기 위하여 출국하는 경우에는 미리 관할 경찰관서의 장에게 체류국가 및 체류기간 등을 신고하여야 한다. ② ①에 따라 신고한 등록대상자가 입국하였을 때에는 특별한 사정이 없으면 14일 이내에 관할 경찰관서의 장에게 입국 사실을 신고하여야 한다. ①에 따른 신고를 하지 아니하고 출국하여 6개월 이상 국외에 체류한 등록대상자가 입국하였을 때에도 또한 같다. ③ 관할 경찰관서의 장은 ① 및 ②에 따른 신고를 받았을 때에는 지체 없이 법무부장관에게 해당 정보를 송달하여야 한다. ④ ① 및 ②에 따른 신고와 ③에 따른 송달의 절차 및 방법 등에 관하여 필요한 사항은 대통령령으로 정한다.
등록대상자의 신상정보 등록 등 (제44조)	① 법무부장관은 제43조 제5항, 제6항 및 제43조의2 제3항에 따라 송달받은 정보와 다음의 등록대상자 정보를 등록하여야 한다. ㉠ 등록대상 성범죄 경력정보 ㉡ 성범죄 전과사실(죄명, 횟수) ㉢ 전자장치 부착 등에 관한 법률에 따른 전자장치 부착 여부 ② 법무부장관은 등록대상자가 ①에 따라 등록한 정보를 정보통신망을 이용하여 열람할 수 있도록 하여야 한다. 다만, 등록대상자가 신청하는 경우에는 등록한 정보를 등록대상자에게 통지하여야 한다. ③ 법무부장관은 ①에 따른 등록에 필요한 정보의 조회(형의 실효 등에 관한 법률 제2조 제8호에 따른 범죄경력조회를 포함한다)를 관계 행정기관의 장에게 요청할 수 있다. ④ 법무부장관은 등록대상자가 기본신상정보 또는 변경정보를 정당한 사유 없이 제출하지 아니한 경우에는 신상정보의 등록에 필요한 사항을 관계 행정기관의 장에게 조회를 요청하여 등록할 수 있다. 이 경우 법무부장관은 등록일자를 밝혀 등록대상자에게 신상정보를 등록한 사실 및 등록한 신상정보의 내용을 통지하여야 한다. ⑤ ③ 및 ④의 요청을 받은 관계 행정기관의 장은 지체 없이 조회 결과를 법무부장관에게 송부하여야 한다. ⑥ ④의 전단에 따라 법무부장관이 기본신상정보를 등록한 경우에 등록대상자의 변경정보 제출과 사진 촬영에 대해서는 제43조 제3항 및 제4항을 준용한다. ⑦ ① 또는 ④의 전단에 따라 등록한 정보(이하 '등록정보'라 한다)의 열람, 통지신청 및 통지의 방법과 절차 등에 필요한 사항은 대통령령으로 정한다.
등록정보의 관리 (제45조)	① 법무부장관은 제44조 제1항 또는 제4항에 따라 기본신상정보를 최초로 등록한 날(이하 '최초등록일'이라 한다)부터 다음의 구분에 따른 기간(이하 '등록기간'이라 한다) 동안 등록정보를 보존・관리하여야 한다. 다만, 법원이 ④에 따라 등록기간을 정한 경우에는 그 기간 동안 등록정보를 보존・관리하여야 한다. ㉠ **신상정보 등록의 원인이 된 성범죄로** 사형, 무기징역・무기금고형 또는 10년 초과의 징역・금고형을 **선고받은 사람**: 30년 ㉡ **신상정보 등록의 원인이 된 성범죄로** 3년 초과 10년 이하의 징역・금고형을 **선고받은 사람**: 20년 ㉢ **신상정보 등록의 원인이 된 성범죄로** 3년 이하의 징역・금고형을 **선고받은 사람 또는 아동・청소년의 성보호에 관한 법률 제49조 제1항 제4호에 따라 공개명령이 확정된 사람**: 15년 ㉣ **신상정보 등록의 원인이 된 성범죄로** 벌금형을 **선고받은 사람**: 10년 ② 신상정보 등록의 원인이 된 성범죄와 다른 범죄가 형법 제37조(판결이 확정되지 아니한 수개의 죄를 경합범으로 하는 경우로 한정한다)에 따라 경합되어 형법 제38조에 따라 형이 선고된 경우에는 그 선고형 전부를 신상정보 등록의 원인이 된 성범죄로 인한 선고형으로 본다.

등록정보의 관리 (제45조)	③ ①에 따른 등록기간을 산정하기 위한 선고형은 다음에 따라 계산한다. ②가 적용되는 경우도 이와 같다. ㉠ 하나의 판결에서 신상정보 등록의 원인이 된 성범죄로 여러 종류의 형이 선고된 경우에는 가장 무거운 종류의 형을 기준으로 한다. ㉡ 하나의 판결에서 신상정보 등록의 원인이 된 성범죄로 여러 개의 징역형 또는 금고형이 선고된 경우에는 각각의 기간을 합산한다. 이 경우 징역형과 금고형은 같은 종류의 형으로 본다. ㉢ 소년법 제60조에 따라 부정기형이 선고된 경우에는 단기를 기준으로 한다. ④ 법원은 ②가 적용(③이 동시에 적용되는 경우를 포함한다)되어 ①의 각 사항에 따라 등록기간이 결정되는 것이 부당하다고 인정하는 경우에는 판결로 ①의 각 사항의 기간 중 더 단기의 기간을 등록기간으로 정할 수 있다. ⑤ 다음의 기간은 ①에 따른 등록기간에 넣어 계산하지 아니한다. ㉠ 등록대상자가 신상정보 등록의 원인이 된 성범죄로 교정시설 또는 치료감호시설에 수용된 기간 ㉡ ㉠에 따른 기간 이전의 기간으로서 ㉠에 따른 기간과 이어져 등록대상자가 다른 범죄로 교정시설 또는 치료감호시설에 수용된 기간 ㉢ ㉠에 따른 기간 이후의 기간으로서 ㉠에 따른 기간과 이어져 등록대상자가 다른 범죄로 교정시설 또는 치료감호시설에 수용된 기간 ⑥ 법무부장관은 제44조 제1항에 따른 등록 당시 등록대상자가 교정시설 또는 치료감호시설에 수용 중인 경우에는 등록대상자가 석방된 후 지체 없이 등록정보를 등록대상자의 관할 경찰관서의 장에게 송부하여야 한다. ⑦ 관할 경찰관서의 장은 등록기간 중 다음의 구분에 따른 기간마다 등록대상자와의 직접 대면 등의 방법으로 등록정보의 진위와 변경 여부를 확인하여 그 결과를 법무부장관에게 송부하여야 한다. ㉠ ①에 따른 등록기간이 30년인 등록대상자: 3개월 ㉡ ①에 따른 등록기간이 20년 또는 15년인 등록대상자: 6개월 ㉢ ①에 따른 등록기간이 10년인 등록대상자: 1년 ⑧ 제7항 제2호 및 제3호에도 불구하고 관할 경찰관서의 장은 다음의 구분에 따른 기간 동안에는 3개월마다 ⑦의 결과를 법무부장관에게 송부하여야 한다. ㉠ 아동 · 청소년의 성보호에 관한 법률 제49조에 따른 공개대상자인 경우: 공개기간 ㉡ 아동 · 청소년의 성보호에 관한 법률 제50조에 따른 고지대상자인 경우: 고지기간
신상정보 등록의 면제 (제45조의2)	① 신상정보 등록의 원인이 된 성범죄로 형의 선고를 유예받은 사람이 선고유예를 받은 날부터 2년이 경과하여 형법 제60조에 따라 면소된 것으로 간주되면 신상정보 등록을 면제한다. ② 등록대상자는 다음의 구분에 따른 기간(교정시설 또는 치료감호시설에 수용된 기간은 제외한다)이 경과한 경우에는 법무부령으로 정하는 신청서를 법무부장관에게 제출하여 신상정보 등록의 면제를 신청할 수 있다. ㉠ 제45조 제1항에 따른 등록기간이 30년인 등록대상자: 최초등록일부터 20년 ㉡ 제45조 제1항에 따른 등록기간이 20년인 등록대상자: 최초등록일부터 15년 ㉢ 제45조 제1항에 따른 등록기간이 15년인 등록대상자: 최초등록일부터 10년 ㉣ 제45조 제1항에 따른 등록기간이 10년인 등록대상자: 최초등록일부터 7년 ③ 법무부장관은 ②에 따라 등록의 면제를 신청한 등록대상자가 다음의 요건을 모두 갖춘 경우에는 신상정보 등록을 면제한다. ㉠ 등록기간 중 등록대상 성범죄를 저질러 유죄판결이 확정된 사실이 없을 것 ㉡ 신상정보 등록의 원인이 된 성범죄로 선고받은 징역형 또는 금고형의 집행을 종료하거나 벌금을 완납하였을 것

신상정보 등록의 면제 (제45조의2)	㉢ 신상정보 등록의 원인이 된 성범죄로 부과받은 다음의 명령의 집행을 모두 종료하였을 것 ⓐ 아동·청소년의 성보호에 관한 법률에 따른 공개명령·고지명령 ⓑ 전자장치 부착 등에 관한 법률에 따른 전자장치 부착명령 ⓒ 성폭력범죄자의 성충동 약물치료에 관한 법률에 따른 약물치료명령 ㉣ 신상정보 등록의 원인이 된 성범죄로 부과받은 다음의 규정에 따른 보호관찰명령, 사회봉사명령, 수강명령 또는 이수명령의 집행을 완료하였을 것 ⓐ 제16조 제1항·제2항·제4항 및 제8항 ⓑ 형법 제62조의2 제1항 ⓒ 아동·청소년의 성보호에 관한 법률 제21조 제1항·제2항·제4항 및 같은 법 제61조 제3항 ⓓ 전자장치 부착 등에 관한 법률 제21조의3 ㉤ 등록기간 중 다음의 범죄를 저질러 유죄판결을 선고받아 그 판결이 확정된 사실이 없을 것 ⓐ 제50조 제3항 및 제5항의 범죄 ⓑ 아동·청소년의 성보호에 관한 법률 제65조 제3항·제5항 및 같은 법 제66조의 범죄 ⓒ 전자장치 부착 등에 관한 법률 제38조 및 제39조(성폭력범죄로 위치추적 전자장치의 부착명령이 집행 중인 사람으로 한정한다)의 범죄 ⓓ 성폭력범죄자의 성충동 약물치료에 관한 법률 제35조의 범죄 ④ 법무부장관은 ③의 각 사항에 따른 요건의 충족 여부를 확인하기 위하여 관계 행정기관의 장에게 협조(형의 실효 등에 관한 법률 제2조 제8호에 따른 범죄경력조회를 포함한다)를 요청하거나 등록대상자에게 필요한 자료의 제출을 요청할 수 있다. 이 경우 협조를 요청받은 관계 행정기관의 장은 지체 없이 이에 따라야 한다.
신상정보 등록의 종료 (제45조의3)	① 신상정보의 등록은 다음의 어느 하나에 해당하는 때에 종료된다. ㉠ 제45조 제1항의 등록기간이 지난 때 ㉡ 제45조의2에 따라 등록이 면제된 때 ② 법무부장관은 ①에 따라 등록이 종료된 신상정보를 즉시 폐기하여야 한다. ③ 법무부장관은 ②에 따라 등록정보를 폐기하는 경우에는 등록대상자가 정보통신망을 이용하여 폐기된 사실을 열람할 수 있도록 하여야 한다. 다만, 등록대상자가 신청하는 경우에는 폐기된 사실을 통지하여야 한다. ④ ③에 따른 등록정보 폐기 사실의 열람, 통지신청과 통지의 방법 및 절차 등에 필요한 사항은 대통령령으로 정한다.
등록정보의 활용 등 (제46조)	① 법무부장관은 등록정보를 등록대상 성범죄와 관련한 범죄 예방 및 수사에 활용하게 하기 위하여 검사 또는 각급 경찰관서의 장에게 배포할 수 있다. ② ①에 따른 등록정보의 배포절차 및 관리 등에 관한 사항은 대통령령으로 정한다.
등록정보의 공개 (제47조)	① 등록정보의 공개에 관하여는 아동·청소년의 성보호에 관한 법률 제49조, 제50조, 제52조, 제54조, 제55조 및 제65조를 적용한다. ② 등록정보의 공개는 여성가족부장관이 집행한다. ③ 법무부장관은 등록정보의 공개에 필요한 정보를 여성가족부장관에게 송부하여야 한다. ④ ③에 따른 정보 송부에 관하여 필요한 사항은 대통령령으로 정한다.
비밀준수 (제48조)	등록대상자의 신상정보의 등록·보존 및 관리 업무에 종사하거나 종사하였던 자는 직무상 알게 된 등록정보를 누설하여서는 아니 된다.
등록정보의 고지 (제49조)	① 등록정보의 고지에 관하여는 아동·청소년의 성보호에 관한 법률 제50조 및 제51조를 적용한다. ② 등록정보의 고지는 여성가족부장관이 집행한다. ③ 법무부장관은 등록정보의 고지에 필요한 정보를 여성가족부장관에게 송부하여야 한다. ④ ③에 따른 정보 송부에 관한 세부사항은 대통령령으로 정한다.

2. 성폭력범죄의 수사 및 피해자 보호에 관한 규칙

이 규칙은 성폭력범죄 수사의 전문성을 제고하고 피해자 보호를 강화하는 것을 목적으로 한다.

(1) 서설

① 정의(제2조)

성폭력범죄	「성폭력범죄의 처벌 등에 관한 특례법」 제2조의 성폭력범죄를 말한다.
아동 · 청소년대상 성폭력범죄	「아동 · 청소년의 성보호에 관한 법률」 제2조제3호의 아동 · 청소년대상 성폭력범죄를 말한다.
피해아동 · 청소년	「아동 · 청소년의 성보호에 관한 법률」 제2조제6호의 피해아동 · 청소년을 말한다.
범죄신고자등	「특정범죄신고자 등 보호법」 제2조제3호의 범죄신고자등을 말한다.
피해자등	성폭력범죄의 피해자와 그 법정대리인을 말한다.

② 적용범위(제3조)

성폭력범죄의 수사에 관하여 다른 법령에 특별한 규정이 있는 경우를 제외하고는 이 규칙이 정하는 바에 따른다.

③ 다른 규칙과의 관계(제4조)

성폭력범죄의 수사에 관하여 이 규칙으로 정하고 있지 않은 사항에 대해서는 범죄수사규칙을 준용한다.

(2) 전담수사제

전담수사부서의 운영 (제5조)	① 경찰서장은 성폭력범죄 전담수사부서에서 성폭력범죄의 수사를 전담하게 한다. 다만, 성폭력범죄 전담수사부서가 설치되지 않은 경우 다른 수사부서에서 성폭력범죄의 수사를 담당하게 한다. ② 시 · 도경찰청장은 제1항의 규정에도 불구하고 피해자가 13세 미만이거나 신체적인 또는 정신적인 장애로 사물을 변별하거나 의사를 결정할 능력이 미약한 경우에는 특별한 사정이 없으면 시 · 도경찰청에 설치된 성폭력범죄 전담수사부서에서 성폭력범죄의 수사를 담당하게 한다.
전담조사관의 지정 (제6조)	① 시 · 도경찰청장 및 경찰서장은 소속 경찰공무원 중에서 성폭력범죄 전담조사관을 지정하여 성폭력범죄 피해자의 조사를 전담하게 한다. ② 시 · 도경찰청장 및 경찰서장은 특별한 사정이 없으면 수사경과자 중에서 제7조제1항의 교육을 이수한 사람을 성폭력범죄 전담조사관으로 지정하되, 1인 이상을 여성경찰관으로 지정해야 한다. ③ 성폭력범죄 전담수사부서가 설치되지 않은 경찰서의 경찰서장은 수사를 담당하는 부서에 근무하는 경찰관 중에서 성폭력범죄 전담조사관을 지정한다.
교육 (제7조)	① 경찰수사연수원장은 성폭력범죄의 수사에 필요한 전문지식과 피해자 보호를 위한 수사방법 및 수사절차, 아동 심리 및 아동 · 장애인 조사 면담기법 등에 관한 교육과정을 운영한다. ② 시 · 도경찰청장 및 경찰서장은 ①에서 규정한 교육을 이수하지 않은 사람을 성폭력범죄 전담조사관으로 지정한 경우에는 지정한 날부터 6개월 이내에 교육을 이수하도록 한다. ③ 시 · 도경찰청장은 해당 시 · 도경찰청 및 경찰서 소속 성폭력범죄 전담조사관을 대상으로, 경찰서장은 해당 경찰서 소속 경찰관을 대상으로 매년 1회 이상 성폭력범죄의 수사 및 피해자 보호에 관하여 교육한다. ④ 성폭력범죄 전담조사관은 제6조에 의하여 지정된 날부터 1개월 이내에 경찰청에서 운영하는 사이버교육 중 성폭력 수사 교육을 이수하여야 한다.

피해자 보호지원관의 운영 (제8조)	① 시·도경찰청장 및 경찰서장은 소속 시·도경찰청 및 경찰서에 근무하는 성폭력범죄 전담조사관 중에서 1인을 피해자 보호지원관으로 지정한다. ② 피해자 보호지원관은 수사과정 및 수사종결 후의 피해자 보호·지원 업무와 소속 시·도경찰청·경찰서에 근무하는 경찰관을 대상으로 하는 피해자 보호에 관한 교육 업무를 담당한다. ③ 시·도경찰청장 및 경찰서장은 원활한 피해자 보호·지원을 위하여 사건담당 경찰관으로 하여금 피해자 보호지원관을 도와 피해자 보호·지원업무를 수행하도록 해야 한다.

(3) 현장 조치

현장임장 (제9조)	성폭력범죄 전담조사관은 특별한 사정이 없는 한 성폭력 사건이 발생한 경우 지체없이 현장에 임장한다.
현장출동 시 유의사항 (제10조)	① 경찰관은 피해자의 성폭력 피해사실이 제3자에게 알려지지 않도록 출동 시 신속성을 저해하지 않는 범위에서 경광등을 소등하거나 인근에서 하차하여 도보로 이동하는 등 피해자 보호를 위하여 노력하여야 한다. ② 경찰관은 현장에서 성폭력범죄 피의자를 검거한 경우에는 즉시 피해자와 분리조치하고, 경찰관서로 동행할 때에도 분리하여 이동한다. ③ 경찰관은 친족에 의한 아동성폭력 사건의 피의자를 체포할 경우에는 특별한 사정이 없는 한 피해자와 분리조치 후 체포하여야 한다. ④ 경찰관은 용의자를 신속히 검거하기 위하여 제11조의 조치에 지장이 없는 범위에서 피해자로부터 간이진술을 청취하거나 피해자와 동행하여 현장 주변을 수색할 수 있다. 이 경우 경찰관은 반드시 피해자의 명시적 동의를 받아야 한다.
피해자 후송 (제11조)	① 경찰관은 피해자의 치료가 필요한 경우에는 즉시 피해자를 가까운 통합지원센터 또는 성폭력 전담의료기관으로 후송한다. 다만, 피해자가 원하지 않는 경우에는 그러하지 아니하다. ② 경찰관은 성폭력범죄의 피해자가 13세 미만이거나 신체적인 또는 정신적인 장애로 사물을 변별하거나 의사를 결정할 능력이 미약한 경우에는 통합지원센터나 성폭력 전담의료기관과 연계하여 치료, 상담 및 조사를 병행한다. 다만, 피해자가 원하지 않는 경우에는 그러하지 아니하다. ③ 제1항 및 제2항에도 불구하고 통합지원센터나 성폭력 전담의료기관의 거리가 멀어 신속한 치료가 어려운 경우에는 가까운 의료기관과 연계할 수 있다.
범죄피해자 안전조치 (제12조)	① 시·도경찰청장 및 경찰서장은 성폭력범죄의 피해자·신고자 및 그 친족 또는 동거인, 그 밖의 밀접한 인적 관계에 있는 사람이 보복을 당할 우려가 있는 경우에는 소속 경찰관으로 하여금 안전을 위하여 필요한 조치를 하도록 해야 한다. ② 경찰관은 성폭력범죄의 수사·조사 및 상담 과정에서 성폭력범죄의 피해자·신고자 및 그 친족 또는 동거인, 그 밖의 사람이 보복을 당할 우려가 있는 경우에는 범죄피해자 안전조치를 하거나 대상자의 주거지 또는 현재지를 관할하는 경찰서의 경찰서장에게 범죄피해자 안전조치를 요청해야 한다. 다만, 대상자가 원하지 않는 경우에는 그렇지 않다. ③ 범죄피해자 안전조치의 종류는 다음 각 호의 어느 하나와 같다. 1. 피해자 보호시설 등 특정시설에서의 보호 2. 외출·귀가 시 동행, 수사기관 출석 시 동행 및 경호 3. 임시숙소 제공 4. 주거지 순찰강화, 폐쇄회로 텔레비전의 설치 등 주거에 대한 보호 5. 비상연락망 구축 6. 그 밖에 안전에 필요하다고 인정되는 조치

피해아동·청소년의 보호 (제13조)	① 경찰관은 아동·청소년대상 성폭력범죄를 저지른 자가 피해아동·청소년과 「가정폭력범죄의 처벌 등에 관한 특례법」 제2조제2호의 가정구성원인 관계이면서 피해아동·청소년을 보호할 필요가 있는 때에는 피해아동·청소년 또는 그 법정대리인의 신청에 의하거나 직권으로 성폭력범죄를 저지른 자에 대하여 같은 법 제29조제1항제1호부터 제3호의 임시조치를 검사에게 신청할 수 있다. ② 경찰관은 성폭력범죄를 저지른 자가 제1항의 임시조치를 위반하여 다시 성폭력범죄를 저지를 우려가 있다고 인정하는 경우에는 「가정폭력범죄의 처벌 등에 관한 특례법」 제29조제1항제5호의 임시조치를 검사에게 신청할 수 있다.
권리고지 (제14조)	① 경찰관은 성폭력범죄의 피해자등과 상담하거나 피해자를 조사할 때 국선변호인 선임, 피해자와 신뢰관계에 있는 자(이하 '신뢰관계자'라 한다)의 동석, 진술조력인 참여, 신분·사생활 비밀보장, 신변안전조치 및 상담·법률·의료지원에 관한 사항을 피해자등에게 고지하여야 한다. ② 경찰관은 제1항의 내용을 고지할 때 피해자등의 인지능력·생활환경·심리상태 등을 감안하여 구체적인 내용을 설명하여 피해자등이 권리·지원내용을 충분히 이해할 수 있도록 하여야 한다.
인적사항의 공개 금지 (제15조)	경찰관은 성폭력 사건의 피해자나 범죄신고자등의 성명, 나이, 주소, 직업, 용모 등에 의하여 그가 피해자나 범죄신고자등임을 미루어 알 수 있는 정도의 사실이나 사진 등 또는 사생활에 관한 비밀을 공개하거나 제3자에게 누설하여서는 아니 된다.
증거수집 (제16조)	경찰관은 피해자의 신체에서 증거를 채취할 때에는 반드시 피해자의 명시적인 동의를 받아야 하며, 특별한 사정이 없는 한 의사 또는 간호사의 도움을 받아 증거를 수집하여야 한다.

(4) 조사

조사의 준비 (제17조)	① 경찰관은 피해자를 조사하기 전에 피해자의 연령, 인지능력, 가족관계 및 생활환경 등을 확인하여야 한다. ② 경찰관은 확인한 결과를 토대로 피해자의 의견, 건강 및 심리 상태 등을 충분히 고려하여 조사의 시기·장소 및 방법을 결정하여야 한다. ③ 경찰관은 조사의 시기·장소 및 방법을 결정할 때 제27조의 전문가 및 제28조의 진술조력인의 의견을 들을 수 있다.
조사 시 유의사항 (제18조)	① 시·도경찰청장 및 경찰서장은 특별한 사정이 없으면 성폭력 피해자를 동성 성폭력범죄 전담조사관이 조사하도록 해야 한다. 다만, 피해자가 원하는 경우에는 신뢰관계자, 진술조력인 또는 다른 경찰관으로 하여금 입회하게 하고 별지 제1호 서식에 의해 서면으로 동의를 받아 이성 성폭력범죄 전담조사관으로 하여금 조사하게 할 수 있다. ② 경찰관은 성폭력 피해자를 조사할 때에는 제17조의 준비를 거쳐 1회에 수사상 필요한 모든 내용을 조사하는 등 조사 횟수를 최소화하기 위하여 노력하여야 한다. ③ 경찰관은 피해자의 입장을 최대한 존중하여 가급적 피해자가 원하는 시간에 진술녹화실 등 평온하고 공개되지 않은 장소에서 조사하고, 공개된 장소에서의 조사로 인하여 신분이 노출되지 않도록 유의하여야 한다. ④ 경찰관은 성폭력 피해자에 대한 조사와 피의자에 대한 신문을 분리하여 실시하고, 대질신문은 반드시 필요한 경우에만 예외적으로 실시하되, 시기·장소 및 방법에 관하여 피해자의 의사를 최대한 존중하여야 한다. ⑤ 경찰관은 피해자로 하여금 가해자를 확인하게 할 때는 반드시 범인식별실 또는 진술녹화실을 활용하여 피해자와 가해자가 대면하지 않도록 하고, 동시에 다수의 사람 중에서 가해자를 확인하도록 하여야 한다.

변호사 선임의 특례 (제19조)	① 경찰관은 성폭력범죄의 피해자등에게 변호사를 선임할 수 있고 국선변호사 선정을 요청할 수 있음을 고지하여야 한다. ② 경찰관은 피해자등이 국선변호사 선정을 요청한 때에는 검사에게 통보하여야 한다. 다만, 19세 미만인 피해자나 신체적인 또는 정신적인 장애로 사물을 변별하거나 의사를 결정할 능력이 미약한 피해자(이하 "19세미만피해자등"이라 한다.)에게 변호사가 없는 경우에는 피해자등이 요청하지 않은 때에도 검사에게 통보해야 한다. ③ 경찰관은 성폭력범죄의 피해자가 변호사를 선임하거나 검사가 국선변호사를 선정한 경우 변호사가 조사과정에 참여하게 하여야 한다. ④ 경찰관은 조사 중에 변호사가 의견 진술을 요청할 경우, 조사를 방해하는 등의 특별한 사정이 없는 한 승인하여야 한다.
인적사항의 기재 생략 (제20조)	① 경찰관은 성폭력 사건처리와 관련하여 조서나 그 밖의 서류를 작성할 때 피해자 또는 범죄신고자등의 신원이 알려질 수 있는 사항에 대해서는 그 전부 또는 일부를 기재하지 아니할 수 있고, 이 때 범죄신고자등 신원관리카드에 인적사항을 등재한다. ② ①에 따라 인적사항을 기재하지 않을 때에는 피해자, 범죄신고자등의 서명은 가명(假名)으로, 간인(間印) 및 날인(捺印)은 무인(拇印)으로 하게 하여야 한다.
신뢰관계자의 동석 (제21조)	① 경찰관은 피해자를 조사할 때 신뢰관계자를 동석하게 할 수 있다. 이 경우 신뢰관계자로부터 신뢰관계자 동석 확인서 및 피해자와의 관계를 소명할 서류를 제출받아 이를 기록에 편철한다. ② 경찰관은 다음 각 호의 어느 하나에 해당하는 피해자를 조사하는 경우에는 수사에 지장을 줄 우려가 있는 등 부득이한 경우가 아니면 피해자와 신뢰관계자를 동석하게 해야 한다. 1. 「성폭력범죄의 처벌 등에 관한 특례법」제3조부터 제8조까지, 같은 법 제10조, 제14조, 제14조의2, 제14조의3, 제15조(같은 법 제9조의 미수범은 제외한다), 제15조의2에 따른 범죄의 피해자 2. 19세미만피해자등 ③ 경찰관은 19세미만피해자등에게 동의를 받아 성폭력 상담을 지원하는 상담소의 상담원 등을 신뢰관계자로 동석하게 할 수 있다. ④ 제1항부터 제3항에 해당하는 경우 경찰관은 신뢰관계자라도 피해자에게 불리한 영향을 미칠 우려가 현저하거나 피해자가 원하지 아니하는 경우에는 동석하게 하여서는 아니 된다.
영상물의 촬영·보존 (제22조)	① 경찰관은 성폭력범죄의 피해자를 조사할 때에는 진술내용과 조사과정을 영상물 녹화장치로 촬영·보존할 수 있다. 다만, 피해자가 19세미만피해자등인 경우에는 반드시 촬영·보존해야 한다. ② 경찰관은 영상녹화를 할 때에는 피해자등에게 영상녹화의 취지 등을 설명하고 동의 여부를 확인하여야 하며, 피해자등이 녹화를 원하지 않는 의사를 표시한 때에는 촬영을 하여서는 아니 된다. 다만, 가해자가 친권자 중 일방인 경우에는 그러하지 아니하다.
영상녹화의 방법 (제23조)	경찰관은 영상물을 녹화할 때에는 조사의 시작부터 조서에 기명날인 또는 서명을 마치는 시점까지의 모든 과정을 영상녹화하고, 녹화완료 시 그 원본을 피해자 또는 변호사 앞에서 봉인하고 피해자로 하여금 기명날인 또는 서명하게 하여야 한다.
영상녹화 시 유의사항 (제24조)	경찰관은 피해자등의 진술을 녹화하는 경우에 다음 각 호의 사항에 유의하여야 한다. 1. 피해자의 신원에 관한 사항은 녹화 전에 서면으로 작성하고 녹화 시 진술하지 않게 하여 영상물에 포함되지 않도록 한다. 2. 신뢰관계자 또는 진술조력인이 동석하여 녹화를 할 때에는, 신뢰관계자 또는 진술조력인이 조사실을 이탈할 경우 녹화를 일시적으로 중단하고 조사실로 돌아온 후 녹화를 재개한다. 3. 피해자등이 신청하는 경우 영상물 촬영과정에서 작성한 조서의 사본을 발급하거나 영상물을 재생하여 시청하게 하고, 그 내용에 대하여 이의를 진술하는 때에는 그 취지를 기재한 서면을 첨부한다.

전문가의 의견 조회 (제27조)	① 경찰관은 정신건강의학과 의사, 심리학자, 사회복지학자 그 밖의 관련 전문가 중 경찰청장이 지정한 전문가로부터 행위자 또는 피해자의 정신·심리상태에 대한 진단소견 및 피해자의 진술내용에 관한 의견을 조회할 수 있다. 다만, 피해자가 13세 미만이거나 신체적인 또는 정신적인 장애로 사물을 변별하거나 의사를 결정할 능력이 미약한 경우에는 반드시 전문가로부터 의견을 조회하여야 한다. ② 경찰관은 피해자가 신체적인 또는 정신적인 장애로 사물을 변별하거나 의사를 결정할 능력이 미약한지 여부가 명확하지 않은 경우에는 전문가로부터 사물을 변별하거나 의사를 결정할 능력이 있는지 여부에 대한 의견을 조회하여야 한다.
진술조력인의 참여 (제28조)	① 경찰관은 성폭력범죄의 피해자가 19세미만피해자등인 경우 직권이나 피해자등 또는 변호사의 신청에 따라 진술조력인이 조사과정에 참여하게 할 수 있다. 다만, 피해자등이 이를 원하지 않을 때는 그렇지 않다. ② 경찰관은 제1항의 피해자를 조사하기 전에 피해자등 또는 변호사에게 진술조력인에 의한 의사소통 중개나 보조를 신청할 수 있음을 고지하여야 한다. ③ 경찰관은 피의자 또는 피해자의 친족이거나 친족이었던 사람, 법정대리인, 대리인 또는 변호사를 진술조력인으로 선정해서는 아니 된다. ④ 경찰관은 「진술조력인의 선정 등에 관한 규칙」 제15조 제1항 제1호·제2호에 해당할 때에는 해당 사건의 진술조력인 선정을 취소해야 하고, 같은 항 제3호부터 제6호에 해당할 때에는 취소할 수 있다. ⑤ 경찰관은 진술조력인이 조사에 참여한 경우에는 진술조서에 그 취지를 기재하고, 진술조력인으로 하여금 진술조서 및 영상녹화물에 기명날인 또는 서명을 하도록 하여야 한다.

07 가정폭력범죄의 처벌 등에 관한 특례법

1. 목적(제1조)

가정폭력범죄의 처벌 등에 관한 특례법(이하 '법'이라 한다)은 가정폭력범죄의 형사처벌 절차에 관한 특례를 정하고 가정폭력범죄를 범한 사람에 대하여 환경의 조정과 성행(性行)의 교정을 위한 보호처분을 함으로써 가정폭력범죄로 파괴된 가정의 평화와 안정을 회복하고 건강한 가정을 가꾸며 피해자와 가족구성원의 인권을 보호함을 목적으로 한다.

2. 용어의 정의(제2조)

이 법에서 사용하는 용어의 뜻은 다음과 같다.

가정폭력	가정구성원 사이의 신체적, 정신적 또는 재산상 피해를 수반하는 행위를 말한다.
가정구성원	다음의 어느 하나에 해당하는 사람을 말한다. ① 배우자(사실상 혼인관계에 있는 사람을 포함한다) 또는 배우자였던 사람 ② 자기 또는 배우자와 직계존비속관계(사실상의 양친자관계를 포함한다)에 있거나 있었던 사람 ③ 계부모와 자녀의 관계 또는 적모(嫡母)와 서자(庶子)의 관계에 있거나 있었던 사람 ④ 동거하는 친족

가정폭력범죄	가정폭력으로서 다음의 어느 하나에 해당하는 죄를 말한다. ① 형법 제2편 제25장 상해와 폭행의 죄 중 제257조(상해, 존속상해), 제258조(중상해, 존속중상해), 제260조(폭행, 존속폭행) 제1항・제2항, 제261조(특수폭행) 및 제264조(상습범)의 죄 ② 형법 제2편 제28장 유기와 학대의 죄 중 제271조(유기, 존속유기) 제1항・제2항, 제272조(영아유기), 제273조(학대, 존속학대) 및 제274조(아동혹사)의 죄 ③ 형법 제2편 제29장 체포와 감금의 죄 중 제276조(체포, 감금, 존속체포, 존속감금), 제277조(중체포, 중감금, 존속중체포, 존속중감금), 제278조(특수체포, 특수감금), 제279조(상습범) 및 제280조(미수범)의 죄 ④ 형법 제2편 제30장 협박의 죄 중 제283조(협박, 존속협박) 제1항・제2항, 제284조(특수협박), 제285조(상습범)(제283조의 죄에만 해당한다) 및 제286조(미수범)의 죄 ⑤ 형법 제2편 제32장 강간과 추행의 죄 중 제297조(강간), 제297조의2(유사강간), 제298조(강제추행), 제299조(준강간, 준강제추행), 제300조(미수범), 제301조(강간 등 상해・치상), 제301조의2(강간 등 살인・치사), 제302조(미성년자 등에 대한 간음), 제305조(미성년자에 대한 간음, 추행), 제305조의2(상습범)(제297조, 제297조의2, 제298조부터 제300조까지의 죄에 한한다)의 죄 ⑥ 형법 제2편 제33장 명예에 관한 죄 중 제307조(명예훼손), 제308조(사자의 명예훼손), 제309조(출판물 등에 의한 명예훼손) 및 제311조(모욕)의 죄 ⑦ 형법 제2편 제36장 주거침입의 죄 ⑧ 형법 제2편 제37장 권리행사를 방해하는 죄 중 제324조(강요) 및 제324조의5(미수범)(제324조의 죄에만 해당한다)의 죄 ⑨ 형법 제2편 제39장 사기와 공갈의 죄 중 제350조(공갈), 제350조의2(특수공갈) 및 제352조(미수범)(제350조의 죄에만 해당한다)의 죄 ⑩ 형법 제2편 제42장 손괴의 죄 중 제366조(재물손괴 등) 및 제369조(특수손괴) 제1항의 죄 ⑪ 성폭력범죄의 처벌 등에 관한 특례법 제14조(카메라 등을 이용한 촬영) 및 제15조(미수범)(제14조의 죄에만 해당한다)의 죄 ⑫ 정보통신망 이용촉진 및 정보보호 등에 관한 법률 제74조 제1항 제4호의 죄 ⑬ ①부터 ⑫까지의 죄로서 다른 법률에 따라 가중처벌되는 죄
가정폭력행위자	가정폭력범죄를 범한 사람 및 가정구성원인 공범을 말한다.
피해자	가정폭력범죄로 인하여 직접적으로 피해를 입은 사람을 말한다.
가정보호사건	가정폭력범죄로 인하여 이 법에 따른 보호처분의 대상이 되는 사건을 말한다.
보호처분	법원이 가정보호사건에 대하여 심리를 거쳐 가정폭력행위자에게 하는 제40조에 따른 처분을 말한다.
피해자보호명령사건	가정폭력범죄로 인하여 제55조의2에 따른 피해자보호명령의 대상이 되는 사건을 말한다.
아동	아동복지법 제3조 제1호에 따른 아동을 말한다. **아동복지법** **제3조 【정의】** 이 법에서 사용하는 용어의 뜻은 다음과 같다. 1. '아동'이란 18세 미만인 사람을 말한다.

3. 다른 법률과의 관계(제3조)

가정폭력범죄에 대하여는 이 법을 우선 적용한다. 다만, 아동학대범죄에 대하여는 아동학대범죄의 처벌 등에 관한 특례법을 우선 적용한다.

4. 가정보호사건

(1) 신고의무(제4조)

① 누구든지 가정폭력범죄를 알게 된 경우에는 수사기관에 신고할 수 있다.

② 그러나 다음의 어느 하나에 해당하는 사람이 직무를 수행하면서 가정폭력범죄를 알게 된 경우에는 정당한 사유가 없으면 즉시 수사기관에 신고하여야 한다.

㉠ 아동의 교육과 보호를 담당하는 기관의 종사자와 그 기관장

㉡ 아동, 60세 이상의 노인, 그 밖에 정상적인 판단 능력이 결여된 사람의 치료 등을 담당하는 의료인 및 의료기관의 장

㉢ 노인복지법에 따른 노인복지시설, 아동복지법에 따른 아동복지시설, 장애인복지법에 따른 장애인복지시설의 종사자와 그 기관장

㉣ 다문화가족지원법에 따른 다문화가족지원센터의 전문인력과 그 장

㉤ 결혼중개업의 관리에 관한 법률에 따른 국제결혼중개업자와 그 종사자

㉥ 소방기본법에 따른 구조대・구급대의 대원

㉦ 사회복지사업법에 따른 사회복지 전담공무원

㉧ 건강가정기본법에 따른 건강가정지원센터의 종사자와 그 센터의 장

③ 아동복지법에 따른 아동상담소, 가정폭력방지 및 피해자보호 등에 관한 법률에 따른 가정폭력 관련 상담소 및 보호시설, 성폭력방지 및 피해자보호 등에 관한 법률에 따른 성폭력피해상담소 및 보호시설(이하 '상담소 등'이라 한다)에 근무하는 상담원과 그 기관장은 피해자 또는 피해자의 법정대리인 등과의 상담을 통하여 가정폭력범죄를 알게 된 경우에는 가정폭력피해자의 명시적인 반대의견이 없으면 즉시 신고하여야 한다.

(2) 가정폭력범죄에 대한 응급조치(제5조)

진행 중인 가정폭력범죄에 대하여 신고를 받은 사법경찰관리는 즉시 현장에 나가서 다음의 조치를 하여야 한다.

① 폭력행위의 제지, 가정폭력행위자・피해자의 분리

② 형사소송법 제212조에 따른 현행범인의 체포 등 범죄수사

③ 피해자를 가정폭력 관련 상담소 또는 보호시설로 인도(피해자가 동의한 경우만 해당한다)

④ 긴급치료가 필요한 피해자를 의료기관으로 인도

⑤ 폭력행위 재발시 제8조에 따라 임시조치를 신청할 수 있음을 통보

⑥ 제55조의2에 따른 피해자보호명령 또는 신변안전조치를 청구할 수 있음을 고지

(3) 고소에 관한 특례(제6조)

① 피해자 또는 그 법정대리인은 가정폭력행위자를 고소할 수 있다. 피해자의 법정대리인이 가정폭력행위자인 경우 또는 가정폭력행위자와 공동으로 가정폭력범죄를 범한 경우에는 피해자의 친족이 고소할 수 있다.

② 피해자는 형사소송법 제224조에도 불구하고 가정폭력행위자가 자기 또는 배우자의 직계존속인 경우에도 고소할 수 있다. 법정대리인이 고소하는 경우에도 또한 같다.

③ 피해자에게 고소할 법정대리인이나 친족이 없는 경우에 이해관계인이 신청하면 검사는 10일 이내에 고소할 수 있는 사람을 지정하여야 한다.

(4) 사법경찰관의 사건 송치(제7조)

사법경찰관은 가정폭력범죄를 신속히 수사하여 사건을 검사에게 송치하여야 한다. 이 경우 사법경찰관은 해당 사건을 가정보호사건으로 처리하는 것이 적절한지에 관한 의견을 제시할 수 있다.

(5) 임시조치의 청구 등(제8조)

① 검사는 가정폭력범죄가 재발될 우려가 있다고 인정하는 경우에는 직권으로 또는 사법경찰관의 신청에 의하여 법원에 제29조 제1항 제1호·제2호 또는 제3호의 임시조치를 청구할 수 있다.

② 검사는 가정폭력행위자가 위 ①의 청구에 의하여 결정된 임시조치를 위반하여 가정폭력범죄가 재발될 우려가 있다고 인정하는 경우에는 직권으로 또는 사법경찰관의 신청에 의하여 법원에 제29조 제1항 제5호의 임시조치를 청구할 수 있다.

가정폭력범죄의 처벌 등에 관한 특례법

제29조 【임시조치】 ① 판사는 가정보호사건의 원활한 조사·심리 또는 피해자 보호를 위하여 필요하다고 인정하는 경우에는 결정으로 가정폭력행위자에게 다음의 어느 하나에 해당하는 임시조치를 할 수 있다.

1. 피해자 또는 가정구성원의 주거 또는 점유하는 방실(房室)로부터의 퇴거 등 격리
2. 피해자 또는 가정구성원의 그 주거·직장 등에서 100m 이내의 접근금지
3. 피해자 또는 가정구성원에 대한 전기통신기본법 제2조 제1호의 전기통신을 이용한 접근금지
4. 의료기관이나 그 밖의 요양소에의 위탁
5. 국가경찰관서의 유치장 또는 구치소에의 유치
6. 상담소 등에의 상담위탁

② 동행영장에 의하여 동행한 가정폭력행위자 또는 제13조에 따라 인도된 가정폭력행위자에 대하여는 가정폭력행위자가 법원에 인치된 때부터 24시간 이내에 제1항의 조치 여부를 결정하여야 한다.

⑤ 제1항제1호부터 제3호까지의 임시조치기간은 2개월, 같은 항 제4호부터 제6호까지의 임시조치기간은 1개월을 초과할 수 없다. 다만, 피해자의 보호를 위하여 그 기간을 연장할 필요가 있다고 인정하는 경우에는 결정으로 제1항제1호부터 제3호까지의 임시조치는 두 차례만, 같은 항 제4호부터 제6호까지의 임시조치는 한 차례만 각 기간의 범위에서 연장할 수 있다.

(6) 긴급임시조치(제8조의2)

① 사법경찰관은 제5조에 따른 응급조치에도 불구하고 가정폭력범죄가 재발될 우려가 있고, 긴급을 요하여 법원의 임시조치결정을 받을 수 없을 때에는 직권 또는 피해자나 그 법정대리인의 신청에 의하여 제29조 제1항 제1호부터 제3호까지의 어느 하나에 해당하는 조치(이하 '긴급임시조치'라 한다)를 할 수 있다.

② 사법경찰관은 긴급임시조치를 한 경우에는 즉시 긴급임시조치결정서를 작성하여야 한다. 긴급임시조치결정서에는 범죄사실의 요지, 긴급임시조치가 필요한 사유 등을 기재하여야 한다.

응급조치 · 임시조치 · 긴급임시조치의 비교

응급조치	임시조치	긴급임시조치
㉠ 폭력행위의 제지, 가정폭력행위자 · 피해자의 분리 ㉡ 형사소송법 제212조에 따른 현행범인의 체포 등 범죄수사 ㉢ 피해자를 가정폭력 관련 상담소 또는 보호시설로 인도(피해자가 동의한 경우만 해당한다) ㉣ 긴급치료가 필요한 피해자를 의료기관으로 인도 ㉤ 폭력행위 재발시 제8조에 따라 임시조치를 신청할 수 있음을 통보 ㉥ 제55조의2에 따른 피해자보호명령 또는 신변안전조치를 청구할 수 있음을 고지	㉠ 피해자 또는 가정구성원의 주거 또는 점유하는 방실(房室)로부터의 퇴거 등 격리 ㉡ 피해자 또는 가정구성원의 주거, 직장 등에서 100m 이내의 접근금지 ㉢ 피해자 또는 가정구성원에 대한 전기통신기본법 제2조 제1호의 전기통신을 이용한 접근금지 ㉣ 의료기관이나 그 밖의 요양소에의 위탁 ㉤ 국가경찰관서의 유치장 또는 구치소에의 유치 ㉥ 상담소 등에의 상담위탁	㉠ 피해자 또는 가정구성원의 주거 또는 점유하는 방실(房室)로부터의 퇴거 등 격리 ㉡ 피해자 또는 가정구성원의 주거, 직장 등에서 100m 이내의 접근금지 ㉢ 피해자 또는 가정구성원에 대한 전기통신기본법 제2조 제1호의 전기통신을 이용한 접근금지

(7) 긴급임시조치와 임시조치의 청구(제8조의3)

① 사법경찰관이 긴급임시조치를 한 때에는 지체 없이 검사에게 임시조치를 신청하고, 신청받은 검사는 법원에 임시조치를 청구하여야 한다. 이 경우 임시조치의 청구는 긴급임시조치를 한 때부터 48시간 이내에 청구하여야 하며, 긴급임시조치결정서를 첨부하여야 한다.

② 임시조치를 청구하지 아니하거나 법원이 임시조치의 결정을 하지 아니한 때에는 즉시 긴급임시조치를 취소하여야 한다.

③ 동행영장에 의하여 동행한 가정폭력행위자 또는 인도된 가정폭력행위자에 대하여는 가정폭력행위자가 법원에 인치된 때부터 24시간 이내에 임시조치 여부를 결정하여야 한다.

(8) 가정보호사건의 처리(제9조)

① 검사는 가정폭력범죄로서 사건의 성질 · 동기 및 결과, 가정폭력행위자의 성행 등을 고려하여 이 법에 따른 보호처분을 하는 것이 적절하다고 인정하는 경우에는 가정보호사건으로 처리할 수 있다. 이 경우 검사는 피해자의 의사를 존중하여야 한다.

② 다음의 경우에는 가정보호사건으로 처리할 수 있다.

㉠ 피해자의 고소가 있어야 공소를 제기할 수 있는 가정폭력범죄에서 고소가 없거나 취소된 경우

㉡ 피해자의 명시적인 의사에 반하여 공소를 제기할 수 없는 가정폭력범죄에서 피해자가 처벌을 희망하지 아니한다는 명시적 의사표시를 하였거나 처벌을 희망하는 의사표시를 철회한 경우

(9) 보호처분의 효력(제16조)

보호처분이 확정된 경우에는 그 가정폭력행위자에 대하여 같은 범죄사실로 다시 공소를 제기할 수 없다. 다만, 보호처분이 취소되어 송치된 경우에는 그러하지 아니하다.

(10) 상담조건부 기소유예(제9조의2)

검사는 가정폭력사건을 수사한 결과 가정폭력행위자의 성행 교정을 위하여 필요하다고 인정하는 경우에는 상담조건부 기소유예를 할 수 있다.

⑾ 공소시효의 정지와 효력(제17조)

① 가정폭력범죄에 대한 공소시효는 해당 가정보호사건이 법원에 송치된 때부터 시효 진행이 정지된다. 다만, 다음의 어느 하나에 해당하는 경우에는 그 때부터 진행된다.

㉠ 해당 가정보호사건에 대한 제37조 제1항의 처분을 하지 아니한다는 결정(제1호의 사유에 따른 결정만 해당한다)이 확정된 때

㉡ 해당 가정보호사건이 제27조 제2항, 제37조 제2항 및 제46조에 따라 송치된 때

② 공범 중 1명에 대한 시효정지는 다른 공범자에게도 효력을 미친다.

5. 보호처분

⑴ 보호처분의 결정(제40조)

① 판사는 심리의 결과 보호처분이 필요하다고 인정하는 경우에는 결정으로 다음의 어느 하나에 해당하는 처분을 할 수 있다.

㉠ 가정폭력행위자가 피해자 또는 가정구성원에게 접근하는 행위의 제한

㉡ 가정폭력행위자가 피해자 또는 가정구성원에게 전기통신기본법 제2조 제1호의 전기통신을 이용하여 접근하는 행위의 제한

㉢ 가정폭력행위자가 친권자인 경우 피해자에 대한 친권 행사의 제한

㉣ 보호관찰 등에 관한 법률에 따른 사회봉사 · 수강명령

㉤ 보호관찰 등에 관한 법률에 따른 보호관찰

㉥ 법무부장관 소속으로 설치한 감호위탁시설 또는 법무부장관이 정하는 보호시설에의 감호위탁

㉦ 의료기관에의 치료위탁

㉧ 상담소 등에의 상담위탁

② ①의 각 사항의 처분은 병과(倂科)할 수 있다.

⑵ 보호처분의 기간(제41조)

보호처분의 기간은 6개월을 초과할 수 없으며, 사회봉사 · 수강명령의 시간은 200시간을 각각 초과할 수 없다.

⑶ 보호처분의 변경(제45조)

① 법원은 보호처분이 진행되는 동안 필요하다고 인정하는 경우에는 직권으로 또는 검사, 보호관찰관 또는 수탁기관의 장의 청구에 의하여 결정으로 한 차례만 보호처분의 종류와 기간을 변경할 수 있다.

② 보호처분의 종류와 기간을 변경하는 경우 종전의 처분기간을 합산하여 보호처분의 기간은 1년을, 사회봉사 · 수강명령의 시간은 400시간을 각각 초과할 수 없다.

⑷ 보호처분의 취소(제46조)

법원은 보호처분을 받은 가정폭력행위자가 보호처분결정을 이행하지 아니하거나 그 집행에 따르지 아니하면 직권으로 또는 검사, 피해자, 보호관찰관 또는 수탁기관의 장의 청구에 의하여 결정으로 그 보호처분을 취소하고 다음의 구분에 따라 처리하여야 한다.

① 검사가 송치한 사건인 경우에는 관할 법원에 대응하는 검찰청의 검사에게 송치

② 법원이 송치한 사건인 경우에는 송치한 법원에 이송

(5) 보호처분의 종료(제47조)

법원은 가정폭력행위자의 성행이 교정되어 정상적인 가정생활이 유지될 수 있다고 판단되거나 그 밖에 보호처분을 계속할 필요가 없다고 인정하는 경우에는 직권으로 또는 검사, 피해자, 보호관찰관 또는 수탁기관의 장의 청구에 의하여 결정으로 보호처분의 전부 또는 일부를 종료할 수 있다.

6. 피해자보호명령

(1) 피해자보호명령(제55조의2)

① 판사는 피해자의 보호를 위하여 필요하다고 인정하는 때에는 피해자, 그 법정대리인 또는 검사의 청구에 따라 결정으로 가정폭력행위자에게 다음의 어느 하나에 해당하는 피해자보호명령을 할 수 있다.

㉠ 피해자 또는 가정구성원의 주거 또는 점유하는 방실로부터의 퇴거 등 격리

㉡ 피해자 또는 가정구성원이나 그 주거·직장 등에서 100m 이내의 접근금지

㉢ 피해자 또는 가정구성원에 대한 전기통신사업법 제2조 제1호의 전기통신을 이용한 접근금지

㉣ 친권자인 가정폭력행위자의 피해자에 대한 친권행사의 제한

㉤ 가정폭력행위자의 피해자에 대한 면접교섭권행사의 제한

② ①의 각 사항의 피해자보호명령은 이를 병과할 수 있다.

③ 피해자, 그 법정대리인 또는 검사는 ①에 따른 피해자보호명령의 취소 또는 그 종류의 변경을 신청할 수 있다.

④ 판사는 직권 또는 ③에 따른 신청에 상당한 이유가 있다고 인정하는 때에는 결정으로 해당 피해자보호명령을 취소하거나 그 종류를 변경할 수 있다.

⑤ 법원은 피해자의 보호를 위하여 필요하다고 인정하는 경우에는 피해자 또는 그 법정대리인의 청구 또는 직권으로 일정 기간 동안 검사에게 피해자에 대하여 다음의 어느 하나에 해당하는 신변안전조치를 하도록 요청할 수 있다. 이 경우 검사는 피해자의 주거지 또는 현재지를 관할하는 경찰서장에게 신변안전조치를 하도록 요청할 수 있으며, 해당 경찰서장은 특별한 사유가 없으면 이에 따라야 한다.

㉠ 가정폭력행위자를 상대방 당사자로 하는 가정보호사건, 피해자보호명령사건 및 그 밖의 가사소송절차에 참석하기 위하여 법원에 출석하는 피해자에 대한 신변안전조치

㉡ 자녀에 대한 면접교섭권을 행사하는 피해자에 대한 신변안전조치

㉢ 그 밖에 피해자의 신변안전을 위하여 대통령령으로 정하는 조치

(2) 피해자보호명령의 기간(제55조의3)

피해자보호명령의 기간은 1년을 초과할 수 없다. 다만, 피해자의 보호를 위하여 그 기간의 연장이 필요하다고 인정하는 경우에는 직권이나 피해자, 그 법정대리인 또는 검사의 청구에 따른 결정으로 2개월 단위로 연장할 수 있다.

(3) 임시보호명령(제55조의4)

판사는 피해자보호명령의 청구가 있는 경우에 피해자의 보호를 위하여 필요하다고 인정하는 경우에는 결정으로 임시보호명령을 할 수 있다. 임시보호명령의 기간은 피해자보호명령의 결정시까지로 한다. 다만, 판사는 필요하다고 인정하는 경우에 그 기간을 제한할 수 있다.

08 스토킹범죄의 처벌 등에 관한 법률

1. 서설

(1) 목적(제1조)

이 법은 스토킹범죄의 처벌 및 그 절차에 관한 특례와 스토킹범죄 피해자에 대한 보호절차를 규정함으로써 피해자를 보호하고 건강한 사회질서의 확립에 이바지함을 목적으로 한다.

(2) 정의(제2조)

이 법에서 사용하는 용어의 뜻은 다음과 같다.

구분	내용
스토킹행위	상대방의 의사에 반(反)하여 정당한 이유 없이 다음의 어느 하나에 해당하는 행위를 하여 상대방에게 불안감 또는 공포심을 일으키는 것을 말한다. ① 상대방 또는 그의 동거인, 가족(이하 "상대방등"이라 한다)에게 접근하거나 따라다니거나 진로를 막아서는 행위 ② 상대방등의 주거, 직장, 학교, 그 밖에 일상적으로 생활하는 장소(이하 '주거 등'이라 한다) 또는 그 부근에서 기다리거나 지켜보는 행위 ③ 상대방등에게 우편·전화·팩스 또는 「정보통신망 이용촉진 및 정보보호 등에 관한 법률」 제2조제1항제1호의 정보통신망(이하 "정보통신망"이라 한다)을 이용하여 물건이나 글·말·부호·음향·그림·영상·화상(이하 "물건등"이라 한다)을 도달하게 하거나 정보통신망을 이용하는 프로그램 또는 전화의 기능에 의하여 글·말·부호·음향·그림·영상·화상이 상대방등에게 나타나게 하는 행위 ④ 상대방등에게 직접 또는 제3자를 통하여 물건 등을 도달하게 하거나 주거 등 또는 그 부근에 물건 등을 두는 행위 ⑤ 상대방등의 주거등 또는 그 부근에 놓여져 있는 물건 등을 훼손하는 행위 ⑥ 다음의 어느 하나에 해당하는 상대방등의 정보를 정보통신망을 이용하여 제3자에게 제공하거나 배포 또는 게시하는 행위 1) 「개인정보 보호법」 제2조제1호의 개인정보 2) 「위치정보의 보호 및 이용 등에 관한 법률」 제2조제2호의 개인위치정보 3) 1) 또는 2)의 정보를 편집·합성 또는 가공한 정보(해당 정보주체를 식별할 수 있는 경우로 한정한다) ⑦ 정보통신망을 통하여 상대방등의 이름, 명칭, 사진, 영상 또는 신분에 관한 정보를 이용하여 자신이 상대방등인 것처럼 가장하는 행위
스토킹범죄	지속적 또는 반복적으로 스토킹행위를 하는 것을 말한다.
피해자	스토킹범죄로 직접적인 피해를 입은 사람을 말한다.
피해자 등	피해자 및 스토킹행위의 상대방을 말한다.

2. 스토킹범죄 등의 처리절차

(1) 스토킹행위 신고 등에 대한 응급조치(제3조)

사법경찰관리는 진행 중인 스토킹행위에 대하여 신고를 받은 경우 즉시 현장에 나가 다음의 조치를 하여야 한다.

① 스토킹행위의 제지, 향후 스토킹행위의 중단 통보 및 스토킹행위를 지속적 또는 반복적으로 할 경우 처벌 서면경고

② 스토킹행위자와 피해자 등의 분리 및 범죄수사

③ 피해자 등에 대한 긴급응급조치 및 잠정조치 요청의 절차 등 안내

④ 스토킹 피해 관련 상담소 또는 보호시설로의 피해자 등 인도(피해자 등이 동의한 경우만 해당한다)

(2) 긴급응급조치(제4조)

① 사법경찰관은 스토킹행위 신고와 관련하여 스토킹행위가 지속적 또는 반복적으로 행하여질 우려가 있고 스토킹범죄의 예방을 위하여 긴급을 요하는 경우 스토킹행위자에게 직권으로 또는 스토킹행위의 상대방이나 그 법정대리인 또는 스토킹행위를 신고한 사람의 요청에 의하여 다음에 따른 조치를 할 수 있다.

㉠ 스토킹행위의 상대방등이나 그 주거 등으로부터 100미터 이내의 접근 금지

㉡ 스토킹행위의 상대방등에 대한 전기통신기본법 제2조 제1호의 전기통신을 이용한 접근 금지

② 사법경찰관은 ①에 따른 조치(이하 '긴급응급조치'라 한다)를 하였을 때에는 즉시 스토킹행위의 요지, 긴급응급조치가 필요한 사유, 긴급응급조치의 내용 등이 포함된 긴급응급조치결정서를 작성하여야 한다.

(3) 긴급응급조치의 승인 신청(제5조)

① 사법경찰관은 긴급응급조치를 하였을 때에는 지체 없이 검사에게 해당 긴급응급조치에 대한 사후승인을 지방법원 판사에게 청구하여 줄 것을 신청하여야 한다.

② ①의 신청을 받은 검사는 긴급응급조치가 있었던 때부터 48시간 이내에 지방법원 판사에게 해당 긴급응급조치에 대한 사후승인을 청구한다. 이 경우 위 (2)의 ②에 따라 작성된 긴급응급조치결정서를 첨부하여야 한다.

③ 지방법원 판사는 스토킹행위가 지속적 또는 반복적으로 행하여지는 것을 예방하기 위하여 필요하다고 인정하는 경우에는 ②에 따라 청구된 긴급응급조치를 승인할 수 있다.

④ 사법경찰관은 검사가 ②에 따라 긴급응급조치에 대한 사후승인을 청구하지 아니하거나 지방법원 판사가 ②의 청구에 대하여 사후승인을 하지 아니한 때에는 즉시 그 긴급응급조치를 취소하여야 한다.

⑤ 긴급응급조치기간은 1개월을 초과할 수 없다.

(4) 긴급응급조치의 통지 등(제6조)

① 사법경찰관은 긴급응급조치를 하는 경우에는 스토킹행위의 상대방등이나 그 법정대리인에게 통지하여야 한다.

② 사법경찰관은 긴급응급조치를 하는 경우에는 해당 긴급응급조치의 대상자(이하 '긴급응급조치대상자'라 한다)에게 조치의 내용 및 불복방법 등을 고지하여야 한다.

(5) 긴급응급조치의 변경 등(제7조)

① 긴급응급조치대상자나 그 법정대리인은 긴급응급조치의 취소 또는 그 종류의 변경을 사법경찰관에게 신청할 수 있다.

② 스토킹행위의 상대방등이나 그 법정대리인은 위 (2)의 ①의 ㉠의 긴급응급조치가 있은 후 스토킹행위의 상대방등이 주거 등을 옮긴 경우에는 사법경찰관에게 긴급응급조치의 변경을 신청할 수 있다.

③ 스토킹행위의 상대방이나 그 법정대리인은 긴급응급조치가 필요하지 아니한 경우에는 사법경찰관에게 해당 긴급응급조치의 취소를 신청할 수 있다.

④ 사법경찰관은 정당한 이유가 있다고 인정하는 경우에는 직권으로 또는 ①부터 ③까지의 규정에 따른 신청에 의하여 해당 긴급응급조치를 취소할 수 있고, 지방법원 판사의 승인을 받아 긴급응급조치의 종류를 변경할 수 있다.

⑤ 사법경찰관은 ④에 따라 긴급응급조치를 취소하거나 그 종류를 변경하였을 때에는 스토킹행위의 상대방등 및 긴급응급조치대상자 등에게 다음의 구분에 따라 통지 또는 고지하여야 한다.

㉠ **스토킹행위의 상대방등이나 그 법정대리인**: 취소 또는 변경의 취지 통지

㉡ **긴급응급조치대상자**: 취소 또는 변경된 조치의 내용 및 불복방법 등 고지

⑥ 긴급응급조치(④에 따라 그 종류를 변경한 경우를 포함한다)는 다음의 어느 하나에 해당하는 때에 그 효력을 상실한다.

㉠ 긴급응급조치에서 정한 기간이 지난 때

㉡ 법원이 긴급응급조치대상자에게 다음의 결정을 한 때(스토킹행위의 상대방과 같은 사람을 피해자로 하는 경우로 한정한다)

ⓐ 제4조 제1항 제1호의 긴급응급조치에 따른 스토킹행위의 상대방등과 같은 사람을 피해자 또는 그의 동거인, 가족으로 하는 제9조 제1항 제2호에 따른 조치의 결정

ⓑ 제4조 제1항 제1호의 긴급응급조치에 따른 주거등과 같은 장소를 피해자 또는 그의 동거인, 가족의 주거등으로 하는 제9조 제1항 제2호에 따른 조치의 결정

ⓒ 제4조 제1항 제2호의 긴급응급조치에 따른 스토킹행위의 상대방등과 같은 사람을 피해자 또는 그의 동거인, 가족으로 하는 제9조 제1항 제3호에 따른 조치의 결정

(6) 잠정조치의 청구(제8조)

① 검사는 스토킹범죄가 재발될 우려가 있다고 인정하면 직권 또는 사법경찰관의 신청에 따라 법원에 아래 (7)의 ① 각 사항의 조치를 청구할 수 있다.

② 피해자 또는 그 법정대리인은 검사 또는 사법경찰관에게 ①에 따른 조치의 청구 또는 그 신청을 요청하거나, 이에 관하여 의견을 진술할 수 있다.

③ 사법경찰관은 ②에 따른 신청 요청을 받고도 ①에 따른 신청을 하지 아니하는 경우에는 검사에게 그 사유를 보고하여야 하고, 피해자 또는 그 법정대리인에게 그 사실을 지체 없이 알려야 한다.

④ 검사는 ②에 따른 청구 요청을 받고도 ①에 따른 청구를 하지 아니하는 경우에는 피해자 또는 그 법정대리인에게 그 사실을 지체 없이 알려야 한다.

(7) 스토킹행위자에 대한 잠정조치(제9조)

① 법원은 스토킹범죄의 원활한 조사·심리 또는 피해자 보호를 위하여 필요하다고 인정하는 경우에는 결정으로 스토킹행위자에게 다음의 어느 하나에 해당하는 조치(이하 '잠정조치'라 한다)를 할 수 있다.

㉠ 피해자에 대한 스토킹범죄 중단에 관한 서면 경고

㉡ 피해자 또는 그의 동거인, 가족이나 그 주거 등으로부터 100미터 이내의 접근 금지

㉢ 피해자 또는 그의 동거인, 가족에 대한 전기통신기본법 제2조 제1호의 전기통신을 이용한 접근 금지

㉣ 「전자장치 부착 등에 관한 법률」 제2조제4호의 위치추적 전자장치(이하 "전자장치"라 한다)의 부착

㉤ 국가경찰관서의 유치장 또는 구치소에의 유치

② 위 ①의 각 사항의 잠정조치는 병과(倂科)할 수 있다.

③ 법원은 ①의 ㉣ 또는 ㉤의 조치에 관한 결정을 하기 전 잠정조치의 사유를 판단하기 위하여 필요하다고 인정하는 때에는 검사, 스토킹행위자, 피해자, 기타 참고인으로부터 의견을 들을 수 있다. 의견을 듣는 방법과 절차, 그 밖에 필요한 사항은 대법원규칙으로 정한다.

④ 전자장치가 부착된 사람은 잠정조치기간 중 전자장치의 효용을 해치는 다음의 행위를 하여서는 아니된다.

> ㉠ 전자장치를 신체에서 임의로 분리하거나 손상하는 행위
> ㉡ 전자장치의 전파(電波)를 방해하거나 수신자료를 변조(變造)하는 행위
> ㉢ ㉠ 및 ㉡에서 정한 행위 외에 전자장치의 효용을 해치는 행위

⑤ 법원은 잠정조치를 결정한 경우에는 검사와 피해자 또는 그의 동거인, 가족, 그 법정대리인에게 통지하여야 한다.

⑥ 법원은 위 ①의 ㉤에 따른 잠정조치를 한 경우에는 스토킹행위자에게 변호인을 선임할 수 있다는 것과 제12조에 따라 항고할 수 있다는 것을 고지하고, 다음의 구분에 따른 사람에게 해당 잠정조치를 한 사실을 통지하여야 한다.

> ㉠ **스토킹행위자에게 변호인이 있는 경우**: 변호인
> ㉡ **스토킹행위자에게 변호인이 없는 경우**: 법정대리인 또는 스토킹행위자가 지정하는 사람

⑦ 위 ①의 ㉡, ㉢ 및 ㉣에 따른 잠정조치기간은 3개월, 위 ①의 ㉤에 따른 잠정조치기간은 1개월을 초과할 수 없다. 다만, 법원은 피해자의 보호를 위하여 그 기간을 연장할 필요가 있다고 인정하는 경우에는 결정으로 위 ①의 ㉡, ㉢ 및 ㉣에 따른 잠정조치에 대하여 두 차례에 한정하여 각 3개월의 범위에서 연장할 수 있다.

(8) 잠정조치의 집행 등(제10조)

① 법원은 잠정조치 결정을 한 경우에는 법원공무원, 사법경찰관리, 구치소 소속 교정직공무원 또는 보호관찰관으로 하여금 집행하게 할 수 있다.

② ①에 따라 잠정조치 결정을 집행하는 사람은 스토킹행위자에게 잠정조치의 내용, 불복방법 등을 고지하여야 한다.

③ 피해자 또는 그의 동거인, 가족, 그 법정대리인은 위 (7)의 ①, ㉡의 잠정조치 결정이 있은 후 피해자 또는 그의 동거인, 가족이 주거 등을 옮긴 경우에는 법원에 잠정조치 결정의 변경을 신청할 수 있다.

(9) 잠정조치의 변경 등(제11조)

① 스토킹행위자나 그 법정대리인은 잠정조치 결정의 취소 또는 그 종류의 변경을 법원에 신청할 수 있다.

② 검사는 수사 또는 공판과정에서 잠정조치가 계속 필요하다고 인정하는 경우에는 직권이나 사법경찰관의 신청에 따라 법원에 해당 잠정조치기간의 연장 또는 그 종류의 변경을 청구할 수 있고, 잠정조치가 필요하지 아니하다고 인정하는 경우에는 직권이나 사법경찰관의 신청에 따라 법원에 해당 잠정조치의 취소를 청구할 수 있다.

③ 법원은 정당한 이유가 있다고 인정하는 경우에는 직권 또는 ①의 신청이나 ②의 청구에 의하여 결정으로 해당 잠정조치의 취소, 기간의 연장 또는 그 종류의 변경을 할 수 있다.

④ 법원은 ③에 따라 잠정조치의 취소, 기간의 연장 또는 그 종류의 변경을 하였을 때에는 검사와 피해자 및 스토킹행위자 등에게 다음의 구분에 따라 통지 또는 고지하여야 한다.

> 1. **검사, 피해자 또는 그의 동거인, 가족, 그 법정대리인**: 취소, 연장 또는 변경의 취지 통지
> 2. **스토킹행위자**: 취소, 연장 또는 변경된 조치의 내용 및 불복방법 등 고지
> 3. **제9조제6항 각 호의 구분에 따른 사람**: 제9조제1항제4호에 따른 잠정조치를 한 사실

⑤ 잠정조치 결정(제3항에 따라 잠정조치기간을 연장하거나 그 종류를 변경하는 결정을 포함한다. 이하 제12조 및 제14조에서 같다)은 스토킹행위자에 대해 검사가 불기소처분을 한 때 또는 사법경찰관이 불송치결정을 한 때에 그 효력을 상실한다.

⑽ 스토킹범죄의 피해자에 대한 전담조사제(제17조)

① 검찰총장은 각 지방검찰청 검사장에게 스토킹범죄 전담 검사를 지정하도록 하여 특별한 사정이 없으면 스토킹범죄 전담 검사가 피해자를 조사하게 하여야 한다.

② 경찰관서의 장(국가수사본부장, 시·도경찰청장 및 경찰서장을 의미한다)은 스토킹범죄 전담 사법경찰관을 지정하여 특별한 사정이 없으면 스토킹범죄 전담 사법경찰관이 피해자를 조사하게 하여야 한다.

③ 검찰총장 및 경찰관서의 장은 ①의 스토킹범죄 전담 검사 및 ②의 스토킹범죄 전담 사법경찰관에게 스토킹범죄의 수사에 필요한 전문지식과 피해자 보호를 위한 수사방법 및 수사절차 등에 관한 교육을 실시하여야 한다.

3. 벌칙

⑴ 스토킹범죄(제18조)

① 스토킹범죄를 저지른 사람은 3년 이하의 징역 또는 3천만원 이하의 벌금에 처한다.

② 흉기 또는 그 밖의 위험한 물건을 휴대하거나 이용하여 스토킹범죄를 저지른 사람은 5년 이하의 징역 또는 5천만원 이하의 벌금에 처한다.

⑵ 형벌과 수강명령 등의 병과(제19조)

① 법원은 스토킹범죄를 저지른 사람에 대하여 유죄판결(선고유예는 제외한다)을 선고하거나 약식명령을 고지하는 경우에는 200시간의 범위에서 다음의 구분에 따라 재범 예방에 필요한 수강명령(보호관찰 등에 관한 법률에 따른 수강명령을 말한다) 또는 스토킹 치료프로그램의 이수명령(이하 '이수명령'이라 한다)을 병과할 수 있다.

> ㉠ **수강명령**: 형의 집행을 유예할 경우에 그 집행유예기간 내에서 병과
> ㉡ **이수명령**: 벌금형 또는 징역형의 실형을 선고하거나 약식명령을 고지할 경우에 병과

② 법원은 스토킹범죄를 저지른 사람에 대하여 형의 집행을 유예하는 경우에는 ①에 따른 수강명령 외에 그 집행유예기간 내에서 보호관찰 또는 사회봉사 중 하나 이상의 처분을 병과할 수 있다.

③ ①에 따른 수강명령 또는 이수명령의 내용은 다음과 같다.

> ㉠ 스토킹 행동의 진단·상담
> ㉡ 건전한 사회질서와 인권에 관한 교육
> ㉢ 그 밖에 스토킹범죄를 저지른 사람의 재범 예방을 위하여 필요한 사항

④ ①에 따른 수강명령 또는 이수명령은 다음의 구분에 따라 각각 집행한다.

> ㉠ **형의 집행을 유예할 경우**: 그 집행유예기간 내
> ㉡ **벌금형을 선고하거나 약식명령을 고지할 경우**: 형 확정일부터 6개월 이내
> ㉢ **징역형의 실형을 선고할 경우**: 형기 내

⑤ ①에 따른 수강명령 또는 이수명령이 벌금형 또는 형의 집행유예와 병과된 경우에는 보호관찰소의 장이 집행하고, 징역형의 실형과 병과된 경우에는 교정시설의 장이 집행한다. 다만, 징역형의 실형과 병과된 이수명령을 모두 이행하기 전에 석방 또는 가석방되거나 미결구금일수 산입 등의 사유로 형을 집행할 수 없게 된 경우에는 보호관찰소의 장이 남은 이수명령을 집행한다.

⑥ 형벌에 병과하는 보호관찰, 사회봉사, 수강명령 또는 이수명령에 관하여 이 법에서 규정한 사항 외에는 보호관찰 등에 관한 법률을 준용한다.

제2절 교통업무 일반

01 교통의 의의

1. 교통의 개념

교통이란 인간이나 화물 및 정보의 장소적 이동을 말한다. 교통경찰의 대상에는 정보의 장소적 이동을 제외한 일반 교통영역만 해당하고, 일반 교통영역 중에서도 궤도에 의한 철도교통이나 항공교통 및 해상교통은 교통경찰의 대상에서 제외된다.

2. 교통의 4E 원칙

교통의 '4E 원칙'이란 교통의 안전과 원활을 도모하는 필수적인 4가지 원칙으로서 교통경찰 운용의 기본이 되며, 또한 교통경찰이 취하여야 할 행동지침의 성격을 가지는 것이다.

4E 원칙	교통안전교육 (Education)	교통사고를 미연에 방지하기 위하여 일반 공중에 대하여 실시하는 교육훈련, 홍보, 계몽 등의 활동
	교통안전공학 (Engineering)	도로환경정비 · 교통안전시설 · 차량 등과 같은 물질적 요소를 말하는 것으로 널리 경찰, 건설, 운수 등의 분야에 걸쳐 있으며 서로 연관성을 가지고 교통사고 방지 및 교통체증 해소에 기여하는 대책을 추진하는 것
	교통지도단속 (Enforcement)	교통규제 · 면허제도 · 교통지도 및 단속이 포함되며 교통법규를 준수하지 않는 도로 이용자에 대해서 단속을 실시하여 도로 교통의 질서를 유지하는 활동
	교통환경 (Environment)	자동차교통과 관련된 주위의 사물실태를 말하며 주로 불량한 환경의 개선으로 교통안전을 실현하고자 하는 것

✍ **교통의 6E**: 기존의 4E + 교통경제(Economy), 교통 관련 법체계(Enactment)

3. 교통정리의 원칙

교통군 단순화의 원칙	① 교통 이동군을 단순화해야 한다. ② 교통군을 단순화하는 방법에는 교통군의 방향에 따라, 속력에 따라, 교통물체의 종류에 따라 단순화하는 3가지 방법이 있다.
도로능률 증진의 원칙	가능한 최대로 도로를 사용할 수 있도록 하는 것으로, 도로의 활용률을 극대화한다는 원칙이다.
교통기회 평등의 원칙	각종 교통대상에 대해 교통의 기회를 평등하게 부여하여야 한다는 원칙이다. 차량과 보행자 어느 한쪽에 편중된 교통정리 방식을 지양하는 것 등이 여기에 해당한다.
우선교통권의 원칙	각종 교통물체 가운데서 특정차에 대하여는 다른 차보다 먼저 통행할 권리를 부여하는 것이다. 긴급자동차 등에 우선통행권을 주는 원칙이다. ① 진행방향에 따른 우선권 ② 도로에 따른 우선권 ③ 교통의 종류에 따른 우선권

4. 차량의 물리적 특성

수막 현상	비가 내려 노면에 많은 물이 덮여 있을 때 고속으로 주행하면 자동차의 타이어와 노면 사이에 수막이 생겨 타이어가 노면에 직접 접촉되지 않고, 마치 수상스키를 타는 것과 같이 차가 물 위를 달리는 상태가 되는 것
베이퍼록 현상	브레이크액이 끓어올라 파이프 안에 기포가 발생하여 브레이크 페달을 밟아도 갑자기 브레이크가 듣지 않게 되는 현상
스탠딩웨이브 현상	자동차가 고속으로 주행할 때 타이어는 완전한 원형을 유지하고 있지 않은데, 타이어가 고속으로 회전함에 따라 타이어의 공기 부족으로 인해 접지면과 떨어지는 타이어의 일부분이 부풀어서 물결모양으로 변형되며 온도가 높아지고, 이에 따라 타이어의 표면이 용해된다든가 파열되는 현상
페이드 현상	브레이크를 너무 많이 사용함으로써 브레이크 슈와 드럼이 과열되어 변질되고 마찰계수가 줄어들면서 미끄러워져 브레이크가 듣지 않게 되는 현상

Tip 정지거리

1. 공주거리

① **의의**: 운전자가 운전 중에 위험을 감지하고 나서 실제로 브레이크를 밟아서 제동효과가 나타날 때까지 자동차가 주행하는 거리

② **공주거리가 길어지는 원인**: 주취운전, 졸음운전, 과로 상태로 운전 등

2. 협의의 제동거리(활주거리)

① **의의**: 브레이크를 밟은 후 자동차가 정지할 때까지 진행한 거리

② **활주거리가 길어지는 원인**: 노면이 미끄러운 때, 타이어의 공기압이 지나치게 높은 때, 타이어의 마모 및 무거운 짐을 실었을 때에 활주거리가 길어짐

02 교통경찰의 개념 및 임무

1. 교통경찰의 의의

교통경찰이란 교통에서 발생되는 모든 위험을 방지하고 그러한 위험을 야기할 수 있는 요소를 제거하여 교통의 안전과 원활한 소통을 도모함을 목적으로 하는 경찰작용을 말한다.

2. 도로교통에 있어서의 경찰

교통경찰의 특징	① 모든 계층(도로상의 모든 보행자 · 운전자)의 사람이 교통경찰활동의 대상이다. ② 사회 · 경제생활에 중대한 영향을 미친다. ③ 경찰활동을 평가하는 창구가 된다. ④ 기술적 분야에 속하는 사항이 많다. ⑤ 사법(司法)적 영역보다는 행정적 영역에 속하는 사항이 많다. ⑥ 전국적인 관련성이 강하다.

✍ 도로주변 가로수 및 도로자체에 대한 관리는 일반 행정기관에서 담당한다.

3. 교통순찰의 종류

고정순찰	일정한 구역을 일정한 시간에 순찰하는 것으로, 일정한 순찰시간으로 인한 공백이 있기 때문에 순찰시간을 피해서 법규 위반을 자행하는 단점이 있다.
역순찰	순찰한 노선이나 지역을 다시 되돌아가서 역으로 순찰하는 방법으로 고정순찰시 나타날 수 있는 악의적이거나 상습적인 법규 위반자의 단속에 효과적일 수 있다. 그러나 역순찰도 반복되면 고정순찰과 같은 단점을 갖게 된다.
합동순찰	다른 순찰조와 합동으로 순찰을 실시하는 경우를 말한다. 합동순찰시 한 대의 순찰차는 교통군을 앞질러 가고 다른 순찰차는 그 차량들의 뒤를 따르는 방법 등을 이용한 순찰인데, 순찰차가 앞질러 갔으므로 안심하고 법을 위반하는 운전자 등의 단속이나 순찰경찰관의 방어와 보호에 이점이 있는 순찰방법이다.
정지관찰	휴식순찰 또는 차도 밖 순찰이라고도 한다. 정지관찰은 교통상태의 조사, 교통법규 위반자의 단속 또는 중대 사고가 빈번한 위험지역에서의 단속을 목적으로 미리 예정된 지역에 정차해 있는 것을 말한다.

03 교통 관련 법규

법규	내용
도로교통법	도로에서 일어나는 교통상의 모든 위험과 장해를 방지 · 제거하여 안전하고 원활한 교통을 확보하기 위한 법
도로법	도로관리의 적정을 기하기 위하여 도로에 관하여 그 노선의 지정 또는 인정, 관리, 시설기준, 보전 및 비용에 관한 사항을 규정함으로써 교통의 발달과 공공복리의 향상에 기여함을 목적으로 하는 법
자동차관리법	자동차의 등록 · 안전기준 · 형식승인 · 점검 · 정비 · 검사 및 자동차관리사업 등에 관한 사항을 정하여 자동차를 효율적으로 관리하고 자동차의 성능 및 안전을 확보함으로써 공공의 복리를 증진함을 목적으로 하는 법

✍ 도로법은 주로 도로관리의 적정을 기하기 위해 도로의 노선지정, 시설기준, 보전 및 비용에 관한 사항을 규정하고 있는 법률로서 교통경찰의 활동근거법령으로는 직접적 관련성이 적다.

제3절 도로교통법

01 총칙

1. 목적(제1조)

도로교통법(이하 '법'이라 한다)은 도로에서 일어나는 교통상의 모든 위험과 장해를 방지하고 제거하여 안전하고 원활한 교통을 확보함을 목적으로 한다.

2. 정의(제2조)

이 법에서 사용하는 용어의 뜻은 다음과 같다.

도로	다음에 해당하는 곳을 말한다. ① 도로법에 따른 도로 ② 유료도로법에 따른 유료도로 ③ 농어촌도로 정비법에 따른 농어촌도로 ④ 그 밖에 현실적으로 불특정 다수의 사람 또는 차마(車馬)가 통행할 수 있도록 공개된 장소로서 안전하고 원활한 교통을 확보할 필요가 있는 장소
자동차전용도로	자동차만 다닐 수 있도록 설치된 도로를 말한다.
고속도로	자동차의 고속 운행에만 사용하기 위하여 지정된 도로를 말한다.
차도	연석선(차도와 보도를 구분하는 돌 등으로 이어진 선을 말한다), 안전표지 또는 그와 비슷한 인공구조물을 이용하여 경계(境界)를 표시하여 모든 차가 통행할 수 있도록 설치된 도로의 부분을 말한다.
중앙선	차마의 통행 방향을 명확하게 구분하기 위하여 도로에 황색 실선(實線)이나 황색 점선 등의 안전표지로 표시한 선 또는 중앙분리대나 울타리 등으로 설치한 시설물을 말한다. 다만, 제14조 제1항 후단에 따라 가변차로(可變車路)가 설치된 경우에는 신호기가 지시하는 진행방향의 가장 왼쪽에 있는 황색 점선을 말한다.
차로	차마가 한 줄로 도로의 정하여진 부분을 통행하도록 차선(車線)으로 구분한 차도의 부분을 말한다.
차선	차로와 차로를 구분하기 위하여 그 경계지점을 안전표지로 표시한 선을 말한다.
노면전차 전용로	도로에서 궤도를 설치하고, 안전표지 또는 인공구조물로 경계를 표시하여 설치한 도시철도법 제18조의2 제1항 각 호에 따른 도로 또는 차로를 말한다.
자전거도로	안전표지, 위험방지용 울타리나 그와 비슷한 인공구조물로 경계를 표시하여 자전거 및 개인형 이동장치가 통행할 수 있도록 설치된 자전거 이용 활성화에 관한 법률 제3조 각 호의 도로를 말한다.
자전거횡단도	자전거 및 개인형 이동장치가 일반도로를 횡단할 수 있도록 안전표지로 표시한 도로의 부분을 말한다.
보도	연석선, 안전표지나 그와 비슷한 인공구조물로 경계를 표시하여 보행자(유모차, 보행보조용 의자차, 노약자용 보행기 등 행정안전부령으로 정하는 기구·장치를 이용하여 통행하는 사람 및 제21호의3에 따른 실외이동로봇을 포함한다)가 통행할 수 있도록 한 도로의 부분을 말한다.
길가장자리구역	보도와 차도가 구분되지 아니한 도로에서 보행자의 안전을 확보하기 위하여 안전표지 등으로 경계를 표시한 도로의 가장자리 부분을 말한다.
횡단보도	보행자가 도로를 횡단할 수 있도록 안전표지로 표시한 도로의 부분을 말한다.
교차로	'十(십)'자로, 'T'자로나 그 밖에 둘 이상의 도로(보도와 차도가 구분되어 있는 도로에서는 차도를 말한다)가 교차하는 부분을 말한다.

회전교차로	교차로 중 차마가 원형의 교통섬(차마의 안전하고 원활한 교통처리나 보행자 도로횡단의 안전을 확보하기 위하여 교차로 또는 차도의 분기점 등에 설치하는 섬 모양의 시설을 말한다)을 중심으로 반시계 방향으로 통행하도록 한 원형의 도로를 말한다.
안전지대	도로를 횡단하는 보행자나 통행하는 차마의 안전을 위하여 안전표지나 이와 비슷한 인공구조물로 표시한 도로의 부분을 말한다.
신호기	도로교통에서 문자·기호 또는 등화(燈火)를 사용하여 진행·정지·방향전환·주의 등의 신호를 표시하기 위하여 사람이나 전기의 힘으로 조작하는 장치를 말한다.
안전표지	교통안전에 필요한 주의·규제·지시 등을 표시하는 표지판이나 도로의 바닥에 표시하는 기호·문자 또는 선 등을 말한다.
차마	다음의 차와 우마를 말한다. ① '차'란 다음의 어느 하나에 해당하는 것을 말한다. ㉠ 자동차 ㉡ 건설기계 ㉢ 원동기장치자전거 ㉣ 자전거 ㉤ 사람 또는 가축의 힘이나 그 밖의 동력(動力)으로 도로에서 운전되는 것. 다만, 철길이나 가설(架設)된 선을 이용하여 운전되는 것, 유모차, 보행보조용 의자차, 노약자용 보행기, 제21호의3에 따른 실외이동로봇 등 행정안전부령으로 정하는 기구·장치는 제외한다. ② '우마'란 교통이나 운수(運輸)에 사용되는 가축을 말한다.
노면전차	도시철도법 제2조 제2호에 따른 노면전차로서 도로에서 궤도를 이용하여 운행되는 차를 말한다.
자동차	철길이나 가설된 선을 이용하지 아니하고 원동기를 사용하여 운전되는 차(견인되는 자동차도 자동차의 일부로 본다)로서 다음의 차를 말한다. ① 자동차관리법 제3조에 따른 다음의 자동차. 다만, 원동기장치자전거는 제외한다. ㉠ 승용자동차 ㉡ 승합자동차 ㉢ 화물자동차 ㉣ 특수자동차 ㉤ 이륜자동차 ② 건설기계관리법 제26조 제1항 단서에 따른 건설기계
자율주행시스템	자율주행자동차 상용화 촉진 및 지원에 관한 법률 제2조 제1항 제2호에 따른 자율주행시스템을 말한다. 이 경우 그 종류는 완전 자율주행시스템, 부분 자율주행시스템 등 행정안전부령으로 정하는 바에 따라 세분할 수 있다.
자율주행자동차	자동차관리법 제2조 제1호의3에 따른 자율주행자동차로서 자율주행시스템을 갖추고 있는 자동차를 말한다.
원동기장치 자전거	다음의 어느 하나에 해당하는 차를 말한다. ① 자동차관리법 제3조에 따른 이륜자동차 가운데 배기량 125cc 이하(전기를 동력으로 하는 경우에는 최고정격출력 11kw 이하)의 이륜자동차 ② 그 밖에 배기량 125cc 이하(전기를 동력으로 하는 경우에는 최고정격출력 11kw 이하)의 원동기를 단 차(자전거 이용 활성화에 관한 법률 제2조 제1호의2에 따른 전기자전거 및 제21호의3에 따른 실외이동로봇은 제외한다)
개인형 이동장치	제19호 나목의 원동기장치자전거 중 시속 25km 이상으로 운행할 경우 전동기가 작동하지 아니하고 차체 중량이 30kg 미만인 것으로서 행정안전부령으로 정하는 것을 말한다.

자전거	자전거 이용 활성화에 관한 법률 제2조 제1호 및 제1호의2에 따른 자전거 및 전기자전거를 말한다.
자동차 등	자동차와 원동기장치자전거를 말한다.
자전거 등	자전거와 개인형 이동장치를 말한다.
실외이동로봇	「지능형 로봇 개발 및 보급 촉진법」 제2조제1호에 따른 지능형 로봇 중 행정안전부령으로 정하는 것을 말한다.
긴급자동차	다음의 자동차로서 그 본래의 긴급한 용도로 사용되고 있는 자동차를 말한다. ① 소방차 ② 구급차 ③ 혈액 공급차량 ④ 그 밖에 대통령령으로 정하는 자동차
어린이통학버스	다음의 시설 가운데 어린이(13세 미만인 사람을 말한다)를 교육대상으로 하는 시설에서 어린이의 통학 등(현장체험학습 등 비상시적으로 이루어지는 교육활동을 위한 이동을 제외한다)에 이용되는 자동차와 여객자동차 운수사업법 제4조 제3항에 따른 여객자동차운송사업의 한정면허를 받아 어린이를 여객대상으로 하여 운행되는 운송사업용 자동차를 말한다. ① 유아교육법에 따른 유치원 및 유아교육진흥원, 초·중등교육법에 따른 초등학교, 특수학교, 대안학교 및 외국인학교 ② 영유아보육법에 따른 어린이집 ③ 학원의 설립·운영 및 과외교습에 관한 법률에 따라 설립된 학원 및 교습소 ④ 체육시설의 설치·이용에 관한 법률에 따라 설립된 체육시설 ⑤ 아동복지법에 따른 아동복지시설(아동보호전문기관은 제외한다) ⑥ 청소년활동 진흥법에 따른 청소년수련시설 ⑦ 장애인복지법에 따른 장애인복지시설(장애인 직업재활시설은 제외한다) ⑧ 도서관법에 따른 공공도서관 ⑨ 평생교육법에 따른 시·도평생교육진흥원 및 시·군·구평생학습관 ⑩ 사회복지사업법에 따른 사회복지시설 및 사회복지관
주차	운전자가 승객을 기다리거나 화물을 싣거나 차가 고장나거나 그 밖의 사유로 차를 계속 정지상태에 두는 것 또는 운전자가 차에서 떠나서 즉시 그 차를 운전할 수 없는 상태에 두는 것을 말한다.
정차	운전자가 5분을 초과하지 아니하고 차를 정지시키는 것으로서 주차 외의 정지 상태를 말한다.
운전	'운전'이란 도로(제27조 제6항 제3호, 제44조, 제45조, 제54조 제1항, 제148조, 제148조의2 및 제156조 제10호의 경우에는 도로 외의 곳을 포함한다)에서 차마 또는 노면전차를 그 본래의 사용방법에 따라 사용하는 것(조종 또는 자율주행시스템을 사용하는 것을 포함한다)을 말한다.
초보운전자	처음 운전면허를 받은 날(처음 운전면허를 받은 날부터 2년이 지나기 전에 운전면허의 취소처분을 받은 경우에는 그 후 다시 운전면허를 받은 날을 말한다)부터 2년이 지나지 아니한 사람을 말한다. 이 경우 원동기장치자전거면허만 받은 사람이 원동기장치자전거면허 외의 운전면허를 받은 경우에는 처음 운전면허를 받은 것으로 본다.
서행	운전자가 차 또는 노면전차를 즉시 정지시킬 수 있는 정도의 느린 속도로 진행하는 것을 말한다.
앞지르기	차의 운전자가 앞서가는 다른 차의 옆을 지나서 그 차의 앞으로 나가는 것을 말한다.
일시정지	차 또는 노면전차의 운전자가 그 차 또는 노면전차의 바퀴를 일시적으로 완전히 정지시키는 것을 말한다.
보행자전용도로	보행자만 다닐 수 있도록 안전표지나 그와 비슷한 인공구조물로 표시한 도로를 말한다.

<table>
<tr><td>보행자우선도로</td><td>보행안전 및 편의증진에 관한 법률 제2조 제3호에 따른 보행자우선도로를 말한다.

보행안전 및 편의증진에 관한 법률
제2조 【정의】 이 법에서 사용하는 용어의 뜻은 다음과 같다.
3. '보행자우선도로'란 차도와 보도가 분리되지 아니한 도로로서 보행자의 안전과 편의를 보장하기 위하여 보행자 통행이 차마(도로교통법 제2조 제17호에 따른 차마를 말한다) 통행에 우선하도록 지정한 도로를 말한다.</td></tr>
<tr><td>모범운전자</td><td>제146조에 따라 무사고운전자 또는 유공운전자의 표시장을 받거나 2년 이상 사업용 자동차 운전에 종사하면서 교통사고를 일으킨 전력이 없는 사람으로서 경찰청장이 정하는 바에 따라 선발되어 교통안전 봉사활동에 종사하는 사람을 말한다.</td></tr>
<tr><td>음주운전
방지장치</td><td>술에 취한 상태에서 자동차등을 운전하려는 경우 시동이 걸리지 아니하도록 하는 것으로서 행정안전부령으로 정하는 것을 말한다.</td></tr>
</table>

차마의 종류

<table>
<tr><td rowspan="8">차마</td><td rowspan="7">차</td><td rowspan="3">도로교통법상
자동차</td><td colspan="2">철길이나 가설된 선을 이용하지 아니하고 원동기를 사용하여 운전되는 차(견인되는 자동차도 자동차의 일부로 본다)로서 다음의 차를 말한다.</td></tr>
<tr><td>자동차관리법 제3조에 따른 다음의 자동차</td><td>① 승용자동차: 10인 이하
② 승합자동차: 11인 이상
③ 화물자동차
④ 특수자동차
⑤ 이륜자동차: 125cc 초과</td></tr>
<tr><td>건설기계관리법 제26조 제1항 단서에 따른 건설기계</td><td>덤프트럭, 아스팔트살포기, 노상안정기, 콘크리트믹서트럭, 콘크리트펌프, 트럭적재식천공기, 콘크리트믹서트레일러, 아스팔트콘크리트재생기, 도로보수트럭, 3t 미만의 지게차</td></tr>
<tr><td>건설기계</td><td colspan="2">위의 건설기계를 제외한 나머지 건설기계</td></tr>
<tr><td>원동기장치
자전거</td><td colspan="2">① 자동차관리법 제3조에 따른 이륜자동차 가운데 배기량 125cc 이하(전기를 동력으로 하는 경우에는 최고 정격출력 11kw이하)의 이륜자동차
② 그 밖에 배기량 125cc 이하(전기를 동력으로 하는 경우에는 최고 정격출력 11kw 이하)의 원동기를 단 차(「자전거 이용 활성화에 관한 법률」 제2조제1호의2에 따른 전기자전거 및 제21호의3에 따른 실외이동로봇은 제외한다)</td></tr>
<tr><td>자전거</td><td colspan="2">자전거 이용 활성화에 관한 법률 제2조 제1호 및 제1호의2에 따른 자전거 및 전기자전거를 말한다.</td></tr>
<tr><td colspan="3">사람 또는 가축의 힘이나 그 밖의 동력(動力)으로 도로에서 운전되는 것. 다만, 철길이나 가설(架設)된 선을 이용하여 운전되는 것, 유모차, 보행보조용 의자차, 노약자용 보행기 등 행정안전부령으로 정하는 기구·장치는 제외한다.</td></tr>
<tr><td>우마</td><td colspan="3">교통이나 운수(運輸)에 사용되는 가축을 말한다.</td></tr>
</table>

자동차관리법

제3조 【자동차의 종류】 ① 자동차는 다음 각 호와 같이 구분한다.

1. 승용자동차: 10인 이하를 운송하기에 적합하게 제작된 자동차
2. 승합자동차: 11인 이상을 운송하기에 적합하게 제작된 자동차. 다만, 다음 각 목의 어느 하나에 해당하는 자동차는 승차인원과 관계없이 이를 승합자동차로 본다.

가. 내부의 특수한 설비로 인하여 승차인원이 10인 이하로 된 자동차
나. 국토교통부령으로 정하는 경형자동차로서 승차인원이 10인 이하인 전방조종자동차
다. 삭제 〈2019.8.27.〉
3. 화물자동차 : 화물을 운송하기에 적합한 화물적재공간을 갖추고, 화물적재공간의 총 적재화물의 무게가 운전자를 제외한 승객이 승차공간에 모두 탑승했을 때의 승객의 무게보다 많은 자동차
4. 특수자동차 : 다른 자동차를 견인하거나 구난작업 또는 특수한 작업을 수행하기에 적합하게 제작된 자동차로서 승용자동차·승합자동차 또는 화물자동차가 아닌 자동차
5. 이륜자동차 : 총 배기량 또는 정격출력의 크기와 관계없이 1인 또는 2인의 사람을 운송하기에 적합하게 제작된 이륜의 자동차 및 그와 유사한 구조로 되어 있는 자동차

3. 신호기 등의 설치 및 관리(제3조)

특별시장·광역시장·제주특별자치도지사 또는 시장·군수(광역시의 군수는 제외한다. 이하 '시장 등'이라 한다)는 도로에서의 위험을 방지하고 교통의 안전과 원활한 소통을 확보하기 위하여 필요하다고 인정하는 경우에는 신호기 및 안전표지(이하 '교통안전시설'이라 한다)를 설치·관리하여야 한다. 다만, 유료도로법 제6조에 따른 유료도로에서는 시장 등의 지시에 따라 그 도로관리자가 교통안전시설을 설치·관리하여야 한다.

신호기가 표시하는 신호의 종류 및 신호의 뜻(도로교통법 시행규칙 제6조 제2항 관련)

구분		신호의 종류	신호의 뜻
차량 신호등	원형 등화	녹색의 등화	① 차마는 직진 또는 우회전할 수 있다. ② 비보호좌회전표지 또는 비보호좌회전표시가 있는 곳에서는 좌회전할 수 있다.
		황색의 등화	① 차마는 정지선이 있거나 횡단보도가 있을 때에는 그 직전이나 교차로의 직전에 정지하여야 하며, 이미 교차로에 차마의 일부라도 진입한 경우에는 신속히 교차로 밖으로 진행하여야 한다. ② 차마는 우회전할 수 있고 우회전하는 경우에는 보행자의 횡단을 방해하지 못한다.
		적색의 등화	차마는 정지선, 횡단보도 및 교차로의 직전에서 정지하여야 한다. 다만, 신호에 따라 진행하는 다른 차마의 교통을 방해하지 아니하고 우회전할 수 있다.
		황색 등화의 점멸	차마는 다른 교통 또는 안전표지의 표시에 주의하면서 진행할 수 있다.
		적색 등화의 점멸	차마는 정지선이나 횡단보도가 있을 때에는 그 직전이나 교차로의 직전에 일시정지한 후 다른 교통에 주의하면서 진행할 수 있다.
	화살표 등화	녹색화살표의 등화	차마는 화살표시 방향으로 진행할 수 있다.
		황색화살표의 등화	화살표시 방향으로 진행하려는 차마는 정지선이 있거나 횡단보도가 있을 때에는 그 직전이나 교차로의 직전에 정지하여야 하며, 이미 교차로에 차마의 일부라도 진입한 경우에는 신속히 교차로 밖으로 진행하여야 한다.
		적색화살표의 등화	화살표시 방향으로 진행하려는 차마는 정지선, 횡단보도 및 교차로의 직전에서 정지하여야 한다.
		황색화살표 등화의 점멸	차마는 다른 교통 또는 안전표지의 표시에 주의하면서 화살표시 방향으로 진행할 수 있다.
		적색화살표 등화의 점멸	차마는 정지선이나 횡단보도가 있을 때에는 그 직전이나 교차로의 직전에 일시정지한 후 다른 교통에 주의하면서 화살표시 방향으로 진행할 수 있다.

<table>
<tr><td rowspan="3">차량 신호등</td><td rowspan="3">화살표 등화</td><td>녹색화살표의 등화(하향)</td><td>차마는 화살표로 지정한 차로로 진행할 수 있다.</td></tr>
<tr><td>적색 ×표 표시의 등화</td><td>차마는 ×표가 있는 차로로 진행할 수 없다.</td></tr>
<tr><td>적색 ×표 표시 등화의 점멸</td><td>차마는 ×표가 있는 차로로 진입할 수 없고, 이미 차마의 일부라도 진입한 경우에는 신속히 그 차로 밖으로 진로를 변경하여야 한다.</td></tr>
<tr><td colspan="2" rowspan="3">보행 신호등</td><td>녹색의 등화</td><td>보행자는 횡단보도를 횡단할 수 있다.</td></tr>
<tr><td>녹색 등화의 점멸</td><td>보행자는 횡단을 시작하여서는 아니 되고, 횡단하고 있는 보행자는 신속하게 횡단을 완료하거나 그 횡단을 중지하고 보도로 되돌아와야 한다.</td></tr>
<tr><td>적색의 등화</td><td>보행자는 횡단보도를 횡단하여서는 아니 된다.</td></tr>
<tr><td rowspan="8">자전거 신호등</td><td rowspan="5">자전거 주행 신호등</td><td>녹색의 등화</td><td>자전거는 직진 또는 우회전할 수 있다.</td></tr>
<tr><td>황색의 등화</td><td>① 자전거는 정지선이 있거나 횡단보도가 있을 때에는 그 직전이나 교차로의 직전에 정지하여야 하며, 이미 교차로에 차마의 일부라도 진입한 경우에는 신속히 교차로 밖으로 진행하여야 한다.
② 자전거는 우회전할 수 있고 우회전하는 경우에는 보행자의 횡단을 방해하지 못한다.</td></tr>
<tr><td>적색의 등화</td><td>자전거는 정지선, 횡단보도 및 교차로의 직전에서 정지하여야 한다. 다만, 신호에 따라 진행하는 다른 차마의 교통을 방해하지 아니하고 우회전할 수 있다.</td></tr>
<tr><td>황색 등화의 점멸</td><td>자전거는 다른 교통 또는 안전표지의 표시에 주의하면서 진행할 수 있다.</td></tr>
<tr><td>적색 등화의 점멸</td><td>자전거는 정지선이나 횡단보도가 있는 때에는 그 직전이나 교차로의 직전에 일시정지한 후 다른 교통에 주의하면서 진행할 수 있다.</td></tr>
<tr><td rowspan="3">자전거 횡단 신호등</td><td>녹색의 등화</td><td>자전거는 자전거횡단도를 횡단할 수 있다.</td></tr>
<tr><td>녹색등화의 점멸</td><td>자전거는 횡단을 시작하여서는 아니 되고, 횡단하고 있는 자전거는 신속하게 횡단을 종료하거나 그 횡단을 중지하고 진행하던 차도 또는 자전거도로로 되돌아와야 한다.</td></tr>
<tr><td>적색의 등화</td><td>자전거는 자전거횡단도를 횡단하여서는 아니 된다.</td></tr>
<tr><td colspan="2" rowspan="5">버스 신호등</td><td>녹색의 등화</td><td>버스전용차로에 차마는 직진할 수 있다.</td></tr>
<tr><td>황색의 등화</td><td>버스전용차로에 있는 차마는 정지선이 있거나 횡단보도가 있을 때에는 그 직전이나 교차로의 직전에 정지하여야 하며, 이미 교차로에 차마의 일부라도 진입한 경우에는 신속히 교차로 밖으로 진행하여야 한다.</td></tr>
<tr><td>적색의 등화</td><td>버스전용차로에 있는 차마는 정지선, 횡단보도 및 교차로의 직전에서 정지하여야 한다.</td></tr>
<tr><td>황색 등화의 점멸</td><td>버스전용차로에 있는 차마는 다른 교통 또는 안전표지의 표시에 주의하면서 진행할 수 있다.</td></tr>
<tr><td>적색 등화의 점멸</td><td>버스전용차로에 있는 차마는 정지선이나 횡단보도가 있을 때에는 그 직전이나 교차로의 직전에 일시정지한 후 다른 교통에 주의하면서 진행할 수 있다.</td></tr>
</table>

비고

1. 자전거를 주행하는 경우 자전거주행신호등이 설치되지 않은 장소에서는 차량신호등의 지시에 따른다.
2. 자전거횡단도에 자전거횡단신호등이 설치되지 않은 경우 자전거는 보행신호등의 지시에 따른다. 이 경우 보행신호등란의 '보행자'는 '자전거'로 본다.

4. 교통안전시설의 종류 등(제4조)

교통안전시설의 종류, 교통안전시설의 설치 · 관리기준, 그 밖에 교통안전시설에 관하여 필요한 사항은 행정안전부령으로 정하며, 교통안전시설의 설치 · 관리기준은 주 · 야간이나 기상상태 등에 관계없이 교통안전시설이 운전자 및 보행자의 눈에 잘 띄도록 정한다.

도로교통법 시행규칙 제8조(안전표지)

주의표지	도로상태가 위험하거나 도로 또는 그 부근에 위험물이 있는 경우에 필요한 안전조치를 할 수 있도록 이를 도로사용자에게 알리는 표지
규제표지	도로교통의 안전을 위하여 각종 제한 · 금지 등의 규제를 하는 경우에 이를 도로사용자에게 알리는 표지
지시표지	도로의 통행방법 · 통행구분 등 도로교통의 안전을 위하여 필요한 지시를 하는 경우에 도로사용자가 이에 따르도록 알리는 표지
보조표지	주의표지 · 규제표지 또는 지시표지의 주기능을 보충하여 도로사용자에게 알리는 표지
노면표시	도로교통의 안전을 위하여 각종 주의 · 규제 · 지시 등의 내용을 노면에 기호 · 문자 또는 선으로 도로사용자에게 알리는 표지

5. 신호 또는 지시에 따를 의무(제5조)

(1) 도로를 통행하는 보행자, 차마 또는 노면전차의 운전자는 교통안전시설이 표시하는 신호 또는 지시와 다음의 어느 하나에 해당하는 사람이 하는 신호 또는 지시를 따라야 한다.

① 교통정리를 하는 경찰공무원(의무경찰을 포함한다) 및 제주특별자치도의 자치경찰공무원(이하 '자치경찰공무원'이라 한다)

② 경찰공무원(자치경찰공무원을 포함한다)을 보조하는 사람으로서 대통령령으로 정하는 사람(이하 '경찰보조자'라 한다)

㉠ 법 제146조에 따라 무사고운전자 또는 유공운전자의 표시장을 받거나 2년 이상 사업용 자동차 운전에 종사하면서 교통사고를 일으킨 전력이 없는 사람으로서 경찰청장이 정하는 바에 따라 선발되어 교통안전 봉사활동에 종사하는 모범운전자

㉡ 군사훈련 및 작전에 동원되는 부대의 이동을 유도하는 군사경찰

㉢ 본래의 긴급한 용도로 운행하는 소방차 · 구급차를 유도하는 소방공무원

(2) 도로를 통행하는 보행자, 모든 차마 또는 노면전차의 운전자는 교통안전시설이 표시하는 신호 또는 지시와 교통정리를 하는 경찰공무원 또는 경찰보조자(이하 '경찰공무원 등'이라 한다)의 신호 또는 지시가 서로 다른 경우에는 경찰공무원 등의 신호 또는 지시에 따라야 한다.

6. 통행의 금지 및 제한(제6조)

시 · 도경찰청장	도로에서의 위험을 방지하고 교통의 안전과 원활한 소통을 확보하기 위하여 필요하다고 인정할 때에는 구간(區間)을 정하여 보행자, 차마 또는 노면전차의 통행을 금지하거나 제한할 수 있다. 이 경우 시 · 도경찰청장은 보행자, 차마 또는 노면전차의 통행을 금지하거나 제한한 도로의 관리청에 그 사실을 알려야 한다.
경찰서장	도로에서의 위험을 방지하고 교통의 안전과 원활한 소통을 확보하기 위하여 필요하다고 인정할 때에는 우선 보행자, 차마 또는 노면전차의 통행을 금지하거나 제한한 후 그 도로관리자와 협의하여 금지 또는 제한의 대상과 구간 및 기간을 정하여 도로의 통행을 금지하거나 제한할 수 있다.
경찰공무원	도로의 파손, 화재의 발생이나 그 밖의 사정으로 인한 도로에서의 위험을 방지하기 위하여 긴급히 조치할 필요가 있을 때에는 필요한 범위에서 보행자, 차마 또는 노면전차의 통행을 일시금지하거나 제한할 수 있다.

시 · 도경찰청장이나 경찰서장은 위 표의 내용에 따른 금지 또는 제한을 하려는 경우에는 행정안전부령으로 정하는 바에 따라 그 사실을 공고하여야 한다.

7. 교통 혼잡을 완화시키기 위한 조치(제7조)

경찰공무원은 보행자, 차마 또는 노면전차의 통행이 밀려서 교통 혼잡이 뚜렷하게 우려될 때에는 혼잡을 덜기 위하여 필요한 조치를 할 수 있다.

02 보행자의 통행방법

1. 보행자의 통행(제8조)

(1) 보행자는 보도와 차도가 구분된 도로에서는 언제나 보도로 통행하여야 한다. 다만, 차도를 횡단하는 경우, 도로공사 등으로 보도의 통행이 금지된 경우나 그 밖의 부득이한 경우에는 그러하지 아니하다.

(2) 보행자는 보도와 차도가 구분되지 아니한 도로 중 중앙선이 있는 도로(일방통행인 경우에는 차선으로 구분된 도로를 포함한다)에서는 길가장자리 또는 길가장자리구역으로 통행하여야 한다.

(3) 보행자는 다음 각 호의 어느 하나에 해당하는 곳에서는 도로의 전 부분으로 통행할 수 있다. 이 경우 보행자는 고의로 차마의 진행을 방해하여서는 아니 된다.

① 보도와 차도가 구분되지 아니한 도로 중 중앙선이 없는 도로(일방통행인 경우에는 차선으로 구분되지 아니한 도로에 한정한다)

② 보행자우선도로

(4) 보행자는 보도에서는 우측통행을 원칙으로 한다.

2. 행렬 등의 통행(제9조)

(1) 학생의 대열과 그 밖에 보행자의 통행에 지장을 줄 우려가 있다고 인정하여 대통령령으로 정하는 사람이나 행렬(이하 '행렬 등'이라 한다)은 보도로 통행하여 함에도 불구하고 차도로 통행할 수 있다. 이 경우 행렬 등은 차도의 우측으로 통행하여야 한다.

(2) 행렬 등은 사회적으로 중요한 행사에 따라 시가를 행진하는 경우에는 도로의 중앙을 통행할 수 있다.

(3) 경찰공무원은 도로에서의 위험을 방지하고 교통의 안전과 원활한 소통을 확보하기 위하여 필요하다고 인정할 때에는 행렬 등에 대하여 구간을 정하고 그 구간에서 행렬 등이 도로 또는 차도의 우측(자전거도로가 설치되어 있는 차도에서는 자전거도로를 제외한 부분의 우측을 말한다)으로 붙어서 통행할 것을 명하는 등 필요한 조치를 할 수 있다.

3. 도로의 횡단(제10조)

(1) 시・도경찰청장은 도로를 횡단하는 보행자의 안전을 위하여 행정안전부령으로 정하는 기준에 따라 횡단보도를 설치할 수 있다.

(2) 보행자는 (1)에 따른 횡단보도, 지하도, 육교나 그 밖의 도로 횡단시설이 설치되어 있는 도로에서는 그 곳으로 횡단하여야 한다. 다만, 지하도나 육교 등의 도로 횡단시설을 이용할 수 없는 지체장애인의 경우에는 다른 교통에 방해가 되지 아니하는 방법으로 도로 횡단시설을 이용하지 아니하고 도로를 횡단할 수 있다.

(3) 보행자는 횡단보도가 설치되어 있지 아니한 도로에서는 가장 짧은 거리로 횡단하여야 한다.

(4) 보행자는 차와 노면전차의 바로 앞이나 뒤로 횡단하여서는 아니 된다. 다만, 횡단보도를 횡단하거나 신호기 또는 경찰공무원 등의 신호나 지시에 따라 도로를 횡단하는 경우에는 그러하지 아니하다.

(5) 보행자는 안전표지 등에 의하여 횡단이 금지되어 있는 도로의 부분에서는 그 도로를 횡단하여서는 아니 된다.

4. 어린이 등에 대한 보호(제11조)

(1) 어린이의 보호자는 교통이 빈번한 도로에서 어린이를 놀게 하여서는 아니 되며, 영유아(6세 미만인 사람을 말한다)의 보호자는 교통이 빈번한 도로에서 영유아가 혼자 보행하게 하여서는 아니 된다.

(2) 앞을 보지 못하는 사람(이에 준하는 사람을 포함한다)의 보호자는 그 사람이 도로를 보행할 때에는 흰색 지팡이를 갖고 다니도록 하거나 앞을 보지 못하는 사람에게 길을 안내하는 개로서 행정안전부령으로 정하는 개(이하 '장애인보조견'이라 한다)를 동반하는 등 필요한 조치를 하여야 한다.

(3) 어린이의 보호자는 도로에서 어린이가 자전거를 타거나 행정안전부령으로 정하는 위험성이 큰 움직이는 놀이기구를 타는 경우에는 어린이의 안전을 위하여 행정안전부령으로 정하는 인명보호 장구(裝具)를 착용하도록 하여야 한다.

(4) 어린이의 보호자는 도로에서 어린이가 개인형 이동장치를 운전하게 하여서는 아니 된다.

(5) 경찰공무원은 신체에 장애가 있는 사람이 도로를 통행하거나 횡단하기 위하여 도움을 요청하거나 도움이 필요하다고 인정하는 경우에는 그 사람이 안전하게 통행하거나 횡단할 수 있도록 필요한 조치를 하여야 한다.

(6) 경찰공무원은 다음의 어느 하나에 해당하는 사람을 발견한 경우에는 그들의 안전을 위하여 적절한 조치를 하여야 한다.

① 교통이 빈번한 도로에서 놀고 있는 어린이

② 보호자 없이 도로를 보행하는 영유아

③ 앞을 보지 못하는 사람으로서 흰색 지팡이를 가지지 아니하거나 장애인보조견을 동반하지 아니하는 등 필요한 조치를 하지 아니하고 다니는 사람

④ 횡단보도나 교통이 빈번한 도로에서 보행에 어려움을 겪고 있는 노인(65세 이상인 사람을 말한다)

5. 어린이 보호구역의 지정 및 관리(제12조)

(1) 시장 등은 교통사고의 위험으로부터 어린이를 보호하기 위하여 필요하다고 인정하는 경우에는 다음의 어느 하나에 해당하는 시설이나 장소의 주변도로 가운데 일정구간을 어린이 보호구역으로 지정하여 자동차 등과 노면전차의 통행속도를 시속 30km 이내로 제한할 수 있다.

① 유아교육법 제2조에 따른 유치원, 초·중등교육법 제38조 및 제55조에 따른 초등학교 또는 특수학교

② 영유아보육법 제10조에 따른 어린이집 가운데 행정안전부령으로 정하는 어린이집

③ 학원의 설립·운영 및 과외교습에 관한 법률 제2조에 따른 학원 가운데 행정안전부령으로 정하는 학원

④ 초·중등교육법 제60조의2 또는 제60조의3에 따른 외국인학교 또는 대안학교, 「대안교육기관에 관한 법률」 제2조제2호에 따른 대안교육기관, 제주특별자치도 설치 및 국제자유도시 조성을 위한 특별법 제223조에 따른 국제학교 및 경제자유구역 및 제주국제자유도시의 외국교육기관 설립·운영에 관한 특별법 제2조 제2호에 따른 외국교육기관 중 유치원·초등학교 교과과정이 있는 학교

⑤ 그 밖에 어린이가 자주 왕래하는 곳으로서 조례로 정하는 시설 또는 장소

(2) 차마 또는 노면전차의 운전자는 어린이 보호구역에서 (1)에 따른 조치를 준수하고 어린이의 안전에 유의하면서 운행하여야 한다.

(3) 시·도경찰청장, 경찰서장 또는 시장 등은 제3항을 위반하는 행위 등의 단속을 위하여 어린이 보호구역의 도로 중에서 행정안전부령으로 정하는 곳에 우선적으로 무인 교통단속용 장비를 설치하여야 한다.

(4) 시장 등은 어린이 보호구역에 어린이의 안전을 위하여 다음에 따른 시설 또는 장비를 우선적으로 설치하거나 관할 도로관리청에 해당 시설 또는 장비의 설치를 요청하여야 한다.

① 어린이 보호구역으로 지정한 시설의 주 출입문과 가장 가까운 거리에 있는 간선도로상 횡단보도의 신호기

② 속도 제한, 횡단보도, 기점(起點) 및 종점(終點)에 관한 안전표지

③ 도로법 제2조 제2호에 따른 도로의 부속물 중 과속방지시설 및 차마의 미끄럼을 방지하기 위한 시설

④ 방호울타리

⑤ 그 밖에 교육부, 행정안전부 및 국토교통부의 공동부령으로 정하는 시설 또는 장비

6. 노인 및 장애인 보호구역의 지정 및 관리(제12조의2)

시장 등은 교통사고의 위험으로부터 노인 또는 장애인을 보호하기 위하여 필요하다고 인정하는 경우에는 (1)부터 (3)까지 및 (4)에 따른 시설 또는 장소의 주변도로 가운데 일정 구간을 노인 보호구역으로, (5)에 따른 시설의 주변도로 가운데 일정 구간을 장애인 보호구역으로 각각 지정하여 차마와 노면전차의 통행을 제한하거나 금지하는 등 필요한 조치를 할 수 있다.

(1) 노인복지법 제31조에 따른 노인복지시설

(2) 자연공원법 제2조 제1호에 따른 자연공원 또는 도시공원 및 녹지 등에 관한 법률 제2조 제3호에 따른 도시공원

(3) 체육시설의 설치 · 이용에 관한 법률 제6조에 따른 생활체육시설

(4) 그 밖에 노인이 자주 왕래하는 곳으로서 조례로 정하는 시설 또는 장소

(5) 장애인복지법 제58조에 따른 장애인복지시설

> **어린이 · 노인 및 장애인 보호구역의 지정 및 관리에 관한 규칙**
> **제9조 【보호구역에서의 필요한 조치】** ① 시 · 도경찰청장이나 경찰서장은 도로교통법 제12조 제1항 또는 제12조의2 제1항에 따라 보호구역에서 구간별 · 시간대별로 다음의 조치를 할 수 있다.
> 1. 차마(車馬)의 통행을 금지하거나 제한하는 것
> 2. 차마의 정차나 주차를 금지하는 것
> 3. 운행속도를 시속 30km 이내로 제한하는 것
> 4. 이면도로(도시지역에 있어서 간선도로가 아닌 도로로서 일반의 교통에 사용되는 도로를 말한다)를 일방통행로로 지정 · 운영하는 것

03 차마 및 노면전차의 통행방법 등

1. 차마의 통행(제13조)

(1) 차마의 운전자는 보도와 차도가 구분된 도로에서는 차도로 통행하여야 한다. 다만, 도로 외의 곳으로 출입할 때에는 보도를 횡단하여 통행할 수 있다.

(2) (1)의 단서의 경우 차마의 운전자는 보도를 횡단하기 직전에 일시정지하여 좌측과 우측 부분 등을 살핀 후 보행자의 통행을 방해하지 아니하도록 횡단하여야 한다.

(3) 차마의 운전자는 도로(보도와 차도가 구분된 도로에서는 차도를 말한다)의 중앙(중앙선이 설치되어 있는 경우에는 그 중앙선을 말한다) 우측 부분을 통행하여야 한다.

(4) 차마의 운전자는 (3)에도 불구하고 다음의 어느 하나에 해당하는 경우에는 도로의 중앙이나 좌측 부분을 통행할 수 있다.

① 도로가 일방통행인 경우

② 도로의 파손, 도로공사나 그 밖의 장애 등으로 도로의 우측 부분을 통행할 수 없는 경우

③ 도로 우측 부분의 폭이 6m가 되지 아니하는 도로에서 다른 차를 앞지르려는 경우. 다만, 다음의 어느 하나에 해당하는 경우에는 그러하지 아니하다.
㉠ 도로의 좌측 부분을 확인할 수 없는 경우
㉡ 반대 방향의 교통을 방해할 우려가 있는 경우
㉢ 안전표지 등으로 앞지르기를 금지하거나 제한하고 있는 경우
④ 도로 우측 부분의 폭이 차마의 통행에 충분하지 아니한 경우
⑤ 가파른 비탈길의 구부러진 곳에서 교통의 위험을 방지하기 위하여 시 · 도경찰청장이 필요하다고 인정하여 구간 및 통행방법을 지정하고 있는 경우에 그 지정에 따라 통행하는 경우

(5) 차마의 운전자는 안전지대 등 안전표지에 의하여 진입이 금지된 장소에 들어가서는 아니 된다.

(6) 차마(자전거 등은 제외한다)의 운전자는 안전표지로 통행이 허용된 장소를 제외하고는 자전거도로 또는 길가장자리구역으로 통행하여서는 아니 된다. 다만, 자전거 이용 활성화에 관한 법률 제3조 제4호에 따른 자전거 우선도로의 경우에는 그러하지 아니하다.

2. 자전거 등의 통행방법의 특례(제13조의2)

(1) 자전거 등의 운전자는 자전거도로(제15조 제1항에 따라 자전거만 통행할 수 있도록 설치된 전용차로를 포함한다)가 따로 있는 곳에서는 그 자전거도로로 통행하여야 한다.

(2) 자전거 등의 운전자는 자전거도로가 설치되지 아니한 곳에서는 도로 우측 가장자리에 붙어서 통행하여야 한다.

(3) 자전거 등의 운전자는 길가장자리구역(안전표지로 자전거 등의 통행을 금지한 구간은 제외한다)을 통행할 수 있다. 이 경우 자전거 등의 운전자는 보행자의 통행에 방해가 될 때에는 서행하거나 일시정지하여야 한다.

(4) 자전거 등의 운전자는 다음의 어느 하나에 해당하는 경우에는 보도를 통행할 수 있다. 이 경우 자전거 등의 운전자는 보도 중앙으로부터 차도 쪽 또는 안전표지로 지정된 곳으로 서행하여야 하며, 보행자의 통행에 방해가 될 때에는 일시정지하여야 한다.
① 어린이, 노인, 그 밖에 행정안전부령으로 정하는 신체장애인이 자전거를 운전하는 경우. 다만, 자전거 이용 활성화에 관한 법률 제2조 제1호의2에 따른 전기자전거의 원동기를 끄지 아니하고 운전하는 경우는 제외한다.
② 안전표지로 자전거 등의 통행이 허용된 경우
③ 도로의 파손, 도로공사나 그 밖의 장애 등으로 도로를 통행할 수 없는 경우

(5) 자전거 등의 운전자는 안전표지로 통행이 허용된 경우를 제외하고는 2대 이상이 나란히 차도를 통행하여서는 아니 된다.

(6) 자전거 등의 운전자가 횡단보도를 이용하여 도로를 횡단할 때에는 자전거 등에서 내려서 자전거 등을 끌거나 들고 보행하여야 한다.

3. 차로 · 전용차로의 설치

(1) 차로의 설치(제14조)

① 시 · 도경찰청장은 차마의 교통을 원활하게 하기 위하여 필요한 경우에는 도로에 행정안전부령으로 정하는 차로를 설치할 수 있다. 이 경우 시 · 도경찰청장은 시간대에 따라 양방향의 통행량이 뚜렷하게 다른 도로에는 교통량이 많은 쪽으로 차로의 수가 확대될 수 있도록 신호기에 의하여 차로의 진행방향을 지시하는 가변차로를 설치할 수 있다.

② 차마의 운전자는 차로가 설치되어 있는 도로에서는 이 법이나 이 법에 따른 명령에 특별한 규정이 있는 경우를 제외하고는 그 차로를 따라 통행하여야 한다. 다만, 시 · 도경찰청장이 통행방법을 따로 지정한 경우에는 그 방법으로 통행하여야 한다.

③ 차로가 설치된 도로를 통행하려는 경우로서 차의 너비가 행정안전부령으로 정하는 차로의 너비보다 넓어 교통의 안전이나 원활한 소통에 지장을 줄 우려가 있는 경우 그 차의 운전자는 도로를 통행하여서는 아니 된다. 다만, 행정안전부령으로 정하는 바에 따라 그 차의 출발지를 관할하는 경찰서장의 허가를 받은 경우에는 그러하지 아니하다.

④ 차마의 운전자는 안전표지가 설치되어 특별히 진로 변경이 금지된 곳에서는 차마의 진로를 변경하여서는 아니 된다. 다만, 도로의 파손이나 도로공사 등으로 인하여 장애물이 있는 경우에는 그러하지 아니하다.

(2) 전용차로의 설치(제15조)

① 시장 등은 원활한 교통을 확보하기 위하여 특히 필요한 경우에는 시 · 도경찰청장이나 경찰서장과 협의하여 도로에 전용차로(차의 종류나 승차 인원에 따라 지정된 차만 통행할 수 있는 차로를 말한다)를 설치할 수 있다.

도로교통법
제61조【고속도로 전용차로의 설치】 ① 경찰청장은 고속도로의 원활한 소통을 위하여 특히 필요한 경우에는 고속도로에 전용차로를 설치할 수 있다.

② 전용차로의 종류, 전용차로로 통행할 수 있는 차와 그 밖에 전용차로의 운영에 필요한 사항은 대통령령으로 정한다.

③ 전용차로로 통행할 수 있는 차가 아니면 전용차로로 통행하여서는 아니 된다. 다만, 긴급자동차가 그 본래의 긴급한 용도로 운행되고 있는 경우 등 대통령령으로 정하는 경우에는 그러하지 아니하다.

(3) 자전거횡단도의 설치 등(제15조의2)

시 · 도경찰청장은 도로를 횡단하는 자전거 운전자의 안전을 위하여 행정안전부령으로 정하는 기준에 따라 자전거횡단도를 설치할 수 있다. 자전거 등의 운전자가 자전거 등을 타고 자전거횡단도가 따로 있는 도로를 횡단할 때에는 자전거횡단도를 이용하여야 한다.

4. 자동차 등과 노면전차의 속도(제17조)

(1) 자동차 등(개인형 이동장치는 제외한다)과 노면전차의 도로 통행 속도는 행정안전부령으로 정한다.

(2) 경찰청장이나 시・도경찰청장은 도로에서 일어나는 위험을 방지하고 교통의 안전과 원활한 소통을 확보하기 위하여 필요하다고 인정하는 경우에는 다음의 구분에 따라 구역이나 구간을 지정하여 속도를 제한할 수 있다.

① 경찰청장: 고속도로

② 시・도경찰청장: 고속도로를 제외한 도로

(3) 자동차 등과 노면전차의 운전자는 최고속도보다 빠르게 운전하거나 최저속도보다 느리게 운전하여서는 아니 된다. 다만, 교통이 밀리거나 그 밖의 부득이한 사유로 최저속도보다 느리게 운전할 수밖에 없는 경우에는 그러하지 아니하다.

도로교통법 시행규칙 제19조(자동차 등의 속도)

<table>
<tr><td>일반도로</td><td colspan="2">① 국토의 계획 및 이용에 관한 법률 제36조 제1항 제1호 가목부터 다목까지의 규정에 따른 주거지역・상업지역 및 공업지역의 일반도로에서는 매시 50km 이내. 다만, 시・도경찰청장이 원활한 소통을 위하여 특히 필요하다고 인정하여 지정한 노선 또는 구간에서는 매시 60km 이내
② ① 외의 일반도로에서는 매시 60km 이내. 다만, 편도 2차로 이상의 도로에서는 매시 80km 이내</td></tr>
<tr><td>자동차전용도로</td><td colspan="2">최고속도는 매시 90km, 최저속도는 매시 30km</td></tr>
<tr><td>고속도로</td><td colspan="2">① 편도 1차로 고속도로에서의 최고속도는 매시 80km, 최저속도는 매시 50km
② 편도 2차로 이상 고속도로에서의 최고속도는 매시 100km[화물자동차(적재중량 1.5t을 초과하는 경우에 한한다. 이하 이 호에서 같다)・특수자동차・위험물운반자동차(별표 9 (주) 6에 따른 위험물 등을 운반하는 자동차를 말한다) 및 건설기계의 최고속도는 매시 80km], 최저속도는 매시 50km
③ ②에 불구하고 편도 2차로 이상의 고속도로로서 경찰청장이 고속도로의 원활한 소통을 위하여 특히 필요하다고 인정하여 지정・고시한 노선 또는 구간의 최고속도는 매시 120km(화물자동차・특수자동차・위험물운반자동차 및 건설기계의 최고속도는 매시 90km) 이내, 최저속도는 매시 50km</td></tr>
<tr><td rowspan="2">비・안개・눈 등으로 인한 거친 날씨</td><td>최고속도의 100분의 20을 줄인 속도로 운행하여야 하는 경우</td><td>① 비가 내려 노면이 젖어있는 경우
② 눈이 20mm 미만 쌓인 경우</td></tr>
<tr><td>최고속도의 100분의 50을 줄인 속도로 운행하여야 하는 경우</td><td>① 폭우・폭설・안개 등으로 가시거리가 100m 이내인 경우
② 노면이 얼어 붙은 경우
③ 눈이 20mm 이상 쌓인 경우</td></tr>
</table>

5. 운전자의 의무

(1) 횡단 등의 금지(제18조)

① 차마의 운전자는 보행자나 다른 차마의 정상적인 통행을 방해할 우려가 있는 경우에는 차마를 운전하여 도로를 횡단하거나 유턴 또는 후진하여서는 아니 된다.

② 시・도경찰청장은 도로에서의 위험을 방지하고 교통의 안전과 원활한 소통을 확보하기 위하여 특히 필요하다고 인정하는 경우에는 도로의 구간을 지정하여 차마의 횡단이나 유턴 또는 후진을 금지할 수 있다.

③ 차마의 운전자는 길가의 건물이나 주차장 등에서 도로에 들어갈 때에는 일단 정지한 후에 안전한지 확인하면서 서행하여야 한다.

(2) 안전거리 확보 등(제19조)

① 모든 차의 운전자는 같은 방향으로 가고 있는 앞차의 뒤를 따르는 경우에는 앞차가 갑자기 정지하게 되는 경우 그 앞차와의 충돌을 피할 수 있는 필요한 거리를 확보하여야 한다.

② 자동차 등의 운전자는 같은 방향으로 가고 있는 자전거 등의 운전자에 주의하여야 하며, 그 옆을 지날 때에는 자전거 등과의 충돌을 피할 수 있는 필요한 거리를 확보하여야 한다.

③ 모든 차의 운전자는 차의 진로를 변경하려는 경우에 그 변경하려는 방향으로 오고 있는 다른 차의 정상적인 통행에 장애를 줄 우려가 있을 때에는 진로를 변경하여서는 아니 된다.

④ 모든 차의 운전자는 위험방지를 위한 경우와 그 밖의 부득이한 경우가 아니면 운전하는 차를 갑자기 정지시키거나 속도를 줄이는 등의 급제동을 하여서는 아니 된다.

(3) 진로 양보의 의무(제20조)

① 모든 차(긴급자동차는 제외한다)의 운전자는 뒤에서 따라오는 차보다 느린 속도로 가려는 경우에는 도로의 우측 가장자리로 피하여 진로를 양보하여야 한다. 다만, 통행 구분이 설치된 도로의 경우에는 그러하지 아니하다.

② 좁은 도로에서 긴급자동차 외의 자동차가 서로 마주보고 진행할 때에는 다음의 구분에 따른 자동차가 도로의 우측 가장자리로 피하여 진로를 양보하여야 한다.

㉠ 비탈진 좁은 도로에서 자동차가 서로 마주보고 진행하는 경우에는 올라가는 자동차

㉡ 비탈진 좁은 도로 외의 좁은 도로에서 사람을 태웠거나 물건을 실은 자동차와 동승자(同乘者)가 없고 물건을 싣지 아니한 자동차가 서로 마주보고 진행하는 경우에는 동승자가 없고 물건을 싣지 아니한 자동차

(4) 앞지르기 방법 등(제21조)

① 모든 차의 운전자는 다른 차를 앞지르려면 앞차의 좌측으로 통행하여야 한다.

② 자전거 등의 운전자는 서행하거나 정지한 다른 차를 앞지르려면 ①에도 불구하고 앞차의 우측으로 통행할 수 있다. 이 경우 자전거 등의 운전자는 정지한 차에서 승차하거나 하차하는 사람의 안전에 유의하여 서행하거나 필요한 경우 일시정지하여야 한다.

③ ①과 ②의 경우 앞지르려고 하는 모든 차의 운전자는 반대방향의 교통과 앞차 앞쪽의 교통에도 주의를 충분히 기울여야 하며, 앞차의 속도·진로와 그 밖의 도로상황에 따라 방향지시기·등화 또는 경음기(警音機)를 사용하는 등 안전한 속도와 방법으로 앞지르기를 하여야 한다.

④ 모든 차의 운전자는 앞지르기를 하는 차가 있을 때에는 속도를 높여 경쟁하거나 그 차의 앞을 가로막는 등의 방법으로 앞지르기를 방해하여서는 아니 된다.

(5) 앞지르기 금지의 시기 및 장소(제22조)

① **앞지르기 금지시기**: 모든 차의 운전자는 다음의 어느 하나에 해당하는 경우에는 앞차를 앞지르지 못한다.

㉠ 앞차의 좌측에 다른 차가 앞차와 나란히 가고 있는 경우

㉡ 앞차가 다른 차를 앞지르고 있거나 앞지르려고 하는 경우

② **앞지르기 금지대상차량**: 모든 차의 운전자는 다음의 어느 하나에 해당하는 다른 차를 앞지르지 못한다.

㉠ 이 법이나 이 법에 따른 명령에 따라 정지하거나 서행하고 있는 차

㉡ 경찰공무원의 지시에 따라 정지하거나 서행하고 있는 차

㉢ 위험을 방지하기 위하여 정지하거나 서행하고 있는 차

③ **앞지르기 금지장소**: 모든 차의 운전자는 다음의 어느 하나에 해당하는 곳에서는 다른 차를 앞지르지 못한다.

㉠ 교차로

㉡ 터널 안

㉢ 다리 위

㉣ 도로의 구부러진 곳, 비탈길의 고갯마루 부근 또는 가파른 비탈길의 내리막 등 시·도경찰청장이 도로에서의 위험을 방지하고 교통의 안전과 원활한 소통을 확보하기 위하여 필요하다고 인정하는 곳으로서 안전표지로 지정한 곳

(6) 끼어들기의 금지(제23조)

모든 차의 운전자는 다음의 어느 하나에 해당하는 다른 차 앞으로 끼어들지 못한다.

① 이 법이나 이 법에 따른 명령에 따라 정지하거나 서행하고 있는 차

② 경찰공무원의 지시에 따라 정지하거나 서행하고 있는 차

③ 위험을 방지하기 위하여 정지하거나 서행하고 있는 차

(7) 철길 건널목의 통과(제24조)

① 모든 차 또는 노면전차의 운전자는 철길 건널목(이하 '건널목'이라 한다)을 통과하려는 경우에는 건널목 앞에서 일시정지하여 안전한지 확인한 후에 통과하여야 한다. 다만, 신호기 등이 표시하는 신호에 따르는 경우에는 정지하지 아니하고 통과할 수 있다.

② 모든 차 또는 노면전차의 운전자는 건널목의 차단기가 내려져 있거나 내려지려고 하는 경우 또는 건널목의 경보기가 울리고 있는 동안에는 그 건널목으로 들어가서는 아니 된다.

③ 모든 차 또는 노면전차의 운전자는 건널목을 통과하다가 고장 등의 사유로 건널목 안에서 차 또는 노면전차를 운행할 수 없게 된 경우에는 즉시 승객을 대피시키고 비상신호기 등을 사용하거나 그 밖의 방법으로 철도공무원이나 경찰공무원에게 그 사실을 알려야 한다.

(8) 교차로 통행방법(제25조)

① 모든 차의 운전자는 교차로에서 우회전을 하려는 경우에는 미리 도로의 우측 가장자리를 서행하면서 우회전하여야 한다. 이 경우 우회전하는 차의 운전자는 신호에 따라 정지하거나 진행하는 보행자 또는 자전거 등에 주의하여야 한다.

② 모든 차의 운전자는 교차로에서 좌회전을 하려는 경우에는 미리 도로의 중앙선을 따라 서행하면서 교차로의 중심 안쪽을 이용하여 좌회전하여야 한다. 다만, 시·도경찰청장이 교차로의 상황에 따라 특히 필요하다고 인정하여 지정한 곳에서는 교차로의 중심 바깥쪽을 통과할 수 있다.

③ 자전거 등의 운전자는 교차로에서 좌회전하려는 경우에는 미리 도로의 우측 가장자리로 붙어 서행하면서 교차로의 가장자리 부분을 이용하여 좌회전하여야 한다.

④ 우회전이나 좌회전을 하기 위하여 손이나 방향지시기 또는 등화로써 신호를 하는 차가 있는 경우에 그 뒤차의 운전자는 신호를 한 앞차의 진행을 방해하여서는 아니 된다.

⑤ 모든 차 또는 노면전차의 운전자는 신호기로 교통정리를 하고 있는 교차로에 들어가려는 경우에는 진행하려는 진로의 앞쪽에 있는 차 또는 노면전차의 상황에 따라 교차로(정지선이 설치되어 있는 경우에는 그 정지선을 넘은 부분을 말한다)에 정지하게 되어 다른 차 또는 노면전차의 통행에 방해가 될 우려가 있는 경우에는 그 교차로에 들어가서는 아니 된다.

⑥ 모든 차의 운전자는 교통정리를 하고 있지 아니하고 일시정지나 양보를 표시하는 안전표지가 설치되어 있는 교차로에 들어가려고 할 때에는 다른 차의 진행을 방해하지 아니하도록 일시정지하거나 양보하여야 한다.

(9) 회전교차로 통행방법(제25조의2)

① 모든 차의 운전자는 회전교차로에서는 반시계방향으로 통행하여야 한다.

② 모든 차의 운전자는 회전교차로에 진입하려는 경우에는 서행하거나 일시정지하여야 하며, 이미 진행하고 있는 다른 차가 있는 때에는 그 차에 진로를 양보하여야 한다.

③ ① 및 ②에 따라 회전교차로 통행을 위하여 손이나 방향지시기 또는 등화로써 신호를 하는 차가 있는 경우 그 뒤차의 운전자는 신호를 한 앞차의 진행을 방해하여서는 아니 된다.

(10) 교통정리가 없는 교차로에서의 양보운전(제26조)

① 교통정리를 하고 있지 아니하는 교차로에 들어가려고 하는 차의 운전자는 이미 교차로에 들어가 있는 다른 차가 있을 때에는 그 차에 진로를 양보하여야 한다.

② 교통정리를 하고 있지 아니하는 교차로에 들어가려고 하는 차의 운전자는 그 차가 통행하고 있는 도로의 폭보다 교차하는 도로의 폭이 넓은 경우에는 서행하여야 하며, 폭이 넓은 도로로부터 교차로에 들어가려고 하는 다른 차가 있을 때에는 그 차에 진로를 양보하여야 한다.

③ 교통정리를 하고 있지 아니하는 교차로에 동시에 들어가려고 하는 차의 운전자는 우측도로의 차에 진로를 양보하여야 한다.

④ 교통정리를 하고 있지 아니하는 교차로에서 좌회전하려고 하는 차의 운전자는 그 교차로에서 직진하거나 우회전하려는 다른 차가 있을 때에는 그 차에 진로를 양보하여야 한다.

(11) 보행자의 보호(제27조)

① 모든 차 또는 노면전차의 운전자는 보행자(자전거 등에서 내려서 자전거 등을 끌거나 들고 통행하는 자전거 등의 운전자를 포함한다)가 횡단보도를 통행하고 있거나 통행하려고 하는 때에는 보행자의 횡단을 방해하거나 위험을 주지 아니하도록 그 횡단보도 앞(정지선이 설치되어 있는 곳에서는 그 정지선을 말한다)에서 일시정지하여야 한다.

② 모든 차 또는 노면전차의 운전자는 교통정리를 하고 있는 교차로에서 좌회전이나 우회전을 하려는 경우에는 신호기 또는 경찰공무원 등의 신호나 지시에 따라 도로를 횡단하는 보행자의 통행을 방해하여서는 아니 된다.

③ 모든 차의 운전자는 교통정리를 하고 있지 아니하는 교차로 또는 그 부근의 도로를 횡단하는 보행자의 통행을 방해하여서는 아니 된다.

④ 모든 차의 운전자는 도로에 설치된 안전지대에 보행자가 있는 경우와 차로가 설치되지 아니한 좁은 도로에서 보행자의 옆을 지나는 경우에는 안전한 거리를 두고 서행하여야 한다.

⑤ 모든 차 또는 노면전차의 운전자는 보행자가 횡단보도가 설치되어 있지 아니한 도로를 횡단하고 있을 때에는 안전거리를 두고 일시정지하여 보행자가 안전하게 횡단할 수 있도록 하여야 한다.

⑥ 모든 차의 운전자는 다음 각 호의 어느 하나에 해당하는 곳에서 보행자의 옆을 지나는 경우에는 안전한 거리를 두고 서행하여야 하며, 보행자의 통행에 방해가 될 때에는 서행하거나 일시정지하여 보행자가 안전하게 통행할 수 있도록 하여야 한다.

> ㉠ 보도와 차도가 구분되지 아니한 도로 중 중앙선이 없는 도로
> ㉡ 보행자우선도로
> ㉢ 도로 외의 곳

⑦ 모든 차 또는 노면전차의 운전자는 제12조 제1항에 따른 어린이 보호구역 내에 설치된 횡단보도 중 신호기가 설치되지 아니한 횡단보도 앞(정지선이 설치된 경우에는 그 정지선을 말한다)에서는 보행자의 횡단 여부와 관계없이 일시정지하여야 한다.

(12) 보행자전용도로의 설치(제28조)

① 시・도경찰청장이나 경찰서장은 보행자의 통행을 보호하기 위하여 특히 필요한 경우에는 도로에 보행자전용도로를 설치할 수 있다.

② 차마 또는 노면전차의 운전자는 ①에 따른 보행자전용도로를 통행하여서는 아니 된다. 다만, 시・도경찰청장이나 경찰서장은 특히 필요하다고 인정하는 경우에는 보행자전용도로에 차마의 통행을 허용할 수 있다. 보행자전용도로의 통행이 허용된 차마의 운전자는 보행자를 위험하게 하거나 보행자의 통행을 방해하지 아니하도록 차마를 보행자의 걸음 속도로 운행하거나 일시정지하여야 한다.

(13) 보행자우선도로(제28조의2)

시・도경찰청장이나 경찰서장은 보행자우선도로에서 보행자를 보호하기 위하여 필요하다고 인정하는 경우에는 차마의 통행속도를 시속 20킬로미터 이내로 제한할 수 있다.

6. 긴급자동차

(1) 긴급자동차의 종류(법 제2조, 도로교통법 시행령 제2조)

다음의 자동차로서 그 본래의 긴급한 용도로 사용되고 있는 자동차를 말한다.

<table>
<tr><td>소방차</td><td colspan="2"></td></tr>
<tr><td>구급차</td><td colspan="2"></td></tr>
<tr><td>혈액공급차량</td><td colspan="2"></td></tr>
<tr><td>그 밖에 대통령령으로 정하는 자동차</td><td>도로교통법(이하 ‘법’이라 한다) 제2조 제22호 라목에서 ‘대통령령으로 정하는 자동차’란 긴급한 용도로 사용되는 다음의 어느 하나에 해당하는 자동차를 말한다.
다만, ⑥부터 ⑪까지의 자동차는 이를 사용하는 사람 또는 기관 등의 신청에 의하여 시・도경찰청장이 지정하는 경우로 한정한다.</td><td>① 경찰용 자동차 중 범죄수사, 교통단속, 그 밖의 긴급한 경찰업무수행에 사용되는 자동차
② 국군 및 주한 국제연합군용 자동차 중 군 내부의 질서 유지나 부대의 질서 있는 이동을 유도(誘導)하는 데 사용되는 자동차
③ 수사기관의 자동차 중 범죄수사를 위하여 사용되는 자동차
④ 다음의 어느 하나에 해당하는 시설 또는 기관의 자동차 중 도주자의 체포 또는 수용자, 보호관찰 대상자의 호송・경비를 위하여 사용되는 자동차
㉠ 교도소・소년교도소 또는 구치소
㉡ 소년원 또는 소년분류심사원
㉢ 보호관찰소
⑤ 국내외 요인(要人)에 대한 경호업무수행에 공무(公務)로 사용되는 자동차
⑥ 전기사업, 가스사업 그 밖의 공익사업을 하는 기관에서 위험방지를 위한 응급작업에 사용되는 자동차
⑦ 민방위업무를 수행하는 기관에서 긴급예방 또는 복구를 위한 출동에 사용되는 자동차</td></tr>
</table>

그 밖에 대통령령으로 정하는 자동차		⑧ 도로관리를 위하여 사용되는 자동차 중 도로상의 위험을 방지하기 위한 응급작업에 사용되거나 운행이 제한되는 자동차를 단속하기 위하여 사용되는 자동차 ⑨ 전신·전화의 수리공사 등 응급작업에 사용되는 자동차 ⑩ 긴급한 우편물의 운송에 사용되는 자동차 ⑪ 전파감시업무에 사용되는 자동차
	다음의 어느 하나에 해당하는 자동차는 긴급자동차로 본다.	① 제1항 제1호에 따른 경찰용 긴급자동차에 의하여 유도되고 있는 자동차 ② 제1항 제2호에 따른 국군 및 주한 국제연합군용의 긴급자동차에 의하여 유도되고 있는 국군 및 주한 국제연합군의 자동차 ③ 생명이 위급한 환자 또는 부상자나 수혈을 위한 혈액을 운송 중인 자동차

(2) 긴급자동차의 우선 통행(제29조)

① 긴급자동차는 긴급하고 부득이한 경우에는 도로의 중앙이나 좌측 부분을 통행할 수 있다.

② 긴급자동차는 이 법이나 이 법에 따른 명령에 따라 정지하여야 하는 경우에도 불구하고 긴급하고 부득이한 경우에는 정지하지 아니할 수 있다.

③ 긴급자동차의 운전자는 ①이나 ②의 경우에 교통안전에 특히 주의하면서 통행하여야 한다.

④ 교차로나 그 부근에서 긴급자동차가 접근하는 경우에는 차마와 노면전차의 운전자는 교차로를 피하여 일시정지하여야 한다.

⑤ 모든 차와 노면전차의 운전자는 ④에 따른 곳 외의 곳에서 긴급자동차가 접근한 경우에는 긴급자동차가 우선통행할 수 있도록 진로를 양보하여야 한다.

⑥ 자동차 운전자는 해당 자동차를 그 본래의 긴급한 용도로 운행하지 아니하는 경우에는 자동차관리법에 따라 설치된 경광등을 켜거나 사이렌을 작동하여서는 아니 된다. 다만, 대통령령으로 정하는 바에 따라 범죄 및 화재 예방 등을 위한 순찰·훈련 등을 실시하는 경우에는 그러하지 아니하다.

(3) 긴급자동차에 대한 특례(제30조)

긴급자동차에 대하여는 다음의 사항을 적용하지 아니한다. 다만, ④부터 ⑫까지의 사항은 긴급자동차 중 제2조 제22호 가목부터 다목까지의 자동차와 대통령령으로 정하는 경찰용 자동차에 대해서만 적용하지 아니한다.

① 제17조에 따른 자동차 등의 속도 제한. 다만, 제17조에 따라 긴급자동차에 대하여 속도를 제한한 경우에는 같은 조의 규정을 적용한다.

② 제22조에 따른 앞지르기의 금지(시기 및 장소)(앞지르기 방법에 대한 특례 ×)

③ 제23조에 따른 끼어들기의 금지

④ 제5조에 따른 신호위반

⑤ 제13조 제1항에 따른 보도침범

⑥ 제13조 제3항에 따른 중앙선 침범

⑦ 제18조에 따른 횡단 등의 금지

⑧ 제19조에 따른 안전거리 확보 등

⑨ 제21조 제1항에 따른 앞지르기 방법 등

⑩ 제32조에 따른 정차 및 주차의 금지

⑪ 제33조에 따른 주차금지

⑫ 제66조에 따른 고장 등의 조치

(4) 형의 감면(제158조의2)

긴급자동차(제2조 제22호 가목부터 다목까지의 자동차와 대통령령으로 정하는 경찰용 자동차만 해당한다)의 운전자가 그 차를 본래의 긴급한 용도로 운행하는 중에 교통사고를 일으킨 경우에는 그 긴급활동의 시급성과 불가피성 등 정상을 참작하여 제151조 또는 교통사고처리 특례법 제3조 제1항 또는 특정범죄 가중처벌 등에 관한 법률 제5조의13에 따른 형을 감경하거나 면제할 수 있다.

(5) 교통안전교육(도로교통법 제73조)

긴급자동차의 운전업무에 종사하는 사람으로서 대통령령으로 정하는 사람은 대통령령으로 정하는 바에 따라 정기적으로 긴급자동차의 안전운전 등에 관한 교육을 받아야 한다.

도로교통법 시행령

제38조의2【긴급자동차 운전자에 대한 교통안전교육】 ① 법 제73조 제4항에서 '대통령령으로 정하는 사람'이란 다음의 어느 하나에 해당하는 사람을 말한다.

1. 법 제2조 제22호 가목부터 다목까지의 규정에 해당하는 자동차의 운전자
2. 제2조 제1항 각 호에 해당하는 자동차의 운전자

② 법 제73조 제4항에 따른 긴급자동차의 안전운전 등에 관한 교육(이하 '긴급자동차 교통안전교육'이라 한다)은 다음의 구분에 따라 실시한다.

1. 신규 교통안전교육 : 최초로 긴급자동차를 운전하려는 사람을 대상으로 실시하는 교육
2. 정기 교통안전교육 : 긴급자동차를 운전하는 사람을 대상으로 3년마다 정기적으로 실시하는 교육. 이 경우 직전에 긴급자동차 교통안전교육을 받은 날부터 기산하여 3년이 되는 날이 속하는 해의 1월 1일부터 12월 31일 사이에 교육을 받아야 한다.

③ 긴급자동차 교통안전교육은 한국도로교통공단에서 실시한다. 다만, 긴급자동차 교통안전교육대상자가 국가기관 및 지방자치단체에 소속된 사람인 경우에는 소속 기관에서 실시하는 교육훈련의 방법으로 실시할 수 있다.

④ 긴급자동차 교통안전교육은 다음의 사항에 대하여 강의·시청각교육 등의 방법으로 제2항 제1호에 따른 신규 교통안전교육은 3시간 이상, 같은 항 제2호에 따른 정기 교통안전교육은 2시간 이상 실시한다.

1. 긴급자동차와 관련된 도로교통법령
2. 긴급자동차의 주요 특성
3. 긴급자동차 교통사고의 주요 사례
4. 교통사고 예방 및 방어운전
5. 긴급자동차 운전자의 마음가짐

⑤ 긴급자동차 교통안전교육의 과목·내용·방법·시간, 그 밖에 필요한 사항은 행정안전부령으로 정한다.

7. 서행 또는 일시정지할 장소(제31조)

(1) 서행

모든 차 또는 노면전차의 운전자는 다음의 어느 하나에 해당하는 곳에서는 서행하여야 한다.

① 교통정리를 하고 있지 아니하는 교차로

② 도로가 구부러진 부근

③ 비탈길의 고갯마루 부근

④ 가파른 비탈길의 내리막

⑤ 시·도경찰청장이 도로에서의 위험을 방지하고 교통의 안전과 원활한 소통을 확보하기 위하여 필요하다고 인정하여 안전표지로 지정한 곳

(2) 일시정지

모든 차 또는 노면전차의 운전자는 다음의 어느 하나에 해당하는 곳에서는 일시정지하여야 한다.

① 교통정리를 하고 있지 아니하고 좌우를 확인할 수 없거나 교통이 빈번한 교차로

② 시·도경찰청장이 도로에서의 위험을 방지하고 교통의 안전과 원활한 소통을 확보하기 위하여 필요하다고 인정하여 안전표지로 지정한 곳

8. 정·주차금지와 주차금지

(1) 정·주차금지 장소와 주차금지 장소

정차 및 주차의 금지(제32조)	주차금지의 장소(제33조)
모든 차의 운전자는 다음의 어느 하나에 해당하는 곳에서는 차를 정차하거나 주차하여서는 아니 된다. 다만, 이 법이나 이 법에 따른 명령 또는 경찰공무원의 지시를 따르는 경우와 위험방지를 위하여 일시정지하는 경우에는 그러하지 아니하다. ① 교차로·횡단보도·건널목이나 보도와 차도가 구분된 도로의 보도(주차장법에 따라 차도와 보도에 걸쳐서 설치된 노상주차장은 제외한다) ② 교차로의 가장자리나 도로의 모퉁이로부터 5미터 이내인 곳 ③ 안전지대가 설치된 도로에서는 그 안전지대의 사방으로부터 각각 10미터 이내인 곳 ④ 버스여객자동차의 정류지(停留地)임을 표시하는 기둥이나 표지판 또는 선이 설치된 곳으로부터 10미터 이내인 곳. 다만, 버스여객자동차의 운전자가 그 버스여객자동차의 운행시간 중에 운행노선에 따르는 정류장에서 승객을 태우거나 내리기 위하여 차를 정차하거나 주차하는 경우에는 그러하지 아니하다. ⑤ 건널목의 가장자리 또는 횡단보도로부터 10미터 이내인 곳 ⑥ 다음의 곳으로부터 5미터 이내인 곳 ㉠ 소방기본법 제10조에 따른 소방용수시설 또는 비상소화장치가 설치된 곳 ㉡ 소방시설 설치 및 관리에 관한 법률 제2조 제1항 제1호에 따른 소방시설로서 대통령령으로 정하는 시설이 설치된 곳 ⑦ 시·도경찰청장이 도로에서의 위험을 방지하고 교통의 안전과 원활한 소통을 확보하기 위하여 필요하다고 인정하여 지정한 곳 ⑧ 시장 등이 제12조 제1항에 따라 지정한 어린이 보호구역	모든 차의 운전자는 다음의 어느 하나에 해당하는 곳에 차를 주차해서는 아니 된다. ① 터널 안 및 다리 위 ② 다음의 곳으로부터 5미터 이내인 곳 ㉠ 도로공사를 하고 있는 경우에는 그 공사 구역의 양쪽 가장자리 ㉡ 다중이용업소의 안전관리에 관한 특별법에 따른 다중이용업소의 영업장이 속한 건축물로 소방본부장의 요청에 의하여 시·도경찰청장이 지정한 곳 ③ 시·도경찰청장이 도로에서의 위험을 방지하고 교통의 안전과 원활한 소통을 확보하기 위하여 필요하다고 인정하여 지정한 곳

(2) 주차 위반에 대한 조치(제35조)

① 다음의 어느 하나에 해당하는 사람은 주차하고 있는 차가 교통에 위험을 일으키게 하거나 방해될 우려가 있을 때에는 차의 운전자 또는 관리 책임이 있는 사람에게 주차방법을 변경하거나 그 곳으로부터 이동할 것을 명할 수 있다.

㉠ 경찰공무원

㉡ 시장 등(도지사를 포함한다)이 대통령령으로 정하는 바에 따라 임명하는 공무원(이하 '시 · 군공무원'이라 한다)

② 경찰서장이나 시장 등은 차의 운전자나 관리 책임이 있는 사람이 현장에 없을 때에는 도로에서 일어나는 위험을 방지하고 교통의 안전과 원활한 소통을 확보하기 위하여 필요한 범위에서 그 차의 주차방법을 직접 변경하거나 변경에 필요한 조치를 할 수 있으며, 부득이한 경우에는 관할 경찰서나 경찰서장 또는 시장 등이 지정하는 곳으로 이동하게 할 수 있다.

9. 차와 노면전차의 등화(제37조)

모든 차 또는 노면전차의 운전자는 다음의 어느 하나에 해당하는 경우에는 대통령령으로 정하는 바에 따라 전조등(前照燈), 차폭등(車幅燈), 미등(尾燈)과 그 밖의 등화를 켜야 한다.

(1) 밤(해가 진 후부터 해가 뜨기 전까지를 말한다)에 도로에서 차 또는 노면전차를 운행하거나 고장이나 그 밖의 부득이한 사유로 도로에서 차 또는 노면전차를 정차 또는 주차하는 경우

(2) 안개가 끼거나 비 또는 눈이 올 때에 도로에서 차 또는 노면전차를 운행하거나 고장이나 그 밖의 부득이한 사유로 도로에서 차 또는 노면전차를 정차 또는 주차하는 경우

(3) 터널 안을 운행하거나 고장 또는 그 밖의 부득이한 사유로 터널 안 도로에서 차 또는 노면전차를 정차 또는 주차하는 경우

04 운전자 및 고용주 등의 의무

1. 무면허운전 등의 금지(제43조)

누구든지 시 · 도경찰청장으로부터 운전면허를 받지 아니하거나 운전면허의 효력이 정지된 경우에는 자동차 등을 운전하여서는 아니 된다.

2. 술에 취한 상태에서의 운전금지(제44조)

(1) 누구든지 술에 취한 상태에서 자동차 등(「건설기계관리법」 제26조제1항 단서에 따른 건설기계 외의 건설기계를 포함한다. 이하 이 조, 제45조, 제47조, 제50조의3, 제93조 제1항 제1호부터 제4호까지 및 제148조의2에서 같다), 노면전차 또는 자전거를 운전하여서는 아니 된다.

(2) 경찰공무원은 교통의 안전과 위험방지를 위하여 필요하다고 인정하거나 (1)을 위반하여 술에 취한 상태에서 자동차 등, 노면전차 또는 자전거를 운전하였다고 인정할 만한 상당한 이유가 있는 경우에는 운전자가 술에 취하였는지를 호흡조사로 측정할 수 있다. 이 경우 운전자는 경찰공무원의 측정에 응하여야 한다.

(3) (2)에 따른 측정 결과에 불복하는 운전자에 대하여는 그 운전자의 동의를 받아 혈액 채취 등의 방법으로 다시 측정할 수 있다.

(4) (1)에 따라 운전이 금지되는 술에 취한 상태의 기준은 운전자의 혈중알코올농도가 0.03% 이상인 경우로 한다.

(5) (2) 및 (3)에 따른 측정의 방법, 절차 등 필요한 사항은 행정안전부령으로 정한다.

도로교통법 시행규칙 제27조의2【술에 취한 상태의 측정 방법 등】 ① 법 제44조제2항 및 제3항에 따른 술에 취한 상태의 측정 방법은 다음 각 호와 같다.
1. 호흡조사 : 호흡을 채취하여 술에 취한 정도를 객관적으로 환산하는 측정 방법
2. 혈액 채취 : 혈액을 채취하여 술에 취한 정도를 객관적으로 환산하는 측정 방법

② 법 제44조제2항 및 제3항에 따른 술에 취한 상태의 측정 절차는 다음 각 호와 같다.
1. 호흡조사로 측정하는 경우 다음 각 목의 절차를 따를 것
   가. 경찰공무원이 교통의 안전과 위험방지를 위하여 필요하다고 인정하는 경우나 운전자의 외관, 언행, 태도, 운전 행태 등 객관적 사정을 종합하여 운전자가 술에 취한 상태에서 운전한 것으로 의심되는 경우에 실시할 것
   나. 입 안의 잔류 알코올을 헹궈낼 수 있도록 운전자에게 음용수를 제공할 것
2. 혈액 채취로 측정하는 경우 다음 각 목의 절차를 따를 것
   가. 운전자가 처음부터 혈액 채취로 측정을 요구하거나 호흡조사로 측정한 결과에 불복하면서 혈액 채취로의 측정에 동의하는 경우 또는 운전자가 의식이 없는 등 호흡조사로 측정이 불가능한 경우에 실시할 것
   나. 가까운 병원 또는 의원 등의 의료기관에서 비알콜성 소독약을 사용하여 채혈할 것

③ 제1항 및 제2항에서 규정한 사항 외에 술에 취한 상태의 측정 방법 및 절차 등에 관하여 필요한 사항은 경찰청장이 정한다.

도로교통법

제148조의2【벌칙】 ① 제44조제1항 또는 제2항을 위반(자동차등 또는 노면전차를 운전한 경우로 한정한다. 다만, 개인형 이동장치를 운전한 경우는 제외한다. 이하 이 조에서 같다)하여 벌금 이상의 형을 선고받고 그 형이 확정된 날부터 10년 내에 다시 같은 조 제1항 또는 제2항을 위반한 사람(형이 실효된 사람도 포함한다)은 다음 각 호의 구분에 따라 처벌한다.
1. 제44조제2항을 위반한 사람은 1년 이상 6년 이하의 징역이나 500만원 이상 3천만원 이하의 벌금에 처한다.
2. 제44조제1항을 위반한 사람 중 혈중알코올농도가 0.2퍼센트 이상인 사람은 2년 이상 6년 이하의 징역이나 1천만원 이상 3천만원 이하의 벌금에 처한다.
3. 제44조제1항을 위반한 사람 중 혈중알코올농도가 0.03퍼센트 이상 0.2퍼센트 미만인 사람은 1년 이상 5년 이하의 징역이나 500만원 이상 2천만원 이하의 벌금에 처한다.

② 술에 취한 상태에 있다고 인정할 만한 상당한 이유가 있는 사람으로서 제44조제2항에 따른 경찰공무원의 측정에 응하지 아니하는 사람(자동차등 또는 노면전차를 운전한 경우로 한정한다)은 1년 이상 5년 이하의 징역이나 500만원 이상 2천만원 이하의 벌금에 처한다.

③ 제44조 제1항을 위반하여 술에 취한 상태에서 자동차 등 또는 노면전차를 운전한 사람은 다음의 구분에 따라 처벌한다.
1. 혈중알코올농도가 0.2퍼센트 이상인 사람은 2년 이상 5년 이하의 징역이나 1천만원 이상 2천만원 이하의 벌금
2. 혈중알코올농도가 0.08퍼센트 이상 0.2퍼센트 미만인 사람은 1년 이상 2년 이하의 징역이나 500만원 이상 1천만원 이하의 벌금
3. 혈중알코올농도가 0.03퍼센트 이상 0.08퍼센트 미만인 사람은 1년 이하의 징역이나 500만원 이하의 벌금

④ 제45조를 위반하여 약물로 인하여 정상적으로 운전하지 못할 우려가 있는 상태에서 자동차 등 또는 노면전차를 운전한 사람은 3년 이하의 징역이나 1천만원 이하의 벌금에 처한다.

제156조【벌칙】 다음의 어느 하나에 해당하는 사람은 20만원 이하의 벌금이나 구류 또는 과료(科料)에 처한다.

11. 제44조 제1항을 위반하여 술에 취한 상태에서 자전거를 운전한 사람
12. 술에 취한 상태에 있다고 인정할 만한 상당한 이유가 있는 사람으로서 제44조 제2항에 따른 경찰공무원의 측정에 응하지 아니한 사람(자전거를 운전한 사람으로 한정한다)

3. 과로한 때 등의 운전금지(제45조)

자동차 등(개인형 이동장치는 제외한다) 또는 노면전차의 운전자는 술에 취한 상태 외에 과로, 질병 또는 약물(마약, 대마 및 향정신성의약품과 그 밖에 행정안전부령으로 정하는 것을 말한다)의 영향과 그 밖의 사유로 정상적으로 운전하지 못할 우려가 있는 상태에서 자동차 등 또는 노면전차를 운전하여서는 아니 된다.

4. 공동 위험행위의 금지(제46조)

자동차 등(개인형 이동장치는 제외한다)의 운전자는 도로에서 2명 이상이 공동으로 2대 이상의 자동차 등을 정당한 사유 없이 앞뒤로 또는 좌우로 줄지어 통행하면서 다른 사람에게 위해(危害)를 끼치거나 교통상의 위험을 발생하게 하여서는 아니 된다. 자동차 등의 동승자는 공동 위험행위를 주도하여서는 아니 된다.

5. 교통단속용 장비의 기능방해금지(제46조의2)

누구든지 교통단속을 회피할 목적으로 교통단속용 장비의 기능을 방해하는 장치를 제작・수입・판매 또는 장착하여서는 아니 된다.

6. 난폭운전금지(제46조의3)

자동차 등(개인형 이동장치는 제외한다)의 운전자는 다음 중 둘 이상의 행위를 연달아 하거나, 하나의 행위를 지속 또는 반복하여 다른 사람에게 위협 또는 위해를 가하거나 교통상의 위험을 발생하게 하여서는 아니 된다.

(1) 신호 또는 지시 위반

(2) 중앙선 침범

(3) 속도의 위반

(4) 횡단・유턴・후진금지 위반

(5) 안전거리 미확보, 진로변경금지 위반, 급제동금지 위반

(6) 앞지르기 방법 또는 앞지르기의 방해금지 위반

(7) 정당한 사유 없는 소음발생

(8) 고속도로에서의 앞지르기 방법 위반

(9) 고속도로 등에서의 횡단・유턴・후진금지 위반

7. 모든 운전자의 준수사항 등(제49조)

(1) 모든 차 또는 노면전차의 운전자는 다음의 사항을 지켜야 한다.

① 물이 고인 곳을 운행할 때에는 고인 물을 튀게 하여 다른 사람에게 피해를 주는 일이 없도록 할 것

② 다음의 어느 하나에 해당하는 경우에는 일시정지할 것

㉠ 어린이가 보호자 없이 도로를 횡단할 때, 어린이가 도로에서 앉아 있거나 서 있을 때 또는 어린이가 도로에서 놀이를 할 때 등 어린이에 대한 교통사고의 위험이 있는 것을 발견한 경우

㉡ 앞을 보지 못하는 사람이 흰색 지팡이를 가지거나 장애인보조견을 동반하는 등의 조치를 하고 도로를 횡단하고 있는 경우

㉢ 지하도나 육교 등 도로 횡단시설을 이용할 수 없는 지체장애인이나 노인 등이 도로를 횡단하고 있는 경우

③ 자동차의 앞면 창유리와 운전석 좌우 옆면 창유리의 가시광선(可視光線)의 투과율이 대통령령으로 정하는 기준보다 낮아 교통안전 등에 지장을 줄 수 있는 차를 운전하지 아니할 것. 다만, 요인(要人) 경호용, 구급용 및 장의용(葬儀用) 자동차는 제외한다.

④ 교통단속용 장비의 기능을 방해하는 장치를 한 차나 그 밖에 안전운전에 지장을 줄 수 있는 것으로서 행정안전부령으로 정하는 기준에 적합하지 아니한 장치를 한 차를 운전하지 아니할 것. 다만, 자율주행자동차의 신기술 개발을 위한 장치를 장착하는 경우에는 그러하지 아니하다.

⑤ 도로에서 자동차 등(개인형 이동장치는 제외한다) 또는 노면전차를 세워둔 채 시비·다툼 등의 행위를 하여 다른 차마의 통행을 방해하지 아니할 것

⑥ 운전자가 차 또는 노면전차를 떠나는 경우에는 교통사고를 방지하고 다른 사람이 함부로 운전하지 못하도록 필요한 조치를 할 것

⑦ 운전자는 안전을 확인하지 아니하고 차 또는 노면전차의 문을 열거나 내려서는 아니 되며, 동승자가 교통의 위험을 일으키지 아니하도록 필요한 조치를 할 것

⑧ 운전자는 정당한 사유 없이 다음의 어느 하나에 해당하는 행위를 하여 다른 사람에게 피해를 주는 소음을 발생시키지 아니할 것

㉠ 자동차 등을 급히 출발시키거나 속도를 급격히 높이는 행위

㉡ 자동차 등의 원동기 동력을 차의 바퀴에 전달시키지 아니하고 원동기의 회전수를 증가시키는 행위

㉢ 반복적이거나 연속적으로 경음기를 울리는 행위

⑨ 운전자는 승객이 차 안에서 안전운전에 현저히 장해가 될 정도로 춤을 추는 등 소란행위를 하도록 내버려두고 차를 운행하지 아니할 것

⑩ 운전자는 자동차 등 또는 노면전차의 운전 중에는 휴대용 전화(자동차용 전화를 포함한다)를 사용하지 아니할 것. 다만, 다음의 어느 하나에 해당하는 경우에는 그러하지 아니하다.

㉠ 자동차 등 또는 노면전차가 정지하고 있는 경우

㉡ 긴급자동차를 운전하는 경우

㉢ 각종 범죄 및 재해 신고 등 긴급한 필요가 있는 경우

㉣ 안전운전에 장애를 주지 아니하는 장치로서 대통령령으로 정하는 장치를 이용하는 경우

⑪ 자동차 등 또는 노면전차의 운전 중에는 방송 등 영상물을 수신하거나 재생하는 장치(운전자가 휴대하는 것을 포함하며, 이하 '영상표시장치'라 한다)를 통하여 운전자가 운전 중 볼 수 있는 위치에 영상이 표시되지 아니하도록 할 것. 다만, 다음의 어느 하나에 해당하는 경우에는 그러하지 아니하다.

㉠ 자동차 등 또는 노면전차가 정지하고 있는 경우

㉡ 자동차 등 또는 노면전차에 장착하거나 거치하여 놓은 영상표시장치에 다음의 영상이 표시되는 경우

ⓐ 지리안내 영상 또는 교통정보안내 영상

ⓑ 국가비상사태·재난상황 등 긴급한 상황을 안내하는 영상

ⓒ 운전을 할 때 자동차 등 또는 노면전차의 좌우 또는 전후방을 볼 수 있도록 도움을 주는 영상

⑫ 자동차 등 또는 노면전차의 운전 중에는 영상표시장치를 조작하지 아니할 것. 다만, 다음의 어느 하나에 해당하는 경우에는 그러하지 아니하다.
　㉠ 자동차 등과 노면전차가 정지하고 있는 경우
　㉡ 노면전차 운전자가 운전에 필요한 영상표시장치를 조작하는 경우
⑬ 운전자는 자동차의 화물 적재함에 사람을 태우고 운행하지 아니할 것
⑭ 그 밖에 시・도경찰청장이 교통안전과 교통질서 유지에 필요하다고 인정하여 지정・공고한 사항에 따를 것

(2) 경찰공무원은 위반한 자동차를 발견한 경우에는 그 현장에서 운전자에게 위반사항을 제거하게 하거나 필요한 조치를 명할 수 있다. 이 경우 운전자가 그 명령을 따르지 아니할 때에는 경찰공무원이 직접 위반사항을 제거하거나 필요한 조치를 할 수 있다.

8. 특정운전자의 준수사항(제50조)

구분	내용
자동차 (이륜자동차는 제외한다)	운전자는 자동차를 운전할 때에는 좌석안전띠를 매어야 하며, 그 모든 좌석의 동승자에게도 좌석안전띠(영유아인 경우에는 유아보호용 장구를 장착한 후의 좌석안전띠를 말한다. 이하 이 조 및 제160조 제2항 제2호에서 같다)를 매도록 하여야 한다. 다만, 질병 등으로 인하여 좌석안전띠를 매는 것이 곤란하거나 행정안전부령으로 정하는 사유가 있는 경우에는 그러하지 아니하다.
이륜자동차와 원동기장치자전거 (개인형 이동장치는 제외한다)	운전자는 행정안전부령으로 정하는 인명보호 장구를 착용하고 운행하여야 하며, 동승자에게도 착용하도록 하여야 한다.
자전거 등	① 자전거 등의 운전자는 자전거도로 및 도로법에 따른 도로를 운전할 때에는 행정안전부령으로 정하는 인명보호 장구를 착용하여야 하며, 동승자에게도 이를 착용하도록 하여야 한다. ② 운전자는 행정안전부령으로 정하는 크기와 구조를 갖추지 아니하여 교통안전에 위험을 초래할 수 있는 자전거를 운전하여서는 아니 된다. ③ 운전자는 약물의 영향과 그 밖의 사유로 정상적으로 운전하지 못할 우려가 있는 상태에서 자전거를 운전하여서는 아니 된다. ④ 운전자는 밤에 도로를 통행하는 때에는 전조등과 미등을 켜거나 야광띠 등 발광장치를 착용하여야 한다.
개인형 이동장치	개인형 이동장치의 운전자는 행정안전부령으로 정하는 승차정원을 초과하여 동승자를 태우고 개인형 이동장치를 운전하여서는 아니 된다.
운송사업용 자동차, 화물자동차 및 노면전차 등으로서 행정안전부령으로 정하는 자동차 또는 노면전차	운전자는 다음의 어느 하나에 해당하는 행위를 하여서는 아니 된다. 다만, ③은 사업용 승합자동차와 노면전차의 운전자에 한정한다. ① 운행기록계가 설치되어 있지 아니하거나 고장 등으로 사용할 수 없는 운행기록계가 설치된 자동차를 운전하는 행위 ② 운행기록계를 원래의 목적대로 사용하지 아니하고 자동차를 운전하는 행위 ③ 승차를 거부하는 행위
사업용 승용자동차	운전자는 합승행위 또는 승차거부를 하거나 신고한 요금을 초과하는 요금을 받아서는 아니 된다.

9. 자율주행자동차 운전자의 준수사항 등(제50조의2)

(1) 행정안전부령으로 정하는 완전 자율주행시스템에 해당하지 아니하는 자율주행시스템을 갖춘 자동차의 운전자는 자율주행시스템의 직접 운전 요구에 지체 없이 대응하여 조향장치, 제동장치 및 그 밖의 장치를 직접 조작하여 운전하여야 한다.

(2) 운전자가 자율주행시스템을 사용하여 운전하는 경우에는 제49조 제1항 제10호 · 제11호 및 제11호의2의 규정을 적용하지 아니한다.

10. 음주운전 방지장치 부착 조건부 운전면허를 받은 운전자등의 준수사항(제50조의3)

(1) 음주운전 방지장치 부착 조건부 운전면허를 받은 사람이 자동차등을 운전하려는 경우 음주운전 방지장치를 설치하고, 시 · 도경찰청장에게 등록하여야 한다. 등록한 사항 중 행정안전부령으로 정하는 중요한 사항을 변경할 때에도 또한 같다. 다만, 음주운전 방지장치가 설치 · 등록된 자동차등을 운전하려는 경우에는 그러하지 아니하다.

(2) 「여객자동차 운수사업법」에 따른 여객자동차 운수사업자의 사업용 자동차, 「화물자동차 운수사업법」에 따른 화물자동차 운수사업자의 사업용 자동차 및 그 밖에 대통령령으로 정하는 자동차등에 음주운전 방지장치를 설치한 자는 시 · 도경찰청장에게 등록하여야 한다. 등록한 사항 중 행정안전부령으로 정하는 중요한 사항을 변경할 때에도 또한 같다.

(3) 제80조의2에 따라 음주운전 방지장치 부착 조건부 운전면허를 받은 사람은 음주운전 방지장치가 설치되지 아니하거나 설치기준에 적합하지 아니한 음주운전 방지장치가 설치된 자동차등을 운전하여서는 아니 된다.

(4) 누구든지 다음 각 호의 어느 하나에 해당하는 경우를 제외하고는 자동차등에 설치된 음주운전 방지장치를 해체하거나 조작 또는 그 밖의 방법으로 효용을 해치는 행위를 하여서는 아니 된다.

> 1. 음주운전 방지장치의 점검 또는 정비를 위한 경우
> 2. 폐차하는 경우
> 3. 교육 · 연구의 목적으로 사용하는 등 대통령령으로 정하는 사유에 해당하는 경우
> 4. 제82조제2항제10호에 따른 음주운전 방지장치의 부착 기간이 경과한 경우

(5) 누구든지 음주운전 방지장치 부착 조건부 운전면허를 받은 사람을 대신하여 음주운전 방지장치가 설치된 자동차등을 운전할 수 있도록 해당 장치에 호흡을 불어넣거나 다른 부정한 방법으로 음주운전 방지장치가 설치된 자동차등에 시동을 거는 행위를 하여서는 아니 된다.

(6) 음주운전 방지장치의 설치 사항을 시 · 도경찰청장에게 등록한 자는 연 2회 이상 음주운전 방지장치 부착 자동차등의 운행기록을 시 · 도경찰청장에게 제출하여야 하며, 음주운전 방지장치의 정상 작동여부 등을 점검하는 검사를 받아야 한다.

11. 어린이통학버스

<table>
<tr><td>어린이통학버스의 특별보호 (제51조)</td><td>① 어린이통학버스가 도로에 정차하여 어린이나 영유아가 타고 내리는 중임을 표시하는 점멸등 등의 장치를 작동 중일 때에는 어린이통학버스가 정차한 차로와 그 차로의 바로 옆 차로로 통행하는 차의 운전자는 어린이통학버스에 이르기 전에 일시정지하여 안전을 확인한 후 서행하여야 한다.
② ①의 경우 중앙선이 설치되지 아니한 도로와 편도 1차로인 도로에서는 반대방향에서 진행하는 차의 운전자도 어린이통학버스에 이르기 전에 일시정지하여 안전을 확인한 후 서행하여야 한다.
③ 모든 차의 운전자는 어린이나 영유아를 태우고 있다는 표시를 한 상태로 도로를 통행하는 어린이통학버스를 앞지르지 못한다.</td></tr>
<tr><td>어린이통학버스의 신고 (제52조)</td><td>① 어린이통학버스(여객자동차 운수사업법 제4조 제3항에 따른 한정면허를 받아 어린이를 여객대상으로 하여 운행되는 운송사업용 자동차는 제외한다)를 운영하려는 자는 행정안전부령으로 정하는 바에 따라 미리 관할 경찰서장에게 신고하고 신고증명서를 발급받아야 한다.
② 어린이통학버스를 운영하는 자는 어린이통학버스 안에 ①에 따라 발급받은 신고증명서를 항상 갖추어 두어야 한다.
③ 어린이통학버스로 사용할 수 있는 자동차는 행정안전부령으로 정하는 자동차로 한정한다. 이 경우 그 자동차는 도색·표지, 보험가입, 소유 관계 등 대통령령으로 정하는 요건을 갖추어야 한다.

도로교통법 시행령
제31조【어린이통학버스의 요건 등】 법 제52조 제3항에서 ‘대통령령으로 정하는 요건’이란 다음의 요건을 말한다.
1. 자동차안전기준에서 정한 어린이운송용 승합자동차의 구조를 갖출 것
2. 어린이통학버스 앞면 창유리 우측상단과 뒷면 창유리 중앙하단의 보기 쉬운 곳에 행정안전부령이 정하는 어린이 보호표지를 부착할 것
3. 교통사고로 인한 피해를 전액 배상할 수 있도록 보험업법 제4조에 따른 보험 또는 여객자동차 운수사업법 제61조에 따른 공제조합에 가입되어 있을 것
4. 자동차 등록령 제8조에 따른 등록원부에 법 제2조 제23호 각 목의 시설(이하 ‘어린이교육시설’ 등이라 한다)의 장의 명의로 등록되어 있는 자동차 또는 어린이교육시설 등의 장이 여객자동차 운수사업법 시행령 제3조 제2호 가목 단서에 따라 전세버스운송사업자와 운송계약을 맺은 자동차일 것

도로교통법 시행규칙
제34조【어린이통학버스로 사용할 수 있는 자동차】 법 제52조 제3항에 따라 어린이통학버스로 사용할 수 있는 자동차는 승차정원 9인승(어린이 1명을 승차정원 1명으로 본다) 이상의 자동차로 한다. 이 경우, 자동차관리법 제34조에 따라 튜닝 승인을 받은 자가 9인승 이상의 승용자동차 또는 승합자동차를 장애아동의 승·하차 편의를 위하여 9인승 미만으로 튜닝한 경우 그 승용자동차 또는 승합자동차를 포함한다.

④ 누구든지 ①에 따른 신고를 하지 아니하거나 여객자동차 운수사업법 제4조 제3항에 따라 어린이를 여객대상으로 하는 한정면허를 받지 아니하고 어린이통학버스와 비슷한 도색 및 표지를 하거나 이러한 도색 및 표지를 한 자동차를 운전하여서는 아니 된다.</td></tr>
<tr><td>어린이통학버스 운전자 및 운영자 등의 의무 (제53조)</td><td>① 어린이통학버스를 운전하는 사람은 어린이나 영유아가 타고 내리는 경우에만 제51조 제1항에 따른 점멸등 등의 장치를 작동하여야 하며, 어린이나 영유아를 태우고 운행 중인 경우에만 제51조 제3항에 따른 표시를 하여야 한다.
② 어린이통학버스를 운전하는 사람은 어린이나 영유아가 어린이통학버스를 탈 때에는 승차한 모든 어린이나 영유아가 좌석안전띠(어린이나 영유아의 신체구조에 따라 적합하게 조절될 수 있는 안전띠를 말한다. 이하 이 조 및 제156조 제1호, 제160조 제2항 제4호의2에서 같다)를 매도록 한 후에 출발하여야 하며, 내릴 때에는 보도나 길가장자리구역 등 자동차로부터 안전한 장소에 도착</td></tr>
</table>

어린이통학버스 운전자 및 운영자 등의 의무 (제53조)	한 것을 확인한 후에 출발하여야 한다. 다만, 좌석 안전띠 착용과 관련하여 질병 등으로 인하여 좌석안전띠를 매는 것이 곤란하거나 행정안전부령으로 정하는 사유가 있는 경우에는 그러하지 아니하다. ③ 어린이통학버스를 운영하는 자는 어린이통학버스에 어린이나 영유아를 태울 때에는 성년인 사람 중 어린이통학버스를 운영하는 자가 지명한 보호자를 함께 태우고 운행하여야 하며, 동승한 보호자는 어린이나 영유아가 승차 또는 하차하는 때에는 자동차에서 내려서 어린이나 영유아가 안전하게 승하차하는 것을 확인하고 운행 중에는 어린이나 영유아가 좌석에 앉아 좌석안전띠를 매고 있도록 하는 등 어린이 보호에 필요한 조치를 하여야 한다. ④ 어린이통학버스를 운전하는 사람은 어린이통학버스 운행을 마친 후 어린이나 영유아가 모두 하차하였는지를 확인하여야 한다. ⑤ 어린이통학버스를 운전하는 사람이 ④에 따라 어린이나 영유아의 하차 여부를 확인할 때에는 행정안전부령으로 정하는 어린이나 영유아의 하차를 확인할 수 있는 장치(이하 '어린이 하차확인장치'라 한다)를 작동하여야 한다. ⑥ 어린이통학버스를 운영하는 자는 ③에 따라 보호자를 함께 태우고 운행하는 경우에는 행정안전부령으로 정하는 보호자 동승을 표시하는 표지(이하 '보호자 동승표지'라 한다)를 부착할 수 있으며, 누구든지 보호자를 함께 태우지 아니하고 운행하는 경우에는 보호자 동승표지를 부착하여서는 아니 된다. ⑦ 어린이통학버스를 운영하는 자는 좌석안전띠 착용 및 보호자 동승 확인 기록(이하 '안전운행기록'이라 한다)을 작성·보관하고 매 분기 어린이통학버스를 운영하는 시설을 감독하는 주무기관의 장에게 안전운행기록을 제출하여야 한다.
어린이통학버스 운영자 등에 대한 안전교육 (제53조의3)	① 어린이통학버스를 운영하는 사람과 운전하는 사람 및 제53조 제3항에 따른 보호자는 어린이통학버스의 안전운행 등에 관한 교육(이하 '어린이통학버스 안전교육'이라 한다)을 받아야 한다. ② 어린이통학버스 안전교육은 다음의 구분에 따라 실시한다. ㉠ 신규 안전교육: 어린이통학버스를 운영하려는 사람과 운전하려는 사람 및 제53조 제3항에 따라 동승하려는 보호자를 대상으로 그 운영, 운전 또는 동승을 하기 전에 실시하는 교육 ㉡ 정기 안전교육: 어린이통학버스를 계속하여 운영하는 사람과 운전하는 사람 및 제53조 제3항에 따라 동승한 보호자를 대상으로 2년마다 정기적으로 실시하는 교육 ③ 어린이통학버스를 운영하는 사람은 어린이통학버스 안전교육을 받지 아니한 사람에게 어린이통학버스를 운전하게 하거나 어린이통학버스에 동승하게 하여서는 아니 된다.
보호자가 동승하지 아니한 어린이통학버스 운전자의 의무 (제53조의5)	제2조 제23호 가목의 유아교육진흥원·대안학교·외국인학교, 같은 호 다목의 교습소 및 같은 호 마목부터 차목까지의 시설에서 어린이의 승차 또는 하차를 도와주는 보호자를 태우지 아니한 어린이통학버스를 운전하는 사람은 어린이가 승차 또는 하차하는 때에 자동차에서 내려서 어린이나 영유아가 안전하게 승하차하는 것을 확인하여야 한다.

12. 사고발생시의 조치(제54조)

(1) 차 또는 노면전차의 운전 등 교통으로 인하여 사람을 사상하거나 물건을 손괴(이하 '교통사고'라 한다)한 경우에는 그 차 또는 노면전차의 운전자나 그 밖의 승무원(이하 '운전자 등'이라 한다)은 즉시 정차하여 다음의 조치를 하여야 한다.

① 사상자를 구호하는 등 필요한 조치

② 피해자에게 인적사항(성명·전화번호·주소 등을 말한다) 제공

판례 **특정범죄 가중처벌 등에 관한 법률 위반(도주 차량)(인정된 죄명 : 교통사고처리 특례법 위반) · 도로교통법 위반(사고 후 미조치) · 도로교통법 위반(음주운전)**

구 도로교통법(2010.7.23. 법률 제10382호로 개정되기 전의 것, 이하 같다) 제148조 역시 '구 도로교통법 제54조 제1항의 규정에 의한 조치'를 이행하지 아니한 때 성립하는 것으로, 구 도로교통법 제54조 제1항에서 말하는 '교통사고 후 운전자 등이 즉시 정차하여 사상자를 구호하는 등 필요한 조치를 하여야 할 의무'라 함은 곧바로 정차함으로써 부수적으로 교통의 위험이 초래되는 등의 사정이 없는 한 즉시 정차하여 사상자에 대한 구호조치 등 필요한 조치를 취하여야 할 의무를 의미하는 것이다(대판 2011.3.10, 2010도16027)(대판 2006.9.28, 2006도3441 ; 대판 2007.12.27, 2007도6300 등 참조).

(2) 이 경우 그 차 또는 노면전차의 운전자 등은 경찰공무원이 현장에 있을 때에는 그 경찰공무원에게, 경찰공무원이 현장에 없을 때에는 가장 가까운 국가경찰관서(지구대, 파출소 및 출장소를 포함한다)에 다음의 사항을 지체 없이 신고하여야 한다. 다만, 차 또는 노면전차만 손괴된 것이 분명하고 도로에서의 위험방지와 원활한 소통을 위하여 필요한 조치를 한 경우에는 그러하지 아니하다.

① 사고가 일어난 곳
② 사상자 수 및 부상 정도
③ 손괴한 물건 및 손괴 정도
④ 그 밖의 조치사항 등

(3) 신고를 받은 국가경찰관서의 경찰공무원은 부상자의 구호와 그 밖의 교통위험방지를 위하여 필요하다고 인정하면 경찰공무원(자치경찰공무원은 제외한다)이 현장에 도착할 때까지 신고한 운전자 등에게 현장에서 대기할 것을 명할 수 있다. 또한 경찰공무원은 교통사고를 낸 차 또는 노면전차의 운전자 등에 대하여 그 현장에서 부상자의 구호와 교통안전을 위하여 필요한 지시를 명할 수 있다.

(4) 긴급자동차, 부상자를 운반 중인 차, 우편물자동차 및 노면전차 등의 운전자는 긴급한 경우에는 동승자 등으로 하여금 신고를 하게하고 운전을 계속할 수 있다.

(5) 경찰공무원(자치경찰공무원은 제외한다)은 교통사고가 발생한 경우에는 대통령령으로 정하는 바에 따라 필요한 조사를 하여야 한다.

13. 자율주행자동차

(1) 자율주행자동차 운전자의 준수사항 등(제56조의2)

① 행정안전부령으로 정하는 완전 자율주행시스템에 해당하지 아니하는 자율주행시스템을 갖춘 자동차의 운전자는 자율주행시스템의 직접 운전 요구에 지체 없이 대응하여 조향장치, 제동장치 및 그 밖의 장치를 직접 조작하여 운전하여야 한다.
② 운전자가 자율주행시스템을 사용하여 운전하는 경우에는 제49조 제1항 제10호, 제11호 및 제11호의2를 적용하지 아니한다.

(2) 자율주행자동차 시험운전자의 준수사항 등(제56조의3)

① 「자동차관리법」 제27조제1항에 따른 임시운행허가를 받은 자동차를 운전하려는 사람은 자율주행자동차의 안전운행 등에 관한 교육(이하 "자율주행자동차 안전교육"이라 한다)을 받아야 한다.
② ①에 따른 교육과정, 교육방법 등에 관하여 필요한 사항은 대통령령으로 정한다.

05 운전면허

1. 운전면허(제80조)

(1) 자동차 등을 운전하려는 사람은 시・도경찰청장으로부터 운전면허를 받아야 한다. 다만, 제2조 제19호 나목의 원동기를 단 차 중 교통약자의 이동편의 증진법 제2조 제1호에 따른 교통약자가 최고속도 시속 20km 이하로만 운행될 수 있는 차를 운전하는 경우에는 그러하지 아니하다.

(2) 시・도경찰청장은 운전을 할 수 있는 차의 종류를 기준으로 다음과 같이 운전면허의 범위를 구분하고 관리하여야 한다. 이 경우 운전면허의 범위에 따라 운전할 수 있는 차의 종류는 행정안전부령으로 정한다.

(3) 시・도경찰청장은 운전면허를 받을 사람의 신체 상태 또는 운전 능력에 따라 행정안전부령으로 정하는 바에 따라 운전할 수 있는 자동차 등의 구조를 한정하는 등 운전면허에 필요한 조건을 붙일 수 있다.

2. 음주운전 방지장치 부착 조건부 운전면허(제80조의2)

① 제44조 제1항 또는 제2항을 위반(자동차등 또는 노면전차를 운전한 경우로 한정한다. 다만, 개인형 이동장치를 운전한 경우는 제외한다. 이하 같다)한 날부터 5년 이내에 다시 같은 조 제1항 또는 제2항을 위반하여 운전면허 취소처분을 받은 사람이 자동차등을 운전하려는 경우에는 시・도경찰청장으로부터 음주운전 방지장치 부착 조건부 운전면허(이하 "조건부 운전면허"라 한다. 이하 같다)를 받아야 한다.

② 음주운전 방지장치는 제82조 제2항 제1호부터 제9호까지에 따라 조건부 운전면허 발급 대상에게 적용되는 운전면허 결격기간과 같은 기간 동안 부착하며, 운전면허 결격기간이 종료된 다음 날부터 부착기간을 산정한다.

운전할 수 있는 차의 종류(도로교통법 시행규칙 별표18)

<table>
<tr><th colspan="2">운전면허</th><th rowspan="2">운전할 수 있는 차량</th></tr>
<tr><th>종별</th><th>구분</th></tr>
<tr><td rowspan="2">제1종</td><td>대형면허</td><td>① 승용자동차
② 승합자동차
③ 화물자동차
④ 삭제 <2018.4.25.>
⑤ 건설기계
㉠ 덤프트럭, 아스팔트살포기, 노상안정기
㉡ 콘크리트믹서트럭, 콘크리트펌프, 천공기(트럭 적재식)
㉢ 콘크리트믹서트레일러, 아스팔트콘크리트재생기
㉣ 도로보수트럭, 3t 미만의 지게차
⑥ 특수자동차[대형견인차, 소형견인차 및 구난차(이하 '구난차 등'이라 한다)는 제외한다]
⑦ 원동기장치자전거</td></tr>
<tr><td>보통면허</td><td>① 승용자동차
② 승차정원 15명 이하의 승합자동차
③ 삭제 <2018.4.25.>
④ 적재중량 12t 미만의 화물자동차
⑤ 건설기계(도로를 운행하는 3t 미만의 지게차에 한정한다)
⑥ 총 중량 10t 미만의 특수자동차(구난차 등은 제외한다)
⑦ 원동기장치자전거</td></tr>
</table>

<table>
<tr><td rowspan="4">제1종</td><td colspan="2">소형면허</td><td>① 3륜화물자동차
② 3륜승용자동차
③ 원동기장치자전거</td></tr>
<tr><td rowspan="3">특수면허</td><td>대형견인차</td><td>① 견인형 특수자동차
② 제2종 보통면허로 운전할 수 있는 차량</td></tr>
<tr><td>소형견인차</td><td>① 총 중량 3.5t 이하의 견인형 특수자동차
② 제2종 보통면허로 운전할 수 있는 차량</td></tr>
<tr><td>구난차</td><td>① 구난형 특수자동차
② 제2종 보통면허로 운전할 수 있는 차량</td></tr>
<tr><td rowspan="3">제2종</td><td colspan="2">보통면허</td><td>① 승용자동차
② 승차정원 10명 이하의 승합자동차
③ 적재중량 4t 이하의 화물자동차
④ 총 중량 3.5t 이하의 특수자동차(구난차 등은 제외한다)
⑤ 원동기장치자전거</td></tr>
<tr><td colspan="2">소형면허</td><td>① 이륜자동차(운반차를 포함한다)
② 원동기장치자전거</td></tr>
<tr><td colspan="2">원동기장치
자전거면허</td><td>원동기장치자전거</td></tr>
<tr><td rowspan="2">연습면허</td><td colspan="2">제1종 보통</td><td>① 승용자동차
② 승차정원 15명 이하의 승합자동차
③ 적재중량 12t 미만의 화물자동차</td></tr>
<tr><td colspan="2">제2종 보통</td><td>① 승용자동차
② 승차정원 10명 이하의 승합자동차
③ 적재중량 4t 이하의 화물자동차</td></tr>
</table>

「자동차관리법」 제30조에 따라 자동차의 형식이 변경승인되거나 같은 법 제34조에 따라 자동차의 구조 또는 장치가 변경승인된 경우에는 다음의 구분에 따른 기준에 따라 이 표를 적용한다.

가. 자동차의 형식이 변경된 경우: 다음의 구분에 따른 정원 또는 중량 기준

1) 차종이 변경되거나 승차정원 또는 적재중량이 증가한 경우: 변경승인 후의 차종이나 승차정원 또는 적재중량

2) 차종의 변경 없이 승차정원 또는 적재중량이 감소된 경우: 변경승인 전의 승차정원 또는 적재중량

나. 자동차의 구조 또는 장치가 변경된 경우: 변경승인 전의 승차정원 또는 적재중량

3. 운전면허 취득 결격사유 및 기간(도로교통법 제82조)

(1) 결격사유

다음의 어느 하나에 해당하는 사람은 운전면허를 받을 수 없다.

① 18세 미만(원동기장치자전거의 경우에는 16세 미만)인 사람

② 교통상의 위험과 장해를 일으킬 수 있는 정신질환자 또는 뇌전증 환자로서 대통령령으로 정하는 사람

③ 듣지 못하는 사람(제1종 운전면허 중 대형면허 · 특수면허만 해당한다), 앞을 보지 못하는 사람(한쪽 눈만 보지 못하는 사람의 경우에는 제1종 운전면허 중 대형면허 · 특수면허만 해당한다)이나 그 밖에 대통령령으로 정하는 신체장애인

④ 양쪽 팔의 팔꿈치관절 이상을 잃은 사람이나 양쪽 팔을 전혀 쓸 수 없는 사람. 다만, 본인의 신체장애 정도에 적합하게 제작된 자동차를 이용하여 정상적인 운전을 할 수 있는 경우에는 그러하지 아니하다.

⑤ 교통상의 위험과 장해를 일으킬 수 있는 마약・대마・향정신성의약품 또는 알코올 중독자로서 대통령령으로 정하는 사람

⑥ 제1종 대형면허 또는 제1종 특수면허를 받으려는 경우로서 19세 미만이거나 자동차(이륜자동차는 제외한다)의 운전경험이 1년 미만인 사람

⑦ 대한민국의 국적을 가지지 아니한 사람 중 출입국관리법 제31조에 따라 외국인등록을 하지 아니한 사람(외국인등록이 면제된 사람은 제외한다)이나 재외동포의 출입국과 법적 지위에 관한 법률 제6조 제1항에 따라 국내거소신고를 하지 아니한 사람

(2) 결격기간

다음의 어느 하나의 경우에 해당하는 사람은 해당 사항에 규정된 기간이 지나지 아니하면 운전면허를 받을 수 없다. 다만, 다음의 사유로 인하여 벌금 미만의 형이 확정되거나 선고유예의 판결이 확정된 경우 또는 기소유예나 소년법 제32조에 따른 보호처분의 결정이 있는 경우에는 규정된 기간 내라도 운전면허를 받을 수 있다.

① 제43조 또는 제96조 제3항을 위반하여 자동차 등을 운전한 경우에는 그 위반한 날(운전면허효력 정지기간에 운전하여 취소된 날을 말한다)부터 1년(원동기장치자전거면허를 받으려는 경우에는 6개월로 하되, 제46조를 위반한 경우에는 그 위반한 날부터 1년). 다만, 사람을 사상한 후 제54조 제1항에 따른 필요한 조치 및 제2항에 따른 신고를 하지 아니한 경우에는 그 위반한 날부터 5년으로 한다.

② 제43조 또는 제96조 제3항을 3회 이상 위반하여 자동차 등을 운전한 경우에는 그 위반한 날부터 2년

③ 다음의 경우에는 운전면허가 취소된 날(제43조 또는 제96조 제3항을 함께 위반한 경우에는 그 위반한 날을 말한다)부터 5년

㉠ 제44조, 제45조 또는 제46조를 위반(제43조 또는 제96조 제3항을 함께 위반한 경우도 포함한다)하여 운전을 하다가 사람을 사상한 후 제54조 제1항 및 제2항에 따른 필요한 조치 및 신고를 하지 아니한 경우

㉡ 제44조를 위반(제43조 또는 제96조 제3항을 함께 위반한 경우도 포함한다)하여 운전을 하다가 사람을 사망에 이르게 한 경우

④ 제43조부터 제46조까지의 규정에 따른 사유가 아닌 다른 사유로 사람을 사상한 후 제54조 제1항 및 제2항에 따른 필요한 조치 및 신고를 하지 아니한 경우에는 운전면허가 취소된 날부터 4년

⑤ 제44조 제1항 또는 제2항을 위반(제43조 또는 제96조 제3항을 함께 위반한 경우도 포함한다)하여 운전을 하다가 2회 이상 교통사고를 일으킨 경우에는 운전면허가 취소된 날(제43조 또는 제96조 제3항을 함께 위반한 경우에는 그 위반한 날을 말한다)부터 3년, 자동차 등을 이용하여 범죄행위를 하거나 다른 사람의 자동차 등을 훔치거나 빼앗은 사람이 제43조를 위반하여 그 자동차 등을 운전한 경우에는 그 위반한 날부터 3년

⑥ 다음의 경우에는 운전면허가 취소된 날(제43조 또는 제96조 제3항을 함께 위반한 경우에는 그 위반한 날을 말한다)부터 2년

㉠ 제44조 제1항 또는 제2항을 2회 이상 위반(제43조 또는 제96조 제3항을 함께 위반한 경우도 포함한다)한 경우

㉡ 제44조 제1항 또는 제2항을 위반(제43조 또는 제96조 제3항을 함께 위반한 경우도 포함한다)하여 운전을 하다가 교통사고를 일으킨 경우

㉢ 제46조를 2회 이상 위반(제43조 또는 제96조 제3항을 함께 위반한 경우도 포함한다)한 경우

㉣ 제93조 제1항 제8호・제12호 또는 제13호의 사유로 운전면허가 취소된 경우

⑦ ①부터 ⑥까지의 규정에 따른 경우가 아닌 다른 사유로 운전면허가 취소된 경우에는 운전면허가 취소된 날부터 1년(원동기장치자전거면허를 받으려는 경우에는 6개월로 하되, 제46조를 위반하여 운전면허가 취소된 경우에는 1년). 다만, 제93조 제1항 제9호의 사유로 운전면허가 취소된 경우에는 그러하지 아니하다.

⑧ 운전면허효력 정지처분을 받고 있는 경우에는 그 정지기간

⑨ 제96조에 따른 국제운전면허증 또는 상호인정외국면허증으로 운전하는 운전자가 운전금지 처분을 받은 경우에는 그 금지기간

⑩ 제80조의2 제2항에 따라 음주운전 방지장치를 부착하는 기간(조건부 운전면허의 경우는 제외한다)

운전면허 결격기간

사유	결격기간
① 제43조(무면허운전 등의 금지)·제96조 제3항(운전면허 결격사유에 해당하는 기간)·제44조(술에 취한 상태에서의 운전 금지)·제45조(과로한 때 등의 운전 금지)·제46조(공동 위험행위의 금지)로 사람을 사상한 후 구호조치 및 신고를 하지 아니한 경우 ② 제44조(술에 취한 상태에서의 운전 금지)를 위반하여 운전을 하다가 사람을 사망에 이르게 한 경우 – 무면허운전 포함	5년
제43조(무면허운전 등의 금지)·제44조(술에 취한 상태에서의 운전 금지)·제45조(과로한 때 등의 운전 금지)·제46조(공동 위험행위의 금지) 외의 사유로 사람을 사상한 후 구호조치 및 신고를 하지 아니한 경우	4년
① 제44조 제1항(음주운전)·제44조 제2항(측정불응)을 위반하여 운전을 하다가 2회 이상 교통사고를 일으킨 경우 – 무면허운전 포함 ② 자동차 등을 이용하여 범죄행위를 하거나 다른 사람의 자동차 등을 훔치거나 빼앗은 사람이 제43조(무면허운전 등의 금지)를 위반하여 그 자동차 등을 운전한 경우	3년
① 제43조(무면허운전 등의 금지), 제96조 제3항(운전면허 결격사유에 해당하는 기간)에 국제운전면허증으로 운전금지를 3회 이상 위반한 경우 ② 제44조 제1항(음주운전)·제44조 제2항(측정불응)을 2회 이상 위반한 경우 – 무면허운전 포함 ③ 제44조 제1항(음주운전)·제44조 제2항(측정불응)을 위반하여 운전을 하다가 교통사고를 일으킨 경우 – 무면허운전 포함 ④ 제46조(공동 위험행위의 금지)를 2회 이상 위반한 경우 – 무면허운전 포함 ⑤ 운전면허를 받을 수 없는 사람이 운전면허를 받거나 운전면허효력의 정지기간 중 운전면허증 또는 운전면허증을 갈음하는 증명서를 발급받은 사실이 드러난 경우(제93조 제1항 제8호)	2년
⑥ 다른 사람의 자동차 등을 훔치거나 빼앗은 경우(제93조 제1항 제12호) ⑦ 다른 사람이 부정하게 운전면허를 받도록 하기 위하여 제83조에 따른 운전면허시험에 대신 응시한 경우(제93조 제1항 제13호)	
① 제43조(무면허운전 등의 금지), 제96조 제3항(운전면허 결격사유에 해당하는 기간)에 운전한 경우 ② 제46조(공동 위험행위의 금지) – 원동기 1년 ③ 운전면허를 받은 사람이 자동차 등을 범죄의 도구나 장소로 이용하여 국가보안법이나 형법상의 일정 범죄를 범한 경우 ④ 거짓이나 그 밖의 부정한 수단으로 운전면허를 받은 경우 ⑤ 기타 사유(도로교통법 제93조 참고)	1년 (원동기 6개월)
정기적성검사, 수시적성검사 및 갱신 관련 사유	즉시

✍ 다만, 위의 사유로 인하여 벌금 미만의 형이 확정되거나 선고유예의 판결이 확정된 경우 또는 기소유예나 소년법 제32조에 따른 보호처분의 결정이 있는 경우에는 위에 규정된 기간 내라도 운전면허를 받을 수 있다.

4. 운전면허증의 발급 등

(1) 운전면허증의 발급(제85조)

① 운전면허를 받으려는 사람은 운전면허시험에 합격하여야 한다.

> **도로교통법**
> **제84조의2【부정행위자에 대한 조치】** ① 경찰청장은 제106조에 따른 전문학원의 강사자격시험 및 제107조에 따른 기능검정원 자격시험에서, 시·도경찰청장 또는 한국도로교통공단은 제83조에 따른 운전면허시험에서 부정행위를 한 사람에 대하여는 해당 시험을 각각 무효로 처리한다.
> ② 제1항에 따라 시험이 무효로 처리된 사람은 그 처분이 있은 날부터 2년간 해당 시험에 응시하지 못한다.

② 시·도경찰청장은 운전면허시험에 합격한 사람에 대하여 행정안전부령으로 정하는 운전면허증을 발급하여야 한다.

③ 시·도경찰청장은 운전면허를 받은 사람이 다른 범위의 운전면허를 추가로 취득하는 경우에는 운전면허의 범위를 확대(기존에 받은 운전면허의 범위를 추가하는 것을 말한다)하여 운전면허증을 발급하여야 한다.

④ 시·도경찰청장은 운전면허를 받은 사람이 운전면허의 범위를 축소(기존에 받은 운전면허의 범위에서 일부 범위를 삭제하는 것을 말한다)하기를 원하는 경우에는 운전면허의 범위를 축소하여 운전면허증을 발급할 수 있다.

⑤ 운전면허의 효력은 본인 또는 대리인이 운전면허증을 발급받은 때부터 발생한다. 이 경우 운전면허의 범위를 확대하거나 축소하는 경우에도 운전면허 취소·정지처분의 효력과 벌점은 그대로 승계된다.

⑥ 발급받은 운전면허증은 부정하게 사용할 목적으로 다른 사람에게 빌려주거나 빌려서는 아니 되며, 이를 알선하여서도 아니 된다.

(2) 조건부 운전면허증의 발급 등(제85조의2)

① 조건부 운전면허를 받으려는 사람은 제83조에 따른 운전면허시험에 합격하여야 한다.

② 시·도경찰청장은 제1항에 따라 운전면허시험에 합격한 사람에 대하여 행정안전부령으로 정하는 조건부 운전면허증을 발급하여야 한다.

③ 조건부 운전면허증을 잃어버렸거나 헐어 못 쓰게 되었을 때에는 행정안전부령으로 정하는 바에 따라 시·도경찰청장에게 신청하여 다시 발급받을 수 있다.

④ 제2항에 따라 발급한 조건부 운전면허증의 조건 기간이 경과하면 해당 조건은 소멸한 것으로 본다.

⑤ 조건부 운전면허증 발급 대상자 본인 확인에 대해서는 제87조의2를 준용한다. 이 경우 "운전면허증"은 "조건부 운전면허증"으로 본다.

(3) 운전면허증의 재발급(제86조)

운전면허증을 잃어버렸거나 헐어 못 쓰게 되었을 때에는 행정안전부령으로 정하는 바에 따라 시·도경찰청장에게 신청하여 다시 발급받을 수 있다.

(4) 운전면허증의 갱신과 정기 적성검사(제87조)

① 운전면허증의 갱신: 운전면허를 받은 사람은 다음의 구분에 따른 기간 이내에 대통령령으로 정하는 바에 따라 시·도경찰청장으로부터 운전면허증을 갱신하여 발급받아야 한다.

㉠ 최초의 운전면허증 갱신기간은 운전면허시험에 합격한 날부터 기산하여 10년(운전면허시험 합격일에 65세 이상 75세 미만인 사람은 5년, 75세 이상인 사람은 3년, 한쪽 눈만 보지 못하는 사람으로서 제1종 운전면허 중 보통면허를 취득한 사람은 3년)이 되는 날이 속하는 해의 1월 1일부터 12월 31일까지

㉡ ㉠ 외의 운전면허증 갱신기간은 직전의 운전면허증 갱신일부터 기산하여 매 10년(직전의 운전면허증 갱신일에 65세 이상 75세 미만인 사람은 5년, 75세 이상인 사람은 3년, 한쪽 눈만 보지 못하는 사람으로서 제1종 운전면허 중 보통면허를 취득한 사람은 3년)이 되는 날이 속하는 해의 1월 1일부터 12월 31일까지

② 정기적성검사

㉠ 다음의 어느 하나에 해당하는 사람은 운전면허증 갱신기간에 대통령령으로 정하는 바에 따라 한국도로교통공단이 실시하는 정기(定期) 적성검사(適性檢查)를 받아야 한다.

ⓐ 제1종 운전면허를 받은 사람

ⓑ 제2종 운전면허를 받은 사람 중 운전면허증 갱신기간에 70세 이상인 사람

㉡ 다음에 해당하는 사람은 운전면허증을 갱신하여 받을 수 없다.

ⓐ 제73조 제5항에 따른 교통안전교육을 받지 아니한 사람

ⓑ ㉠에 따른 정기 적성검사를 받지 아니하거나 이에 합격하지 못한 사람

㉢ 운전면허증을 갱신하여 발급받거나 정기 적성검사를 받아야 하는 사람이 해외여행 또는 군 복무 등 대통령령으로 정하는 사유로 그 기간 이내에 운전면허증을 갱신하여 발급받거나 정기 적성검사를 받을 수 없는 때에는 대통령령으로 정하는 바에 따라 이를 미리 받거나 그 연기를 받을 수 있다.

③ 수시적성검사(제88조)

㉠ 제1종 운전면허 또는 제2종 운전면허를 받은 사람(국제운전면허증 또는 상호인정외국면허증을 받은 사람을 포함한다)이 안전운전에 장애가 되는 후천적 신체장애 등 대통령령으로 정하는 사유에 해당되는 경우에는 한국도로교통공단이 실시하는 수시(隨時)적성검사를 받아야 한다.

㉡ 수시적성검사의 기간·통지와 그 밖에 수시적성검사의 실시에 필요한 사항은 대통령령으로 정한다.

(5) 운전면허증발급대상자 본인 확인(제87조의2)

① 시·도경찰청장은 운전면허증을 발급하려는 경우에는 운전면허증발급을 받으려는 사람의 주민등록증(모바일 주민등록증을 포함한다)이나 여권, 그 밖에 행정안전부령으로 정하는 신분증명서의 사진 등을 통하여 본인인지를 확인할 수 있다.

② 시·도경찰청장은 본인인지를 확인하기 어려운 경우에는 운전면허증발급을 받으려는 사람의 동의를 받아 전자적 방법으로 지문정보를 대조하여 확인할 수 있다.

③ 시·도경찰청장은 운전면허증발급을 받으려는 사람이 본인 확인 절차를 따르지 아니하는 경우에는 운전면허증발급을 거부할 수 있다.

5. 연습운전면허

(1) 연습운전면허의 효력(제81조)

연습운전면허는 그 면허를 받은 날부터 1년 동안 효력을 가진다. 다만, 연습운전면허를 받은 날부터 1년 이전이라도 연습운전면허를 받은 사람이 제1종 보통면허 또는 제2종 보통면허를 받은 경우 연습운전면허는 그 효력을 잃는다.

(2) 연습운전면허의 취소(제93조 제3항)

시·도경찰청장은 연습운전면허를 발급받은 사람이 운전 중 고의 또는 과실로 교통사고를 일으키거나 이 법이나 이 법에 따른 명령 또는 처분을 위반한 경우에는 연습운전면허를 취소하여야 한다. 다만, 본인에게 귀책사유(歸責事由)가 없는 경우 등 대통령령으로 정하는 경우에는 그러하지 아니하다.

도로교통법 시행령
제59조 【연습운전면허 취소의 예외사유】 법 제93조 제3항 단서에서 '대통령령으로 정하는 경우'란 다음의 어느 하나에 해당하는 경우를 말한다.
1. 한국도로교통공단에서 도로주행시험을 담당하는 사람, 자동차운전학원의 강사, 전문학원의 강사 또는 기능검정원(技能檢正員)의 지시에 따라 운전하던 중 교통사고를 일으킨 경우
2. 도로가 아닌 곳에서 교통사고를 일으킨 경우
3. 교통사고를 일으켰으나 물적(物的) 피해만 발생한 경우

(3) 연습운전면허를 받은 사람의 준수사항(도로교통법 시행규칙 제55조)

연습운전면허를 받은 사람이 도로에서 주행연습을 하는 때에는 다음의 사항을 지켜야 한다.

① 운전면허(연습하고자 하는 자동차를 운전할 수 있는 운전면허에 한한다)를 받은 날부터 2년이 경과된 사람(소지하고 있는 운전면허의 효력이 정지기간 중인 사람을 제외한다)과 함께 승차하여 그 사람의 지도를 받아야 한다.

② 여객자동차 운수사업법 또는 화물자동차 운수사업법에 따른 사업용 자동차를 운전하는 등 주행연습 외의 목적으로 운전하여서는 아니 된다.

③ 주행연습 중이라는 사실을 다른 차의 운전자가 알 수 있도록 연습 중인 자동차에 별표 21의 표지를 붙여야 한다.

6. 임시운전증명서(제91조)

(1) 시·도경찰청장은 다음의 어느 하나의 경우에 해당하는 사람이 임시운전증명서 발급을 신청하면 행정안전부령으로 정하는 바에 따라 임시운전증명서를 발급할 수 있다. 다만, ②의 경우에는 소지하고 있는 운전면허증에 행정안전부령으로 정하는 사항을 기재하여 발급함으로써 임시운전증명서 발급을 갈음할 수 있다.

① 운전면허증을 받은 사람이 재발급신청을 한 경우

② 정기적성검사 또는 운전면허증 갱신발급신청을 하거나 수시 적성검사를 신청한 경우

③ 운전면허의 취소처분 또는 정지처분대상자가 운전면허증을 제출한 경우

(2) 임시운전증명서는 그 유효기간 중에는 운전면허증과 같은 효력이 있다.

도로교통법 시행규칙
제88조【임시운전증명서】 ② 제1항에 따른 임시운전증명서의 유효기간은 20일 이내로 하되, 법 제93조에 따른 운전면허의 취소 또는 정지처분 대상자의 경우에는 40일 이내로 할 수 있다. 다만, 경찰서장이 필요하다고 인정하는 경우에는 그 유효기간을 1회에 한하여 20일의 범위에서 연장할 수 있다.

7. 운전면허의 취소 · 정지(제93조)

시 · 도경찰청장은 운전면허(조건부 운전면허는 포함하고, 연습운전면허는 제외한다. 이하 이 조에서 같다)를 받은 사람이 다음 각 호의 어느 하나에 해당하면 행정안전부령으로 정하는 기준에 따라 운전면허(운전자가 받은 모든 범위의 운전면허를 포함한다. 이하 이 조에서 같다)를 취소하거나 1년 이내의 범위에서 운전면허의 효력을 정지시킬 수 있다. 다만, 제2호, 제3호, 제7호, 제8호, 제8호의2, 제9호(정기 적성검사 기간이 지난 경우는 제외한다), 제14호, 제16호, 제17호, 제20호부터 제23호까지의 규정에 해당하는 경우에는 운전면허를 취소하여야 하고(제8호의2에 해당하는 경우 취소하여야 하는 운전면허의 범위는 운전자가 거짓이나 그 밖의 부정한 수단으로 받은 그 운전면허로 한정한다), 제18호의 규정에 해당하는 경우에는 정당한 사유가 없으면 관계 행정기관의 장의 요청에 따라 운전면허를 취소하거나 1년 이내의 범위에서 정지하여야 한다.

1. 제44조제1항을 위반하여 술에 취한 상태에서 자동차등을 운전한 경우
2. 제44조제1항 또는 제2항 후단을 위반(자동차등을 운전한 경우로 한정한다. 이하 이 호 및 제3호에서 같다)한 사람이 다시 같은 조 제1항을 위반하여 운전면허 정지 사유에 해당된 경우
3. 제44조제2항 후단을 위반하여 술에 취한 상태에 있다고 인정할 만한 상당한 이유가 있음에도 불구하고 경찰공무원의 측정에 응하지 아니한 경우
4. 제45조를 위반하여 약물의 영향으로 인하여 정상적으로 운전하지 못할 우려가 있는 상태에서 자동차등을 운전한 경우
5. 제46조제1항을 위반하여 공동 위험행위를 한 경우

5의2. 제46조의3을 위반하여 난폭운전을 한 경우

5의3. 제17조제3항을 위반하여 제17조제1항 및 제2항에 따른 최고속도보다 시속 100킬로미터를 초과한 속도로 3회 이상 자동차등을 운전한 경우

6. 교통사고로 사람을 사상한 후 제54조제1항 또는 제2항에 따른 필요한 조치 또는 신고를 하지 아니한 경우
7. 제82조제1항제2호부터 제5호까지의 규정에 따른 운전면허를 받을 수 없는 사람에 해당된 경우
8. 제82조에 따라 운전면허를 받을 수 없는 사람이 운전면허를 받거나 운전면허효력의 정지기간 중 운전면허증 또는 운전면허증을 갈음하는 증명서를 발급받은 사실이 드러난 경우

8의2. 거짓이나 그 밖의 부정한 수단으로 운전면허를 받은 경우

9. 제87조제2항 또는 제88조제1항에 따른 적성검사를 받지 아니하거나 그 적성검사에 불합격한 경우
10. 운전 중 고의 또는 과실로 교통사고를 일으킨 경우

10의2. 운전면허를 받은 사람이 자동차등을 이용하여 「형법」 제258조의2(특수상해) · 제261조(특수폭행) · 제284조(특수협박) 또는 제369조(특수손괴)를 위반하는 행위를 한 경우

11. 운전면허를 받은 사람이 자동차등을 범죄의 도구나 장소로 이용하여 다음 각 목의 어느 하나의 죄를 범한 경우
    가. 「국가보안법」 중 제4조부터 제9조까지의 죄 및 같은 법 제12조 중 증거를 날조 · 인멸 · 은닉한 죄
    나. 「형법」 중 다음 어느 하나의 범죄
        1) 살인 · 사체유기 또는 방화
        2) 강도 · 강간 또는 강제추행
        3) 약취 · 유인 또는 감금

4) 상습절도(절취한 물건을 운반한 경우에 한정한다)
5) 교통방해(단체 또는 다중의 위력으로써 위반한 경우에 한정한다)
다. 「보험사기방지 특별법」 중 제8조부터 제10조까지의 죄
12. 다른 사람의 자동차등을 훔치거나 빼앗은 경우
13. 다른 사람이 부정하게 운전면허를 받도록 하기 위하여 제83조에 따른 운전면허시험에 대신 응시한 경우
14. 이 법에 따른 교통단속 임무를 수행하는 경찰공무원등 및 시·군공무원을 폭행한 경우
15. 운전면허증을 부정하게 사용할 목적으로 다른 사람에게 빌려주거나 다른 사람의 운전면허증을 빌려서 사용한 경우
16. 「자동차관리법」에 따라 등록되지 아니하거나 임시운행허가를 받지 아니한 자동차(이륜자동차는 제외한다)를 운전한 경우
17. 제1종 보통면허 및 제2종 보통면허를 받기 전에 연습운전면허의 취소 사유가 있었던 경우
18. 다른 법률에 따라 관계 행정기관의 장이 운전면허의 취소처분 또는 정지처분을 요청한 경우
18의2. 제39조제1항 또는 제4항을 위반하여 화물자동차를 운전한 경우
19. 이 법이나 이 법에 따른 명령 또는 처분을 위반한 경우
20. 운전면허를 받은 사람이 자신의 운전면허를 실효(失效)시킬 목적으로 시·도경찰청장에게 자진하여 운전면허를 반납하는 경우. 다만, 실효시키려는 운전면허가 취소처분 또는 정지처분의 대상이거나 효력정지 기간 중인 경우는 제외한다.
21. 제50조의3제1항을 위반하여 음주운전 방지장치가 설치된 자동차등을 시·도경찰청에 등록하지 아니하고 운전한 경우
22. 제50조의3제3항을 위반하여 음주운전 방지장치가 설치되지 아니하거나 설치기준에 부합하지 아니한 음주운전 방지장치가 설치된 자동차등을 운전한 경우
23. 제50조의3제4항을 위반하여 음주운전 방지장치가 해체·조작 또는 그 밖의 방법으로 효용이 떨어진 것을 알면서 해당 장치가 설치된 자동차등을 운전한 경우

운전면허 취소·정지처분기준(도로교통법 시행규칙 별표 28)

1. **일반기준**

가. 용어의 정의

(1) '벌점'이라 함은, 행정처분의 기초자료로 활용하기 위하여 법규 위반 또는 사고야기에 대하여 그 위반의 경중, 피해의 정도 등에 따라 배점되는 점수를 말한다.

(2) '누산점수'라 함은, 위반·사고시의 벌점을 누적하여 합산한 점수에서 상계치(무위반·무사고기간 경과시에 부여되는 점수 등)를 뺀 점수를 말한다. 다만, 제3호 가목의 7란에 의한 벌점은 누산점수에 이를 산입하지 아니하되, 범칙금 미납 벌점을 받은 날을 기준으로 과거 3년간 2회 이상 범칙금을 납부하지 아니하여 벌점을 받은 사실이 있는 경우에는 누산점수에 산입한다.
[누산점수 = 매 위반·사고시 벌점의 누적 합산치 − 상계치]

(3) '처분벌점'이라 함은, 구체적인 법규 위반·사고야기에 대하여 앞으로 정지처분기준을 적용하는 데 필요한 벌점으로서, 누산점수에서 이미 정지처분이 집행된 벌점의 합계치를 뺀 점수를 말한다.
처분벌점 = 누산점수 − 이미 처분이 집행된 벌점의 합계치 = 매 위반·사고시 벌점의 누적 합산치 − 상계치 − 이미 처분이 집행된 벌점의 합계치

나. 벌점의 종합관리

(1) **누산점수의 관리**
법규 위반 또는 교통사고로 인한 벌점은 행정처분기준을 적용하고자 하는 당해 위반 또는 사고가 있었던 날을 기준으로 하여 과거 3년간의 모든 벌점을 누산하여 관리한다.

(2) **무위반·무사고기간 경과로 인한 벌점 소멸**
처분벌점이 40점 미만인 경우에, 최종의 위반일 또는 사고일로부터 위반 및 사고 없이 1년이 경과한 때에는 그 처분벌점은 소멸한다.

(3) **벌점 공제**
(가) 인적 피해 있는 교통사고를 야기하고 도주한 차량의 운전자를 검거하거나 신고하여 검거하게 한 운전자(교통사고의 피해자가 아닌 경우로 한정한다)에게는 검거 또는 신고할 때마다 40점의 특혜점수를 부여하여 기간에 관계없이 그 운전자가 정지 또는 취소처분을 받게 될 경우 누산점수에서 이를 공제한다. 이 경우 공제되는 점수는 40점 단위로 한다.

(나) 경찰청장이 정하여 고시하는 바에 따라 무위반 · 무사고 서약을 하고 1년간 이를 실천한 운전자에게는 실천할 때마다 10점의 특혜점수를 부여하여 기간에 관계없이 그 운전자가 정지처분을 받게 될 경우 누산점수에서 이를 공제하되, 공제되는 점수는 10점 단위로 한다. 다만, 교통사고로 사람을 사망에 이르게 하거나 법 제93조 제1항 제1호 · 제5호의2 · 제10호의2 · 제11호 및 제12호 중 어느 하나에 해당하는 사유로 정지처분을 받게 될 경우에는 공제할 수 없다.

(4) 개별기준 적용에 있어서의 벌점 합산(법규 위반으로 교통사고를 야기한 경우)

법규 위반으로 교통사고를 야기한 경우에는 3. 정지처분 개별기준 중 다음의 각 벌점을 모두 합산한다.

① 이 법이나 이 법에 의한 명령을 위반한 때(교통사고의 원인이 된 법규위반이 둘 이상인 경우에는 그 중 가장 중한 것 하나만 적용한다)

② 교통사고를 일으킨 때 (1) 사고결과에 따른 벌점

③ 교통사고를 일으킨 때 (2) 조치 등 불이행에 따른 벌점

(5) 정지처분대상자의 임시운전 증명서

경찰서장은 면허 정지처분대상자가 면허증을 반납한 경우에는 본인이 희망하는 기간을 참작하여 40일 이내의 유효기간을 정하여 별지 제79호 서식의 임시운전증명서를 발급하고, 동 증명서의 유효기간 만료일 다음 날부터 소정의 정지처분을 집행하며, 당해 면허 정지처분대상자가 정지처분을 즉시 받고자 하는 경우에는 임시운전 증명서를 발급하지 않고 즉시 운전면허 정지처분을 집행할 수 있다.

다. 벌점 등 초과로 인한 운전면허의 취소 · 정지

(1) 벌점 · 누산점수 초과로 인한 면허 취소

1회의 위반 · 사고로 인한 벌점 또는 연간 누산점수가 다음 표의 벌점 또는 누산점수에 도달한 때에는 그 운전면허를 취소한다.

기간	벌점 또는 누산점수
1년간	121점 이상
2년간	201점 이상
3년간	271점 이상

(2) 벌점 · 처분벌점 초과로 인한 면허 정지

운전면허 정지처분은 1회의 위반 · 사고로 인한 벌점 또는 처분벌점이 40점 이상이 된 때부터 결정하여 집행하되, 원칙적으로 1점을 1일로 계산하여 집행한다.

라. 처분벌점 및 정지처분 집행일수의 감경

(1) 특별교통안전교육에 따른 처분벌점 및 정지처분집행일수의 감경

(가) 처분벌점이 40점 미만인 사람이 특별교통안전 권장교육 중 벌점감경교육을 마친 경우에는 경찰서장에게 교육필증을 제출한 날부터 처분벌점에서 20점을 감경한다.

(나) 운전면허 정지처분을 받게 되거나 받은 사람이 특별교통안전 의무교육이나 특별교통안전 권장교육 중 법규준수교육(권장)을 마친 경우에는 경찰서장에게 교육필증을 제출한 날부터 정지처분기간에서 20일을 감경한다. 다만, 해당 위반행위에 대하여 운전면허행정처분 이의심의위원회의 심의를 거치거나 행정심판 또는 행정소송을 통하여 행정처분이 감경된 경우에는 정지처분기간을 추가로 감경하지 아니하고, 정지처분이 감경된 때에 한정하여 누산점수를 20점 감경한다.

(다) 운전면허 정지처분을 받게 되거나 받은 사람이 특별교통안전 의무교육이나 특별교통안전 권장교육 중 법규준수교육(권장)을 마친 후에 특별교통안전 권장교육 중 현장참여교육을 마친 경우에는 경찰서장에게 교육필증을 제출한 날부터 정지처분기간에서 30일을 추가로 감경한다. 다만, 해당 위반행위에 대하여 운전면허행정처분 이의심의위원회의 심의를 거치거나 행정심판 또는 행정소송을 통하여 행정처분이 감경된 경우에는 그러하지 아니하다.

(2) 모범운전자에 대한 처분집행일수 감경

모범운전자(법 제146조에 따라 무사고운전자 또는 유공운전자의 표시장을 받은 사람으로서 교통안전 봉사활동에 종사하는 사람을 말한다)에 대하여는 면허 정지처분의 집행기간을 2분의 1로 감경한다. 다만, 처분벌점에 교통사고 야기로 인한 벌점이 포함된 경우에는 감경하지 아니한다.

(3) **정지처분 집행일수의 계산에 있어서 단수의 불산입 등**

정지처분 집행일수의 계산에 있어서 단수는 이를 산입하지 아니하며, 본래의 정지처분기간과 가산일수의 합계는 1년을 초과할 수 없다.

마. 행정처분의 취소

교통사고(법규 위반을 포함한다)가 법원의 판결로 무죄확정(혐의가 없거나 죄가 되지 아니하여 불기소처분된 경우를 포함한다. 이하 이 목에서 같다)된 경우에는 즉시 그 운전면허 행정처분을 취소하고 당해 사고 또는 위반으로 인한 벌점을 삭제한다. 다만, 법 제82조 제1항 제2호 또는 제5호에 따른 사유로 무죄가 확정된 경우에는 그러하지 아니하다.

바. 처분기준의 감경

(1) **감경사유**

(가) 음주운전으로 운전면허 취소처분 또는 정지처분을 받은 경우

운전이 가족의 생계를 유지할 중요한 수단이 되거나, 모범운전자로서 처분당시 3년 이상 교통봉사활동에 종사하고 있거나, 교통사고를 일으키고 도주한 운전자를 검거하여 경찰서장 이상의 표창을 받은 사람으로서 다음의 어느 하나에 해당되는 경우가 없어야 한다.

① 혈중알콜농도가 0.1%를 초과하여 운전한 경우
② 음주운전 중 인적 피해 교통사고를 일으킨 경우
③ 경찰관의 음주측정요구에 불응하거나 도주한 때 또는 단속경찰관을 폭행한 경우
④ 과거 5년 이내에 3회 이상의 인적 피해 교통사고의 전력이 있는 경우
⑤ 과거 5년 이내에 음주운전의 전력이 있는 경우

(나) 벌점 · 누산점수 초과로 인하여 운전면허 취소처분을 받은 경우

운전이 가족의 생계를 유지할 중요한 수단이 되거나, 모범운전자로서 처분당시 3년 이상 교통봉사활동에 종사하고 있거나, 교통사고를 일으키고 도주한 운전자를 검거하여 경찰서장 이상의 표창을 받은 사람으로서 다음의 어느 하나에 해당되는 경우가 없어야 한다.

① 과거 5년 이내에 운전면허 취소처분을 받은 전력이 있는 경우
② 과거 5년 이내에 3회 이상 인적 피해 교통사고를 일으킨 경우
③ 과거 5년 이내에 3회 이상 운전면허 정지처분을 받은 전력이 있는 경우
④ 과거 5년 이내에 운전면허행정처분 이의심의위원회의 심의를 거치거나 행정심판 또는 행정소송을 통하여 행정처분이 감경된 경우

(다) 그 밖에 정기 적성검사에 대한 연기신청을 할 수 없었던 불가피한 사유가 있는 등으로 취소처분 개별기준 및 정지처분 개별기준을 적용하는 것이 현저히 불합리하다고 인정되는 경우

(2) **감경기준**

위반행위에 대한 처분기준이 운전면허의 취소처분에 해당하는 경우에는 해당 위반행위에 대한 처분벌점을 110점으로 하고, 운전면허의 정지처분에 해당하는 경우에는 처분 집행일수의 2분의 1로 감경한다. 다만, 다목 (1)에 따른 벌점 · 누산점수 초과로 인한 면허취소에 해당하는 경우에는 면허가 취소되기 전의 누산점수 및 처분벌점을 모두 합산하여 처분벌점을 110점으로 한다.

(3) **처리절차**

(1)의 감경사유에 해당하는 사람은 행정처분을 받은 날(정기 적성검사를 받지 아니하여 운전면허가 취소된 경우에는 행정처분이 있음을 안 날)부터 60일 이내에 그 행정처분에 관하여 주소지를 관할하는 시 · 도경찰청장에게 이의신청을 하여야 하며, 이의신청을 받은 시 · 도경찰청장은 제96조에 따른 운전면허행정처분 이의심의위원회의 심의 · 의결을 거쳐 처분을 감경할 수 있다.

2. 취소처분 개별기준

일련번호	위반사항	적용법조 (도로교통법)	내용
1	교통사고를 일으키고 구호조치를 하지 아니한 때	제93조	교통사고로 사람을 죽게 하거나 다치게 하고, 구호조치를 하지 아니한 때

2	술에 취한 상태에서 운전한 때	제93조	• 술에 취한 상태의 기준(혈중알콜농도 0.03% 이상)을 넘어서 운전을 하다가 교통사고로 사람을 죽게 하거나 다치게 한 때 • 혈중알콜농도 0.08% 이상의 상태에서 운전한 때 • 술에 취한 상태의 기준을 넘어 운전하거나 술에 취한 상태의 측정에 불응한 사람이 다시 술에 취한 상태(혈중알콜농도 0.03% 이상)에서 운전한 때
3	술에 취한 상태의 측정에 불응한 때	제93조	술에 취한 상태에서 운전하거나 술에 취한 상태에서 운전하였다고 인정할 만한 상당한 이유가 있음에도 불구하고 경찰공무원의 측정 요구에 불응한 때
4	다른 사람에게 운전면허증 대여 (도난, 분실 제외)	제93조	• 면허증 소지자가 다른 사람에게 면허증을 대여하여 운전하게 한 때 • 면허 취득자가 다른 사람의 면허증을 대여 받거나 그 밖에 부정한 방법으로 입수한 면허증으로 운전한 때
5	결격사유에 해당	제93조	• 교통상의 위험과 장해를 일으킬 수 있는 정신질환자 또는 뇌전증환자로서 영 제42조 제1항에 해당하는 사람 • 앞을 보지 못하는 사람(한쪽 눈만 보지 못하는 사람의 경우에는 제1종 운전면허 중 대형면허 · 특수면허로 한정한다) • 듣지 못하는 사람(제1종 운전면허 중 대형면허 · 특수면허로 한정한다) • 양 팔의 팔꿈치 관절 이상을 잃은 사람, 또는 양팔을 전혀 쓸 수 없는 사람. 다만, 본인의 신체장애 정도에 적합하게 제작된 자동차를 이용하여 정상적으로 운전할 수 있는 경우는 제외한다. • 다리, 머리, 척추 그 밖의 신체장애로 인하여 앉아 있을 수 없는 사람 • 교통상의 위험과 장해를 일으킬 수 있는 마약, 대마, 향정신성 의약품 또는 알콜 중독자로서 영 제42조 제3항에 해당하는 사람
6	약물을 사용한 상태에서 자동차 등을 운전한 때	제93조	약물(마약 · 대마 · 향정신성 의약품 및 유해화학물질 관리법 시행령 제25조에 따른 환각물질)의 투약 · 흡연 · 섭취 · 주사 등으로 정상적인 운전을 하지 못할 염려가 있는 상태에서 자동차 등을 운전한 때
6의2	공동위험행위	제93조	법 제46조 제1항을 위반하여 공동위험행위로 구속된 때
6의3	난폭운전	제93조	법 제46조의3을 위반하여 난폭운전으로 구속된 때
7	정기적성검사 불합격 또는 정기적성검사 기간 1년경과	제93조	정기적성검사에 불합격하거나 적성검사기간 만료일 다음 날부터 적성검사를 받지 아니하고 1년을 초과한 때
8	수시적성검사 불합격 또는 수시적성검사 기간 경과	제93조	수시적성검사에 불합격하거나 수시적성검사 기간을 초과한 때
9	삭제 <2011.12.9.>		
10	운전면허 행정처분기간 중 운전행위	제93조	운전면허 행정처분 기간 중에 운전한 때
11	허위 또는 부정한 수단으로 운전면허를 받은 경우	제93조	• 허위 · 부정한 수단으로 운전면허를 받은 때 • 법 제82조에 따른 결격사유에 해당하여 운전면허를 받을 자격이 없는 사람이 운전면허를 받은 때 • 운전면허 효력의 정지기간 중에 면허증 또는 운전면허증에 갈음하는 증명서를 교부받은 사실이 드러난 때

12	등록 또는 임시운행 허가를 받지 아니한 자동차를 운전한 때	제93조	자동차관리법에 따라 등록되지 아니하거나 임시운행 허가를 받지 아니한 자동차(이륜자동차를 제외한다)를 운전한 때
12의2	자동차 등을 이용하여 형법상 특수상해 등을 행한 때(보복운전)	제93조	자동차 등을 이용하여 형법상 특수상해, 특수폭행, 특수협박, 특수손괴를 행하여 구속된 때
13	삭제 <2018.9.28.>		
14	삭제 <2018.9.28.>		
15	다른 사람을 위하여 운전면허시험에 응시한 때	제93조	운전면허를 가진 사람이 다른 사람을 부정하게 합격시키기 위하여 운전면허 시험에 응시한 때
16	운전자가 단속 경찰공무원 등에 대한 폭행	제93조	단속하는 경찰공무원 등 및 시·군·구 공무원을 폭행하여 형사입건된 때
17	연습면허 취소사유가 있었던 경우	제93조	제1종 보통 및 제2종 보통면허를 받기 이전에 연습면허의 취소사유가 있었던 때(연습면허에 대한 취소절차 진행 중 제1종 보통 및 제2종 보통면허를 받은 경우를 포함한다)

3. 정지처분 개별기준

(1) 이 법이나 이 법에 의한 명령을 위반한 때

위반사항	적용법조 (도로교통법)	벌점
1. 속도위반(100km/h 초과)	제17조 제3항	100
2. 술에 취한 상태의 기준을 넘어서 운전한 때(혈중알콜농도 0.03% 이상 0.08% 미만)	제44조 제1항	
2의2. 자동차 등을 이용하여 형법상 특수상해 등(보복운전)을 하여 입건된 때	제93조	
3. 속도 위반(80km/h 초과 100km/h 이하)	제17조 제3항	80
3의2. 속도위반(60km/h 초과 80km/h 이하)	제17조 제3항	60
4. 정차·주차 위반에 대한 조치불응(단체에 소속되거나 다수인에 포함되어 경찰공무원의 3회 이상의 이동명령에 따르지 아니하고 교통을 방해한 경우에 한한다)	제35조 제1항	40
4의2. 공동위험행위로 형사입건된 때	제46조 제1항	
4의3. 난폭운전으로 형사입건된 때	제46조의3	
5. 안전운전의무 위반(단체에 소속되거나 다수인에 포함되어 경찰공무원의 3회 이상의 안전운전 지시에 따르지 아니하고 타인에게 위험과 장해를 주는 속도나 방법으로 운전한 경우에 한한다)	제48조	
6. 승객의 차내 소란행위 방치운전	제49조 제1항 제9호	
7. 출석기간 또는 범칙금 납부기간 만료일부터 60일이 경과될 때까지 즉결심판을 받지 아니한 때	제138조 및 제165조	
8. 통행구분 위반(중앙선 침범에 한함)	제13조 제3항	30
9. 속도 위반(40km/h 초과 60km/h 이하)	제17조 제3항	
10. 철길건널목 통과방법 위반	제24조	

10의2. 어린이통학버스 특별보호 위반	제51조	
10의3. 어린이통학버스 운전자의 의무 위반(좌석안전띠를 매도록 하지 아니한 운전자는 제외한다)	제53조 제1항 · 제2항 및 제4항	
11. 고속도로 · 자동차전용도로 갓길통행	제60조 제1항	
12. 고속도로 버스전용차로 · 다인승전용차로 통행 위반	제61조 제2항	
13. 운전면허증 등의 제시의무위반 또는 운전자 신원확인을 위한 경찰공무원의 질문에 불응	제92조 제2항	
14. 신호 · 지시 위반	제5조	15
15. 속도 위반(20km/h 초과 40km/h 이하)	제17조 제3항	
15의2. 속도 위반(어린이보호구역 안에서 오전 8시부터 오후 8시까지 사이에 제한속도를 20km/h 이내에서 초과한 경우에 한정한다)	제17조 제3항	
16. 앞지르기 금지시기 · 장소 위반	제22조	
16의2. 적재 제한 위반 또는 적재물 추락방지 위반	제39조 제1항 · 제4항	
17. 운전 중 휴대용 전화사용	제49조 제1항 제10호	
17의2. 운전 중 운전자가 볼 수 있는 위치에 영상 표시	제49조 제1항 제11호	
17의3. 운전 중 영상표시장치 조작	제49조 제1항 제11호의2	
18. 운행기록계 미설치 자동차 운전금지 등의 위반	제50조 제5항	
19. 삭제 〈2014.12.31.〉		
20. 통행구분 위반(보도침범, 보도 횡단방법 위반)	제13조 제1항 · 제2항	10
21. 지정차로 통행 위반(진로변경 금지장소에서의 진로변경 포함)	제14조 제2항 · 제5항, 제60조 제1항	
22. 일반도로 전용차로 통행 위반	제15조 제3항	
23. 안전거리 미확보(진로변경 방법 위반 포함)	제19조 제1항 · 제3항 · 제4항	
24. 앞지르기 방법 위반	제21조 제1항 · 제3항, 제60조 제2항	
25. 보행자 보호 불이행(정지선 위반 포함)	제27조	
26. 승객 또는 승하차자 추락방지조치 위반	제39조 제3항	
27. 안전운전의무 위반	제48조	
28. 노상 시비 · 다툼 등으로 차마의 통행 방해행위	제49조 제1항 제5호	
29. 삭제 〈2014.12.31.〉		
30. 돌 · 유리병 · 쇳조각이나 그 밖에 도로에 있는 사람이나 차마를 손상시킬 우려가 있는 물건을 던지거나 발사하는 행위	제68조 제3항 제4호	
31. 도로를 통행하고 있는 차마에서 밖으로 물건을 던지는 행위	제68조 제3항 제5호	

(주)
1. 삭제 〈2011.12.9.〉
2. 범칙금납부기간 만료일부터 60일이 경과될 때까지 즉결심판을 받지 아니하여 정지처분대상자가 되었거나, 정지처분을 받고 정지처분기간 중에 있는 사람이 위반 당시 통고받은 범칙금액에 그 100분의 50을 더한 금액을 납부하고 증빙서류를 제출한 때에는 정지처분을 하지 아니하거나 그 잔여기간의 집행을 면제한다. 다만, 다른 위반행위로 인한 벌점이 합산되어 정지처분을 받은 경우 그 다른 위반행위로 인한 정지처분기간에 대하여는 집행을 면제하지 아니한다.

3. 제7호, 제8호, 제10호, 제12호, 제14호, 제16호, 제20호부터 제27호까지 및 제29호부터 제31호까지의 위반행위에 대한 벌점은 자동차 등을 운전한 경우에 한하여 부과한다.
4. 어린이보호구역 및 노인 · 장애인보호구역 안에서 오전 8시부터 오후 8시까지 사이에 제3호의2, 제9호, 제14호, 제15호 또는 제25호의 어느 하나에 해당하는 위반행위를 한 운전자에 대해서는 위 표에 따른 벌점의 2배에 해당하는 벌점을 부과한다.

(2) 자동차 등의 운전 중 교통사고를 일으킨 때

① 사고결과에 따른 벌점기준

구분		벌점	내용
인적 피해 교통 사고	사망 1명마다	90	사고발생시부터 72시간 이내에 사망한 때
	중상 1명마다	15	3주 이상의 치료를 요하는 의사의 진단이 있는 사고
	경상 1명마다	5	3주 미만 5일 이상의 치료를 요하는 의사의 진단이 있는 사고
	부상신고 1명마다	2	5일 미만의 치료를 요하는 의사의 진단이 있는 사고

〈비고〉
1. 교통사고발생 원인이 불가항력이거나 피해자의 명백한 과실인 때에는 행정처분을 하지 아니한다.
2. 자동차 등 대 사람 교통사고의 경우 쌍방과실인 때에는 그 벌점을 2분의 1로 감경한다.
3. 자동차 등 대 자동차 등 교통사고의 경우에는 그 사고원인 중 중한 위반행위를 한 운전자만 적용한다.
4. 교통사고로 인한 벌점산정에 있어서 처분받을 운전자 본인의 피해에 대하여는 벌점을 산정하지 아니한다.

② 조치 등 불이행에 따른 벌점기준

불이행 사항	적용법조 (도로교통법)	벌점	내용
교통사고 야기시 조치 불이행	제54조 제1항	15	1. 물적 피해가 발생한 교통사고를 일으킨 후 도주한 때
			2. 교통사고를 일으킨 즉시(그때, 그 자리에서 곧) 사상자를 구호하는 등의 조치를 하지 아니하였으나 그 후 자진신고를 한 때
		30	가. 고속도로, 특별시 · 광역시 및 시의 관할 구역과 군(광역시의 군을 제외한다)의 관할 구역 중 경찰관서가 위치하는 리 또는 동 지역에서 3시간(그 밖의 지역에서는 12시간) 이내에 자진신고를 한 때
		60	나. 가목에 따른 시간 후 48시간 이내에 자진신고를 한 때

판례 **음주운전으로 인한 면허취소**

"항소심법원이, 도로교통법 제93조에 따른 운전면허의 취소사유인 음주운전은 같은 법 제2조 제1호에서 정한 도로에서 운전한 경우로 한정되고 도로 이외의 곳을 운전한 경우까지 의미하는 것은 아니라고 전제한 다음, 원고가 차량을 운전한 곳은 도로교통법이 정한 도로에 해당한다고 할 수 없어 면허취소처분이 위법하다고 판단한 것은 정당하다."라고 판시하였다(대판 2013.10.11, 2013두9359).

7. 운전면허 처분에 대한 이의신청(제94조)

(1) 운전면허의 취소처분 또는 정지처분이나 연습운전면허 취소처분에 대하여 이의(異議)가 있는 사람은 그 처분을 받은 날부터 60일 이내에 행정안전부령으로 정하는 바에 따라 시 · 도경찰청장에게 이의를 신청할 수 있다.

(2) 시 · 도경찰청장은 이의를 심의하기 위하여 행정안전부령으로 정하는 바에 따라 운전면허행정처분 이의심의위원회를 두어야 한다.

(3) 이의를 신청한 사람은 그 이의신청과 관계없이 행정심판법에 따른 행정심판을 청구할 수 있다. 이 경우 이의를 신청하여 그 결과를 통보받은 사람(결과를 통보받기 전에 행정심판법에 따른 행정심판을 청구한 사람은 제외한다)은 통보받은 날부터 90일 이내에 행정심판법에 따른 행정심판을 청구할 수 있다.

(4) 이의심의위원회의 위원 중 공무원이 아닌 사람은 형법 제129조부터 제132조까지의 규정을 적용할 때에는 공무원으로 본다.

8. 행정소송과의 관계(제142조)

이 법에 따른 처분으로서 해당 처분에 대한 행정소송은 행정심판의 재결(裁決)을 거치지 아니하면 제기할 수 없다.

9. 운전면허증의 반납(제95조)

(1) 운전면허증을 받은 사람이 다음의 어느 하나에 해당하면 그 사유가 발생한 날부터 7일 이내(④ 및 ⑤의 경우 새로운 운전면허증을 받기 위하여 운전면허증을 제출한 때)에 주소지를 관할하는 시·도경찰청장에게 운전면허증을 반납(모바일운전면허증의 경우 전자적 반납을 포함한다)하여야 한다.

① 운전면허 취소처분을 받은 경우

② 운전면허효력 정지처분을 받은 경우

③ 운전면허증을 잃어버리고 다시 발급받은 후 그 잃어버린 운전면허증을 찾은 경우

④ 연습운전면허증을 받은 사람이 제1종 보통면허증 또는 제2종 보통면허증을 받은 경우

⑤ 운전면허증 갱신을 받은 경우

(2) 경찰공무원은 (1)을 위반하여 운전면허증을 반납하지 아니한 사람이 소지한 운전면허증을 직접 회수(모바일운전면허증의 경우 전자적 회수를 포함한다)할 수 있다.

(3) 시·도경찰청장이 (1)의 ②에 따라 운전면허증을 반납받았거나 (2)에 따라 (1)의 ②에 해당하는 사람으로부터 운전면허증을 회수하였을 때에는 이를 보관하였다가 정지기간이 끝난 즉시 돌려주어야 한다.

10. 국제운전면허증 또는 상호인정외국면허증

(1) 국제운전면허증 또는 상호인정외국면허증에 의한 자동차등의 운전(제96조)

① 외국의 권한 있는 기관에서 ㉠부터 ㉢까지의 어느 하나에 해당하는 협약·협정 또는 약정에 따른 운전면허증(이하 '국제운전면허증'이라 한다) 또는 ㉣에 따라 인정되는 외국면허증(이하 '상호인정외국면허증'이라 한다)을 발급받은 사람은 제80조 제1항에도 불구하고 국내에 입국한 날부터 1년 동안 그 국제운전면허증 또는 상호인정외국면허증으로 자동차 등을 운전할 수 있다. 이 경우 운전할 수 있는 자동차의 종류는 그 국제운전면허증 또는 상호인정외국면허증에 기재된 것으로 한정한다.

㉠ 1949년 제네바에서 체결된 도로교통에 관한 협약

㉡ 1968년 비엔나에서 체결된 도로교통에 관한 협약

㉢ 우리나라와 외국간에 국제운전면허증을 상호 인정하는 협약, 협정 또는 약정

㉣ 우리나라와 외국간에 상대방 국가에서 발급한 운전면허증을 상호 인정하는 협약·협정 또는 약정

② 국제운전면허증을 외국에서 발급받은 사람 또는 상호인정외국면허증으로 운전하는 사람은 여객자동차 운수사업법 또는 화물자동차 운수사업법에 따른 사업용 자동차를 운전할 수 없다. 다만, 여객자동차 운수사업법에 따른 대여사업용 자동차를 임차(賃借)하여 운전하는 경우에는 그러하지 아니하다.

(2) 자동차 등의 운전 금지(제97조)

① 국제운전면허증 또는 상호인정외국면허증을 가지고 국내에서 자동차 등을 운전하는 사람이 다음의 어느 하나에 해당하는 경우에는 그 사람의 주소지를 관할하는 시·도경찰청장은 행정안전부령으로 정한 기준에 따라 1년을 넘지 아니하는 범위에서 국제운전면허증 또는 상호인정외국면허증에 의한 자동차 등의 운전을 금지할 수 있다.

㉠ 제88조 제1항에 따른 적성검사를 받지 아니하였거나 적성검사에 불합격한 경우
㉡ 운전 중 고의 또는 과실로 교통사고를 일으킨 경우
㉢ 대한민국 국적을 가진 사람이 제93조 제1항 또는 제2항에 따라 운전면허가 취소되거나 효력이 정지된 후 제82조 제2항 각 호에 규정된 기간이 지나지 아니한 경우
㉣ 자동차 등의 운전에 관하여 이 법이나 이 법에 따른 명령 또는 처분을 위반한 경우

② 자동차 등의 운전이 금지된 사람은 지체 없이 국제운전면허증 또는 상호인정외국면허증에 의한 운전을 금지한 시·도경찰청장에게 그 국제운전면허증 또는 상호인정외국면허증을 제출하여야 한다. 시·도경찰청장은 금지기간이 끝난 경우 또는 금지처분을 받은 사람이 그 금지기간 중에 출국하는 경우에는 그 사람의 반환청구가 있으면 지체 없이 보관 중인 국제운전면허증 또는 상호인정외국면허증을 돌려주어야 한다.

(3) 국제운전면허증의 발급 등(제98조)

① 운전면허를 받은 사람이 국외에서 운전을 하기 위하여 국제운전면허증을 발급받으려면 시·도경찰청장에게 신청하여야 한다. 이 경우 국제운전면허증의 유효기간은 발급받은 날부터 1년으로 한다.

도로교통법 시행규칙
제98조【국제운전면허증의 발급】 ① 법 제80조에 따라 운전면허를 받은 사람(원동기장치자전거면허 및 연습운전면허를 받은 사람은 제외한다)이 법 제98조에 따라 국제운전면허증을 발급받으려는 경우에는 별지 제59호 서식의 신청서에 사진 1장을 첨부하여 시·도경찰청장 또는 한국도로교통공단에 제출하고, 신분증명서를 제시해야 한다. 다만, 신청인이 원하는 경우에는 신분증명서 제시를 갈음하여 전자적 방법으로 지문정보를 대조하여 본인 확인을 할 수 있다.

② 국제운전면허증은 이를 발급받은 사람의 국내운전면허의 효력이 없어지거나 취소된 때에는 그 효력을 잃는다. 또한, 국제운전면허증을 발급받은 사람의 국내운전면허의 효력이 정지된 때에는 그 정지기간 동안 그 효력이 정지된다.

06 과태료

1. 과태료의 부과·징수권자(제161조)

시·도경찰청장	제160조 제1항부터 제3항까지(제15조 제3항에 따른 전용차로 통행, 제32조부터 제34조까지의 규정에 따른 정차 또는 주차, 제53조 제7항에 따른 안전운행기록 제출, 제53조의3 제1항에 따른 어린이통학버스 안전교육, 제53조의3 제3항에 따른 어린이통학버스 운영자 의무 규정을 위반한 경우는 제외한다)의 과태료

제주특별자치 도지사	제160조 제1항(제52조 제1항 · 제3항을 위반한 경우만 해당한다), 제2항(제49조 제1항 제1호 · 제3호, 제50조 제1항 · 제3항, 제52조 제2항, 제53조 제2항, 제53조의3 제1항 및 제53조의3 제3항을 위반한 경우만 해당한다) 및 제3항(제5조, 제13조 제3항, 제15조 제3항, 제17조 제3항, 제29조 제4항 · 제5항, 제32조부터 제34조까지의 규정을 위반한 경우만 해당한다)의 과태료
시장 등	제160조 제2항 제4호의3 · 제4호의4 · 제4호의5 및 같은 조 제3항(제15조 제3항, 제29조 제4항 · 제5항, 제32조부터 제34조까지의 규정을 위반한 경우만 해당한다)의 과태료
교육감	제160조 제2항 제4호의3 · 제4호의4의 과태료

2. 과태료 납부방법 등(제161조의2)

(1) 과태료 납부금액이 대통령령으로 정하는 금액 이하인 경우에는 대통령령으로 정하는 과태료 납부대행기관을 통하여 신용카드, 직불카드 등(이하 '신용카드 등'이라 한다)으로 낼 수 있다. 이 경우 '과태료 납부대행기관'이란 정보통신망을 이용하여 신용카드 등에 의한 결제를 수행하는 기관으로서 대통령령으로 정하는 바에 따라 과태료 납부대행기관으로 지정받은 자를 말한다.

(2) 신용카드 등으로 과태료를 내는 경우에는 과태료 납부대행기관의 승인일을 납부일로 본다.

(3) 과태료 납부대행기관은 납부자로부터 신용카드 등에 의한 과태료 납부대행 용역의 대가로 대통령령으로 정하는 바에 따라 납부대행 수수료를 받을 수 있다.

(4) 과태료 납부대행기관의 지정 및 운영, 납부대행 수수료 등에 관하여 필요한 사항은 대통령령으로 정한다.

도로교통법 시행령
제88조【과태료부과 및 징수 절차 등】 ① 시 · 도경찰청장, 시장 등 또는 교육감은 법 제160조 및 법 제161조에 따라 과태료를 부과하려는 경우에는 행정안전부령으로 정하는 단속대장과 과태료부과대상자 명부에 그 내용을 기록하여야 한다. 이 경우 단속대장은 특별한 사유가 없으면 전자적 처리가 가능한 방법으로 작성 · 관리하여야 한다.
② 시장 등은 법 제160조 제3항에 따라 법 제32조부터 제34조까지의 규정을 위반한 차의 운전자를 고용하고 있는 사람이나 직접 운전자나 차를 관리하는 지위에 있는 사람 또는 차의 사용자(이하 '고용주 등'이라 한다)에게 과태료를 부과하려는 경우에는 주차 · 정차 위반 차에 과태료부과 대상차표지를 붙인 후 해당 차를 촬영하거나 무인 교통단속용 장비로 주차 · 정차 위반 차를 촬영한 사진증거 등의 증거자료를 갖추어 부과하여야 하고, 증거자료는 관련 번호를 부여하여 보존하여야 한다.
③ 시장 등은 법 제160조 제3항에도 불구하고 같은 조 제4항 제3호에 따라 차의 고용주 등에게 과태료처분을 할 수 없을 때에는 위반행위를 한 운전자를 증명하는 자료를 첨부하여 관할 경찰서장에게 그 사실을 통보하여야 한다.
④ 법 제160조에 따른 과태료의 부과기준은 별표 6과 같다. 다만, 법 제12조 제1항에 따른 어린이 보호구역(이하 '어린이보호구역'이라 한다) 및 법 제12조의2 제1항에 따른 노인 · 장애인 보호구역(이하 '노인 · 장애인보호구역'이라 한다)에서 오전 8시부터 오후 8시까지 법 제5조, 제17조 제3항 및 제32조부터 제34조까지의 규정 중 어느 하나를 위반한 경우 과태료의 부과기준은 별표 7과 같다.
⑤ 질서위반행위규제법 제18조에 따른 자진납부자에 대한 과태료 감경 비율은 같은 법 시행령 제5조의 감경 범위에서 다음의 기준에 따라 행정안전부령으로 정하는 비율로 한다.
1. 과태료 체납률
2. 위반행위의 종류, 내용 및 정도
3. 범칙금과의 형평성
⑥ 법 제160조에 따른 과태료는 과태료납부고지서를 받은 날부터 60일 이내에 내야 한다. 다만, 천재지변이나 그 밖의 부득이한 사유로 과태료를 낼 수 없을 때에는 그 사유가 없어진 날부터 5일 이내에 내야 한다.
⑦ 시장 등은 과태료의 납부 고지를 받은 자가 납부기간 이내에 과태료를 내지 아니하면 질서위반행위규제법 제24조 제3항에 따른 체납처분을 하기 전에 지방세 중 자동차세의 납부고지서와 함께 미납과태료(가산금을 포함한다)의 납부를 고지할 수 있다.

⑧ 시 · 도경찰청장 또는 시장 등은 차의 등록원부가 있는 지역 또는 노면전차 운영자의 소재지(법인인 경우에는 주된 사무소의 소재지를 말한다)가 있는 지역(이하 '차적지'라 한다)이 다른 관할 구역인 경우에는 행정안전부령으로 정하는 바에 따라 차적지를 관할하는 시 · 도경찰청장 또는 시장 등에게 과태료 징수를 의뢰하여야 한다. 이 경우 과태료 징수를 의뢰한 시장 등은 차적지를 관할하는 시장 등에게 징수된 과태료의 100분의 30 범위에서 행정안전부령으로 정하는 징수 수수료를 지급하여야 한다.
⑨ 제1항부터 제8항까지에서 규정한 사항 외에 과태료의 부과 및 징수 등에 필요한 사항은 행정안전부령으로 정한다.

07 범칙행위의 처리에 관한 특례

1. 범칙행위(제162조)

범칙행위란 제156조 각 호 또는 제157조 각 호의 죄에 해당하는 위반행위를 말하며, 그 구체적인 범위는 대통령령으로 정한다.

제156조(벌칙) – 20만원 이하 벌금, 구류 또는 과료(科料)	① 제5조, 제13조 제1항부터 제3항(제13조 제3항의 경우 고속도로, 자동차전용도로, 중앙분리대가 있는 도로에서 고의로 위반하여 운전한 사람은 제외한다)까지 및 제5항, 제14조 제2항 · 제3항 · 제5항, 제15조 제3항(제61조 제2항에서 준용하는 경우를 포함한다), 제15조의2 제3항, 제16조 제2항, 제17조 제3항(제151조의2 제2호, 제153조 제2항 제2호 및 제154조 제9호에 해당하는 사람은 제외한다), 제18조, 제19조 제1항 · 제3항 및 제4항, 제21조 제1항 · 제3항 및 제4항, 제24조, 제25조, 제25조의2, 제26조부터 제28조까지, 제32조, 제33조, 제34조의3, 제37조(제1항 제2호는 제외한다), 제38조 제1항, 제39조 제1항 · 제3항 · 제4항 · 제5항, 제48조 제1항, 제49조(같은 조 제1항 제1호 · 제3호를 위반하여 차 또는 노면전차를 운전한 사람과 같은 항 제4호의 위반행위 중 교통단속용 장비의 기능을 방해하는 장치를 한 차를 운전한 사람은 제외한다), 제50조 제5항부터 제10항(같은 조 제9항을 위반하여 자전거를 운전한 사람은 제외한다)까지, 제51조, 제53조 제1항 및 제2항(좌석안전띠를 매도록 하지 아니한 운전자는 제외한다), 제62조 또는 제73조 제2항(같은 항 제2호 및 제3호만 해당한다)을 위반한 차마 또는 노면전차의 운전자 ② 제6조 제1항 · 제2항 · 제4항 또는 제7조에 따른 금지 · 제한 또는 조치를 위반한 차 또는 노면전차의 운전자 ③ 제22조, 제23조, 제29조 제4항 · 제5항, 제53조의5, 제60조, 제64조, 제65조 또는 제66조를 위반한 사람 ④ 제31조, 제34조 또는 제52조 제4항을 위반하거나 제35조 제1항에 따른 명령을 위반한 사람 ⑤ 제39조 제6항에 따른 시 · 도경찰청장의 제한을 위반한 사람 ⑥ 제50조 제1항 · 제3항 및 제4항을 위반하여 좌석안전띠를 매지 아니하거나 인명보호 장구를 착용하지 아니한 운전자(자전거 운전자는 제외한다) ⑦ 제50조의2 제1항을 위반하여 자율주행시스템의 직접 운전 요구에 지체 없이 대응하지 아니한 자율주행자동차의 운전자 ⑧ 제95조 제2항에 따른 경찰공무원의 운전면허증 회수를 거부하거나 방해한 사람 ⑨ 주 · 정차된 차만 손괴한 것이 분명한 경우에 제54조 제1항 제2호에 따라 피해자에게 인적사항을 제공하지 아니한 사람 ⑩ 제44조 제1항을 위반하여 술에 취한 상태에서 자전거 등을 운전한 사람 ⑪ 술에 취한 상태에 있다고 인정할 만한 상당한 이유가 있는 사람으로서 제44조 제2항에 따른 경찰공무원의 측정에 응하지 아니한 사람(자전거 등을 운전한 사람으로 한정한다)

제156조(벌칙) – 20만원 이하 벌금, 구류 또는 과료(科料)	⑫ 제43조를 위반하여 제80조에 따른 원동기장치자전거를 운전할 수 있는 운전면허를 받지 아니하거나(원동기장치자전거를 운전할 수 있는 운전면허의 효력이 정지된 경우를 포함한다) 국제운전면허증 또는 상호인정외국면허증 중 원동기장치자전거를 운전할 수 있는 것으로 기재된 국제운전면허증 또는 상호인정외국면허증을 발급받지 아니하고(운전이 금지된 경우와 유효기간이 지난 경우를 포함한다) 개인형 이동장치를 운전한 사람
제157조(벌칙) – 20만원 이하의 벌금, 구류 또는 과료	① 제5조, 제8조 제1항, 제10조 제2항부터 제5항까지의 규정을 위반한 보행자(실외이동로봇이 위반한 경우에는 실외이동로봇 운용자를 포함한다) ② 제6조 제1항 · 제2항 · 제4항 또는 제7조에 따른 금지 · 제한 또는 조치를 위반한 보행자(실외이동로봇이 위반한 경우에는 실외이동로봇 운용자를 포함한다) ③ 제8조의2제2항을 위반한 실외이동로봇 운용자 ④ 제9조 제1항을 위반하거나 같은 조 제3항에 따른 경찰공무원의 조치를 위반한 행렬 등의 보행자나 지휘자 ⑤ 제68조 제3항을 위반하여 도로에서의 금지행위를 한 사람

2. 범칙자(제162조)

범칙자란 범칙행위를 한 사람으로서 다음의 어느 하나에 해당하지 아니하는 사람을 말한다.

(1) 범칙행위 당시 제92조 제1항에 따른 운전면허증 등 또는 이를 갈음하는 증명서를 제시하지 못하거나 경찰공무원의 운전자 신원 및 운전면허 확인을 위한 질문에 응하지 아니한 운전자

(2) 범칙행위로 교통사고를 일으킨 사람. 다만, 교통사고처리 특례법 제3조 제2항 및 제4조에 따라 업무상 과실치상죄 · 중과실치상죄 또는 이 법 제151조의 죄에 대한 벌을 받지 아니하게 된 사람은 제외한다.

판례 **교통사고처리 특례법 위반**

[1] 도로교통법(2005.5.31. 법률 제7545호로 전문 개정되기 전의 것) 제119조 제3항에 의하면, 범칙금 납부 통고를 받고 범칙금을 납부한 사람은 그 범칙행위에 대하여 다시 벌 받지 아니한다고 규정하고 있는바, 범칙금의 통고 및 납부 등에 관한 같은 법의 규정들의 내용과 취지에 비추어 볼 때 범칙자가 경찰서장으로부터 범칙행위를 하였음을 이유로 범칙금 통고를 받고 그 범칙금을 납부한 경우 다시 벌 받지 아니하게 되는 행위는 범칙금 통고의 이유에 기재된 당해 범칙행위 자체 및 그 범칙행위와 동일성이 인정되는 범칙행위에 한정된다고 해석함이 상당하므로, 범칙행위와 같은 때, 같은 곳에서 이루어진 행위라 하더라도 범칙행위와 별개의 형사범죄행위에 대하여는 범칙금의 납부로 인한 불처벌의 효력이 미치지 아니한다.

[2] 교통사고로 인하여 업무상 과실치상죄 또는 중과실치상죄를 범한 운전자에 대하여 피해자의 명시한 의사에 반하여 공소를 제기할 수 있도록 하고 있는 교통사고처리 특례법 제3조 제2항 단서의 각 호에서 규정한 신호 위반 등의 예외사유는 같은 법 제3조 제1항 위반죄의 구성요건 요소가 아니라 그 공소제기의 조건에 관한 사유이다.

[3] 교통사고처리 특례법 제3조 제2항 단서 각 호에서 규정한 예외사유에 해당하는 신호 위반 등의 범칙행위와 같은 법 제3조 제1항 위반죄는 그 행위의 성격 및 내용이나 죄질, 피해법익 등에 현저한 차이가 있어 동일성이 인정되지 않는 별개의 범죄행위라고 보아야 할 것이므로, 교통사고처리 특례법 제3조 제2항 단서 각 호의 예외사유에 해당하는 신호 위반 등의 범칙행위로 교통사고를 일으킨 사람이 통고처분을 받아 범칙금을 납부하였다고 하더라도, 업무상 과실치상죄 또는 중과실치상죄에 대하여 같은 법 제3조 제1항 위반죄로 처벌하는 것이 도로교통법 제119조 제3항에서 금지하는 이중처벌에 해당한다고 볼 수 없다(대판 2007.4.12, 2006도4322).

3. 범칙금(제162조)

범칙자가 통고처분에 따라 국고(國庫) 또는 제주특별자치도의 금고에 내야 할 금전을 말하며, 범칙금의 액수는 범칙행위의 종류 및 차종(車種) 등에 따라 대통령령으로 정한다.

4. 통고처분(제163조)

(1) 경찰서장이나 제주특별자치도지사는 범칙자로 인정하는 사람에 대하여는 이유를 분명하게 밝힌 범칙금 납부통고서로 범칙금을 낼 것을 통고할 수 있다. 다만, 다음의 어느 하나에 해당하는 사람에 대하여는 그러하지 아니하다.

① 성명이나 주소가 확실하지 아니한 사람

② 달아날 우려가 있는 사람

③ 범칙금 납부통고서 받기를 거부한 사람

> **판례** **도로교통법상 통고처분의 취소를 구하는 행정소송이 가능한지 여부**
> 도로교통법 제118조에서 규정하는 경찰서장의 통고처분은 행정소송의 대상이되는 행정처분이 아니므로 그 처분의 취소를 구하는 소송은 부적법하고, 도로교통법상의 통고처분을 받은 자가 그 처분에 대하여 이의가 있는 경우에는 통고처분에 따른 범칙금의 납부를 이행하지 아니함으로써 경찰서장의 즉결심판청구에 의하여 법원의 심판을 받을 수 있게 될 뿐이다(대판 1995.6.29, 95누4674).

(2) 제주특별자치도지사가 통고처분을 한 경우에는 관할 경찰서장에게 그 사실을 통보하여야 한다.

도로교통법과 경범죄 처벌법의 비교

구분	도로교통법	경범죄 처벌법
범칙자 제외사유	① 범칙행위 당시 제92조 제1항에 따른 운전면허증 등 또는 이를 갈음하는 증명서를 제시하지 못하거나 경찰공무원의 운전자 신원 및 운전면허 확인을 위한 질문에 응하지 아니한 운전자 ② 범칙행위로 교통사고를 일으킨 사람. 다만, 교통사고처리 특례법 제3조 제2항 및 제4조에 따라 업무상 과실치상죄·중과실치상죄 또는 이 법 제151조의 죄에 대한 벌을 받지 아니하게 된 사람은 제외한다.	① 범칙행위를 상습적으로 하는 사람 ② 죄를 지은 동기나 수단 및 결과를 헤아려볼 때 구류처분을 하는 것이 적절하다고 인정되는 사람 ③ 피해자가 있는 행위를 한 사람 ④ 18세 미만인 사람
통고처분 제외사유	① 성명이나 주소가 확실하지 아니한 사람 ② 달아날 우려가 있는 사람 ③ 범칙금 납부통고서 받기를 거부한 사람	① 통고처분서 받기를 거부한 사람 ② 주거 또는 신원이 확실하지 아니한 사람 ③ 그 밖에 통고처분을 하기가 매우 어려운 사람

5. 범칙금의 납부(제164조)

(1) **1차 납부기간**

범칙금 납부통고서를 받은 사람은 10일 이내에 경찰청장이 지정하는 국고은행, 지점, 대리점, 우체국 또는 제주특별자치도지사가 지정하는 금융회사 등이나 그 지점에 범칙금을 내야 한다. 다만, 천재지변이나 그 밖의 부득이한 사유로 말미암아 그 기간에 범칙금을 낼 수 없는 경우에는 부득이한 사유가 없어지게 된 날부터 5일 이내에 내야 한다.

(2) **2차 납부기간**

1차 납부기간에 범칙금을 내지 아니한 사람은 납부기간이 끝나는 날의 다음 날부터 20일 이내에 통고받은 범칙금에 100분의 20을 더한 금액을 내야 한다.

(3) 범칙금 납부자의 처리

범칙금을 낸 사람은 범칙행위에 대하여 다시 벌 받지 아니한다.

도로교통법
제164조의2 【범칙금 납부방법 등】 범칙금 납부방법에 대해서는 제161조의2의 규정을 준용한다. 이 경우 '과태료'는 '범칙금'으로 본다.
제161조의2 【과태료 납부방법 등】 ① 과태료 납부금액이 대통령령으로 정하는 금액 이하인 경우에는 대통령령으로 정하는 과태료 납부대행기관을 통하여 신용카드, 직불카드 등(이하 '신용카드 등'이라 한다)으로 낼 수 있다. 이 경우 '과태료 납부대행기관'이란 정보통신망을 이용하여 신용카드 등에 의한 결제를 수행하는 기관으로서 대통령령으로 정하는 바에 따라 과태료 납부대행기관으로 지정받은 자를 말한다.
② 제1항에 따라 신용카드 등으로 내는 경우에는 과태료 납부대행기관의 승인일을 납부일로 본다.
③ 과태료 납부 대행기관은 납부자로부터 신용카드 등에 의한 과태료 납부대행 용역의 대가로 대통령령으로 정하는 바에 따라 납부대행 수수료를 받을 수 있다.
④ 과태료 납부대행기관의 지정 및 운영, 납부대행 수수료 등에 관하여 필요한 사항은 대통령령으로 정한다.

6. 통고처분 불이행자 등의 처리(제165조)

(1) 경찰서장 또는 제주특별자치도지사는 다음의 어느 하나에 해당하는 사람에 대해서 지체 없이 즉결심판을 청구하여야 한다. 다만, ②에 해당하는 사람으로서 즉결심판이 청구되기 전까지 통고받은 범칙금액에 100분의 50을 더한 금액을 납부한 사람에 대해서는 그러하지 아니하다.

① 제163조 제1항 각 호의 어느 하나에 해당하는 사람

② 제164조 제2항에 따른 납부기간에 범칙금을 납부하지 아니한 사람

(2) 즉결심판이 청구된 피고인이 즉결심판의 선고 전까지 통고받은 범칙금액에 100분의 50을 더한 금액을 내고 납부를 증명하는 서류를 제출하면 경찰서장 또는 제주특별자치도지사는 피고인에 대한 즉결심판 청구를 취소하여야 한다.

(3) 범칙금을 납부한 사람은 그 범칙행위에 대하여 다시 벌 받지 아니한다.

범칙행위 및 범칙금액표(운전자)(도로교통법 시행령 제93조 제1항 관련)

범칙행위	근거 법조문(도로교통법)	차량 종류별 범칙금액
1. 속도위반(60km/h 초과)	제17조 제3항	① 승합자동차 등: 13만원 ② 승용자동차 등: 12만원 ③ 이륜자동차 등: 8만원
1의2. 어린이통학버스 운전자의 의무 위반(좌석안전띠를 매도록 하지 않은 경우는 제외한다)	제53조 제1항·제2항, 제53조의5	
1의3. 삭제 〈2020.11.10.〉		
1의4. 인적사항 제공의무 위반(주·정차된 차만 손괴한 것이 분명한 경우에 한정한다)	제54조 제1항	
2. 속도위반(40km/h 초과 60km/h 이하)	제17조 제3항	① 승합자동차 등: 10만원 ② 승용자동차 등: 9만원 ③ 이륜자동차 등: 6만원
3. 승객의 차 안 소란행위 방치 운전	제49조 제1항 제9호	
3의2. 어린이통학버스 특별보호 위반	제51조	

3의3. 제10조의3 제2항에 따라 안전표지가 설치된 곳에서의 정차 · 주차 금지 위반	제32조 제6호	① 승합자동차 등: 9만원 ② 승용자동차 등: 8만원 ③ 이륜자동차 등: 6만원 ④ 자전거 등: 4만원
4. 신호 · 지시 위반	제5조	① 승합자동차 등: 7만원 ② 승용자동차 등: 6만원 ③ 이륜자동차 등: 4만원 ④ 자전거 등: 3만원
5. 중앙선 침범, 통행구분 위반	제13조 제1항부터 제3항까지 및 제5항	
6. 속도위반(20km/h 초과 40km/h 이하)	제17조 제3항	
7. 횡단 · 유턴 · 후진 위반	제18조	
8. 앞지르기 방법 위반	제21조 제1항 · 제3항, 제60조 제2항	
9. 앞지르기 금지 시기 · 장소 위반	제22조	
10. 철길건널목 통과방법 위반	제24조	
11. 횡단보도 보행자 횡단 방해(신호 또는 지시에 따라 도로를 횡단하는 보행자의 통행 방해를 포함한다)	제27조 제1항 · 제2항	
12. 보행자전용도로 통행 위반(보행자전용도로 통행방법 위반을 포함한다)	제28조 제2항 · 제3항	
12의2. 긴급자동차에 대한 양보 · 일시정지 위반	제29조 제4항 · 제5항	
12의3. 긴급한 용도나 그 밖에 허용된 사항 외에 경광등이나 사이렌 사용	제29조 제6항	
13. 승차 인원 초과, 승객 또는 승하차자 추락 방지조치 위반	제39조 제1항 · 제3항 · 제6항	
14. 어린이 · 앞을 보지 못하는 사람 등의 보호 위반	제49조 제1항 제2호	
15. 운전 중 휴대용 전화 사용	제49조 제1항 제10호	
15의2. 운전 중 운전자가 볼 수 있는 위치에 영상 표시	제49조 제1항 제11호	
15의3. 운전 중 영상표시장치 조작	제49조 제1항 제11호의2	
16. 운행기록계 미설치 자동차 운전 금지 등의 위반	제50조 제5항 제1호 · 제2호	
17. 삭제 〈2014.12.31.〉		
18. 삭제 〈2014.12.31.〉		
19. 고속도로 · 자동차전용도로 갓길 통행	제60조 제1항	
20. 고속도로버스전용차로 · 다인승전용차로 통행 위반	제61조 제2항	
21. 통행 금지 · 제한 위반	제6조 제1항 · 제2항 · 제4항	① 승합자동차 등: 5만원 ② 승용자동차 등: 4만원 ③ 이륜자동차 등: 3만원 ④ 자전거 등: 2만원
22. 일반도로 전용차로 통행 위반	제15조 제3항	
22의2. 노면전차 전용로 통행 위반	제16조 제2항	
23. 고속도로 · 자동차전용도로 안전거리 미확보	제19조 제1항	
24. 앞지르기의 방해 금지 위반	제21조 제4항	
25. 교차로 통행방법 위반	제25조	
26. 교차로에서의 양보운전 위반	제26조	

27. 보행자의 통행 방해 또는 보호 불이행	제27조 제3항부터 제5항까지	① 승합자동차 등: 5만원 ② 승용자동차 등: 4만원 ③ 이륜자동차 등: 3만원 ④ 자전거 등: 2만원
28. 삭제 〈2016.2.11.〉		
29. 정차 · 주차 금지 위반(제10조의3 제2항에 따라 안전표지가 설치된 곳에서의 정차 · 주차 금지 위반은 제외한다)	제32조	
30. 주차금지 위반	제33조	
31. 정차 · 주차방법 위반	제34조	
31의2. 경사진 곳에서의 정차 · 주차방법 위반	제34조의3	
32. 정차 · 주차 위반에 대한 조치 불응	제35조 제1항	
33. 적재 제한 위반, 적재물 추락 방지 위반 또는 영유아나 동물을 안고 운전하는 행위	제39조 제1항 및 제4항부터 제6항까지	
34. 안전운전의무 위반	제48조 제1항	
35. 도로에서의 시비 · 다툼 등으로 인한 차마의 통행 방해 행위	제49조 제1항 제5호	
36. 급발진, 급가속, 엔진 공회전 또는 반복적 · 연속적인 경음기 울림으로 인한 소음 발생 행위	제49조 제1항 제8호	
37. 화물 적재함에의 승객 탑승 운행 행위	제49조 제1항 제12호	
38. 삭제 〈2014.12.31.〉		
39. 고속도로 지정차로 통행 위반	제60조 제1항	
40. 고속도로 · 자동차전용도로 횡단 · 유턴 · 후진 위반	제62조	
41. 고속도로 · 자동차전용도로 정차 · 주차 금지 위반	제64조	
42. 고속도로 진입 위반	제65조	
43. 고속도로 · 자동차전용도로에서의 고장 등의 경우 조치 불이행	제66조	
44. 혼잡 완화조치 위반	제7조	① 승합자동차 등: 3만원 ② 승용자동차 등: 3만원 ③ 이륜자동차 등: 2만원 ④ 자전거 등: 1만원
45. 지정차로 통행 위반, 차로 너비보다 넓은 차 통행 금지 위반(진로 변경 금지 장소에서의 진로 변경을 포함한다)	제14조 제2항 · 제3항 · 제5항	
46. 속도위반(20km/h 이하)	제17조 제3항	
47. 진로 변경방법 위반	제19조 제3항	
48. 급제동 금지 위반	제19조 제4항	
49. 끼어들기 금지 위반	제23조	
50. 서행의무 위반	제31조 제1항	
51. 일시정지 위반	제31조 제2항	
52. 방향전환 · 진로변경 시 신호 불이행	제38조 제1항	
53. 운전석 이탈 시 안전 확보 불이행	제49조 제1항 제6호	
54. 동승자 등의 안전을 위한 조치 위반	제49조 제1항 제7호	
55. 시 · 도경찰청 지정 · 공고 사항 위반	제49조 제1항 제13호	
56. 좌석안전띠 미착용	제50조 제1항	

57. 이륜자동차 · 원동기장치자전거 인명보호 장구 미착용	제50조 제3항	① 승합자동차 등: 2만원 ② 승용자동차 등: 2만원 ③ 이륜자동차 등: 1만원 ④ 자전거 등: 1만원
58. 어린이통학버스와 비슷한 도색 · 표지 금지 위반	제52조 제4항	
59. 최저속도 위반	제17조 제3항	
60. 일반도로 안전거리 미확보	제19조 제1항	
61. 등화 점등 · 조작 불이행(안개가 끼거나 비 또는 눈이 올 때는 제외한다)	제37조 제1항 제1호 · 제3호	
62. 불법부착장치 차 운전(교통단속용 장비의 기능을 방해하는 장치를 한 차의 운전은 제외한다)	제49조 제1항 제4호	
62의2. 사업용 승합자동차 또는 노면전차의 승차 거부	제50조 제5항 제3호	
63. 택시의 합승(장기 주차 · 정차하여 승객을 유치하는 경우로 한정한다) · 승차거부 · 부당요금징수행위	제50조 제6항	
64. 운전이 금지된 위험한 자전거의 운전	제50조 제7항	
64의2. 술에 취한 상태에서의 자전거 운전	제44조 제1항	자전거: 3만원
64의3. 술에 취한 상태에 있다고 인정할만한 상당한 이유가 있는 자전거 운전자가 경찰공무원의 호흡조사 측정에 불응	제44조 제2항	자전거: 10만원
65. 돌, 유리병, 쇳조각, 그 밖에 도로에 있는 사람이나 차마를 손상시킬 우려가 있는 물건을 던지거나 발사하는 행위	제68조 제3항 제4호	모든 차마: 5만원
66. 도로를 통행하고 있는 차마에서 밖으로 물건을 던지는 행위	제68조 제3항 제5호	
67. 특별교통안전교육의 미이수 가. 과거 5년 이내에 법 제44조를 1회 이상 위반하였던 사람으로서 다시 같은 조를 위반하여 운전면허효력 정지처분을 받게 되거나 받은 사람이 그 처분기간이 끝나기 전에 특별교통안전교육을 받지 않은 경우 나. 가목 외의 경우	제73조 제2항	차종 구분 없음: 6만원 4만원
68. 경찰관의 실효된 면허증 회수에 대한 거부 또는 방해	제95조 제2항	차종 구분 없음: 3만원

비고

1. 위 표에서 '승합자동차 등'이란 승합자동차, 4톤 초과 화물자동차, 특수자동차, 건설기계 및 노면전차를 말한다.
2. 위 표에서 '승용자동차 등'이란 승용자동차 및 4톤 이하 화물자동차를 말한다.
3. 위 표에서 '이륜자동차 등'이란 이륜자동차 및 원동기장치자전거를 말한다.
4. 위 표에서 '자전거 등'이란 자전거, 손수레, 경운기 및 우마차를 말한다.
5. 위 표 제65호 및 제66호의 경우 동승자를 포함한다.

범칙행위 및 범칙금액표(보행자)(도로교통법 시행령 제93조 제1항 관련)

범칙행위	해당 법조문	범칙금액
1. 돌 · 유리병 · 쇳조각 그 밖에 도로에 있는 사람이나 차마를 손상시킬 우려가 있는 물건을 던지거나 발사하는 행위	제68조 제3항 제4호	5만원
2. 신호 또는 지시 위반	제5조	3만원
3. 차도 통행	제8조 제1항 본문	
4. 육교 바로 밑 또는 지하도 바로 위로의 횡단	제10조 제2항 본문	
5. 횡단이 금지되어 있는 도로부분의 횡단	제10조 제5항	
6. 술에 취하여 도로에서 갈팡질팡하는 행위	제68조 제3항 제1호	
7. 도로에서 교통에 방해되는 방법으로 눕거나 앉거나 서있는 행위	제68조 제3항 제2호	
8. 교통이 빈번한 도로에서 공놀이 또는 썰매타기 등의 놀이를 하는 행위	제68조 제3항 제3호	
9. 도로를 통행하고 있는 차마에 뛰어오르거나 매달리거나 차마에서 뛰어내리는 행위	제68조 제3항 제6호	
10. 통행금지 또는 제한의 위반	제6조	2만원
11. 도로 횡단시설이 아닌 곳으로의 횡단(제4호의 행위는 제외한다)	제10조 제2항 본문	
12. 차의 바로 앞이나 뒤로의 횡단	제10조 제4항	
13. 교통 혼잡을 완화시키기 위한 조치 위반	제7조	1만원
14. 행렬 등의 차도 우측통행 의무 위반(지휘자를 포함한다)	제9조 제1항 후단	

어린이보호구역 및 노인 · 장애인보호구역에서의 범칙행위 및 범칙금액(도로교통법 시행령 제93조 제2항 관련)

범칙행위	근거 법조문 (도로교통법)	차량 종류별 범칙금액
1. 신호 · 지시 위반 2. 횡단보도 보행자 횡단방해	제5조 제27조 제1항 · 제2항	① 승합자동차 등: 13만원 ② 승용자동차 등: 12만원 ③ 이륜자동차 등: 8만원 ④ 자전거 등: 6만원
3. 속도위반 가. 60km/h 초과	제17조 제3항	① 승합자동차 등: 16만원 ② 승용자동차 등: 15만원 ③ 이륜자동차 등: 10만원
나. 40km/h 초과 60km/h 이하		① 승합자동차 등: 13만원 ② 승용자동차 등: 12만원 ③ 이륜자동차 등: 8만원
다. 20km/h 초과 40km/h 이하		① 승합자동차 등: 10만원 ② 승용자동차 등: 9만원 ③ 이륜자동차 등: 6만원
라. 20km/h 이하		① 승합자동차 등: 6만원 ② 승용자동차 등: 6만원 ③ 이륜자동차 등: 4만원

4. 통행금지 · 제한 위반 5. 보행자 통행방해 또는 보호 불이행 6. 정차 · 주차금지 위반 7. 주차금지 위반 8. 정차 · 주차방법 위반 9. 정차 · 주차 위반에 대한 조치 불응	제6조 제1항 · 제2항 · 제4항 제27조 제3항부터 제5항까지 제32조 제33조 제34조 제35조 제1항	① 승합자동차 등: 9만원 ② 승용자동차 등: 8만원 ③ 이륜자동차 등: 6만원 ④ 자전거 등: 4만원

비고
1. 위 표에서 '승합자동차 등'이란 승합자동차, 4t 초과 화물자동차, 특수자동차, 건설기계 및 노면전차를 말한다.
2. 위 표에서 '승용자동차 등'이란 승용자동차 및 4t 이하 화물자동차를 말한다.
3. 위 표에서 '이륜자동차 등'이란 이륜자동차 및 원동기장치자전거를 말한다.
4. 위 표 제3호 가목을 위반하여 범칙금 납부 통고를 받은 운전자가 통고처분을 이행하지 않아 제99조 제1항에 따라 가산금을 더할 경우 범칙금의 최대 부과금액은 20만원으로 한다.

CHAPTER 02

7. 직권 남용의 금지(제166조)

이 장의 규정에 따른 통고처분을 할 때에 교통을 단속하는 경찰공무원은 본래의 목적에서 벗어나 직무상의 권한을 함부로 남용하여서는 아니 된다.

제4절 교통사고

01 교통사고의 특성

우발성	교통사고는 도주 · 유기도주 등과 같은 특수한 경우를 제외하면 통상적으로 과실에 의한 것이 보통이기 때문에 언제 · 어디서 발생할지 예측할 수 없다.
현장보존의 곤란성	교통사고는 차량이 계속적으로 움직이고 있는 도로에서 발생하므로 현장이 변경되기 쉽고 현장보존을 위한 교통소통의 억제도 곤란하다.
증거확보의 곤란성	교통수단이 고속화되고 사고는 순간적이므로 범인 · 목격자 · 참고인 등이 사고경위를 정확하게 인지할 수 없는 경우가 많다. 또한, 교통상황 자체도 유동적이어서 인적 증거를 확보하기가 곤란하고 사고현장의 물적 증거도 교통소통의 목적에 의해서 변형되거나 멸실되기 쉬워 증거의 확보가 곤란하다.

02 교통사고처리 특례법

교통사고처리 특례법(이하 '법'이라 한다)은 업무상 과실(業務上過失) 또는 중대한 과실로 교통사고를 일으킨 운전자에 관한 형사처벌 등의 특례를 정함으로써 교통사고로 인한 피해의 신속한 회복을 촉진하고 국민생활의 편익을 증진함을 목적으로 한다(제1조).

1. 정의(제2조)

이 법에서 사용하는 용어의 뜻은 다음과 같다.

차	도로교통법 제2조 제17호 가목에 따른 차(車)와 건설기계관리법 제2조 제1항 제1호에 따른 건설기계를 말한다.
교통사고	차의 교통으로 인하여 사람을 사상(死傷)하거나 물건을 손괴(損壞)하는 것을 말한다.

2. 교통사고의 구성요건

차에 의한 사고	기차, 전동차, 항공기, 선박, 궤도차와 케이블카, 소아용의 자전거, 유모차 그리고 보행보조용 의자차 등에 의한 사고는 제외된다.
교통으로 인하여 발생한 사고	① 교통사고에 있어서의 교통개념 ㉠ 차를 본래의 사용방법에 따라 사용하는 것을 말하며 조종을 포함한다. ㉡ 직접적인 차의 운행뿐 아니라 차의 운행과 밀접하게 관련된 부수적인 행위를 포함하며, 차체에 의하여 발생한 경우뿐만 아니라 차량에 적재된 화물 등 차량과 밀접하게 연결된 부위에 의하여 발생된 경우도 포함한다. ② 도로에서의 사고이어야 하는지 여부 ㉠ 도로교통법상의 사고는 도로에서의 사고에 한한다. ㉡ 교통사고처리 특례법상의 사고는 도로뿐 아니라 도로 이외의 장소에서의 사고도 포함된다.
피해의 결과발생	① 피해는 타인에 대한 생명, 신체 및 재산에 대한 것이어야 한다. ② 가해운전자 자신과 그 운전 차량이나, 범행의 수단 또는 도구로 제공된 차량자체는 '피해의 결과'에서 말하는 피해에 해당하지 않는다. ③ 재물은 유형적 재물만을 의미하며 정신적 손해 등 무형적인 피해는 제외한다.
업무상 과실이 있을 것	교통사고는 과실과 고의가 결합된 '특정범죄 가중처벌 등에 관한 법률' 제5조의3에 규정된 도주차량운전자의 가중처벌 규정을 제외하면 과실범이자 결과범이다.

Tip 도로의 요건 및 구별목적

1. 도로의 요건

형태성	차로의 설치, 비포장의 경우에는 노면의 균일성 유지 등으로 자동차 기타 운송수단의 통행에 용이한 형태를 갖추고 있어야 한다.
이용성	사람의 왕래·화물의 수송·자동차 운행 등 공중의 교통영역으로 이용되고 있는 곳이어야 한다.
공개성	공중의 교통에 이용되고 있는 불특정 다수인 및 예상할 수 없을 정도로 바뀌는 숫자의 사람을 위하여 이용이 허용되고 실제 이용되고 있는 곳이어야 한다.
교통경찰권	공공의 안전과 질서유지를 위하여 교통경찰이 발동될 수 있는 장소이어야 한다.

2. 구별목적

무면허운전이나 속도 위반 등은 도로교통법상 도로인 경우에만 단속이 가능하므로 도로에 해당하느냐 여부가 중요하다.

도로에 해당하는 곳	도로에 해당하지 않는 곳
① 도정공장 내 마당, 크라운제과 직매장 마당 ② 인천항 내 도로, 부두, 야적장, 울산현대조선소 구내 ③ 춘천시청 내 광장 주차장	① 나이트클럽 출입자들을 위한 작은 주차장 ② 주차장으로 사용되는 주점 옆 공터 ③ 대형건물 부설주차장, 광주고속터미널

④ 골목길에서 차를 일렬 주차하기 위해 1m 정도 전·후 진하였어도 도로에 해당	④ 역 구내나 교정, 소년원의 경내 ⑤ 자동차의 일부라도 노상주차장을 벗어나 도로에 진입하였을 경우에는 도로에서 주취운전을 한 경우에 해당 ⑥ 관리하는 사람이 있는 아파트 단지 내의 길 ⑦ 병원 구내 통로 중 주차구획선 외의 통로부분은 불특정 다수의 사람이나 차량의 통행을 위하여 사용되고 있으므로 도로에 해당하고, 주차구획선 내의 주차구역은 도로에 해당하지 않음

판례

1. 교통사고처리 특례법 위반

[1] 도로교통법 제2조 제1호 소정의 '일반교통에 사용되는 모든 곳'이라 함은 현실적으로 불특정 다수의 사람 또는 차량의 통행을 위하여 공개된 장소로서 교통질서유지 등을 목적으로 하는 일반 교통경찰권이 미치는 공공성이 있는 곳을 의미하는 것이므로, 특정인들 또는 그들과 관련된 특정한 용건이 있는 자들만이 사용할 수 있고 자주적으로 관리되는 장소는 이에 포함된다고 볼 수 없다.

[2] 교통사고가 발생한 장소가 대학교에 재학 중인 학생들이나 그 곳에 근무하는 교직원들이 이용하는 대학시설물의 일부로 학교운영자에 의하여 자주적으로 관리되는 곳이지, 불특정 다수의 사람 또는 차량의 통행을 위하여 공개된 장소로 일반 교통경찰권이 미치는 공공성이 있는 곳으로는 볼 수 없어, 도로교통법 제2조 제1호에서 말하는 도로로 볼 수 없다.

[3] 교통사고처리 특례법 소정의 교통사고는 도로교통법에서 정하는 도로에서 발생한 교통사고의 경우에만 적용되는 것이 아니고, 차의 교통으로 인하여 발생한 모든 경우에 적용되는 것으로 보아야 한다(대판 1996.10.25, 96도1848).

2. 교통사고처리 특례법 위반(업무상 과실치사), 도로교통법 위반

교통사고처리 특례법 제1조, 제2조 제2호에 비추어 볼 때 동법상의 교통사고를 도로교통법이 정하는 도로에서의 교통사고의 경우로 제한하여 새겨야 할 아무런 근거가 없으므로 연탄제조공장 내의 한 작업장에서 발생한 교통사고행위에 대하여 교통사고처리 특례법이 아닌 형법상의 업무상 과실치사상죄로 처단할 수는 없다(대판 1988.5.24, 88도255).

3. 교통사고처리 특례법 위반

자동차의 운전자가 그 운전상의 주의의무를 게을리하여 열차건널목을 그대로 건너는 바람에 그 자동차가 열차좌측 모서리와 충돌하여 20여미터쯤 열차 진행방향으로 끌려가면서 튕겨나갔고 피해자는 타고가던 자전거에서 내려 위 자동차 왼쪽에서 열차가 지나가기를 기다리고 있다가 위 충돌사고로 놀라 넘어져 상처를 입었다면 비록 위 자동차와 피해자가 직접 충돌하지는 아니하였더라도 자동차운전자의 위 과실과 피해자가 입은 상처 사이에는 상당한 인과관계가 있다(대판 1989.9.12, 89도866).

3. 교통사고의 처리 일반

교통사고처리 특례법

제3조【처벌의 특례】 ① 차의 운전자가 교통사고로 인하여 형법 제268조의 죄를 범한 경우에는 5년 이하의 금고 또는 2천만원 이하의 벌금에 처한다.

② 차의 교통으로 제1항의 죄 중 업무상 과실치상죄(業務上過失致傷罪) 또는 중과실치상죄(重過失致傷罪)와 도로교통법 제151조의 죄를 범한 운전자에 대하여는 피해자의 명시적인 의사에 반하여 공소(公訴)를 제기할 수 없다. 다만, 차의 운전자가 제1항의 죄 중 업무상 과실치상죄 또는 중과실치상죄를 범하고도 피해자를 구호(救護)하는 등 도로교통법 제54조 제1항에 따른 조치를 하지 아니하고 도주하거나 피해자를 사고 장소로부터 옮겨 유기(遺棄)하고 도주한 경우, 같은 죄를 범하고 도로교통법 제44조 제2항을 위반하여 음주측정 요구에 따르지 아니한 경우(운전자가 채혈 측정을 요청하거나 동의한 경우는 제외한다)와 다음의 어느 하나에 해당하는 행위로 인하여 같은 죄를 범한 경우에는 그러하지 아니하다.

1. 도로교통법 제5조에 따른 신호기가 표시하는 신호 또는 교통정리를 하는 경찰공무원 등의 신호를 위반하거나 통행금지 또는 일시정지를 내용으로 하는 안전표지가 표시하는 지시를 위반하여 운전한 경우
2. 도로교통법 제13조 제3항을 위반하여 중앙선을 침범하거나 같은 법 제62조를 위반하여 횡단, 유턴 또는 후진한 경우
3. 도로교통법 제17조 제1항 또는 제2항에 따른 제한속도를 시속 20킬로미터 초과하여 운전한 경우
4. 도로교통법 제21조 제1항, 제22조, 제23조에 따른 앞지르기의 방법 · 금지시기 · 금지장소 또는 끼어들기의 금지를 위반하거나 같은 법 제60조 제2항에 따른 고속도로에서의 앞지르기 방법을 위반하여 운전한 경우
5. 도로교통법 제24조에 따른 철길건널목 통과방법을 위반하여 운전한 경우
6. 도로교통법 제27조 제1항에 따른 횡단보도에서의 보행자 보호의무를 위반하여 운전한 경우
7. 도로교통법 제43조, 건설기계관리법 제26조 또는 도로교통법 제96조를 위반하여 운전면허 또는 건설기계조종사면허를 받지 아니하거나 국제운전면허증을 소지하지 아니하고 운전한 경우. 이 경우 운전면허 또는 건설기계조종사면허의 효력이 정지 중이거나 운전의 금지 중인 때에는 운전면허 또는 건설기계조종사면허를 받지 아니하거나 국제운전면허증을 소지하지 아니한 것으로 본다.
8. 도로교통법 제44조 제1항을 위반하여 술에 취한 상태에서 운전을 하거나 같은 법 제45조를 위반하여 약물의 영향으로 정상적으로 운전하지 못할 우려가 있는 상태에서 운전한 경우
9. 도로교통법 제13조 제1항을 위반하여 보도(步道)가 설치된 도로의 보도를 침범하거나 같은 법 제13조 제2항에 따른 보도 횡단방법을 위반하여 운전한 경우
10. 도로교통법 제39조 제3항에 따른 승객의 추락 방지의무를 위반하여 운전한 경우
11. 도로교통법 제12조 제3항에 따른 어린이 보호구역에서 같은 조 제1항에 따른 조치를 준수하고 어린이의 안전에 유의하면서 운전하여야 할 의무를 위반하여 어린이의 신체를 상해(傷害)에 이르게 한 경우
12. 도로교통법 제39조 제4항을 위반하여 자동차의 화물이 떨어지지 아니하도록 필요한 조치를 하지 아니하고 운전한 경우

(1) 교통사고의 일반적인 처리

일반적인 교통사고의 경우에는 교통사고처리 특례법에 따라 처리한다. 물론 사고당사자에게 도로교통법 위반의 사실이 있다면, 이에 대해서는 범칙금 납부통고서를 발부하여야 한다.

(2) 인적 · 물적 피해가 있는 경우

차의 교통으로 인하여 재산상의 손괴만 일어났으면 도로교통법을 적용하고, 인적 피해가 발생하였으면 교통사고처리 특례법을 적용하여야 한다.

(3) 도주운전자의 경우

교통사고로 인하여 사람을 사상하게 하거나 물건을 손괴할 때에는 사상자를 구호하는 등 필요한 조치를 취하여야 함에도 불구하고 이를 이행하지 않은 자에 대하여 형벌이 가해진다. 또한, 도주차량운전자에 대하여는 가중처벌을 규정하고 있다.

도로교통법상의 사고발생시의 조치의무 위반과 특정범죄 가중처벌 등에 관한 법률상의 도주차량 운전자의 가중처벌 비교

구분	내용
교통사고처리 특례법 제3조 (처벌의 특례)	차의 운전자가 교통사고로 인하여 형법 제268조의 죄를 범한 경우에는 5년 이하의 금고 또는 2천만원 이하의 벌금에 처한다.
도로교통법 제148조 (벌칙)	제54조 제1항에 따른 교통사고발생시의 조치를 하지 아니한 사람(주 · 정차된 차만 손괴한 것이 분명한 경우에 제54조 제1항 제2호에 따라 피해자에게 인적사항을 제공하지 아니한 사람은 제외한다)은 5년 이하의 징역이나 1천500만원 이하의 벌금에 처한다.

특정범죄 가중처벌 등에 관한 법률 제5조의3 (도주차량 운전자의 가중처벌)	① 도로교통법 제2조에 규정된 자동차·원동기장치자전거의 교통으로 인하여 형법 제268조의 죄를 범한 해당 차량의 운전자(이하 '사고운전자'라 한다)가 피해자를 구호(救護)하는 등 도로교통법 제54조 제1항에 따른 조치를 하지 아니하고 도주한 경우에는 다음의 구분에 따라 가중처벌한다. ㉠ 피해자를 사망에 이르게 하고 도주하거나, 도주 후에 피해자가 사망한 경우에는 무기 또는 5년 이상의 징역에 처한다. ㉡ 피해자를 상해에 이르게 한 경우에는 1년 이상의 유기징역 또는 500만원 이상 3천만원 이하의 벌금에 처한다. ② 사고운전자가 피해자를 사고 장소로부터 옮겨 유기하고 도주한 경우에는 다음의 구분에 따라 가중처벌한다. ㉠ 피해자를 사망에 이르게 하고 도주하거나, 도주 후에 피해자가 사망한 경우에는 사형, 무기 또는 5년 이상의 징역에 처한다. ㉡ 피해자를 상해에 이르게 한 경우에는 3년 이상의 유기징역에 처한다.

판례 **특정범죄 가중처벌 등에 관한 법률 위반(도주차량)(인정된 죄명 : 교통사고처리 특례법 위반)**

특정범죄 가중처벌 등에 관한 법률 제5조의3 제1항의 도주차량 운전자의 가중처벌에 관한 규정은 교통의 안전이라는 공공의 이익을 보호함과 아울러 교통사고로 사상을 당한 피해자의 생명·신체의 안전이라는 개인적 법익을 보호하기 위하여 제정된 것이므로, 그 입법 취지와 보호법익에 비추어 볼 때, 사고의 경위와 내용, 피해자의 상해의 부위와 정도, 사고 운전자의 과실 정도, 사고 운전자와 피해자의 나이와 성별, 사고 후의 정황 등을 종합적으로 고려하여 사고 운전자가 실제로 피해자를 구호하는 등 도로교통법 제50조 제1항에 의한 조치를 취할 필요가 있었다고 인정되지 아니하는 경우에는 사고 운전자가 피해자를 구호하는 등 도로교통법 제50조 제1항에 규정된 의무를 이행하기 이전에 사고현장을 이탈하였더라도 특정범죄 가중처벌 등에 관한 법률 제5조의3 제1항 위반죄로는 처벌할 수 없다(대판 2007.4.12, 2007도828).

교통사고의 경우 사고를 야기한 운전자는 형사·민사책임 등을 부담한다. 형사책임은 교통사고처리 특례법에 따라 형사처벌을 받아야 하는 것을 말하고, 민사책임은 민법 또는 자동차손해배상 보장법에 따라 손해배상을 하는 것이다.

또한, 운전면허에 대한 행정처분으로 도로교통법에 따라 원인행위와 결과를 합산하여 면허정지 또는 취소처분을 받게 된다.

4. 교통사고의 유형별 처리

(1) 대인사고

치사사고	교통사고처리 특례법 제3조 제1항을 적용(형사입건)	
치상사고	합의성립	① 동법 제3조 제2항을 적용(공소권 없음) ② 원인행위에 대해서는 도로교통법 적용
	합의불성립	① 동법 제3조 제1항 적용(공소권 있음) ② 보험 또는 공제에 가입된 경우 동법 제4조 제1항 적용(공소권 없음) ③ 동법 제3조 제2항 단서에 해당하는 경우, 중상해, 보험 또는 공제의 무효·해지, 지급의무가 없게 된 경우에는 공소권 있음

치상사고	합의 여부와 관계없이 공소권이 있는 경우	차의 운전자가 운행 중 업무상 과실치상죄 또는 중과실치상죄를 범하고 피해자의 구호조치를 하지 아니하고 도주하거나 피해자를 사고 장소로부터 옮겨 유기하고 도주한 때, 같은 죄를 범하고 음주측정에 불응(운전자가 채혈측정을 요청하거나 동의한 경우는 제외)한 때, 교통사고처리 특례법상 특례 12개항에 해당하는 행위로 같은 죄를 범한 때에는 동법 제3조 제1항을 적용하여 형사입건(공소권 있음)
	위험운전 치사상	특정범죄 가중처벌 등에 관한 법률 제5조의11(위험운전치사상)은 도로교통법상의 음주운전과 구별하여야 한다.

도로교통법상 음주운전과 특정범죄 가중처벌 등에 관한 법률상의 위험운전치사상 비교

도로교통법 제44조 (술에 취한 상태에서의 운전금지)	누구든지 술에 취한 상태에서 자동차 등(건설기계관리법 제26조 제1항 단서에 따른 건설기계 외의 건설기계를 포함한다. 이하 이 조, 제45조, 제47조, 제93조 제1항 제1호부터 제4호까지 및 제148조의2에서 같다), 노면전차 또는 자전거를 운전하여서는 아니 된다.
도로교통법 제148조의2 (벌칙)	① 제44조제1항 또는 제2항을 위반(자동차등 또는 노면전차를 운전한 경우로 한정한다. 다만, 개인형 이동장치를 운전한 경우는 제외한다. 이하 이 조에서 같다)하여 벌금 이상의 형을 선고받고 그 형이 확정된 날부터 10년 내에 다시 같은 조 제1항 또는 제2항을 위반한 사람(형이 실효된 사람도 포함한다)은 다음 각 호의 구분에 따라 처벌한다. 1. 제44조제2항을 위반한 사람은 1년 이상 6년 이하의 징역이나 500만원 이상 3천만원 이하의 벌금에 처한다. 2. 제44조제1항을 위반한 사람 중 혈중알코올농도가 0.2퍼센트 이상인 사람은 2년 이상 6년 이하의 징역이나 1천만원 이상 3천만원 이하의 벌금에 처한다. 3. 제44조제1항을 위반한 사람 중 혈중알코올농도가 0.03퍼센트 이상 0.2퍼센트 미만인 사람은 1년 이상 5년 이하의 징역이나 500만원 이상 2천만원 이하의 벌금에 처한다. ② 술에 취한 상태에 있다고 인정할 만한 상당한 이유가 있는 사람으로서 제44조제2항에 따른 경찰공무원의 측정에 응하지 아니하는 사람(자동차등 또는 노면전차를 운전한 경우로 한정한다)은 1년 이상 5년 이하의 징역이나 500만원 이상 2천만원 이하의 벌금에 처한다. ③ 제44조 제1항을 위반하여 술에 취한 상태에서 자동차 등 또는 노면전차를 운전한 사람은 다음의 구분에 따라 처벌한다. ㉠ 혈중알코올농도가 0.2퍼센트 이상인 사람은 2년 이상 5년 이하의 징역이나 1천만원 이상 2천만원 이하의 벌금 ㉡ 혈중알코올농도가 0.08퍼센트 이상 0.2퍼센트 미만인 사람은 1년 이상 2년 이하의 징역이나 500만원 이상 1천만원 이하의 벌금 ㉢ 혈중알코올농도가 0.03퍼센트 이상 0.08퍼센트 미만인 사람은 1년 이하의 징역이나 500만원 이하의 벌금 ④ 제45조를 위반하여 약물로 인하여 정상적으로 운전하지 못할 우려가 있는 상태에서 자동차 등 또는 노면전차를 운전한 사람은 3년 이하의 징역이나 1천만원 이하의 벌금에 처한다.
특정범죄 가중처벌 등에 관한 법률 제5조의11 (위험운전 등 치사상)	음주 또는 약물의 영향으로 정상적인 운전이 곤란한 상태에서 자동차(원동기장치자전거를 포함한다)를 운전하여 사람을 상해에 이르게 한 사람은 1년 이상 15년 이하의 징역 또는 1천만원 이상 3천만원 이하의 벌금에 처하고, 사망에 이르게 한 사람은 무기 또는 3년 이상의 징역에 처한다.

(2) 대물사고

합의성립	교통사고처리 특례법 제3조 제2항을 적용하여 공소권 없음, 원인행위만 도로교통법 적용
합의불성립	도로교통법 제151조를 적용하여 형사입건(공소권 있음)

도로교통법

제151조 【벌칙】 차 또는 노면전차의 운전자가 업무상 필요한 주의를 게을리하거나 중대한 과실로 다른 사람의 건조물이나 그 밖의 재물을 손괴한 경우에는 2년 이하의 금고나 500만원 이하의 벌금에 처한다.

(3) 교통사고 야기 후 조치 등의 불이행

도주한 경우	대인사고	특정범죄 가중처벌 등에 관한 법률 제5조의3이 적용되어 형사입건(공소권 있음)
	대물사고	도로교통법 제148조를 적용하여 형사입건(공소권 있음)
미신고		도로교통법 제154조 제4호를 적용하여 형사입건(공소권 있음)

도로교통법

제154조 【벌칙】 다음의 어느 하나에 해당하는 사람은 30만원 이하의 벌금이나 구류에 처한다.

4. 제54조 제2항에 따른 사고발생시 조치상황 등의 신고를 하지 아니한 사람

(4) 보험 등에 가입된 경우의 특례(제4조)

교통사고처리 특례법

제4조 【보험 등에 가입된 경우의 특례】 ① 교통사고를 일으킨 차가 보험업법 제4조, 제126조, 제127조 및 제128조, 여객자동차 운수사업법 제60조, 제61조 또는 화물자동차 운수사업법 제51조에 따른 보험 또는 공제에 가입된 경우에는 제3조 제2항 본문에 규정된 죄를 범한 차의 운전자에 대하여 공소를 제기할 수 없다. 다만, 다음의 어느 하나에 해당하는 경우에는 그러하지 아니하다.

1. 제3조 제2항 단서에 해당하는 경우
2. 피해자가 신체의 상해로 인하여 생명에 대한 위험이 발생하거나 불구(不具)가 되거나 불치(不治) 또는 난치(難治)의 질병이 생긴 경우
3. 보험계약 또는 공제계약이 무효로 되거나 해지되거나 계약상의 면책 규정 등으로 인하여 보험회사, 공제조합 또는 공제사업자의 보험금 또는 공제금 지급의무가 없어진 경우

② 제1항에서 '보험 또는 공제'란 교통사고의 경우 보험업법에 따른 보험회사나 여객자동차 운수사업법 또는 화물자동차 운수사업법에 따른 공제조합 또는 공제사업자가 인가된 보험약관 또는 승인된 공제약관에 따라 피보험자와 피해자간 또는 공제조합원과 피해자간의 손해배상에 관한 합의 여부와 상관없이 피보험자나 공제조합원을 갈음하여 피해자의 치료비에 관하여는 통상비용의 전액을, 그 밖의 손해에 관하여는 보험약관이나 공제약관으로 정한 지급기준금액을 대통령령으로 정하는 바에 따라 우선 지급하되, 종국적으로는 확정판결이나 그 밖에 이에 준하는 집행권원(執行權原)상 피보험자 또는 공제조합원의 교통사고로 인한 손해배상금 전액을 보상하는 보험 또는 공제를 말한다.

③ 제1항의 보험 또는 공제에 가입된 사실은 보험회사, 공제조합 또는 공제사업자가 제2항의 취지를 적은 서면에 의하여 증명되어야 한다.

판례 **교통사고처리 특례법 위반**

보험료지급사실을 증명하는 보험료영수증(납입증명서)은 보험계약을 통하여 특정약관의 보험에 가입된 사실을 증명하는 보험가입사실증명서와 그 성질을 달리할 뿐만 아니라 그 내용에 있어서도 교통사고처리 특례법 제4조 제2항 소정의 취지가 기재되어 있지 않으므로 위 영수증만으로는 교통사고로 인하여 사람을 살상한 차량이 위 법 소정의 보험에 가입된 여부를 확단할 수 있는 서면이라고 할 수 없어 위 영수증을 위 법 제4조 제3항의 보험에 가입된 사실을 증명하는 서면이라고 인정할 수는 없다(대판 1985.6.11, 84도2012).

5. 교통사고처리 특례 예외 12개 사고

교통사고처리 특례법상 업무상 과실 또는 중과실로 물적·인적 피해를 야기한 경우, 피해자와의 합의 또는 종합보험이나 공제에 가입시 형사처벌을 면제하는데 그 의미가 있다. 그러나 교통사고처리 예외 12개 사고에 해당할 경우 합의 여부나 보험·공제가입 여부를 불문하고 가해자는 형사책임을 부담한다.

이러한 예외 12개 사고는 인피사고에 한정되며 물피사고에 대해서는 적용되지 않는다.

(1) 신호·안전표지(지시 위반)사고

개념	신호·지시 위반은 신호기 또는 교통정리를 하는 경찰공무원 등의 신호나 통행의 금지 또는 일시정지를 내용으로 하는 안전표지가 표시하는 지시에 위반하여 운전한 경우를 말한다.
신호 위반	① 신호기의 신호와 경찰공무원 등의 신호(지시)가 다른 경우에는 경찰공무원 등의 신호를 따라야 한다. ② 경찰공무원 외에 전의경, 모범운전자, 헌병도 수신호를 할 수 있다.
안전표지(지시) 위반	주의·규제·지시·보조·노면표지 5종이 있다.

판례

1. **교통사고처리 특례법 위반**

   교차로와 횡단보도가 연접하여 설치되어 있고 차량용 신호기는 교차로에만 설치된 경우에 있어서는, 그 차량용 신호기는 차량에 대하여 교차로의 통행은 물론 교차로 직전의 횡단보도에 대한 통행까지도 아울러 지시하는 것이라고 보아야 할 것이고, 횡단보도의 보행등 측면에 차량보조등이 설치되어 있지 아니하다고 하여 횡단보도에 대한 차량용 신호등이 없는 상태라고는 볼 수 없다. 위와 같은 경우에 그러한 교차로의 차량용 적색등화는 교차로 및 횡단보도 앞에서의 정지의무를 아울러 명하고 있는 것으로 보아야 하므로, 그와 아울러 횡단보도의 보행등이 녹색인 경우에는 모든 차량이 횡단보도 정지선에서 정지하여야 하고, 나아가 우회전하여서는 아니 되며, 다만 횡단보도의 보행등이 적색으로 바뀌어 횡단보도로서의 성격을 상실한 때에는 우회전 차량은 횡단보도를 통과하여 신호에 따라 진행하는 다른 차마의 교통을 방해하지 아니하고 우회전할 수 있다. 따라서 교차로의 차량신호등이 적색이고 교차로에 연접한 횡단보도 보행등이 녹색인 경우에 차량 운전자가 위 횡단보도 앞에서 정지하지 아니하고 횡단보도를 지나 우회전하던 중 업무상 과실치상의 결과가 발생하면 교통사고처리 특례법 제3조 제1항, 제2항 단서 제1호의 '신호 위반'에 해당하고, 이때 위 신호 위반행위가 교통사고발생의 직접적인 원인이 된 이상 사고 장소가 횡단보도를 벗어난 곳이라 하여도 위 신호 위반으로 인한 업무상 과실치상죄가 성립함에는 지장이 없다(대판 2011.7.28, 2009도8222).

2. **교통사고처리 특례법 위반**

   [1] 구 도로교통법 시행규칙(2010.8.24. 행정안전부령 제156호로 개정되기 전의 것, 이하 '구 시행규칙'이라고 한다) 제6조 제2항 [별표 2]의 조문 체계, [별표 2]는 녹색등화에 우회전 또는 비보호좌회전표시가 있는 곳에서 좌회전을 하는 경우에도 다른 교통에 방해가 되지 아니하도록 진행하여야 하나 다만 좌회전을 하는 경우에만 다른 교통에 방해가 된 때에 신호 위반책임을 진다고 명시적으로 규정하고 있는 점, 비보호좌회전표시가 있는 곳에서 녹색등화에 좌회전을 하다 다른 교통에 방해가 된 경우 신호 위반의 책임을 지우는 대신 안전운전의무 위반의 책임만 지우도록 하기 위하여 2010.

8.24. 행정안전부령 제156호로 구 시행규칙 [별표 2] 중 녹색등화에 관한 규정을 개정하였으나 비보호좌회전표지·표시가 있는 곳에서 녹색등화에 좌회전을 하더라도 여전히 반대방면에서 오는 차량 또는 교통에 방해가 되지 아니하도록 하여야 하는 점에다가 우리나라의 교통신호체계에 관한 기본태도나 그 변화 등에 비추어 보면, 적색등화에 신호에 따라 진행하는 다른 차마의 교통을 방해하지 아니하고 우회전할 수 있다는 구 시행규칙 [별표 2]의 취지는 차마는 적색등화에도 원활한 교통소통을 위하여 우회전을 할 수 있되, 신호에 따라 진행하는 다른 차마의 신뢰 및 안전을 보호하기 위하여 다른 차마의 교통을 잘 살펴 방해하지 아니하여야 할 안전운전의무를 부과한 것이고, 다른 차마의 교통을 방해하게 된 경우에 신호 위반의 책임까지 지우려는 것은 아니다.

[2] 택시 운전자인 피고인이 교차로에서 적색등화에 우회전하다가 신호에 따라 진행하던 피해자 운전의 승용차를 충격하여 그에게 상해를 입혔다고 하여 구 교통사고처리 특례법(2011.4.12. 법률 제10575호로 개정되기 전의 것) 위반으로 기소된 사안에서, 위 사고는 같은 법 제3조 제2항 단서 제1호에서 정한 '신호 위반'으로 인한 사고에 해당하지 아니한다(대판 2011.7.28, 2011도3970).

3. 교통사고처리 특례법 위반

횡단보도의 양쪽 끝에 서로 마주보고 횡단보도의 통행인을 위한 보행자신호등이 각 설치되어 있고 그 신호등 측면에 차선 진행방향을 향하여 종형 이색등신호기가 각각 별도로 설치되어 있다면, 종형 이색등신호기는 교차로를 통과하는 차마에 대한 진행방법을 지시하는 신호기라고 보는 것이 타당하다(대판 1994.8.23, 94도1199).

4. 특정범죄 가중처벌 등에 관한 법률 위반(도주차량)

특별한 다른 사정이 없는 한 일방통행 도로를 역행하여 차를 운전한 것은 교통사고처리 특례법 제3조 제2항 단서 제1호 소정의 '통행의 금지를 내용으로 하는 안전표지가 표시하는 지시에 위반하여 운전한 경우'에 해당한다(대판 1993.11.9, 93도2562).

5. 교통사고처리 특례법 위반

군부대장이 인명 및 재산을 보호할 책임이 있는 기지 내의 안전관리를 위하여 그 수명자에게 명하는 행정규칙에 근거하여 설치한 보도와 차도를 구분하는 흰색 실선이 도로교통법상 설치권한이 있는 자나 그 위임을 받은 자가 설치한 것이 아니므로 교통사고처리 특례법 제3조 제2항 단서 제1호에서 규정하는 도로교통법 제5조의 규정에 의한 안전표지라고 할 수 없고, 위 흰색 실선이 도로교통법 시행규칙에 규정된 시·도지사가 설치하는 안전표지와 동일한 외관을 갖추고 있고, 자동차를 운전 중 이를 침범하여 교통사고를 일으킨 피고인이 소속 군인으로서 이를 준수하여야 할 의무가 있다고 하여 달리 볼 것은 아니다(대판 1991.5.28, 91도159).

6. 교통사고처리 특례법 위반

도로교통법 제2조 제11호, 제5조, 같은 법 시행규칙 제4조 내지 제6조, 제9조 별표 3, 4의 각 규정을 종합하면 횡단보도상의 신호기는 횡단보도를 통행하고자 하는 보행자에 대한 횡단보행자용 신호기이지 차량의 운행용 신호기라고는 풀이되지 아니하므로 횡단보행자용 신호기의 신호가 보행자통행신호인 녹색으로 되었을 때 차량운전자가 그 신호를 따라 횡단보도위를 보행하는 자를 충격하였을 경우에는 교통사고처리 특례법 제3조 제2항 단서 제6호의 보행자 보호의무를 위반한 때에 해당함은 별문제로 하고 이를 같은 조항 단서 제1호의 신호기의 신호에 위반하여 운전한 때에 해당한다고는 할 수 없다(대판 1988.8.23, 88도632).

(2) 중앙선침범사고

침범행위	① 중앙선침범행위란 중앙선을 넘어서거나 차체가 걸친 행위(운전)를 말하며, 중앙선침범사고가 성립하기 위해서는 침범행위와 사고발생 사이에 인과관계가 있어야 한다. ② 차로의 넓이는 문제되지 않으며, 차체의 어느 일부라도 중앙선을 침범하면 중앙선침범사고가 성립한다.

적용배제	① 중앙선이 없는 도로나 교차로상의 중앙부분을 넘어서 발생한 사고 ② 운전자의 부주의로 핸들이 과대조작되어 반대편 도로 갓길에 충돌하여 발생한 자피사고 ③ 빗길·빙판길·눈길에서 미끄러지거나 장애물을 피하기 위해 중앙선을 침범하여 발생한 사고
고속도로, 자동차 전용도로에서 횡단·유턴·후진 중 발생한 사고	중앙선 침범사고와 동일하게 처리한다.

판례

1. 교통사고처리 특례법 위반

건설회사가 고속도로 건설공사와 관련하여 지방도의 확장공사를 위하여 우회도로를 개설하면서 기존의 도로와 우회도로가 연결되는 부분에 설치한 황색 점선이 도로교통법상 설치권한이 있는 자나 그 위임을 받은 자가 설치한 것이 아니라면 이것을 가리켜 교통사고처리 특례법 제3조 제2항 단서 제2호에서 규정하는 중앙선이라고 할 수 없을 뿐만 아니라, 건설회사가 임의로 설치한 것에 불과할 뿐 도로교통법 제64조의 규정에 따라 관할 경찰서장의 지시에 따라 설치된 것도 아니고 황색 점선의 설치 후 관할 경찰서장의 승인을 얻었다고 인정할 자료도 없다면, 결국 위 황색 점선은 교통사고처리 특례법 제3조 제2항 단서 제1호 소정의 안전표지라고 할 수 없다(대판 2003.6.27, 2003도1895).

2. 교통사고처리 특례법 위반

[1] 교통사고처리 특례법 제3조 제2항 단서 제2호 전단이 규정하는 '도로교통법 제12조 제3항의 규정에 위반하여 차선이 설치된 도로의 중앙선을 침범하였을 때'라 함은 교통사고의 발생지점이 중앙선을 넘어선 모든 경우를 가리키는 것이 아니라 부득이한 사유가 없이 중앙선을 침범하여 교통사고를 발생케 한 경우를 뜻하며, 여기서 '부득이한 사유'라 함은 진행차로에 나타난 장애물을 피하기 위하여 다른 적절한 조치를 취할 겨를이 없었다거나 자기 차로를 지켜 운행하려고 하였으나 운전자가 지배할 수 없는 외부적 여건으로 말미암아 어쩔 수 없이 중앙선을 침범하게 되었다는 등 중앙선침범 자체에는 운전자를 비난할 수 없는 객관적 사정이 있는 경우를 말하는 것이며, 중앙선 침범행위가 교통사고발생의 직접적인 원인이 된 이상 사고장소가 중앙선을 넘어선 반대차선이어야 할 필요는 없으나, 중앙선 침범행위가 교통사고 발생의 직접적인 원인이 아니라면 교통사고가 중앙선침범 운행 중에 일어났다고 하여 모두 이에 포함되는 것은 아니다.

[2] 피고인 운전차량에게 들이받힌 차량이 중앙선을 넘으면서 마주오던 차량들과 충격하여 일어난 사고는 중앙선침범사고로 볼 수 없다(대판 1998.7.28, 98도832).

3. 교통사고처리 특례법 위반

[1] 운전자가 진행차선에 나타난 장애물을 피하기 위하여 다른 적절한 조치를 취할 겨를이 없었다거나, 자기 차선을 지켜 운행하려고 하였으나 운전자가 지배할 수 없는 외부적 여건으로 말미암아 어쩔 수 없이 중앙선을 침범하게 되었다는 등 중앙선침범 자체에 대하여 운전자를 비난할 수 없는 객관적인 사정이 있는 경우에는 운전자가 중앙선을 침범하여 운행하였다 하더라도 그 중앙선침범 자체만으로 그 운전자에게 어떠한 과실이 있다고 볼 수는 없다.

[2] 피해자가 운전하는 승용차가 중앙선에 근접하여 운전하여 오는 것을 상당한 거리에서 발견하고도 두 차가 충돌하는 것을 피하기 위하여 할 수 있는 적절한 조치를 취하지 아니하고 그대로 진행하다가 두 차가 매우 가까워진 시점에서야 급제동 조치를 취하며 조향장치를 왼쪽으로 조작하여 중앙선을 넘어가며 피해자의 승용차를 들이받은 경우 피고인에게 과실이 있다(대판 1996.6.11, 96도1049).

4. 교통사고처리 특례법 위반

구 교통사고처리 특례법(1995.1.5. 법률 제4872호로 개정되기 전의 것) 제3조 제2항 단서 제2호 전단 소정의 '도로교통법 제13조 제2항의 규정에 위반하여 차선이 설치된 도로의 중앙선을 침범하였을 때'라 함은 교통사고의 발생지점이 중앙선을 넘어선 모든 경우를 가리키는 것이 아니라 부득이한 사유가 없이 중앙선을 침범하여 교통사고를 발생케 한 경우를 뜻하며, 여기서 '부득이한 사유'라 함은 진행차로에 나타난 장애물을 피하기 위하여 다른 적절한 조치를 취할 겨를이 없었다거나 자기 차로를 지켜 운행하려고 하였으나 운전자가 지배할 수 없는 외부적 여건으로 말미암아 어쩔 수 없이 중앙선을 침범하게 되었다는 등 중앙선 침범 자체에는 운전자를 비난할 수 없는 객관적 사정이 있는 경우를 말하는 것이고, 이와 같은 법리는 같은 법 제3조 제2항 단서 제9호 소정의 보도 침범의 경우에도 그대로 적용된다(대판 1997.5.23, 95도1232).

5. 교통사고처리 특례법 위반

교통사고처리 특례법이 규정하는 중앙선침범사고는 교통사고가 도로의 중앙선을 침범하여 운전한 행위로 인해 일어난 경우, 즉 중앙선침범행위가 교통사고 발생의 직접적인 원인이 된 경우를 말하며, 중앙선침범행위가 교통사고 발생의 직접적인 원인이 아니라면 교통사고가 중앙선침범 운행 중에 일어났다고 하여 이에 포함되는 것은 아니다(대판 1994.6.28, 94도1200).

6. 교통사고처리 특례법 위반

중앙선이 표시되어 있지 아니한 비포장도로라고 하더라도 승용차가 넉넉히 서로 마주보고 진행할 수 있는 정도의 너비가 되는 도로를 정상적으로 진행하고 있는 자동차의 운전자로서는, 특별한 사정이 없는 한 마주 오는 차도 교통법규(도로교통법 제12조 제3항 등)를 지켜 도로의 중앙으로부터 우측부분을 통행할 것으로 신뢰하는 것이 보통이므로, 마주 오는 차가 도로의 중앙이나 좌측부분으로 진행하여 올 것까지 예상하여 특별한 조치를 강구하여야 할 업무상 주의의무는 없는 것이 원칙이고, 다만 마주 오는 차가 이미 비정상적으로 도로의 중앙이나 좌측부분으로 진행하여 오고 있는 것을 목격한 경우에는, 그 차가 그대로 도로의 중앙이나 좌측부분으로 진행하여 옴으로써 진로를 방해할 것에 대비하여 그 차의 동태에 충분한 주의를 기울여 경음기를 울리고 속도를 줄이면서 도로의 우측 가장자리로 진행하거나 일단 정지하여 마주 오는 차가 통과한 다음에 진행하는 등, 자기의 차와 마주 오는 차와의 접촉충돌에 의한 위험의 발생을 미연에 방지할 수 있는 적절한 조치를 취하여야 할 업무상 주의의무가 있다고 할 것이지만, 그와 같은 경우에도 자동차의 운전자가 업무상 요구되는 적절한 조치를 취하였음에도 불구하고 마주 오는 차의 운전자의 중대한 과실로 인하여 충돌사고의 발생을 방지할 수 없었던 것으로 인정되는 때에는 자동차의 운전자에게 과실이 있다고 할 수 없다(대판 1992.7.28, 92도1137).

7. 교통사고처리 특례법 위반

차량진행방향 좌측으로 휘어지는 완만한 커브길(편도 1차선)을 비오는 상태에서 시속 50km로 화물자동차를 운전하다가 약 20m 앞 횡단보도 우측에 보행자들이 서있는 것을 발견하고 당황한 나머지 감속을 하기 위하여 급제동조치를 취하다가 차가 빗길에 미끄러지면서 중앙선을 침범하여 반대편 도로변에 있던 피해자들을 차량으로 치어 중상을 입힌 것이라면, 운전자가 진행차선에 나타난 장애물을 피하기 위하여 다른 적절한 조치를 취할 겨를이 없었다고는 할 수 없으며, 또 빗길이라 하더라도 과속상태에서 핸들을 급히 꺾지 않는 한 단순한 급제동에 의하여서는 차량이 그 진로를 이탈하여 중앙선 반대편의 도로변을 덮칠 정도로 미끄러질 수는 없는 것이어서 그 중앙선침범이 운전자가 지배할 수 없는 외부적 여건으로 말미암아 어쩔 수 없었던 것이라고도 할 수 없다 할 것이므로 위의 중앙선침범은 교통사고처리 특례법 제3조 제2항 단서 제2호 전단에 해당한다(대판 1991.10.11, 91도1783).

8. 교통사고처리 특례법 위반

비오는 날 포장도로상을 운행하는 차량이 전방에 고인 빗물을 피하기 위하여 차선을 변경하다가 차가 빗길에 미끄러지면서 중앙선을 침범한 경우는 그 고인 빗물이 차량운행에 지장을 주는 장애물이라고 할 수 없고 가사 장애물이라 하더라도 이를 피하기 위하여 다른 적절한 조치를 취할 겨를이 없었다고도 할 수 없으며 또 빗길이라 하더라도 과속상태에서 핸들을 급히 꺾지 않는 한 단순한 차선변경에 의하여서는 차량이 운전자의 의사에 반하여 그 진로를 이탈할 정도로 미끄러질 수는 없는 것이어서 그 중앙선침범이 운전자가 지배할 수 없는 외부적 여건으로 말미암아 어쩔 수 없었던 것이라고 할 수 없으므로 그 중앙선침범이 부득이한 사유에 기한 것이라고는 할 수 없다(대판 1988.3.22, 87도2171).

9. 교통사고처리 특례법 위반

교통사고처리 특례법 제3조 제2항 단서 제2호의 규정에 의하면 도로교통법 제13조 제2항의 규정에 위반하여 차선이 설치된 도로의 중앙선을 침범한 경우에는 피해자의 명시한 의사에 반하여도 공소를 제기할 수 있다 할 것이나 여기서 중앙선을 침범한 경우라 함은 사고차량의 중앙선침범행위가 교통사고발생의 직접적 원인이 된 경우를 말하고 교통사고발생 장소가 중앙선을 넘어선 지점에 있는 모든 경우를 가리키는 것은 아니라 할 것이므로 급브레이크를 밟은 과실로 자동차가 미끄러져 중앙선을 넘어 도로 언덕 아래에 굴러 떨어져 전복되게 하여 그 충격으로 치상케 한 경우에는 위 중앙선침범행위가 위 사고발생의 직접적 원인이 되었다고는 할 수 없어 비록 위 사고 장소가 중앙선을 넘어선 지점이라 하여도 위 특례법 제3조 제2항 단서 제2호를 적용할 수 없다(대판 1985.5.14, 85도384).

(3) 과속사고

과속사고	과속사고는 제한속도를 20km/h 초과하여 발생한 사고를 말한다. 과속사고로 처벌하기 위해서는 속도제한지역임을 운전자가 충분히 알 수 있도록 속도제한표지 등이 설치되어 있어야 하고 과속과 사고발생 사이에 인과관계가 있어야 한다.
과속과 다른 법규 위반의 경합	① 음주와 과속이 경합할 경우 과속사고로 처리하며 음주행위는 따로 도로교통법을 적용하여 처벌한다. ② 중앙선침범과 과속이 경합할 경우 중앙선침범으로 처벌한다. ③ 과속과 안전거리미확보가 경합할 경우 직접적인 원인행위가 무엇인지에 따라 처벌한다.

(4) 앞지르기 방법 · 금지시기 · 금지장소 또는 끼어들기 금지 위반

금지시기	① 앞차가 다른 제차와 나란히 진행하고 있을 때 ② 앞차가 다른 제차를 앞지르고 있거나 앞지르고자 할 때 ③ 다른 차가 도로교통법이나 동법에 의한 명령 또는 경찰공무원의 지시를 따르거나 위험을 방지하기 위하여 정지 또는 서행하고 있을 때
금지장소	① 교차로 · 터널 안 또는 다리 위 ② 도로의 구부러진 곳 ③ 비탈길의 고갯마루 부근 또는 가파른 비탈길의 내리막 또는 황색 실선의 중앙선이 설치되어 있는 곳 ④ 시 · 도경찰청장이 도로에서의 위험을 방지하고 교통의 안전과 원활한 소통을 확보하기 위하여 필요하다고 인정하여 안전표지에 의하여 지정한 곳

(5) 철길건널목 통과방법 위반사고

철길건널목이란 철도와 도로법에서 정한 도로가 평면교차되는 곳을 말한다. 운전자는 도로교통법에 규정되어 있는 철길건널목의 통과방법을 준수하여야 한다.

(6) 횡단보도사고

설치권자	횡단보도의 설치권자는 시 · 도경찰청장이다(시 · 군의 경우에는 경찰서장에게 위임). 그러므로 시 · 도경찰청장 이외의 자가 설치한 것은 외형상 설치기준에 부합한다고 하더라도 횡단보도로 볼 수 없다.
보행자	① 횡단보도를 건너고 있는 자(손수레 · 오토바이 · 자전거를 끌고 횡단보도를 건너는 자) ② 유모차 · 보행보조용 의자차 등도 보행자에 해당한다.
보행자 보호의무를 적용하지 않은 사례	① 손수레 · 자전거 · 오토바이를 타고 횡단하는 자 ② 횡단보도를 횡단 중이 아닌 자(누워 있거나 앉아 있거나 엎드려 있는 경우) ③ 횡단보도 내에서 교통정리를 하고 있는 경우 ④ 횡단보도 내에서 적재물 하역작업을 하고 있는 경우 ⑤ 자동차가 이미 횡단보도에 진입하여 통행하고 있는데 뒤늦게 횡단보도로 뛰어든 보행자가 이미 통행하고 있는 자동차의 측면과 부딪힌 경우

판례

1. 교통사고처리 특례법 위반

[1] 교통사고처리 특례법(이하 '특례법'이라고 한다) 제3조 제2항 단서 제6호, 제4조 제1항 단서 제1호는 '도로교통법 제27조 제1항의 규정에 의한 횡단보도에서의 보행자 보호의무를 위반하여 운전하는 행위로 인하여 업무상 과실치상의 죄를 범한 때'를 특례법 제3조 제2항, 제4조 제1항 각 본문의 처벌 특례 조항이 적용되지 않는 경우로 규정하고, 도로교통법 제27조 제1항은 모든 차의 운전자는 "보행자가 횡단보도를 통행하고 있는 때에는 그 횡단보도 앞에서 일시 정지하여 보행자의 횡단을 방해하거나 위험을 주어서는 아니 된다."라고 규정하고 있다. 따라서 차의 운전자가 도로교통법 제27조 제1항에 따른 횡단보도에서의 보행자에 대한 보호의무를 위반하고 이로 인하여 상해의 결과가 발생하면 그 운전자의 행위는 특례법 제3조 제2항 단서 제6호에 해당하게 되는데, 이때 횡단보도 보행자에 대한 운전자의 업무상 주의의무 위반행위와 상해의 결과 사이에 직접적인 원인관계가 존재하는 한 위 상해가 횡단보도 보행자 아닌 제3자에게 발생한 경우라도 위 단서 제6호에 해당하는 데에는 지장이 없다.

[2] 피고인이 자동차를 운전하다 횡단보도를 걷던 보행자 甲을 들이받아 그 충격으로 횡단보도 밖에서 甲과 동행하던 피해자 乙이 밀려 넘어져 상해를 입은 사안에서, 위 사고는, 피고인이 횡단보도 보행자 甲에 대하여 구 도로교통법(2009.12.29. 법률 제9845호로 개정되기 전의 것) 제27조 제1항에 따른 주의의무를 위반하여 운전한 업무상 과실로 야기되었고, 乙의 상해는 이를 직접적인 원인으로 하여 발생하였으므로, 피고인의 행위는 구 교통사고처리 특례법(2010. 1.25. 법률 제9941호로 개정되기 전의 것) 제3조 제2항 단서 제6호에서 정한 횡단보도 보행자 보호의무의 위반행위에 해당한다(대판 2011.4.28, 2009도12671).

2. 교통사고처리 특례법 위반

교통사고처리 특례법 제3조 제2항 제6호, 도로교통법 제5조 제1항, 제27조 제1항 및 도로교통법 시행규칙 제6조 제2항 [별표 2] 등의 규정들을 종합하면, 보행신호등의 녹색등화 점멸신호는 보행자가 준수하여야 할 횡단보도의 통행에 관한 신호일 뿐이어서, 보행신호등의 수범자가 아닌 차의 운전자가 부담하는 보행자보호의무의 존부에 관하여 어떠한 영향을 미칠 수 없다. 이에 더하여 보행자보호의무에 관한 법률규정의 입법 취지가 차를 운전하여 횡단보도를 지나는 운전자의 보행자에 대한 주의의무를 강화하여 횡단보도를 통행하는 보행자의 생명·신체의 안전을 두텁게 보호하려는 데 있는 것임을 감안하면, 보행신호등의 녹색등화의 점멸신호 전에 횡단을 시작하였는지 여부를 가리지 아니하고 보행신호등의 녹색등화가 점멸하고 있는 동안에 횡단보도를 통행하는 모든 보행자는 도로교통법 제27조 제1항에서 정한 횡단보도에서의 보행자보호의무의 대상이 된다(대판 2009.5.14, 2007도9598).

3. 교통사고처리 특례법 위반

도로를 통행하는 보행자나 차마는 신호기 또는 안전표지가 표시하는 신호 또는 지시 등을 따라야 하는 것이고(도로교통법 제5조), '보행등의 녹색등화의 점멸신호'의 뜻은, 보행자는 횡단을 시작하여서는 아니 되고 횡단하고 있는 보행자는 신속하게 횡단을 완료하거나 그 횡단을 중지하고 보도로 되돌아와야 한다는 것인바[도로교통법 시행규칙 제5조 제2항 (별표 3)], 피해자가 보행신호등의 녹색등화가 점멸되고 있는 상태에서 횡단보도를 횡단하기 시작하여 횡단을 완료하기 전에 보행신호등이 적색등화로 변경된 후 차량신호등의 녹색등화에 따라서 직진하던 피고인 운전차량에 충격된 경우에, 피해자는 신호기가 설치된 횡단보도에서 녹색등화의 점멸신호에 위반하여 횡단보도를 통행하고 있었던 것이어서 횡단보도를 통행 중인 보행자라고 보기는 어렵다고 할 것이므로, 피고인에게 운전자로서 사고발생방지에 관한 업무상 주의의무 위반의 과실이 있음은 별론으로 하고 도로교통법 제24조 제1항 소정의 보행자보호의무를 위반한 잘못이 있다고는 할 수 없다(대판 2001.10.9, 2001도2939).

4. 교통사고처리 특례법 위반

횡단보도에 보행자를 위한 보행등이 설치되어 있지 않다고 하더라도 횡단보도표시가 되어 있는 이상 그 횡단보도는 도로교통법에서 말하는 횡단보도에 해당하므로, 이러한 횡단보도를 진행하는 차량의 운전자가 도로교통법 제24조 제1항의 규정에 의한 횡단보도에서의 보행자보호의무를 위반하여 교통사고를 낸 경우에는 교통사고처리 특례법 제3조 제2항 단서 제6호 소정의 횡단보도에서의 보행자보호의무 위반의 책임을 지게 되는 것이며, 비록 그 횡단보도가 교차로에 인접하여 설치되어 있고 그 교차로의 차량신호등이 차량진행신호였다고 하더라도 이러한 경우 그 차량신호등은 교차로를 진행할 수 있다는 것에 불과하지, 보행등이 설치되어 있지 아니한 횡단보도를 통행하는 보행자에 대한 보행자보호의무를 다하지 아니하여도 된다는 것을 의미하는 것은 아니므로 달리 볼 것은 아니다(대판 2003.10.23, 2003도3529).

5. 교통사고처리 특례법 위반

도로교통법 제48조 제3호의 보행자가 횡단보도를 통행하고 있는 때라고 함은 사람이 횡단보도에 있는 모든 경우를 의미하는 것이 아니라 도로를 횡단할 의사로 횡단보도를 통행하고 있는 경우에 한한다 할 것이므로 피해자가 사고 당시 횡단보도상에 엎드려 있었다면 횡단보도를 통행하고 있었다고 할 수 없음이 명백하여 그러한 피해자에 대한 관계에 있어서는 횡단보도상의 보행자 보호의무가 있다고 할 수 없다(대판 1993.8.13, 93도1118).

6. 교통사고처리 특례법 위반

손수레가 도로교통법 제2조 제13호에서 규정한 사람의 힘에 의하여 도로에서 운전되는 것으로서 '차'에 해당하고 이를 끌고 가는 행위를 차의 운전행위로 볼 수 있다 하더라도 손수레를 끌고 가는 사람이 횡단보도를 통행할 때에는 걸어서 횡단보도를 통행하는 일반인과 마찬가지로 보행자로서의 보호조치를 받아야 할 것이므로 손수레를 끌고 횡단보도를 건너는 사람은 교통사고처리 특례법 제3조 제2항 제6호 및 도로교통법 제48조 제3호에서 규정한 '보행자'에 해당한다고 해석함이 상당하다(대판 1990.10.16, 90도761).

7. 교통사고처리 특례법 위반

횡단보도의 표지판이나 신호대가 설치되어 있지는 않으나 도로의 바닥에 페인트로 횡단보도표시를 하여 놓은 곳으로서 피고인이 진행하는 반대 차선 쪽은 오래되어 거의 지워진 상태이긴 하나 피고인이 운행하는 차선 쪽은 횡단보도인 점을 식별할 수 있을 만큼 그 표시가 되어 있는 곳에서 교통사고가 난 경우에는 교통사고가 도로교통법상 횡단보도상에서 일어난 것으로 인정된다(대판 1990.8.10, 90도1116).

8. 교통사고처리 특례법 위반

시·도지사가 설치한 횡단보도에 횡단보행자용 신호기가 설치되어 있는 경우에는, 횡단보도 표지판이 설치되어 있지 않더라도 횡단보행표시만 설치되어 있으면, 도로교통법 시행규칙 제9조 소정의 횡단보도의 설치기준에 적합한 횡단보도가 설치되었다고 보아야 할 것임은 물론, 횡단보행자용 신호기가 고장이 나서 신호등의 등화가 하루쯤 점멸되지 않는 상태에 있더라도, 그 횡단보도는 교통사고처리 특례법 제3조 제2항 단서 제6호 소정의 '도로교통법 제48조 제3호의 규정에 의한 횡단보도'라고 인정하여야 할 것이다(대판 1990.2.9, 89도1696).

9. 교통사고처리 특례법 위반

횡단보도의 보행자 신호가 녹색신호에서 적색신호로 바뀌는 예비신호 점멸 중에도 그 횡단보도를 건너가는 보행자가 흔히 있고 또 횡단도중에 녹색신호가 적색신호로 바뀐 경우에도 그 교통신호에 따라 정지함이 없이 나머지 횡단보도를 그대로 횡단하는 보행자도 있으므로 보행자 신호가 녹색신호에서 정지신호로 바뀔 무렵 전후에 횡단보도를 통과하는 자동차 운전자는 보행자가 교통신호를 철저히 준수할 것이라는 신뢰만으로 자동차를 운전할 것이 아니라 좌우에서 이미 횡단보도에 진입한 보행자가 있는지 여부를 살펴보고 또한 그의 동태를 두루 살피면서 서행하는 등하여 그와 같은 상황에 있는 보행자의 안전을 위해 어느 때라도 정지할 수 있는 태세를 갖추고 자동차를 운전하여야 할 업무상의 주의의무가 있다(대판 1986.5.27, 86도549).

10. 교통사고처리 특례법 위반

교통이 빈번한 간선도로에서 횡단보도의 보행자 신호등이 적색으로 표시된 경우, 자동차운전자에게 보행자가 동 적색신호를 무시하고 갑자기 뛰어나오리라는 것까지 미리 예견하여 운전하여야 할 업무상의 주의의무까지는 없다(대판 1985.11.12, 85도1893).

11. 교통사고처리 특례법 위반

각종 차량의 내왕이 번잡하고 보행자의 횡단이 금지되어 있는 육교 밑 차도를 주행하는 자동차운전자가 전방 보도위에 서 있는 피해자를 발견했다 하더라도 육교를 눈앞에 둔 동인이 특히 차도로 뛰어들 거동이나 기색을 보이지 않는 한 일반적으로 동인이 차도로 뛰어 들어오리라고 예견하기 어려운 것이므로 이러한 경우 운전자로서는 일반보행자들이 교통관계법규를 지켜 차도를 횡단하지 아니하고 육교를 이용하여 횡단할 것을 신뢰하여 운행하면 족하다 할 것이고 불의에 뛰어드는 보행자를 예상하여 이를 사전에 방지해야 할 조치를 취할 업무상 주의의무는 없다(대판 1985.9.10, 84도1572).

(7) 무면허운전 중 사고

무면허운전	① 면허를 받지 않고 운전한 경우 ② 유효기간이 지난 면허증으로 운전한 경우(적성검사기간 만료일부터 1년간 취소유예기간이 지난 면허증으로 운전한 경우) ③ 면허증의 취소처분을 받은 자가 운전한 경우 ④ 면허정지기간 중에 운전한 경우 ⑤ 운전면허시험 합격 후 면허증 교부 전에 운전한 경우 ⑥ 면허종별을 위반하여 운전한 경우 ⑦ 외국인으로 국제운전면허 없이 운전한 경우(국제운전면허증을 발급받은 자 중 미소지자도 해당) ⑧ 외국인으로 입국 1년이 지난 국제운전면허증을 소지하고 운전한 경우
장소적 요건	무면허운전은 도로가 아닌 곳에서는 성립하지 않는다.

판례 **교통사고처리 특례법 위반(인정된 죄명 : 업무상 과실치사), 도로교통법 위반**

도로교통법 제1조, 제2조 제1호 및 제19호와 동법의 입법취지에 비추어 보면 같은 법 제109조 제1호의 '면허 없이 자동차를 운전하는 행위'의 처벌규정은 같은 법 제2조 제1호에서 말하는 도로에서 면허 없이 운전하는 때에 한하여 적용된다고 해석된다(대판 1988.5.24, 88도255).

(8) 주취 · 약물운전 중 사고

주체	① 혈중알콜농도가 0.03% 이상인 상태로 운전한 사람이면 누구나 본죄의 주체가 된다. ② 운전면허의 유무는 본죄의 성립에 영향을 미치니 아니한다.
행위	① 술에 취한 상태에 있는 자가 자동차 등을 운전한 경우를 의미하므로 자동차 · 원동기장치자전거 · 자전거와 건설기계는 음주운전이 성립할 수 있으나 경운기 · 우마차 · 트랙터 · 군용차량 등에 대해서는 본죄가 성립할 수 없다. ② 혈중알콜농도가 기준이며 실제로 얼마나 취해있는지는 고려대상이 아니다. ③ 음주운전의 시작은 승차 후 발진조작으로 진행하지 않았더라도 시동을 건 상태에서 개시된다. ④ 술 이외의 다른 마취제도 적용대상이다. ⑤ 본죄는 고의범이나 고의의 정도는 혈중알콜농도 수치를 인식 · 자각할 필요는 없고, 수량의 기초가 되고 이를 형성하는 사실의 인식만으로 충분하다.
음주측정 불응죄	① 경찰공무원은 교통안전과 위험방지를 위하여 필요하다고 인정되거나 술에 취한 상태에서 자동차 등을 운전하였다고 인정할만한 상당한 이유가 있는 때에는 운전자가 술에 취하였는지 여부를 측정할 수 있다. 이때 운전자는 이러한 경찰공무원의 측정요구에 응하여야 한다. ② 음주측정불응시 운전자는 음주운전자와 동일한 것으로 취급되어 처벌을 받는다.

판례 **특정범죄 가중처벌 등에 관한 법률 위반(위험운전치사상) · 교통사고처리 특례법 위반 · 도로교통법 위반(음주운전) · 도로교통법 위반(무면허운전)**

[1] 교통사고로 인하여 업무상 과실치상죄 또는 중과실치상죄를 범한 운전자에 대하여 피해자의 명시한 의사에 반하여 공소를 제기할 수 있는 교통사고처리 특례법 제3조 제2항 단서 각 호의 사유는 같은 법 제3조 제1항 위반죄의 구성요건 요소가 아니라 그 공소제기의 조건에 관한 사유이다. 따라서 위 단서 각 호의 사유가 경합한다 하더라도 하나의 교통사고처리 특례법 위반죄가 성립할 뿐, 그 각 호마다 별개의 죄가 성립하는 것은 아니다.

[2] 음주로 인한 특정범죄 가중처벌 등에 관한 법률 위반(위험운전치사상)죄는 그 입법 취지와 문언에 비추어 볼 때, 주취상태의 자동차 운전으로 인한 교통사고가 빈발하고 그로 인한 피해자의 생명·신체에 대한 피해가 중대할 뿐만 아니라, 사고발생 전 상태로의 회복이 불가능하거나 쉽지 않은 점 등의 사정을 고려하여, 형법 제268조에서 규정하고 있는 업무상 과실치사상죄의 특례를 규정하여 가중처벌함으로써 피해자의 생명·신체의 안전이라는 개인적 법익을 보호하기 위한 것이다. 따라서 그 죄가 성립하는 때에는 차의 운전자가 형법 제268조의 죄를 범한 것을 내용으로 하는 교통사고처리 특례법 위반죄는 그 죄에 흡수되어 별죄를 구성하지 아니한다(대판 2008.12.11, 2008도9182).

(9) 보도침범·통행방법 위반사고

판례

[1] 교통사고처리 특례법(이하 '특례법'이라고 한다) 제3조 제2항 단서 제6호, 제4조 제1항 단서 제1호는 '도로교통법 제27조 제1항의 규정에 의한 횡단보도에서의 보행자 보호의무를 위반하여 운전하는 행위로 인하여 업무상 과실치상의 죄를 범한 때'를 특례법 제3조 제2항, 제4조 제1항 각 본문의 처벌 특례 조항이 적용되지 않는 경우로 규정하고, 도로교통법 제27조 제1항은 모든 차의 운전자는 "보행자가 횡단보도를 통행하고 있는 때에는 그 횡단보도 앞에서 일시 정지하여 보행자의 횡단을 방해하거나 위험을 주어서는 아니 된다."라고 규정하고 있다. 따라서 차의 운전자가 도로교통법 제27조 제1항에 따른 횡단보도에서의 보행자에 대한 보호의무를 위반하고 이로 인하여 상해의 결과가 발생하면 그 운전자의 행위는 특례법 제3조 제2항 단서 제6호에 해당하게 되는데, 이때 횡단보도 보행자에 대한 운전자의 업무상 주의의무 위반행위와 상해의 결과 사이에 직접적인 원인관계가 존재하는 한 위 상해가 횡단보도 보행자 아닌 제3자에게 발생한 경우라도 위 단서 제6호에 해당하는 데에는 지장이 없다.

[2] 피고인이 자동차를 운전하다 횡단보도를 걷던 보행자 甲을 들이받아 그 충격으로 횡단보도 밖에서 甲과 동행하던 피해자 乙이 밀려 넘어져 상해를 입은 사안에서, 위 사고는, 피고인이 횡단보도 보행자 甲에 대하여 구 도로교통법(2009.12.29. 법률 제9845호로 개정되기 전의 것) 제27조 제1항에 따른 주의의무를 위반하여 운전한 업무상 과실로 야기되었고, 乙의 상해는 이를 직접적인 원인으로 하여 발생하였으므로, 피고인의 행위는 구 교통사고처리 특례법(2010.1.25. 법률 제9941호로 개정되기 전의 것) 제3조 제2항 단서 제6호에서 정한 횡단보도 보행자 보호의무의 위반행위에 해당한다(대판 2011.4.28, 2009도12671).

(10) 승객추락방지의무 위반사고

판례

1. 교통사고처리 특례법 위반

[1] 골프 카트는 안전벨트나 골프 카트 좌우에 문 등이 없고 개방되어 있어 승객이 떨어져 사고를 당할 위험이 커, 골프 카트 운전업무에 종사하는 자로서는 골프 카트 출발 전에는 승객들에게 안전 손잡이를 잡도록 고지하고 승객이 안전 손잡이를 잡은 것을 확인하고 출발하여야 하고, 우회전이나 좌회전을 하는 경우에도 골프 카트의 좌우가 개방되어 있어 승객들이 떨어져서 다칠 우려가 있으므로 충분히 서행하면서 안전하게 좌회전이나 우회전을 하여야 할 업무상 주의의무가 있다.

[2] 골프장의 경기보조원인 피고인이 골프 카트에 피해자 등 승객들을 태우고 진행하기 전에 안전 손잡이를 잡도록 고지하지도 않고, 또한 승객들이 안전 손잡이를 잡았는지 확인하지도 않은 상태에서 만연히 출발하였으며, 각도 70°가 넘는 우로 굽은 길을 속도를 충분히 줄이지 않고 급하게 우회전한 업무상 과실로, 피해자를 골프 카트에서 떨어지게 하여 두개골골절, 지주막하출혈 등의 상해를 입게 하였다고 본 원심판단을 수긍하였다(대판 2010.7.22, 2010도1911).

2. 교통사고처리 특례법 위반

[1] 교통사고처리 특례법 제3조 제2항 단서 제10호는 '도로교통법 제35조 제2항의 규정에 의한 승객의 추락방지의무를 위반하여 운전한 경우'라고 규정함으로써 그 대상을 '승객'이라고 명시하고 있고, 도로교통법 제35조 제2항 역시 "모든 차의 운전자는 '운전 중' 타고 있는 사람 또는 타고 내리는 사람이 떨어지지 아니하도록 하기 위하여 문을 정확히 여닫는 등 필요한 조치를 취하여야 한다."고 규정하고 있는 점에 비추어 보면, 위 특례법 제3조 제2항 단서 제10호 소정의

의무는 그것이 주된 것이든 부수적인 것이든 사람의 운송에 공하는 차의 운전자가 그 승객에 대하여 부담하는 의무라고 보는 것이 상당하다.

[2] 화물차 적재함에서 작업하던 피해자가 차에서 내린 것을 확인하지 않은 채 출발함으로써 피해자가 추락하여 상해를 입게 된 경우, 교통사고처리 특례법 제3조 제2항 단서 제10호 소정의 의무를 위반하여 운전한 경우에 해당하지 않는다(대판 2000.2.22, 99도3716).

3. 교통사고처리 특례법 위반

교통사고처리 특례법 제3조 제2항 단서 제10호에서 말하는 '도로교통법 제35조 제2항의 규정에 의한 승객의 추락방지의무를 위반하여 운전한 경우'라 함은 도로교통법 제35조 제2항에서 규정하고 있는 대로 '차의 운전자가 타고 있는 사람 또는 타고 내리는 사람이 떨어지지 아니하도록 하기 위하여 필요한 조치를 하여야 할 의무'를 위반하여 운전한 경우를 말하는 것이 분명하고, 차의 운전자가 문을 여닫는 과정에서 발생한 일체의 주의의무를 위반한 경우를 의미하는 것은 아니므로, 승객이 차에서 내려 도로상에 발을 딛고 선 뒤에 일어난 사고는 승객의 추락방지의무를 위반하여 운전함으로써 일어난 사고에 해당하지 아니한다(대판 1997.6.13, 96도3266).

(11) 어린이보호구역에서의 주의의무 위반사고

어린이보호구역에서 교통법규를 준수하고 어린이 안전에 유의하면서 운전하여야 할 의무를 위반하여 어린이의 신체를 상해에 이르게 한 경우를 말한다.

도로교통법

제12조 【어린이 보호구역의 지정 및 관리】 ① 시장 등은 교통사고의 위험으로부터 어린이를 보호하기 위하여 필요하다고 인정하는 경우에는 다음의 어느 하나에 해당하는 시설이나 장소의 주변도로 가운데 일정 구간을 어린이 보호구역으로 지정하여 자동차 등과 노면전차의 통행속도를 시속 30킬로미터 이내로 제한할 수 있다.

1. 유아교육법 제2조에 따른 유치원, 초·중등교육법 제38조 및 제55조에 따른 초등학교 또는 특수학교
2. 영유아보육법 제10조에 따른 어린이집 가운데 행정안전부령으로 정하는 어린이집
3. 학원의 설립·운영 및 과외교습에 관한 법률 제2조에 따른 학원 가운데 행정안전부령으로 정하는 학원
4. 초·중등교육법 제60조의2 또는 제60조의3에 따른 외국인학교 또는 대안학교, 제주특별자치도 설치 및 국제자유도시 조성을 위한 특별법 제223조에 따른 국제학교 및 경제자유구역 및 제주국제자유도시의 외국교육기관 설립·운영에 관한 특별법 제2조 제2호에 따른 외국교육기관 중 유치원·초등학교 교과과정이 있는 학교
5. 그 밖에 어린이가 자주 왕래하는 곳으로서 조례로 정하는 시설 또는 장소

② 제1항에 따른 어린이 보호구역의 지정절차 및 기준 등에 관하여 필요한 사항은 교육부, 행정안전부 및 국토교통부의 공동부령으로 정한다.

③ 차마 또는 노면전차의 운전자는 어린이 보호구역에서 제1항에 따른 조치를 준수하고 어린이의 안전에 유의하면서 운행하여야 한다.

특정범죄 가중처벌 등에 관한 법률

제5조의13 【어린이 보호구역에서 어린이 치사상의 가중처벌】 자동차(원동기장치자전거를 포함한다)의 운전자가 도로교통법 제12조 제3항에 따른 어린이 보호구역에서 같은 조 제1항에 따른 조치를 준수하고 어린이의 안전에 유의하면서 운전하여야 할 의무를 위반하여 어린이(13세 미만인 사람을 말한다. 이하 같다)에게 교통사고처리 특례법 제3조 제1항의 죄를 범한 경우에는 다음 각 호의 구분에 따라 가중처벌한다.

1. 어린이를 사망에 이르게 한 경우에는 무기 또는 3년 이상의 징역에 처한다.
2. 어린이를 상해에 이르게 한 경우에는 1년 이상 15년 이하의 징역 또는 500만원 이상 3천만원 이하의 벌금에 처한다.

⑿ 화물추락방지의무 위반사고

승차 또는 적재의 방법과 제한(도로교통법 제39조)을 위반하여 자동차의 화물이 떨어지지 아니하도록 필요한 조치를 하지 아니하고 운전한 경우를 말한다.

판례 **교통사고 관련**

1. 운전자에게는 특별한 사정이 없는 한 반대차로를 운행하는 차가 갑자기 중앙선을 넘어 올 것까지 예견하여 감속하는 등 미리 충돌을 방지할 태세를 갖추어 운전해야 할 주의의무가 있다고는 할 수 없다.
2. 특별한 이유 없이 호흡측정기에 의한 측정에 불응하는 운전자에게 경찰공무원이 혈액채취에 의한 측정방법이 있음을 고지하고 그 선택 여부를 물어야 할 의무가 있다고는 할 수 없다.
3. 고속도로를 운행하는 자동차 운전자는 고속도로를 무단횡단하는 보행자가 있을 것을 미리 예견하여 운전할 주의의무가 없다.
4. 술에 취한 피고인이 자동차 안에서 잠을 자다가 추위를 느껴 히터를 가동하기 위하여 시동을 걸었고, 실수로 제동장치 등을 건드렸다고 하더라도 운전에 해당하지 않는다.
5. 약물 등의 영향으로 정상적으로 운전하지 못할 우려가 있는 상태에서 자동차 등을 운전하였다고 인정하려면, 약물 등의 영향으로 인하여 '정상적으로 운전하지 못할 우려가 있는 상태'에서 운전을 하면 바로 성립하고, 현실적으로 '정상적으로 운전하지 못할 상태'에 이르러야만 하는 것은 아니다.
6. 횡단보도 보행신호등의 녹색등화가 점멸할 때에는 보행자의 횡단을 금지하고 있지만 보행자 보호의무 규정의 입법취지상 보행자가 녹색등화의 점멸신호 이후에 횡단을 시작하였다고 하더라도 녹색등화가 점멸 중인 경우에는 횡단보도에서의 보행자보호의무의 대상으로 보아야 한다.
7. 교통사고발생시 구호조치의무는 교통사고를 발생시킨 당해 차량의 운전자에게 그 사고발생에 있어서 고의·과실 혹은 유책·위법의 유무에 관계없이 부과된 의무라고 해석함이 상당하다.
8. 중앙선침범사고의 경우 중앙선침범과 사고 사이에 인과관계가 있을 경우에만 성립한다. 그러므로 부득이한 사유로 중앙선을 침범한 경우 중앙선침범사고가 아니다.
9. 특별한 사정이 없는 한 고속도로를 운전하는 자동차 운전자에게는 고속도로상에서 도로를 횡단하는 보행인 등 장애물이 나타날 것을 예견하여 제한속도 이하로 감속 서행할 주의의무가 없다.
10. 횡단보도 내에서 택시를 잡기 위하여 앉아 있는 사람을 충격한 운전자의 경우에는 보행자 보호의무 불이행의 책임을 물을 수 없다.
11. 고속도로를 운행하는 자동차의 운전자로서는 일반적인 경우에 고속도로를 횡단하는 보행자가 있을 것까지 예견하여 보행자와의 충돌사고를 예방하기 위하여 급정차 등의 조치를 취할 수 있도록 대비하면서 운전할 주의의무가 없다.
12. 횡단보행자용 신호기의 신호가 보행자 통행신호인 녹색으로 되었을 때 차량운전자가 그 신호를 따라 횡단보도 위를 보행하는 자를 충격하였을 경우에는 교통사고처리 특례법상 신호 위반의 책임을 물을 수 없다(단, 차량의 운행용 신호기는 고려치 않음).
13. 음주감지기에서 음주반응이 나온 경우, 그것만으로 술에 취한 상태에 있다고 인정할 만한 상당한 이유가 있다고 볼 수 없다.
14. 물로 입안을 헹굴 기회를 달라는 요구를 무시한 채 호흡측정기로 혈중알콜농도를 측정하여 음주운전 단속수치가 나왔다고 하더라도 음주운전을 하였다고 단정할 수 없다.

03 교통사고조사규칙

1. 목적(제1조)

교통사고조사규칙(이하 '규칙'이라 한다)은 교통사고가 발생했을 때에 경찰공무원이 처리해야 할 절차와 기준을 구체적으로 정함으로써 교통사고 조사업무의 신속·명확한 처리를 목적으로 한다.

2. 용어의 정의(제2조)

이 규칙에서 사용되는 용어의 정의는 다음과 같다.

교통	차를 운전하여 사람 또는 화물을 이동시키거나 운반하는 등 차를 그 본래의 용법에 따라 사용하는 것을 말한다.
교통사고	차의 교통으로 인하여 사람을 사상하거나 물건을 손괴한 것을 말한다.
대형사고	3명 이상이 사망(교통사고발생일부터 30일 이내에 사망한 것을 말한다)하거나 20명 이상의 사상자가 발생한 사고를 말한다.
교통조사관	교통사고를 조사하여 검찰에 송치하는 등 교통사고 조사업무를 처리하는 경찰공무원을 말한다.
스키드마크(Skid-mark)	차의 급제동으로 인하여 타이어의 회전이 정지된 상태에서 노면에 미끄러져 생긴 타이어 마모흔적 또는 활주흔적을 말한다.
요마크(Yaw-mark)	급핸들 등으로 인하여 차의 바퀴가 돌면서 차축과 평행하게 옆으로 미끄러진 타이어의 마모흔적을 말한다.
충돌	차가 반대방향 또는 측방에서 진입하여 그 차의 정면으로 다른 차의 정면 또는 측면을 충격한 것을 말한다.
추돌	2대 이상의 차가 동일방향으로 주행 중 뒤차가 앞차의 후면을 충격한 것을 말한다.
접촉	차가 추월, 교행 등을 하려다가 차의 좌우측면을 서로 스친 것을 말한다.
전도	차가 주행 중 도로 또는 도로 이외의 장소에 차체의 측면이 지면에 접하고 있는 상태(좌측면이 지면에 접해 있으면 좌전도, 우측면이 지면에 접해 있으면 우전도)를 말한다.
전복	차가 주행 중 도로 또는 도로 이외의 장소에 뒤집혀 넘어진 것을 말한다.
추락	차가 도로변 절벽 또는 교량 등 높은 곳에서 떨어진 것을 말한다.
뺑소니	교통사고를 야기한 차의 운전자가 피해자를 구호하는 등 도로교통법 제54조 제1항의 규정에 따른 조치를 취하지 아니하고 도주한 것을 말한다.
교통사고 현장조사 시스템	교통사고 현장에 출동한 경찰관이 업무용 휴대전화를 이용하여 사고차량과 관련된 정보 조회, 증거수집, 초동조치 사항 및 피해자 진술 청취 보고 등을 전자적으로 입력·처리할 수 있도록 지원하는 시스템을 말한다(이하 '현장조사시스템'이라 한다).
전자문서	형사사법정보시스템(KICS)에 의하여 전자적인 형태로 작성되어 송신·수신되거나 저장되는 정보로서 문서형식이 표준화된 것을 말한다.
전자화문서	종이문서나 그 밖에 전자적 형태로 작성되지 아니한 문서를 형사사법정보시스템이 처리할 수 있는 형태로 변환한 문서를 말한다.

위에서 규정되지 아니한 용어는 도로교통법 제2조(용어의 정의)를 따른다.

Tip 기타 각종 차륜흔적

1. 가속 스카프

바퀴에 동력이 전달되면서 도로표면에 스핀이나 슬립이 발생되어 나타나는 흔적이다. 정지된 차량에 기어가 들어가 있는 상태로 엔진이 고속회전 중일 때 클러치 페달을 갑자기 놓아 급가속될 경우 가속흔적이 남는다.

2. 타이어 새겨진 흔적

눈, 모래, 자갈, 진흙 및 잔디와 같은 노면 위를 타이어가 미끄러짐 없이 굴러가면서 노면상에 타이어 접지면의 무늬모양이 그대로 새겨져 남은 흔적을 말한다.

3. 바람 빠진 타이어 흔적

바람 빠진 타이어 흔적은 타이어의 공기압이 지나치게 적거나 짐을 많이 실어 타이어가 지나치게 팽창되어 있는 상태에서 장시간 주행을 하거나 고속으로 주행하게 되면 타이어가 쉽게 가열된다. 이 때 가열된 타이어가 건조한 포장도로 등의 표면에 남긴 흔적을 말한다.

3. 교통사고처리

(1) 사고처리기준(제20조)

<table>
<tr><td rowspan="4">사람을 사망하게 하거나 다치게 한 교통사고 (이하 '인피사고'라 한다)</td><td>사람을 사망하게 한 교통사고</td><td>가해자는 교통사고처리특례법(이하 '교특법'이라 한다) 제3조 제1항을 적용하여 송치 결정</td></tr>
<tr><td rowspan="3">사람을 다치게 한 교통사고 (이하 '부상사고'라 한다)</td><td>피해자가 가해자에 대하여 처벌을 희망하지 아니하는 의사표시를 한 때에는 교특법 제3조 제2항을 적용하여 입건 전 조사종결 또는 불송치 결정. 다만, 사고의 원인행위에 대하여는 도로교통법을 적용하여 통고처분 또는 즉결심판청구</td></tr>
<tr><td>피해자가 가해자에 대하여 처벌을 희망하지 아니하는 의사표시가 없거나 교특법 제3조 제2항 단서에 해당하는 경우에는 같은 법 제3조 제1항을 적용하여 송치 결정</td></tr>
<tr><td>피해자가 가해자에 대하여 처벌을 희망하지 아니하는 의사표시가 없는 경우라도 교특법 제4조 제1항의 규정에 따른 보험 또는 공제(이하 '보험 등'이라 한다)에 가입된 경우에는 다음에 해당하는 경우를 제외하고 같은 조항을 적용하여 입건 전 조사종결 또는 불송치 결정. 다만, 사고의 원인행위에 대하여는 도로교통법을 적용하여 통고처분 또는 즉결심판청구
① 교특법 제3조 제2항 단서에 해당하는 경우
② 피해자가 생명의 위험이 발생하거나 불구·불치·난치의 질병(이하 '중상해'라 한다)에 이르게 된 경우

교통조사관은 중상해에 해당될 가능성이 있는 때에는 진단서, 치료기간, 노동력상실률, 의료전문가 의견, 사회통념 등을 종합적으로 고려하여 중상해 여부를 판단하여야 한다.

③ 보험 등의 계약이 해지되거나 보험사 등의 보험금 등 지급의무가 없어진 경우</td></tr>
<tr><td rowspan="2">다른 사람의 건조물이나 그 밖의 재물을 손괴한 교통사고 (이하 '물피사고'라 한다)</td><td>피해자가 가해자에 대하여 처벌을 희망하지 아니하는 의사표시를 하거나 가해 차량이 보험 또는 공제에 가입되어 있는 경우</td><td>① 현장출동경찰관 등은 근무일지에 교통사고 발생 일시·장소 등을 기재 후 종결. 다만, 사고 당사자가 사고 접수를 원하는 경우에는 현장조사시스템에 입력
② 교통조사관은 교통경찰업무관리시스템(TCS)의 교통사고접수처리대장(이하 '대장'이라 한다)에 입력한 후 도로교통법 시행규칙 별지 제21호의2 서식의 '단순 물적 피해 교통사고 조사보고서'를 작성하고 종결</td></tr>
<tr><td>피해자가 가해자에 대하여 처벌을 희망하지 아니하는 의사표시가 없거나 보험 등에 가입되지 아니한 경우</td><td>도로교통법 제151조를 적용하여 송치 결정. 다만, 피해액이 20만원 미만인 경우에는 즉결심판을 청구하고 대장에 입력한 후 종결</td></tr>
</table>

뺑소니 사고	인피 뺑소니 사고	특정범죄가중처벌 등에 관한 법률(이하 '특가법'이라 한다) 제5조의3을 적용하여 송치 결정
	물피 뺑소니 사고	① 도로에서 교통상의 위험과 장해를 발생시키거나 발생시킬 우려가 있는 물피 뺑소니 사고에 대해서는 도로교통법 제148조를 적용하여 송치 결정 ② 주·정차된 차만 손괴한 것이 분명하고 피해자에게 인적사항을 제공하지 않은 물피 뺑소니 사고에 대해서는 도로교통법 제156조 제10호를 적용하여 통고처분 또는 즉심청구를 하고 교통경찰업무관리시스템(TCS)에서 결과보고서 작성한 후 종결
주취운전 중 인피사고	다음의 사항을 종합적으로 고려하여 특가법 제5조의11의 규정의 위험운전치사상죄를 적용한다. ① 가해자가 마신 술의 양 ② 사고발생 경위, 사고위치 및 피해정도 ③ 비정상적 주행 여부, 똑바로 걸을 수 있는지 여부, 말할 때 혀가 꼬였는지 여부, 횡설수설하는지 여부, 사고 상황을 기억하는지 여부 등 사고 전·후의 운전자 행태	

교통사고를 야기한 후 사상자 구호 등 사후조치는 하였으나 경찰공무원이나 경찰관서에 신고하지 아니한 때에는 위 표의 인피사고와 물피사고 및 도로교통법 제154조 제4호의 규정을 적용하여 처리한다. 다만, 도로에서의 위험방지와 원활한 소통을 위하여 필요한 조치를 한 경우에는 도로교통법 제154조 제4호의 규정은 적용하지 아니한다.

교통사고조사규칙
제20조【사고처리기준】 ⑦ 교통조사관은 부상사고로써 교특법 제3조 제2항 단서에 해당하지 아니하는 사고를 일으킨 운전자가 보험 등에 가입되지 아니한 경우 또는 중상해 사고를 야기한 운전자에게는 특별한 사유가 없는 한 사고를 접수한 날부터 2주간 피해자와 손해배상에 합의할 수 있는 기간을 주어야 한다.

(2) 교통사고의 수(제20조의2)

① 교통조사관은 교통사고와 관련된 차가 2대 이하인 경우로서 충돌, 추돌, 접촉 등 사고의 원인이 된 행위가 하나인 경우 1건의 사고로 처리한다.

② 교통조사관은 교통사고와 관련된 차가 3대 이상인 경우로서 하나의 원인행위로 인하여 시간·장소적으로 밀접한 연속선상에서 발생한 경우 1건으로 처리하고, 그 이외에는 수 건으로 처리한다.

(3) 당사자 순위의 결정(제20조의4)

교통조사관은 다음 각 호의 기준에 따라 1건의 교통사고와 관련된 당사자의 순위를 결정한다.

① 차대차 사고로서 당사자 간의 과실이 차이가 있는 경우 과실이 중한 당사자를 선순위로 지정

② 차대차 사고로서 당사자 간의 과실이 동일한 경우 피해가 경한 당사자를 선순위로 지정

③ 차대사람 사고는 운전자를 선순위로 지정

④ 동승자가 있는 차대차 사고는 ①부터 ③에 따라 당사자의 순위를 정한 후 선순위의 차에 동승한 자를 다음 순위로, 후 순위의 차에 동승한 자를 그 다음 순위로 지정

⑤ ①부터 ④ 이외의 당사자는 그 다음 순위로 지정

(4) 안전사고 등(제21조)

① 교통조사관은 다음의 어느 하나에 해당하는 사고의 경우에는 교통사고로 처리하지 아니하고 업무 주무기능에 인계하여야 한다.

㉠ 자살·자해(自害)행위로 인정되는 경우

㉡ 확정적 고의(故意)에 의하여 타인을 사상하거나 물건을 손괴한 경우

㉢ 낙하물에 의하여 차량 탑승자가 사상하였거나 물건이 손괴된 경우

㉣ 축대, 절개지 등이 무너져 차량 탑승자가 사상하였거나 물건이 손괴된 경우

㉤ 사람이 건물, 육교 등에서 추락하여 진행 중인 차량과 충돌 또는 접촉하여 사상한 경우

㉥ 그 밖의 차의 교통으로 발생하였다고 인정되지 아니한 안전사고의 경우

② 교통조사관은 안전사고 등에 해당하는 사고의 경우라도 운전자가 이를 피할 수 있었던 경우에는 교통사고로 처리하여야 한다.

MEMO

CHAPTER 03 경비경찰

제1절 서설

01 경비경찰의 의의

경비경찰이란 공공의 안녕이나 질서를 파괴하는 국가비상사태·긴급사태 등 경비사태가 발생하거나 발생할 우려가 있을 때 또는 공공의 안녕이나 질서를 해치는 개인적·집단적 불법행위 또는 인위적이거나 자연적인 혼잡·재난 등이 있을 때 이를 예방·경계·진압하는 복합적인 경찰활동이다.

02 경비경찰의 대상

경비경찰의 대상에는 사람에 의한 경우는 물론이고 풍수해 등 자연력에 의한 경우도 포함된다.

대상	종류	내용
개인적·단체적 불법행위	치안경비	공안을 해하는 다중범죄 등 집단적인 범죄사태가 발생하거나 발생할 우려가 있는 경우 적절한 조치로 사태를 예방·경계·진압하기 위한 경비활동
	특수경비(대테러)	총포·도검·폭발물 등에 의한 인질난동·살상 등 사회이목을 집중시키는 중요사건을 예방·경계·진압하는 경비활동
	경호경비	국내외 요인의 신변을 보호하는 경비활동
	중요시설 경비	국가적으로 중대한 영향을 미치는 국가산업시설, 국가행정시설을 방호하기 위한 경비활동
인위적·자연적 재해	행사안전 경비(혼잡경비)	기념행사·경기대회·경축제례 등에 수반되는 미조직된 군중에 의하여 발생하는 자연적·인위적인 혼란상태를 경계·예방·진압하는 행동
	재해경비	천재·지변·화재 등의 자연적·인위적 돌발사태로 인하여 인명 또는 재산상 피해가 야기될 경우 이를 예방·진압하는 활동

Add ⊕

집단적 폭력이나 단체·집합의 위력을 보여 폭행한다고 하더라도 개인적 법익의 침해나 일반시설에 대한 경비업무는 경비경찰의 대상이 아니다.

03 경비경찰의 특성

(1) 경비경찰은 국민의 복지추구에 직접적·적극적인 개입은 하지 않지만 간접적으로 행복한 삶을 추구할 수 있는 기본토양을 다지는 작업이라는 측면에서 그 중요성이 인정된다. 또한, 공공의 안녕과 질서유지라는 소극적 목적달성을 위한 역할을 수행한다는 점에서 사회의 유지·발전을 위한 필수적 활동이라고 할 수 있다.

(2) 한편 경비경찰활동은 공공의 안녕과 질서를 유지해야 할 기본적인 임무와 민주주의, 인권존중주의, 정치적 중립주의의 이념이 서로 충돌할 수 있으므로 경비경찰권의 발동은 매우 신중해야 한다. 그러므로 경비경찰의 법집행은 공공의 안녕과 질서를 유지하는 최소한의 범위 내에서 목적 달성을 위해 가장 피해가 적은 방법으로 행사되어야 한다.

경비경찰의 특성

복합기능적 활동	경비경찰활동은 사후 진압활동과 사전 예방활동 모두를 포괄하는 개념이다. 경찰업무를 예방활동과 진압활동으로 구별할 경우 경비경찰은 두 가지 활동을 모두 수행하는 작용이다.
현상유지적 활동	① 경비경찰활동은 정태적·소극적인 질서유지가 아니라, 새로운 변화와 발전을 보장하기 위한 동태적·적극적인 의미의 질서유지활동이다. ② 경비경찰활동은 적극적으로 현상을 개선하고 발전시키기 위한 현상유지적 활동을 의미하므로, 급진적인 사회개혁이나 획기적인 변화의 추구는 경비경찰활동의 임무가 아니라는 의미다. ③ 공공의 안녕과 질서를 유지할 수 있는 방법의 개발에 대한 노력은 지속적으로 이루어져야 한다.
즉응적 활동 (즉시적 활동)	경비경찰활동은 통상 처리기한이 없는 활동으로 특정한 기한 없이 경비사태가 종료되면, 해당 업무도 동시에 종료되는 것이 특징이다. 이를 위해 선조치·후보고의 원칙, 112타격대, 치안상황실 등을 운영하고 있다. ✎ 비상사태시 상급기관에 보고는 필요하다고 판단될 경우 접수된 상황 그대로 제1보하고, 상황이 진전됨에 따라 제2보, 제3보 순으로 보고한다.
조직적인 부대활동	경비경찰은 개인단위로 활동하기보다는 보통 부대단위로 경비사태에 조직적이고 집단적이며 물리적인 힘으로 대처하는 것을 그 특징으로 한다.
하향적 명령에 따르는 활동	경비경찰의 활동은 부대활동으로서 하향적인 명령에 의하여 움직이는 활동이므로 책임의 소재가 분명하다는 특징이 있다.
사회전반적 안녕목적의 활동	경비경찰은 직접적으로 공공의 안녕과 질서를 파괴하는 범죄가 대상이라는 점에서 경비경찰의 임무를 국가 목적적 치안의 수행이라고 볼 수 있다.

제2절 경비경찰활동의 한계

01 법규상의 한계

경비경찰권의 발동은 반드시 그 활동에 대한 법적 근거가 있어야 한다. 헌법을 비롯한 각종 법률·명령 등에 근거하여 경비경찰권이 발동되어야 하며, 그렇지 않을 경우 위법한 경찰권의 발동에 해당하게 된다.

02 조리상의 한계

경찰권의 행사는 반드시 법규상의 근거가 있어야 한다. 그러나 현실적으로 모든 상황을 예측하여 경찰권을 발동할 수 있는 상황을 규정하기는 어렵고, 경찰작용의 다양성·긴급성 때문에 경찰법규는 광범위한 재량조항을 두고 있다. 다만, 이러한 재량규정도 기속재량에 해당하므로 그 목적·성질에 맞도록 경비경찰권의 발동도 일정한 한도에 그쳐야 한다.

제3절 경비경찰활동의 원칙

01 경비경찰의 조직운영 원칙

부대단위활동의 원칙	경비경찰은 개인적 활동이 아닌 부대단위로 운영하여야 한다.
지휘관단일성의 원칙	효율적인 업무수행을 위해 지휘관은 단일해야 한다는 원칙이다. 그러나 지휘관이 단일하다는 것이 의사결정 과정까지 단일해야 한다는 것을 의미하는 것은 아니다.
체계통일성의 원칙	경비경찰은 책임과 임무의 분담이 명확히 이루어지고 명령과 복종의 체계가 통일되어야 함을 의미한다.
치안협력성의 원칙	업무수행과정에서 국민(주민)과 원활한 협력이 이루어져야 효과적인 목적달성이 가능하다.

02 경비수단의 기본원칙

균형의 원칙	경비사태의 상황과 대상에 따라 주력부대와 예비부대를 유효적절하게 활용하여, 한정된 경력으로 최대의 성과를 올릴 수 있도록 하여야 한다(한정의 원칙 ×).
위치의 원칙	경비사태에 실력행사를 할 경우에 유리한 지점과 위치를 확보하여야 한다.
적시의 원칙 (시점의 원칙)	상대방의 허약한 시점을 포착하여 집중적이고 강력한 실력행사를 하여야 한다.
안전의 원칙	경비사태 발생시 경비경력이나 군중들을 사고 없이 안전하게 진압해야 한다.

03 경비수단의 종류

방법	종류	법적 근거 및 내용
간접적 실력행사	경고	① 경비부대를 전면에 배치 또는 진출시켜 위력을 과시하거나 경고하여 범죄의 실행의사를 자발적으로 포기하도록 하는 간접적 실력행사이다. ② 경찰관 직무집행법(제5조)에 근거를 두고 있으며, 경비사태를 예방·경계·진압하기 위하여 발할 수 있는 조치이다. ③ 경고가 임의적 처분이라고 하더라도 경찰비례의 원칙은 적용되어야 한다.
직접적 실력행사	제지	① 경비사태를 예방·진압하기 위한 강제처분으로 세력분산·통제파괴·주동자 및 주모자의 격리 등을 실시하는 직접적 실력행사이다. ② 경찰관 직무집행법(제6조)에 근거하고 있으며, 경찰상 즉시강제에 해당하는 강제처분이다. ③ 제지는 강제처분에 해당하며, 무기사용 요건이 충족된 경우 무기의 사용도 가능하다.
	체포	① 상대방의 신체를 구속하는 강제처분이며, 직접적 실력행사에 해당한다. ② 체포는 명백한 위법일 때 실력을 행사하는 행위다. ③ 형사소송법에 근거를 두고 있다.

Add

경비수단에 해당하는 경고, 제지, 체포의 경우 실력행사의 정해진 순서는 없으므로 반드시 경고 ⇨ 제지 ⇨ 체포의 순으로 발동할 필요는 없다.

제4절 경비경찰활동과 그 법적 토대

01 경비경찰의 분장사무

경비경찰활동은 업무분야별로 대별하면 행사안전경비, 재해경비, 선거경비, 다중범죄진압, 중요시설경비, 경호경비, 경찰작전, 대테러업무 등으로 구분할 수 있다.

02 경비경찰권발동의 법적 근거

국가경찰과 자치경찰의 조직 및 운영에 관한 법률 제3조(경찰의 임무)에 경찰업무범위의 전반적 내용을 규정하여 경비경찰의 활동근거를 제시하고 있으나 국가경찰과 자치경찰의 조직 및 운영에 관한 법률은 주로 경찰의 기본조직이나 업무범위를 정한 것으로 경찰권발동에 관한 주된 법률이라 보기 어려우며, 경찰관 직무집행법에 각종 경찰업무의 범위 및 발동요건이 구체적으로 규정되어 있다.

제5절 행사안전경비(혼잡경비)

01 행사안전경비의 개념

1. 의의

미조직된 군중에 의하여 발생되는 자연적인 혼란상태(불법행위 ×)를 사전에 예방하거나 경계하고, 위험한 사태가 발생한 경우에는 신속히 조치하여 혼란상태가 확대되는 것을 방지하는 경비경찰활동이다.

2. 행사안전경비의 법적 근거

행사안전경비의 법적 근거에는 국가경찰과 자치경찰의 조직 및 운영에 관한 법률 제3조, 경찰관 직무집행법 제5조, 제6조, 제7조 등이 있다.

Add ⊕

집회 및 시위에 관한 법률은 행사안전경비(혼잡경비)의 법적 근거에 해당하지 않는다.

02 행사안전경비의 부대 편성 및 배치

1. 부대의 편성

(1) 치안상 문제가 없는 행사는 가급적 경찰배치를 지양한다. 그러나 치안상 문제가 있는 행사는 1차로 정보·교통요원 등 최소경력을 배치하고 2차적으로 우발사태 대비 예비대를 행사장 주변에 배치하여 운용한다.

(2) 최종적(3차)으로 주최측 자체요원으로 질서유지가 곤란한 경우 지정장소(행사장 내부)에 경력을 배치·운용한다.

> **Add**
>
> 원칙적으로 수익성 행사의 경우에는 수익자 부담의 원칙에 따라 주최측 경비요원으로 질서유지를 담당하고 경찰은 우발사태에 대비하여 예비대를 운용한다.

2. 부대의 배치

(1) 경비경력은 군중이 입장하기 전에 사전배치하는 것이 원칙이다. 경찰CP(지휘통제본부)는 행사장 전체를 조망할 수 있는 장소에 배치하고 행사안전경비에 배치되는 경력은 행사의 성격, 행사장의 규모, 군중의 수와 성향 등을 고려하여 적정한 인원을 배치함으로써 경력의 낭비를 최소화해야 한다.

(2) 이 때 관중석에 배치되는 예비대는 단시간 내에 효율적으로 혼란예상 지역에 도달할 수 있도록 통로 주변에 배치한다.

> **Add**
>
> 월드컵(World Cup) 최종예선 한·일전과 같이 취약요소가 많은 행사의 경우 경기장 취약개소에 대한 치밀한 사전검토에 기초한 종합경비계획에 의거 충분한 경력을 배치하는 것이 바람직하다. 또한, 수익자 부담의 원칙을 적용하기 어려운 행사에 해당하므로 경찰이 1차적인 질서유지를 하는 것이 바람직하다.

03 행사안전경비시 군중정리 원칙

밀도의 희박화	제한된 면적의 특정한 장소에 다수의 사람이 모이면 상호간에 충돌현상이 나타나고 혼잡을 야기하게 되므로, 가급적 제한된 장소에 많은 사람이 모이는 것을 회피하도록 하는 것이다(예 행사장소의 사전 블록화).
이동의 일정화	군중은 현재의 자기 위치와 갈 곳을 잘 몰라 불안·초조해 하므로 일정방향·일정속도로 이동을 시켜 주위의 상황을 파악할 수 있는 여건을 조성시킴으로써 안정감을 갖도록 하는 것이다.
경쟁적 사태의 해소 (경쟁적 행동의 지양)	군중이 질서를 지키면 손해를 볼 수 있다는 분위기를 느끼게 되면 남보다 먼저 가려고 하는 심리상태로 인해 혼란상태가 발생하므로 질서 있게 행동하면 모든 일이 잘 될 수 있다는 것을 납득시켜야 한다. 차분한 목소리로 안내방송을 하는 것도 방법이다.
지시의 철저	자세한 안내방송으로 지시를 철저히 해서 혼잡한 상태를 회피하고 사고를 방지할 수 있다.

> **Add**
>
> **행사안전경비 관련 규정**
>
> **공연법**
>
> **제11조【재해예방조치】** ① 공연장운영자는 화재나 그 밖의 재해를 예방하기 위하여 그 공연장 종업원의 임무·배치 등 재해대처계획을 수립하여 매년 관할 특별자치시장·특별자치도지사·시장·군수·구청장에게 신고하여야 한다. 이 경우 특별자치시장·특별자치도지사·시장·군수·구청장은 신고받은 재해대처계획을 관할 소방서장에게 통보하여야 한다.
>
> **제43조【과태료】** ① 다음 각 호의 어느 하나에 해당하는 자에게는 2천만원 이하의 과태료를 부과한다.
>
> 1. 제11조제1항 전단, 같은 조 제3항 또는 제4항을 위반하여 재해대처계획을 수립, 신고 또는 보완하지 아니한 자

공연법 시행령
제9조 【재해대처계획의 신고 등】 ③ 공연장 외의 시설이나 장소에서 1천명 이상의 관람이 예상되는 공연을 하려는 자는 법 제11조 제3항에 따라 해당 시설이나 장소 운영자와 공동으로 공연 개시 14일 전까지 제1항 각 호의 사항과 안전관리인력의 확보·배치계획 및 공연계획서가 포함된 재해대처계획을 관할 특별자치시장·특별자치도지사·시장·군수 또는 구청장에게 신고하여야 하며, 신고한 사항을 변경하려는 경우에는 해당 공연 7일 전까지 변경신고를 하여야 한다.

경비업법 시행령
제30조 【경비가 필요한 시설 등에 대한 경비의 요청】 시·도경찰청장은 행사장 그밖에 많은 사람이 모이는 시설 또는 장소에서 혼잡 등으로 인한 위험의 발생을 방지하기 위하여 법 제2조 제3호의 규정에 의한 경비원에 의한 경비가 필요하다고 인정되는 때에는 행사개최일 전에 당해 행사의 주최자에게 경비원에 의한 경비를 실시하거나 부득이한 사유로 그것을 실시할 수 없는 경우에는 행사개최 24시간 전까지 시·도경찰청장에게 그 사실을 통지하여 줄 것을 요청할 수 있다.

제6절 선거경비

01 의의 및 방침

1. 선거경비의 의의

선거경비는 각종 선거와 관련하여 투표소 및 개표소 등에서의 행사안전경비, 선거 후보자 등에 대한 경호경비, 다중범죄 진압 등이 수행되는 종합적인 경찰활동으로서 공정하고 평온한 선거질서를 지키기 위한 경비경찰활동이다.

2. 선거경비의 방침

투표소·개표소 등에 대한 완벽한 경비경찰활동을 통해 공명선거질서를 확립하고, 일반적으로 투표소 경비에 있어서는 선거관리위원회와 협의하여 투표소 외곽 100m지역에 무장경찰관 2명 이상을 배치하도록 한다.

02 경비대책

통상 비상근무체제는 선거기간 개시일부터 개표 종료시까지이며, 경계강화기간은 선거기간 개시일부터 선거 전일까지이다. 대통령선거·국회의원선거·지방선거 모두 선거일 오전 6시부터 개표 종료시까지 갑호비상이 원칙이다.

03 투표소 및 투표함 호송경비

투표함의 호송경비는 선거관리위원회와 경찰이 합동으로 실시한다. 도서지역의 경우 투표함의 운송을 위하여 선거관리위원회에서 해경함정을 지원요청하는 경우 해양경찰청에서 이를 지원하여야 한다.

공직선거법

제164조 【투표소 등의 질서유지】 ① 투표관리관 또는 투표사무원은 투표소의 질서가 심히 문란하여 공정한 투표가 실시될 수 없다고 인정하는 때에는 투표소의 질서를 유지하기 위하여 정복을 한 경찰공무원 또는 경찰관서장에게 원조를 요구할 수 있다.
② 제1항의 규정에 의하여 원조요구를 받은 경찰공무원 또는 경찰관서장은 즉시 이에 따라야 한다.
③ 제1항의 요구에 의하여 투표소 안에 들어간 경찰공무원 또는 경찰관서장은 투표관리관의 지시를 받아야 하며, 질서가 회복되거나 투표관리관의 요구가 있는 때에는 즉시 투표소 안에서 퇴거하여야 한다.
④ 사전투표소의 질서유지에 관하여는 제1항부터 제3항까지의 규정을 준용한다. 이 경우 '투표관리관'은 '사전투표관리관'으로, '투표사무원'은 '사전투표사무원'으로 본다.
제165조 【무기나 흉기 등의 휴대금지】 ① 제164조(투표서 등의 질서유지) 제1항의 경우를 제외하고는 누구든지 투표소 안에서 무기나 흉기 또는 폭발물을 지닐 수 없다.
② 사전투표소(제149조에 따라 기표소가 설치된 장소를 포함한다)에서의 무기나 흉기 등의 휴대금지에 관하여는 제1항을 준용한다.
제170조 【투표함 등의 송부】 ① 투표관리관은 투표가 끝난 후 지체 없이 투표함 및 그 열쇠와 투표록 및 잔여투표용지를 관할 구·시·군 선거관리위원회에 송부하여야 한다.
② 제1항의 규정에 의하여 투표함을 송부하는 때에는 후보자별로 투표참관인 1인과 호송에 필요한 정복을 한 경찰공무원을 2인에 한하여 동반할 수 있다.

04 개표소 경비

선거관리위원회와 협조하여 경찰에서 보안안전팀을 운영함으로써 개표소 내·외곽에 대한 사전 안전검측을 실시, 안전을 유지하고 채증요원을 배치하여 운용한다.

제1선 (개표소 내부)	① 개표소 내부의 사전안전검측선관위와 협조하여 개표소 내·외곽에 대한 사전 안전검측을 실시하고 안전을 유지해야 한다. ② 원칙적으로 개표소 내부 질서유지는 선거관리위원회 단독으로 실시한다. ㉠ 질서문란행위발생으로 인한 선거관리위원회 위원장이나 위원의 요청시 정복경관을 투입하여 질서유지 ㉡ 투입된 정복경관은 선거관리위원회 위원장의 지시하에 질서유지 ㉢ 질서가 회복되거나 위원장의 요구가 있을 때에는 즉시 퇴거
제2선 (울타리 내곽)	① 출입문이 여러 개인 경우 기타 출입문은 시정하고 가급적 정문만을 사용한다. ② 선거관리위원회와 경찰이 합동으로 출입자를 통제한다.
제3선 (울타리 외곽)	경찰 단독으로 검문조·순찰조를 운용하여 위해기도자의 접근을 차단한다.

공직선거법

제183조 【개표소의 출입제한과 질서유지】 ① 구·시·군선거관리위원회와 그 상급선거관리위원회의 위원·직원, 개표사무원·개표사무협조요원 및 개표참관인을 제외하고는 누구든지 개표소에 들어갈 수 없다. 다만, 관람증을 배부받은 자와 방송·신문·통신의 취재·보도요원이 일반관람인석에 들어가는 경우는 그러하지 아니하다.
② 선거관리위원회의 위원·직원, 개표사무원·개표사무협조요원 및 개표참관인이 개표소에 출입하는 때에는 중앙선거관리위원회규칙이 정하는 바에 따라 표지를 달거나 붙여야 하며, 이를 다른 사람에게 양도·양여할 수 없다.
③ 구·시·군선거관리위원회위원장이나 위원은 개표소의 질서가 심히 문란하여 공정한 개표가 진행될 수 없다고 인정하는 때에는 개표소의 질서유지를 위하여 정복을 한 경찰공무원 또는 경찰관서장에게 원조를 요구할 수 있다.
④ 제3항의 규정에 의하여 원조요구를 받은 경찰공무원 또는 경찰관서장은 즉시 이에 따라야 한다.

⑤ 제3항의 요구에 의하여 개표소 안에 들어간 경찰공무원 또는 경찰관서장은 구·시·군선거관리위원회위원장의 지시를 받아야 하며, 질서가 회복되거나 위원장의 요구가 있는 때에는 즉시 개표소에서 퇴거하여야 한다.
⑥ 제3항의 경우를 제외하고는 누구든지 개표소 안에서 무기나 흉기 또는 폭발물을 지닐 수 없다.

05 대통령선거 후보자 신변보호

(1) 대통령선거 후보자는 을호 경호대상으로 후보자의 요청에 따라 전담 신변경호대를 편성하여 운영한다. 후보자등록시부터 당선확정시까지(을호 경호대상) 경호활동이 이루어져야 하며, 상황에 따라 경호인력을 증감배치한다. 후보자의 유세장, 숙소 등 24시간 근접 신변경호임무가 이루어져야 한다.

(2) 신변경호를 원하지 않는 후보자는 시·도경찰청에서 경호경험이 있는 자로 선발된 직원을 대기시켜 관내 유세기간 중 근접배치한다.

후보자 등의 신분보장(공직선거법 제11조)

구분	내용
대통령선거의 후보자	후보자의 등록이 끝난 때부터 개표 종료시까지 사형·무기 또는 장기 7년 이상의 징역이나 금고에 해당하는 죄를 범한 경우를 제외하고는 현행범인이 아니면 체포 또는 구속되지 아니하며, 병역소집의 유예를 받는다.
국회의원선거, 지방의회의원 및 지방자치단체의 장의 선거의 후보자	후보자의 등록이 끝난 때부터 개표 종료시까지 사형·무기 또는 장기 5년 이상의 징역이나 금고에 해당하는 죄를 범하였거나 제16장 벌칙에 규정된 죄를 범한 경우를 제외하고는 현행범인이 아니면 체포 또는 구속되지 아니하며, 병역소집의 유예를 받는다.
선거사무장·선거연락소장·선거사무원·회계책임자·투표참관인·사전투표참관인과 개표참관인(예비후보자가 선임한 선거사무장·선거사무원 및 회계책임자는 제외한다)	해당 신분을 취득한 때부터 개표 종료시까지 사형·무기 또는 장기 3년 이상의 징역이나 금고에 해당하는 죄를 범하였거나 제230조부터 제235조까지 및 제237조부터 제259조까지의 죄를 범한 경우를 제외하고는 현행범인이 아니면 체포 또는 구속되지 아니하며, 병역소집의 유예를 받는다.

Add ⊕

국회의원 후보자의 신변보호는 후보자가 경호를 원하지 않을 경우 경호를 실시하지 않는다.

제7절 재난경비

01 의의

1. 재난경비의 의의

자연적인 재해와 인위적인 재난으로부터 국민의 생명과 재산을 보호하고 공공의 안녕을 유지하기 위하여 이를 예방·경계·진압하는 경비경찰활동을 말한다.

2. 재난 및 안전관리 기본법

(1) 목적(제1조)

이 법은 각종 재난으로부터 국토를 보존하고 국민의 생명・신체 및 재산을 보호하기 위하여 국가와 지방자치단체의 재난 및 안전관리체제를 확립하고, 재난의 예방・대비・대응・복구와 안전문화활동, 그 밖에 재난 및 안전관리에 필요한 사항을 규정함을 목적으로 한다.

(2) 정의(제3조)

이 법에서 사용하는 용어의 뜻은 다음과 같다.

재난	국민의 생명・신체・재산과 국가에 피해를 주거나 줄 수 있는 것으로서 다음의 것을 말한다. ① **자연재난**: 태풍, 홍수, 호우(豪雨), 강풍, 풍랑, 해일(海溢), 대설, 한파, 낙뢰, 가뭄, 폭염, 지진, 황사(黃砂), 조류(藻類) 대발생, 조수(潮水), 화산활동, 「우주개발 진흥법」에 따른 자연우주물체의 추락・충돌, 그 밖에 이에 준하는 자연현상으로 인하여 발생하는 재해 ② **사회재난**: 화재・붕괴・폭발・교통사고(항공사고 및 해상사고를 포함한다)・화생방사고・환경오염사고・다중운집인파사고 등으로 인하여 발생하는 대통령령으로 정하는 규모 이상의 피해와 국가핵심기반의 마비, 「감염병의 예방 및 관리에 관한 법률」에 따른 감염병 또는 「가축전염병예방법」에 따른 가축전염병의 확산, 「미세먼지 저감 및 관리에 관한 특별법」에 따른 미세먼지, 「우주개발 진흥법」에 따른 인공우주물체의 추락・충돌 등으로 인한 피해
해외재난	대한민국의 영역 밖에서 대한민국 국민의 생명・신체 및 재산에 피해를 주거나 줄 수 있는 재난으로서 정부차원에서 대처할 필요가 있는 재난을 말한다.
재난관리	재난의 예방・대비・대응 및 복구를 위하여 하는 모든 활동을 말한다.
안전관리	재난이나 그 밖의 각종 사고로부터 사람의 생명・신체 및 재산의 안전을 확보하기 위하여 하는 모든 활동을 말한다.
긴급구조기관	소방청・소방본부 및 소방서를 말한다. 다만, 해양에서 발생한 재난의 경우에는 해양경찰청・지방해양경찰청 및 해양경찰서를 말한다.
긴급구조지원기관	긴급구조에 필요한 인력・시설 및 장비, 운영체계 등 긴급구조능력을 보유한 기관이나 단체로서 대통령령으로 정하는 기관과 단체를 말한다.

재난 및 안전관리 기본법 시행령

제4조 【긴급구조지원기관】 법 제3조 제8호에서 '대통령령으로 정하는 기관과 단체'란 다음 각 호의 기관과 단체를 말한다.

1. 교육부, 과학기술정보통신부, 국방부, 산업통상자원부, 보건복지부, 환경부, 국토교통부, 해양수산부, 방송통신위원회, 경찰청, 기상청 및 산림청
2. 국방부장관이 법 제57조 제3항 제2호에 따른 탐색구조부대로 지정하는 군부대와 그 밖에 긴급구조지원을 위하여 국방부장관이 지정하는 군부대
3. 대한적십자사 조직법에 따른 대한적십자사
4. 의료법 제3조 제2항 제3호 마목에 따른 종합병원

4의2. 응급의료에 관한 법률 제2조 제5호에 따른 응급의료기관, 같은 법 제27조에 따른 응급의료정보센터 및 같은 법 제44조 제1항 제1호・제2호에 따른 구급차 등의 운용자

5. 재해구호법 제29조에 따른 전국재해구호협회
6. 법 제3조 제7호에 따른 긴급구조기관과 긴급구조활동에 관한 응원협정을 체결한 기관 및 단체
7. 그 밖에 긴급구조에 필요한 인력과 장비를 갖춘 기관 및 단체로서 행정안전부령으로 정하는 기관 및 단체

재난 및 안전관리 기본법
제60조 【특별재난지역의 선포】 ① 중앙대책본부장은 대통령령으로 정하는 규모의 재난이 발생하여 국가의 안녕 및 사회질서의 유지에 중대한 영향을 미치거나 피해를 효과적으로 수습하기 위하여 특별한 조치가 필요하다고 인정하거나 제3항에 따른 지역대책본부장의 요청이 타당하다고 인정하는 경우에는 중앙위원회의 심의를 거쳐 해당 지역을 특별재난지역으로 선포할 것을 대통령에게 건의할 수 있다.
② 제1항에 따라 특별재난지역의 선포를 건의받은 대통령은 해당 지역을 특별재난지역으로 선포할 수 있다.
③ 지역대책본부장은 관할 지역에서 발생한 재난으로 인하여 제1항에 따른 사유가 발생한 경우에는 중앙대책본부장에게 특별재난지역의 선포 건의를 요청할 수 있다.
제61조 【특별재난지역에 대한 지원】 국가나 지방자치단체는 제60조에 따라 특별재난지역으로 선포된 지역에 대하여는 제66조 제3항에 따른 지원을 하는 외에 대통령령으로 정하는 바에 따라 응급대책 및 재난구호와 복구에 필요한 행정상 · 재정상 · 금융상 · 의료상의 특별지원을 할 수 있다.

(3) 재난 및 안전관리 업무의 총괄 · 조정(제6조)

행정안전부장관은 국가 및 지방자치단체가 행하는 재난 및 안전관리 업무를 총괄 · 조정한다.

(4) 중앙재난안전대책본부 등(제14조)

① 대통령령으로 정하는 대규모 재난(이하 '대규모재난'이라 한다)의 대응 · 복구(이하 '수습'이라 한다) 등에 관한 사항을 총괄 · 조정하고 필요한 조치를 하기 위하여 행정안전부에 중앙재난안전대책본부(이하 '중앙대책본부'라 한다)를 둔다.

② 중앙대책본부에 본부장과 차장을 둔다.

③ 중앙대책본부의 본부장(이하 '중앙대책본부장'이라 한다)은 행정안전부장관이 되며, 중앙대책본부장은 중앙대책본부의 업무를 총괄하고 필요하다고 인정하면 중앙재난안전대책본부회의를 소집할 수 있다. 다만, 해외재난의 경우에는 외교부장관이, 원자력시설 등의 방호 및 방사능 방재 대책법 제2조 제1항 제8호에 따른 방사능재난의 경우에는 같은 법 제25조에 따른 중앙방사능방재대책본부의 장이 각각 중앙대책본부장의 권한을 행사한다.

02 경찰 재난관리 규칙

1. 목적(제1조)

경찰 재난관리 규칙(이하 '규칙'이라 한다)은 재난 및 안전관리 기본법에 따른 경찰의 재난관리체계를 확립하고, 경찰의 재난관리에 관한 사항을 규정함을 목적으로 한다.

(1) 재난상황시 국 · 관의 임무(제2조)

① 치안상황관리관은 경찰의 재난관리 업무를 총괄 · 조정한다.

② 재난관리와 관련하여 경찰청 국 · 관은 별표 1의 임무를 수행한다.

③ ②에도 불구하고 재난관리와 관련하여 업무를 처리할 부서를 판단하기 어려운 경우에는 치안상황관리관이 처리할 부서를 지정한다. 다만, 국가수사본부 내 분장 사항에 대해서는 수사기획조정관의 의견에 따른다.

경찰청 국 · 관별 재난관리 임무

국 · 관	임무
치안상황관리관	① 재난대책본부 및 재난상황실 운영 ② 재난관리를 위한 관계기관과의 협력 ③ 재난피해우려지역 예방 순찰 및 재난취약요소 발견시 초동조치 ④ 재난지역 주민대피 지원
대변인	경찰의 재난관리 관련 홍보
감사관	재난상황시 재난관리태세 점검
기획조정관	재난관리와 관련한 예산의 조정 · 지원
경무인사기획관	① 경찰관 · 경찰관서의 피해 예방 및 피해 발생시 대응 · 복구 ② 재난상황시 직원 복무 및 사기 관리
정보화장비정책관	① 재난관리 자원 비축 · 관리 및 보급 ② 국가적 정보통신 피해 발생시 긴급통신망 복구지원 ③ 재난지역 통신장비 설치 및 운영 ④ 그 밖에 재난관리를 위한 장비의 지원
생활안전국	① 재난지역 범죄예방활동 ② 재난지역 총포 · 화약류 안전관리
교통국	① 재난대비 교통취약지 예방 순찰 및 취약요소 발견시 초동조치 ② 재난지역 교통통제 및 긴급차량 출동로 확보 ③ 재난지역 교통안전시설 관리 ④ 재난 관련 인적 · 물적 자원의 이동시 교통안전 확보
경비국	① 재난관리를 위한 경찰부대 및 장비 동원 ② 재난관리 필수시설의 안전관리
공공안녕정보국	① 재난취약요소에 대한 정보활동 ② 재난상황시 국민 안전을 확보하기 위한 정보활동
외사국	① 해외 재난안전정보 수집 ② 재난지역 체류 외국인 관련 치안활동
형사국	① 재난지역 강도 · 절도 등 민생침해범죄의 예방 및 검거 ② 재난으로 인한 인명피해 발생시 원인이 되는 불법행위에 대한 수사
수사국	① 재난 관계 법령 위반 행위에 대한 수사 ② 매점매석 등 사회혼란 야기 행위에 대한 수사 ③ 감염병 · 가축전염병의 확산으로 인한 재난 발생시 역학조사 지원 ④ 기타 재난 발생의 원인이 되는 불법행위에 대한 수사
과학수사관리관	재난상황으로 인한 사상자 신원확인
사이버수사국	① 온라인상 허위정보의 생산 · 유포 행위 대응 및 수사 ② 온라인상 매점매석 등 사회혼란 야기 행위에 대한 수사
안보수사국	재난지역 국가안보 위해요소 점검

(2) 다른 규칙과의 관계(제3조)

경찰청과 그 소속기관이 수행하는 각종 재난 및 관리업무에 관하여 다른 규칙에 특별한 규정이 있는 경우를 제외하고는 이 규칙에서 정하는 바에 따른다.

2. 재난상황실

(1) 경찰청 재난상황실의 설치(제4조)

치안상황관리관은 재난이 발생하였거나 재난이 발생할 우려가 있는 경우에는 위기관리센터 또는 치안종합상황실에 재난상황실을 설치·운영할 수 있다. 다만, 제11조의 재난대책본부가 설치되었거나 재난 및 안전관리 기본법(이하 '법'이라 한다) 제38조에 따라 '심각' 단계의 위기경보가 발령된 경우에는 재난상황실을 설치·운영하여야 한다.

(2) 구성(제5조)

① 재난상황실에는 재난상황실장(이하 '상황실장'이라 한다) 1명을 두며 상황실장은 위기관리센터장으로 한다. 다만, 다음 내용의 어느 하나에 해당하는 경우에는 상황관리관(상황관리관의 임무를 수행하는 자를 포함한다)이 상황실장의 임무를 대행할 수 있다.

㉠ 일과시간 외 또는 토요일·공휴일

㉡ 그 밖에 치안상황관리관이 필요하다고 인정하는 경우

② 재난상황실에 총괄반, 분석반, 상황반을 두며, 그 구성과 임무는 다음과 같다.

㉠ 총괄반은 위기관리센터 소속 직원으로 구성하며, 재난상황실 운영을 총괄하고 재난관리를 위한 관계기관과의 협조 업무를 담당한다.

㉡ 분석반은 위기관리센터 소속 직원으로 구성하며, 재난상황의 분석, 재난관리를 위한 대책 마련 및 다른 국·관과의 협조 업무를 담당한다.

㉢ 상황반은 치안상황관리관실 및 다른 국·관의 직원으로 구성하며, 재난상황의 접수·전파·보고, 재난관리를 위한 초동조치 등 상황관리를 담당한다.

(3) 기능(제6조)

재난상황실의 기능은 다음과 같다.

① 재난상황의 접수·분석·전파 등 관리

② 재난관리를 위한 초동조치 지휘 및 대책 마련

③ 재난관리를 위한 관계기관과의 협조

④ 재난상황 대응을 위한 비상연락망 유지

⑤ 시·도경찰청 및 경찰서(이하 '시·도경찰청 등'이라 한다)에 설치된 재난상황실에 대한 지휘 및 지원

(4) 상황실장의 권한(제7조)

상황실장은 위 (3)의 기능을 수행하기 위해 필요한 경우 경찰청 국·관 및 소속기관에 다음의 조치를 요구할 수 있다.

① 소속 경찰관 등의 동원

② 재난관리자원의 제공

③ 필요한 자료의 제출

④ 그 밖에 재난관리를 위해 필요한 행정상 조치

⑸ 재난상황실 기록유지(제8조)

상황실장은 별지 제1호 서식의 재난상황일지를 기록 · 관리하여야 한다. 다만, 재난의 종류와 기간을 고려하여 재난상황일지의 서식과 작성방법 등을 달리 정할 수 있다.

⑹ 시 · 도경찰청 등 재난상황실 설치 및 운영(제9조)

① 시 · 도경찰청 등의 장은 관할 지역 내에서 재난이 발생하였거나 발생할 우려가 있는 경우 재난상황실을 설치 · 운영할 수 있다. 다만, 시 · 도경찰청 등에 재난대책본부가 설치되었거나, 법 제38조에 따라 '심각' 단계의 위기경보가 발령된 경우에는 재난상황실을 설치 · 운영하여야 한다.

② ①에 따라 시 · 도경찰청 등에 설치된 재난상황실의 운영은 제5조부터 제8조까지의 규정을 준용하되 시 · 도경찰청 등의 여건에 따라 달리 정할 수 있다.

⑺ 재난상황의 보고 및 전파(제10조)

① 시 · 도경찰청 등의 상황실장은 다음의 사항을 경찰청 치안상황관리관에게 수시 보고하여야 한다.

㉠ 재난의 발생일시 · 장소 및 원인

㉡ 인적 · 물적 피해 현황

㉢ 초동조치 사항

㉣ 대응 및 복구활동 사항

㉤ 그 밖에 재난관리를 위해 필요한 사항

② 시 · 도경찰청 등의 상황실장은 별지 제2호 서식의 재난상황보고서를 작성하여 경찰청 치안상황관리관에게 정기 보고하여야 하며, 보고주기와 서식 및 내용은 치안상황관리관이 재난의 성격과 유형에 따라 조정할 수 있다.

3. 재난대책본부

⑴ 경찰청 재난대책본부의 설치(제11조)

경찰청장은 인명 또는 재산의 피해정도가 매우 큰 재난 또는 사회적, 경제적으로 광범위한 영향이 있는 재난이 발생하였거나 발생할 우려가 있어 이에 대한 전국적인 관리가 필요하다고 인정하는 경우 경찰청에 재난대책본부를 설치할 수 있다.

⑵ 재난대책본부의 구성 등(제12조)

① 재난대책본부는 치안상황관리관이 본부장이 되고 위기관리센터장, 혁신기획조정담당관, 경무담당관, 범죄예방정책과장, 교통기획과장, 경비과장, 정보관리과장, 외사기획정보과장, 수사운영지원담당관, 경제범죄수사과장, 강력범죄수사과장, 사이버수사기획과장, 안보기획관리과장, 홍보담당관, 감사담당관, 정보화장비기획담당관, 과학수사담당관 및 그 밖에 본부장이 지정하는 사람으로 구성한다.

② 재난대책본부에 총괄운영단, 대책실행단, 대책지원단을 두며, 그 구성과 임무는 다음과 같다.

㉠ 총괄운영단은 본부장을 보좌하여 재난대책본부의 운영에 필요한 사무를 담당하며 단장은 위기관리센터장이 된다.

㉡ 대책실행단은 경찰 재난관리 활동의 실행을 담당하며 단장은 ①의 구성원 중 본부장이 지정한 사람으로 한다.

㉢ 대책지원단은 대책실행단의 활동을 지원하며 단장은 ①의 구성원 중 본부장이 지정한 사람으로 한다.

③ 그 밖에 재난대책본부의 세부 구성에 관한 사항은 각 단장의 의견을 들어 본부장이 정한다.

(3) 재난대책본부의 기능(제13조)

재난대책본부의 기능은 다음과 같다.

① 경찰재난관리와 관련한 주요 정책의 결정
② 경찰관서 방재 · 피해복구를 위해 필요한 사항의 결정
③ 법 제14조에 따른 중앙재난안전대책본부, 법 제15조의2에 따른 중앙사고수습본부 및 관계기관과의 협조
④ 시 · 도경찰청 등에 설치한 재난대책본부에 대한 지휘 및 지원
⑤ 그 밖에 경찰청장 또는 본부장이 재난관리를 위해 필요하다고 인정하는 사항

(4) 본부장의 권한(제14조)

① 본부장은 재난대책본부의 업무를 통할한다.
② 본부장은 위 (3)의 기능을 수행하기 위해 필요한 경우 경찰청 국 · 관 및 소속기관에 다음의 조치를 요구할 수 있으며, 이 경우 요청을 받은 국 · 관 및 소속기관은 특별한 사유가 없으면 이에 따라야 한다.
㉠ 재난대책본부 회의 참석 또는 필요한 자료의 제출
㉡ 재난관리에 필요한 인력 · 장비 · 물자의 동원 및 지원
㉢ 그 밖에 재난관리를 위해 필요한 행정상 조치

(5) 재난대책본부의 격상(제15조)

① 위 (2)에도 불구하고 재난에 대한 범정부적 차원의 통합대응이 필요하다고 인정되는 경우 본부장을 경찰청장 또는 경찰청 차장으로 격상하여 운영할 수 있다.
② ①의 경우 재난대책본부를 구성하는 사람은 위 (2)의 ①에 해당하는 사람의 상급자인 국 · 관으로 한다. 이 경우, 총괄운영단장은 치안상황관리관이 되고 대책실행단장과 대책지원단장은 경찰청장 또는 경찰청 차장이 지정하는 사람으로 한다.

(6) 시 · 도경찰청 등 재난대책본부의 설치 및 운영(제16조)

① 시 · 도경찰청 등의 장은 경찰청에 재난대책본부가 설치되었거나, 관할 지역 내 재난이 발생하였거나 발생할 우려가 있는 경우 시 · 도경찰청 등에 재난대책본부를 설치할 수 있고 그 운영은 위 (2)부터 (4)의 규정을 준용한다. 이 경우, 시 · 도경찰청 등의 장은 재난대책본부의 설치 사항을 바로 위 상급기관의 장에게 보고한다.
② 시 · 도경찰청의 본부장은 시 · 도경찰청장이 지정하는 차장 또는 부장으로 한다.
③ 경찰서의 본부장은 재난업무를 주관하는 부서의 장으로 한다.
④ ② 및 ③에도 불구하고, 시 · 도경찰청 등의 장은 재난의 규모가 광범위하여 효과적인 대응이 필요한 경우 본부장을 시 · 도경찰청 등의 장으로 격상하여 운영할 수 있다.

4. 재난관리의 실행

(1) 재난 예방 · 대비(제17조)

① 시 · 도경찰청 등의 장은 재난 요인을 사전에 제거하거나 감소시킴으로써 재난 발생 자체를 억제 또는 방지하기 위한 재난예방대책을 수립 · 시행하여야 한다.
② 시 · 도경찰청 등의 장은 재난관리 역량을 강화하기 위해 경찰관을 포함한 소속 직원들을 대상으로 교육 및 훈련을 실시하여야 한다.

③ 시・도경찰청 등의 장은 재난으로 인해 경찰관서의 고립이 우려되는 경우 사전에 소요물자의 비축 등 필요한 조치를 하여야 한다.

④ 시・도경찰청 등의 장은 재난으로 인해 통신이 끊기는 상황에 대비하여 미리 유선이나 무선 또는 위성통신망을 활용할 수 있도록 긴급통신수단을 마련하여야 한다.

(2) 재난 대응(제18조)

① 시・도경찰청 등의 장은 관할 지역에서 재난이 발생하였거나 발생이 임박한 경우 그 피해를 최소화하기 위하여 다음 중 필요한 조치를 하여야 한다.

㉠ 현장 접근통제 및 우회로 확보

㉡ 교통관리 및 치안질서유지 활동

㉢ 긴급구조 및 주민대피 지원

㉣ 그 밖에 재난 대응을 위한 조치

② 시・도경찰청 등의 장은 재난으로 인하여 피해가 발생하였을 때에는 바로 위 상급기관의 장에게 피해내용을 지체 없이 보고하여야 한다.

(3) 재난 복구(제19조)

① 시・도경찰청 등의 장은 관할 지역에서 재난으로 인한 피해가 발생한 경우 지방자치단체 및 관계기관과 협조하여 재난복구활동을 지원한다.

② 시・도경찰청 등의 장은 경찰관, 경찰장비 및 경찰관서가 재난에 의해 피해를 입은 경우에는 바로 위 상급기관의 장에게 피해내용을 지체 없이 보고하여야 한다.

(4) 현장지휘본부의 설치 및 운영(제20조)

① 시・도경찰청 등의 장은 관할 지역 내 재난이 발생한 경우 재난 현장의 대응 활동을 총괄하기 위하여 현장지휘본부를 설치할 수 있다.

② ①에 따른 현장지휘본부의 구성 및 임무는 별표 2와 같다.

현장지휘본부(별표 2)

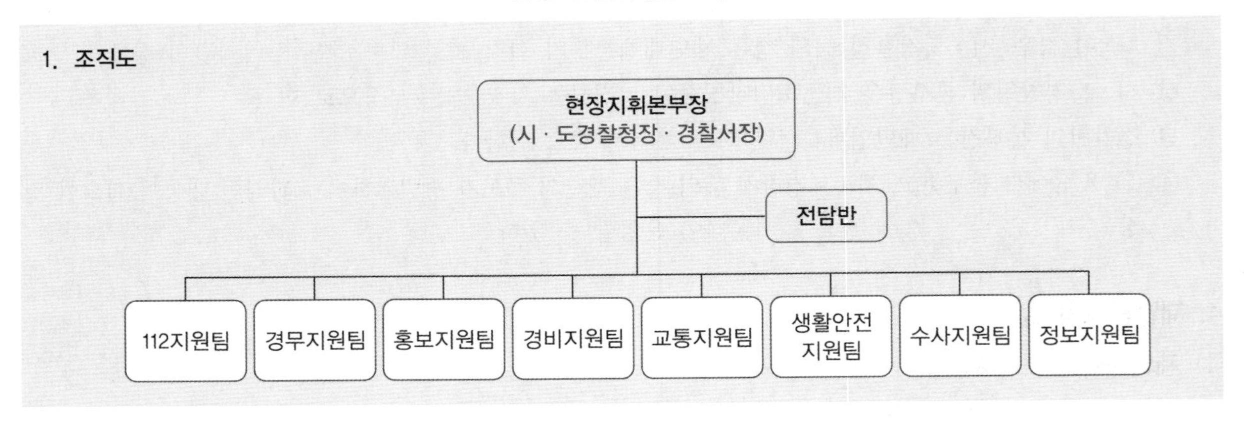

2. 전담반 및 지원팀별 임무

지원팀	임무
전담반	① 현장지휘본부 운영 총괄·조정 ② 재난안전상황실 업무협조 ③ 현장상황 등 보고·전파
112	① 재난지역 및 중요시설 주변 순찰활동 ② 피해지역 주민 소개 등 대피 및 접근 통제
경무	① 현장지휘본부 사무실, 차량, 유·무선 통신시설 등 설치 ② 그 밖에 예산, 장비 등 행정업무 지원
홍보	경찰 지원활동 등 언론대응 및 홍보
경비	① 재난지역 및 중요시설 등 경비 ② 경찰통제선 설정·운용
교통	① 비상출동로 지정·운용 ② 현장주변에 대한 교통통제 및 우회로 확보 등 교통관리
생안	① 재난지역 범죄예방활동 ② 재난지역 총포, 화약류 안전관리 강화
수사	① 실종자·사상자 현황 파악 및 수사 ② 민생침해범죄의 예방 및 수사활동
정보	① 재난지역 집단민원 파악 ② 관계기관 협조체제 및 대외 협력관계 유지

Add ⊕

1. **경찰통제선 설치**
   ① **설치목적**: 위험으로부터 주민을 보호하고, 구조 등 작업에 장애를 주는 요소를 제거하며, 장비·차량의 효과적인 투입을 지원하기 위한 목적으로 설치한다.
   ② **통제선의 구분**
   ㉠ **제1통제선**: 소방담당
   ㉡ **제2통제선**: 경찰담당
   ③ **설치범위**: 설치범위는 구조 및 복구작업에 지장이 없도록 초기단계부터 충분히 넓게 정하고 상황의 진전에 따라 축소·확대한다.
   ④ **출입통제**: 통제구역 안으로는 구조활동에 직접 참가하는 인원·장비 외에는 출입을 통제한다. 단, 출입이 필요하다고 판단되는 자는 적당한 표시를 하여 출입을 허용한다.
   ⑤ **출입구**: 통제구역 안으로 들어가는 입구는 1개를 원칙으로 하며 입구에는 정복경찰을 배치하여 출입통제 근무를 실시한다. 필요한 경우 반대편에 1개의 입구를 더 설치할 수 있다.

2. **경찰정보지원센터**
   ① **설치목적**: 재난현장에 설치하여 관계인에게 피해상황을 적절히 제공하는 기능을 수행한다.
   ② **설치장소**: 경찰통제선 밖에 설치하며, 인근에 공공기관·교회 등 적절한 장소가 없는 경우 경찰버스 등을 활용할 수 있다.

제8절 중요시설경비

01 의의

(1) 중요시설경비업무는 국가보안목표로 지정된 중요시설과 보안상 중요하다고 인정되는 시설에 대하여 적이나 불순분자의 각종 위해행위로부터 시설을 보호하기 위한 제반 경비경찰활동을 말한다.

(2) 중요시설에 대한 방호는 그 근거규정인 통합방위법과 통합방위법 시행령 및 대통령훈령 제28호(대비정규전지침)에 근거하여 행해진다.

02 국가중요시설의 지정

(1) 중요시설의 구분

① 형식적 구분(사용목적상의 구분)

행정시설	청와대, 국회의사당, 대법원, 중앙부처기관, 한국은행, 지방관청 등
산업시설	일반산업시설, 발전시설, 변전시설, 방송·통신시설 등

② 실질적 구분(시설의 기능·역할의 중요성과 가치의 정도에 따른 구분)

가급 시설	적에 의하여 점령 또는 파괴되거나, 기능 마비시 광범위한 지역의 통합방위작전수행이 요구되고, 국민생활에 결정적인 영향을 미칠 수 있는 시설
나급 시설	적에 의하여 점령 또는 파괴되거나, 기능 마비시 일부 지역의 통합방위작전수행이 요구되고, 국민생활에 중대한 영향을 미칠 수 있는 시설
다급 시설	적에 의하여 점령 또는 파괴되거나, 기능 마비시 제한된 지역에서 단기간 통합방위작전수행이 요구되고, 국민생활에 상당한 영향을 미칠 수 있는 시설

(2) 중요시설의 지정권자

국가중요시설은 국방부장관이 관계 행정기관의 장 및 국가정보원장과 협의하여 지정한다(통합방위법 제21조 제4항).

03 방호지대(3지대 방호지대구축)

1. 의의

국가중요시설은 종심깊은 방호시설물을 구축하고 적극적 방호활동으로 적의 기습적인 상황에 대해서도 시설기능이 마비되지 않도록 3선 개념의 방호태세를 유지하여야 한다.

2. 3지대 개념의 방호선 구분

구분	내용
제1지대 (경계지대)	① 시설 울타리 전방 취약지점에서 시설에 접근하기 전에 저지할 수 있는 예상 접근로상의 목 지점 및 감제고지 등을 장악하는 선으로 외곽경비지대를 연결하는 선을 말한다. ② 경력배치 및 장애물을 설치하여 중요시설에 대한 방호를 실시하고, 이 지대에서는 매복을 실시하는 것이 효과적인 방호에 해당한다.
제2지대 (주방어지대)	① 시설 울타리를 연하는 선으로 시설 내부 및 핵심시설에 대한 적의 침투를 방지하여 결정적으로 중요시설을 방호하는 선을 말한다. ② 이 선은 소총의 유효사거리 개념으로 방호시설물이나 CCTV 등을 집중적으로 설치하고 고정초소 근무 및 순찰근무를 통해 출입자를 통제하고 무단침입자를 감시한다.
제3지대 (핵심방어지대)	① 시설의 기능에 결정적인 영향을 미치는 지역에 대한 최후 방호선을 말한다. ② 주요 핵심부는 지하화되거나 위장이 되어야 하며, 항상 경비원의 감시하에 통제가 이루어지도록 하고 방호벽 · 방탄막 · 적외선감지기 등 방호시설물을 설치한다. ③ 유사시는 결정적인 보호가 될 수 있도록 경비인력을 배치하여야 한다.

3. 국가중요시설의 경비 · 보안 및 방호

통합방위법

제21조 【국가중요시설의 경비 · 보안 및 방호】 ① 국가중요시설의 관리자(소유자를 포함한다. 이하 같다)는 경비 · 보안 및 방호책임을 지며, 통합방위사태에 대비하여 자체방호계획을 수립하여야 한다. 이 경우 국가중요시설의 관리자는 자체방호계획을 수립하기 위하여 필요하면 시 · 도경찰청장 또는 지역군사령관에게 협조를 요청할 수 있다.
② 시 · 도경찰청장 또는 지역군사령관은 통합방위사태에 대비하여 국가중요시설에 대한 방호지원계획을 수립 · 시행하여야 한다.
③ 국가중요시설의 평시 경비 · 보안활동에 대한 지도 · 감독은 관계 행정기관의 장과 국가정보원장이 수행한다.
④ 국가중요시설은 국방부장관이 관계 행정기관의 장 및 국가정보원장과 협의하여 지정한다.
⑤ 국가중요시설의 자체방호, 방호지원계획 그 밖에 필요한 사항은 대통령령으로 정한다.

제9절 다중범죄진압(집회 · 시위의 관리)

01 의의

1. 다중범죄의 의의

다중범죄란 정치 · 경제 · 사회 · 문화적 원인 또는 특정집단의 주의 · 주장 · 요구조건을 관철하기 위하여 행해지는 조직된 군중으로 인한 집단적 범죄행위를 말한다.

2. 다중범죄의 특징

확신적 행동성	① 다중범죄를 발생시키는 주동자나 참여하는 자들은 자신의 사고가 정의라는 확신을 가지고 감행하는 경우가 많다. ② 다중범죄에 가담한 자들은 자신들을 사회정의를 위하여 투쟁하는 정의의 사도로 생각하며, 전혀 죄의식을 느끼지 않는 경우가 많다. ③ 이들의 행동은 과감하고 전투적이며 희생을 스스로 자초하는 경우가 많다(예 분신자살 또는 투신자살).
조직적 연계성	① 다중범죄는 전국적으로 공통성이 있으며 조직도 전국적으로 연계되어 있는 경우가 많다. ② 다중범죄는 특정한 조직에 기반을 두고 조직의 뜻대로 계획해서 뚜렷한 목적의식을 가지고 감행되는 경우가 대부분이다.
부화뇌동적 파급성	① 다중범죄의 발생은 군중심리로 인하여 발생되는 경우가 많다. ② 다중범죄는 우연히 아주 작은 동기에 의하여 발생하기도 하고 일단 발생되면 부화뇌동으로 인하여 갑자기 확대될 수도 있다.
비이성적 단순성	① 시위군중은 과격하게 또 단순하게 행동하며 특히 법률적 · 도덕적 · 사회통념상 이해가 불가능한 비이성적인 경우가 많다. ② 이들의 주장내용이 아주 편협하여 타협이나 설득이 어려운 경우가 대부분이다.

Add ⊕

최근 발생하는 다중범죄는 발생장소의 다양화, 각종 욕구의 다양성, 다중행태의 예측불가능성, 공권력의 무력화 시도 등의 양상을 띠고 있다.

02 다중범죄의 정책적 치료법

선수승화법	특정사안의 불만집단에 대한 정보활동을 강화하여 사전에 불만 및 분쟁요인을 찾아내어 해소시켜 주는 방법이다.
전이법	다중범죄의 발생징후나 이슈가 있을 때 집단이나 국민들의 관심을 집중시킬 수 있는 경이적인 사건을 폭로하거나 규모가 큰 행사를 개최함으로써 원래의 이슈가 상대적으로 약화되도록 하는 방법이다.
지연정화법	불만집단의 고조된 주장을 시간을 끌어 이성적으로 사고할 기회를 부여하고 정서적으로 감정을 둔화시켜 흥분을 가라앉게 하는 방법이다.
경쟁행위법	불만집단에 반대하는 대중의견을 크게 부각시켜 불만집단이 심리적으로 위축되어 자진해산 및 분산되도록 하는 방법이다.

03 물리적 해결

1. 물리적 해결수단(진압의 기본원칙)

봉쇄방어	군중들이 중요시설이나 기관 등 보호 대상물의 점거를 기도할 경우, 사전에 진압부대가 점령하거나 바리케이드 등으로 봉쇄하여 방어조치를 취하는 방법이다.
차단배제	군중이 목적지에 집결하기 전에 중간에서 차단하여 집합을 못하게 하는 방법이다.
세력분산	가스탄 등을 사용하여 집합된 군중을 해산하여 수개의 소집단으로 분리하는 방법으로 시위의사를 약화시킴으로써 그 세력을 분산시키는 방법이다.
주동자 격리	다중범죄는 특정한 지도자나 주동자의 선동에 의하여 이루어지므로 주모자를 사전에 검거하거나 군중과 격리시킴으로써 군중의 집단적 결속력을 악화시켜 계속된 행동을 못하게 진압하는 방법이다.

2. 진압의 3대 원칙

신속한 해산	시위군중은 군중심리의 영향으로 감정이 격화되거나 확대되기 쉽고 파급성이 강하므로 초기 단계에서 신속·철저히 해산시켜야 한다.
주모자 체포	시위군중은 주모자를 잃으면 무기력해져 쉽게 해산되는 것이 보통이므로 주모자부터 체포하여 시위군중으로부터 분리시켜야 한다.
재집결 방지	시위군중은 일단 해산되었다가도 다시 집결하기 쉬우므로, 재집결할만한 곳에 경력을 배치하고 순찰과 검문검색을 강화하여 재집결을 방지하여야 한다.

04 다중범죄 진압의 단계별 조치사항

1. 사전조치

(1) 사전정보수집 및 상황판단, 경비방침의 수립, 경비실시계획(경비계획서 수립은 경찰서 경비과장이 실시하며, 정보과장은 정보대책서를 작성하고, 경무과장은 경력의 급식을 추진하고 청문감사관은 근무자 감독방안을 마련 등)을 수립한다.

(2) 경비요원의 소집 응원·파견요청대상의 결정, 경비부대의 편성, 장비 및 출동태세의 점검, 현장답사 및 작전회의를 실시한다.

2. 현장조치

부대의 배치, 현장정보·공보·선무활동, 단계별 실력행사, 현장검거 및 채증활동 등을 실시한다.

3. 사후조치

부대의 단계별 철수, 재집결 방지대책 마련, 검거자의 처리 및 조사활동, 증거확보, 사후대책 강구, 자체평가·분석 등을 실시한다.

05 집회 · 시위의 관리대책

1. 집결시

(1) 출발지에서부터 시위용품 및 시위용품화 가능한 깃대 등 물품소지 · 운반을 불허한다.

(2) 이동경로상(고속도로 등) 취약지에 타격대를 운용하고 이동 중 돌발상황에 대비한다.

(3) 의경에 의한 단독검문을 지양하고 경찰공무원과 합동검문을 실시한다.

2. 행사시

(1) 행사장 내부

① 행사장 내부에는 원칙적으로 경찰력을 투입할 수 없다.

② 행사장 내부에 경찰력투입시 주최자에게 통보하고 정복경찰을 투입한다.

③ 행사장 내부가 옥내인 경우에는 긴급성을 요한다.

Add ⊕

다중범죄에 해당하는 불법집회의 경우에는 범죄정보의 수집차원에서 행사장 내부에 사복요원의 투입도 가능하다.

(2) 행사장 주변

행사장 주변에는 근무복을 착용한 경찰력을 탄력적으로 배치하여 질서를 유지한다.

(3) 행사장 원거리

원거리에 사복요원을 배치하고 시위 참가예상자들의 이동상황을 조기파악하여 대처한다.

3. 행진시

(1) 정상 행진시

① 여자 경찰공무원을 제1선, 근무복을 착용한 경찰공무원을 제2선에 배치한다.

② 주요 취약지에 근무복을 착용한 경찰공무원을 집중배치하고 행진대열의 이탈방지 및 돌발상황에 대비하고 제1선에 배치된 여자 경찰공무원을 보호한다.

③ 행진경로상에 배치된 경찰력을 즉시 지원할 수 있는 예비대를 확보 · 운용한다.

(2) 불법시위로 변질시

① 제1선의 여자 경찰공무원을 제2선으로 이동조치하고 근무복을 착용한 경찰력만으로 차단조치를 실시한다.

② 정상행진으로 복귀시 여자 경찰공무원과 근무복을 착용한 경찰공무원을 재배치하고, 행진을 통제 · 관리한다.

4. 타격대(진압복)

주요 취약지에 대한 최후저지선을 설정하며, 비노출 · 집중운용한다. 단, 단독작전이나 무리한 추적 · 검거활동은 지양한다.

제10절 경호경비

01 서설

1. 경호의 의의

(1) 경호란 대상자의 생명과 재산을 보호하기 위하여 신체에 가하여지는 위해(危害)를 방지하거나 제거하고, 특정지역을 경계·순찰 및 방비하는 등의 모든 안전활동을 말한다.

(2) 다시 말해 피경호자의 신변에 대하여 직접 또는 간접적으로 가해지려는 인위적 위해를 미연에 방지하고 제거하여 그의 안전을 도모하는 경비경찰활동이라고 할 수 있다.

(3) 경호경비의 경우 한번 실패하면 사후에 보완이 불가능하므로 다른 업무에 우선하여 최우선적으로 처리하여야 한다.

2. 경호의 대상

구분		
국내요인	갑호	대통령과 그 가족, 대통령 당선인과 그 가족, 전직대통령과 그 배우자(퇴임 후 10년 이내), 대통령 권한대행과 그 배우자
	을호	국회의장, 대법원장, 국무총리, 헌법재판소장, 전직대통령(퇴임 후 10년 경과), 대통령선거후보자
	병호	갑·을호 외에 경찰청장이 필요하다고 인정한 사람
국외요인	국빈 A~C등급	대통령, 국왕, 행정수반(경호처장이 등급 분류)
	외빈 A·B등급	행정수반이 아닌 수상, 부통령, 왕족, 국제기구대표, 기타 장관급 이상 외빈(경찰청장이 등급 분류)

대통령 등의 경호에 관한 법률

제4조 【경호대상】 ① 경호처의 경호 대상은 다음과 같다.

1. 대통령과 그 가족
2. 대통령 당선인과 그 가족
3. 본인의 의사에 반하지 아니하는 경우에 한정하여 퇴임 후 10년 이내의 전직 대통령과 그 배우자. 다만, 대통령이 임기만료 전에 퇴임한 경우와 재직 중 사망한 경우의 경호기간은 그로부터 5년으로 하고, 퇴임 후 사망한 경우의 경호기간은 퇴임일부터 기산(起算)하여 10년을 넘지 아니하는 범위에서 사망 후 5년으로 한다.
4. 대통령권한대행과 그 배우자
5. 대한민국을 방문하는 외국의 국가 원수 또는 행정수반(行政首班)과 그 배우자
6. 그 밖에 처장이 경호가 필요하다고 인정하는 국내외 요인(要人)

② 제1항 제1호 또는 제2호에 따른 가족의 범위는 대통령령으로 정한다.

③ 제1항 제3호에도 불구하고 전직 대통령 또는 그 배우자의 요청에 따라 처장이 고령 등의 사유로 필요하다고 인정하는 경우에는 5년의 범위에서 같은 호에 규정된 기간을 넘어 경호할 수 있다.

Add ⊕

국내요인 중 을·병호, 국외요인 중 외빈 A·B등급은 경찰청장 책임하에 경호를 실시한다.

3. 경호경비의 4대 원칙과 경호의 협조기관

(1) 경호의 4대 원칙

자기희생의 원칙	경호원이 자신을 희생하는 한이 있더라도 피경호자의 신변안전은 반드시 보호되어야 한다.
자기담당구역 책임의 원칙	경호원은 자신의 담당구역 내에서 일어나는 어떠한 사태에 대해서도 다른 사람이 아닌 자기가 책임을 지고 해결하여야 한다.
하나의 통제된 지점을 통한 접근의 원칙	피경호자에게 접근할 수 있는 통로는 경호상 통제된 유일한 통로만이 필요하고 여러 개의 통로는 필요가 없다.
목표물 보존의 원칙 (보안의 원칙)	① 행차코스 · 행차예정장소 등은 원칙적으로 공개되지 않아야 한다. ② 동일한 장소에 수차례 행차시 이용했던 경로는 가급적 피하거나 수시로 변경하여야 한다. ③ 대중에게 노출된 도보행차는 가급적 지양한다.

(2) 경호의 협조기관

통상 갑호 경호대상자와 관련하여 가장 주된 부서는 대통령 경호처이며, 경찰의 경호는 대통령 경호처의 지휘를 받는다. 경호행사시 동원경력은 2시간 전에 배치하고, MD(문형금속탐지기)는 제1선(안전구역)에 3시간 전에 배치를 완료한다.

02 3선 경호

구역	내용
제1선 (안전구역, 내부)	① 피경호자가 위치하는 내부로서 옥내일 경우에는 건물자체를 말하며, 옥외일 경우에는 통상 본부석이 안전구역에 해당한다. ② 안전구역은 VIP의 승 · 하차지점 및 동선 등의 취약개소로 피경호자에게 직접적으로 위해를 가할 수 있는 거리 내의 지역을 지칭하며, 통상 수류탄 투척 및 권총 유효사거리인 50m권을 적용한다. ③ 경호에 대한 주관 및 책임은 경호처에서 직접 계획을 수립 · 실시하고 경찰은 경호실의 요청이 있을 경우 경력 및 장비를 지원한다. ④ 출입자 통제관리, MD설치 운용, 비표확인 및 출입자 감시를 행한다. ⑤ 절대안전 확보구역에 해당한다.
제2선 (경비구역, 내곽)	① 제1선을 제외한 행사장 중심으로 반경 600m 내외의 취약개소로서 소총의 유효사거리를 고려한 거리의 개념으로 설정된 선이다. ② 일반적인 경호책임은 경찰이 담당하고, 군부대 내일 경우에는 군이 담당한다. ③ 바리케이드 등 장애물 설치, 돌발사태에 대비한 예비대 운영 및 구급차, 소방차를 대기시킨다. ④ 유사시를 대비한 비상출동로의 확보가 이루어져야 한다. ⑤ 주경비지역에 해당한다.
제3선 (경계구역, 외곽)	① 행사장 중심으로 적의 접근을 조기에 경보하고 차단하기 위하여 설정된 선으로 소구경 곡사화기의 유효 사거리를 고려한 1~2km권 내 지역으로 설정하는데 옥내행사장인 경우 행사장 반경 600m 이내 지역을 의미한다. ② 경계구역에서의 임무는 주변 동향파악과 직시 고층건물 및 감제고지에 대한 안전확보, 우발사태에 대한 대비책을 강구하며 피경호자에 대한 위해요소를 제거하는 데 있다. ③ 통상 경찰이 경호책임을 진다. ④ 감시조 운영 및 원거리 기동순찰조를 운영한다. ⑤ 조기경보지역에 해당한다.

03 경호경비시 부서별 업무

보안과	① 경호안전대책서 작성 ② 인적 취약요소, 물적 취약요소, 지리적 취약요소에 대한 분석과 대책이 포함
경비과	① 경호경비계획서 작성 ② 행사개요, 특징, 취약성, 대책, 동원경력배치 등이 포함

04 경호의 구분

1. 행사성격에 의한 구분

완전공식행사	대규모 국가적인 행사로 사전에 언론을 통해 완전히 공개된 행사시 실시하는 경호(대통령 취임식, APEC, ASEM 등)
공식행사	연례적·통상적으로 실시하는 공개된 행사시 경호(국경일, 기념일)
비공식행사	보안유지가 요구되는 비공개 행사시 실시하는 경호(현장방문행사)
완전비공식행사	정무 또는 사무상 필요에 의해 사전통보나 절차 없이 이루어지는 행사시 실시하는 경호(비공식방문, 운동, 공연관람, 민정시찰, 사저활동)

2. 경호 장소에 따른 구분

행사장 경호	피경호자가 행사에 참여하거나 주관하는 장소에서의 경호로 피경호자가 비교적 오랜 시간동안 머물거나 일반군중과 피경호자의 거리가 근접하게 되는 등 취약점이 많은 장소이므로 완벽한 경호계획 및 실시가 요망되는 경우이다.
숙소 경호	행사장 경호요령에 준해서 실시하되, 투숙층과 그 직상하층의 안전확보유지, 숙소 주위의 유동경계선과 숙소에 경호원을 배치하여 불심자 검문과 도난·화재 등의 사고를 예방한다.
연도 경호	연도 경호에는 육로경호와 철도경호가 있는데, 육로경호란 피경호자가 행·환차할 것으로 예측되는 주·예비도로에 대한 제반 위해요소를 사전에 배제하는 활동을 말하며, 도로의 종류에 따라 근무자의 배치형태가 달라진다.

3. 경호 성격에 따른 구분

공식 경호 (1호)	사전통보에 의한 계획되고 준비되는 공개행사시 실시하는 경호(기념식, 국빈행사 등)
비공식 경호 (2호)	사전통보나 절차없이 이루어지는 비공식행사의 경호로서 고도의 행차보안이 요구된다.
약식 경호 (3호)	출근 또는 퇴근시에 실시하는 경호

4. 경호 수준에 따른 구분

A급 경호	① 행차보안이 사전 노출되어 경호의 위해가 중대한 상황하의 각종 행사 ② 국가원수급의 경호 대상으로 결정된 국빈행사의 경호
B급 경호	① 행사준비 등의 시간적 여유 없이 갑자기 결정된 상황하의 각종 행사 ② 수상급의 경호 대상으로 결정된 국빈행사의 경호
C급 경호	사전경호조치가 거의 없는 상황하에서 이루어지는 경호

05 경호안전대책

1. 개념

경호근무시 피경호자의 신변에 대한 위해요소를 사전에 제거하는 모든 활동을 말한다. 이는 인적 위해요소의 배제, 물적 취약요소의 배제, 지리적 취약요소의 배제 및 기타 활동으로 구분할 수 있다.

2. 인적 위해요소의 배제

신원조사나 비표관리, 요시찰인 동행감시 등이 여기에 해당한다. 피경호자에게 위해를 가할 소지가 있는 사람의 동향을 감시하고 접근을 차단하며, 피경호자와 근접하여 행동하는 참관인이나 행사종사자의 신원을 조사하여 신원특이자를 배제하여 피경호자의 안전을 도모하는 활동이다.

3. 물적 취약요소의 배제

경호 대상지역 주변에 피경호자에게 위해를 가하거나 위해의 원인을 제공할 수 있는 각종 위험물, 자연물, 인공물을 제거하는 활동이다. 이는 다시 안전조치(총포·화약류 등 영치, 유류·가스 등의 위험물 운반차량 우회조치, 경찰무기·탄약 봉인 등)와 안전검측, 안전조사 등으로 구분할 수 있다.

제11절 대테러업무

01 서설

1. 테러의 정의

테러란 정치적 또는 사회적 영향력을 증대하기 위한 목적으로 조직적·계획적으로 비합법적인 폭력을 사용하거나 위협함으로써 상징적인 인물이나 불특정 다수에게 심리적인 공포심을 부여하는 행위를 말한다.

Add ⊕

미국 FBI가 정의한 테러의 개념

테러는 주로 정치적인 동기 등에 의한 특정 이념이나 주장을 알리기 위한 목적으로 자행하는 것으로 경제적 재화 획득이 테러의 목적이 될 수는 없다.

2. 테러리즘의 유형

(1) 이데올로기적 테러리즘

좌익 테러리즘	혁명주의, 마르크스주의, 네오마르크스주의, 트로츠키즘, 모택동(마오)주의, 아나키즘(무정부주의) 등
우익 테러리즘	특정인종 우월주의(백인우월주의), 파시즘, 네오파시즘, 나치즘, 네오나치즘 등

(2) 민족주의적 테러리즘

민족주의적 테러리즘은 민족공동체를 기반으로 해서 특정지역의 독립이나 자율을 주장하는 테러리즘이다.

(3) 국가 테러리즘

테러대상이 국내(또는 국민)인가 국외인가에 따라 국가 테러리즘과 국가간 테러리즘으로 개념상 구분한다.

02 대테러부대

1. 경찰특공대(KNP-SOU, SWAT)

(1) 86년 아시안게임과 88년 올림픽을 대비하여 1983년에 창설된 치안본부(현 경찰청) 소속의 대테러 부대로서 현재는 서울지방경찰청 직할부대로 소속되어 있다. 1997년에는 각 지방청에도 지방경찰특공대가 창설되었다.

(2) 대통령과 외국의 주요 국빈경호를 담당하고, 지역적 활동범위는 국내로 한정되어 있으며 해외작전은 군(軍)에서 담당한다.

(3) 경찰특공대의 출동에 관한 사항은 경찰청장이 결정하며, 무력진압작전은 테러대책회의에서 결정한다.

2. 각국의 대테러부대

부대	내용
SAS(영국)	① 인질극, 유괴, 선박 및 항공기 납치, 폭파공격, 암살 등을 포함한 모든 형태의 테러행위에 대한 대응을 그 임무로 한다. ② 육군 소속의 부대이지만 내무부장관이 위원장으로 있는 각료급 위원회인 비상통제센터의 지휘를 받는다.
SWAT(미국)	① 각 주별로 조직된 경찰특수부대로서 기동타격대, 전술작전단, 특별무기전술기동대 등으로 명칭을 다양하게 사용하지만 테러진압이라는 목표는 동일하다. ② 작전상황에 따라 다르지만 공격조, 관측 및 저격조, 지원조의 3개 조로 구성되는 것이 일반적이다. ③ FBI의 지휘통제를 받는다.
GSG-9(독일)	① 1972년 뮌헨 올림픽에서 '검은 9월단'에 의한 이스라엘 선수단에 대한 테러사건을 계기로 창설되었다. ② 연방국경경비대(BGS) 소속이며 지휘반, 통신문서반, 전투반 등 3개의 반으로 구성된다.
GIGN(프랑스)	① 1973년 11월 창설된 대테러 부대로 국가헌병대 소속의 부대이다. 경찰소속의 대테러부대로 GIPN을 별도로 운용한다. ② 인질구출을 주임무로 하지만 VIP에 대한 경호 및 주요 시설물에 대한 방어, 극악범 호송 등의 임무도 수행한다. ③ 부대의 출동은 국방부장관이 내무부장관과 협의하여 건의하면 총리가 결정한다.
Sayeret Mat'kal (이스라엘)	① 이스라엘 정보국 산하의 대테러부대로 자국 항공기에 대한 납치 예방, 아랍국가에 의한 테러공격에 대한 보복작전 등에 투입된다. ② 엔테베 작전 등을 수행하였다.

03 인질범과 인질과의 관계

1. 리마 증후군(Lima Syndrome)

리마 증후군이란 1995년 12월 17일 페루의 수도인 리마 소재 일본대사관에 투팍 아마르 소속의 게릴라가 잠입하여 대사관 직원 등을 126일 동안 인질로 잡은 사건에서 유래된 것이다. 리마 증후군은 시간이 흐를수록 인질범이 인질에게 일체감을 느끼게 되고 인질의 입장을 이해하여 호의를 베푸는 등 인질범이 인질에게 동화되는 현상을 말한다.

2. 스톡홀름 증후군(Stockholm Syndrome)

스톡홀름 증후군이란 인질사건에서 시간이 경과함에 따라 인질범과 인질 사이에 감정이입이 이루어져 친근감이 생기게 되는 현상이다. 스톡홀름 증후군은 인질이 인질범에게 동화되는 현상을 말하며 오귀인 효과라고도 한다.

04 국민보호와 공공안전을 위한 테러방지법

1. 목적(제1조)

국민보호와 공공안전을 위한 테러방지법(이하 '법'이라 한다)은 테러의 예방 및 대응 활동 등에 관하여 필요한 사항과 테러로 인한 피해보전 등을 규정함으로써 테러로부터 국민의 생명과 재산을 보호하고 국가 및 공공의 안전을 확보하는 것을 목적으로 한다.

2. 정의(제2조)

이 법에서 사용하는 용어의 뜻은 다음과 같다.

테러	국가·지방자치단체 또는 외국 정부(외국 지방자치단체와 조약 또는 그 밖의 국제적인 협약에 따라 설립된 국제기구를 포함한다)의 권한행사를 방해하거나 의무 없는 일을 하게 할 목적 또는 공중을 협박할 목적으로 하는 다음의 행위를 말한다. ① 사람을 살해하거나 사람의 신체를 상해하여 생명에 대한 위험을 발생하게 하는 행위 또는 사람을 체포·감금·약취·유인하거나 인질로 삼는 행위 ② 항공기(항공안전법 제2조 제1호의 항공기를 말한다)와 관련된 다음 각각의 어느 하나에 해당하는 행위 ㉠ 운항 중(항공보안법 제2조 제1호의 운항 중을 말한다)인 항공기를 추락시키거나 전복·파괴하는 행위, 그 밖에 운항 중인 항공기의 안전을 해칠 만한 손괴를 가하는 행위 ㉡ 폭행이나 협박, 그 밖의 방법으로 운항 중인 항공기를 강탈하거나 항공기의 운항을 강제하는 행위 ㉢ 항공기의 운항과 관련된 항공시설을 손괴하거나 조작을 방해하여 항공기의 안전운항에 위해를 가하는 행위 ③ 선박(선박 및 해상구조물에 대한 위해행위의 처벌 등에 관한 법률 제2조 제1호 본문의 선박을 말한다) 또는 해상구조물(같은 법 제2조 제5호의 해상구조물을 말한다)과 관련된 다음 각각의 어느 하나에 해당하는 행위 ㉠ 운항(같은 법 제2조 제2호의 운항을 말한다) 중인 선박 또는 해상구조물을 파괴하거나, 그 안전을 위태롭게 할 만한 정도의 손상을 가하는 행위(운항 중인 선박이나 해상구조물에 실려 있는 화물에 손상을 가하는 행위를 포함한다) ㉡ 폭행이나 협박, 그 밖의 방법으로 운항 중인 선박 또는 해상구조물을 강탈하거나 선박의 운항을 강제하는 행위 ㉢ 운항 중인 선박의 안전을 위태롭게 하기 위하여 그 선박 운항과 관련된 기기·시설을 파괴하거나 중대한 손상을 가하거나 기능장애 상태를 일으키는 행위

테러	④ 사망・중상해 또는 중대한 물적 손상을 유발하도록 제작되거나 그러한 위력을 가진 생화학・폭발성・소이성(燒夷性) 무기나 장치를 다음 각각의 어느 하나에 해당하는 차량 또는 시설에 배치하거나 폭발시키거나 그 밖의 방법으로 이를 사용하는 행위 ㉠ 기차・전차・자동차 등 사람 또는 물건의 운송에 이용되는 차량으로서 공중이 이용하는 차량 ㉡ ㉠에 해당하는 차량의 운행을 위하여 이용되는 시설 또는 도로, 공원, 역, 그 밖에 공중이 이용하는 시설 ㉢ 전기나 가스를 공급하기 위한 시설, 공중이 먹는 물을 공급하는 수도, 전기통신을 이용하기 위한 시설 및 그 밖의 시설로서 공용으로 제공되거나 공중이 이용하는 시설 ㉣ 석유, 가연성 가스, 석탄, 그 밖의 연료 등의 원료가 되는 물질을 제조 또는 정제하거나 연료로 만들기 위하여 처리・수송 또는 저장하는 시설 ㉤ 공중이 출입할 수 있는 건조물・항공기・선박으로서 ㉠부터 ㉣까지에 해당하는 것을 제외한 시설 ⑤ 핵물질(원자력시설 등의 방호 및 방사능 방재 대책법 제2조 제1호의 핵물질을 말한다), 방사성물질(원자력안전법 제2조 제5호의 방사성물질을 말한다) 또는 원자력시설(원자력시설 등의 방호 및 방사능 방재 대책법 제2조 제2호의 원자력시설을 말한다)과 관련된 다음 각각의 어느 하나에 해당하는 행위 ㉠ 원자로를 파괴하여 사람의 생명・신체 또는 재산을 해하거나 그 밖에 공공의 안전을 위태롭게 하는 행위 ㉡ 방사성물질 등과 원자로 및 관계 시설, 핵연료주기시설 또는 방사선발생장치를 부당하게 조작하여 사람의 생명이나 신체에 위험을 가하는 행위 ㉢ 핵물질을 수수・소지・소유・보관・사용・운반・개조・처분 또는 분산하는 행위 ㉣ 핵물질이나 원자력시설을 파괴・손상 또는 그 원인을 제공하거나 원자력시설의 정상적인 운전을 방해하여 방사성물질을 배출하거나 방사선을 노출하는 행위
테러단체	국제연합(UN)이 지정한 테러단체를 말한다.
테러위험인물	테러단체의 조직원이거나 테러단체 선전, 테러자금 모금・기부, 그 밖에 테러 예비・음모・선전・선동을 하였거나 하였다고 의심할 상당한 이유가 있는 사람을 말한다.
외국인 테러전투원	테러를 실행・계획・준비하거나 테러에 참가할 목적으로 국적국이 아닌 국가의 테러단체에 가입하거나 가입하기 위하여 이동 또는 이동을 시도하는 내국인・외국인을 말한다.
테러자금	공중 등 협박목적 및 대량살상무기확산을 위한 자금조달행위의 금지에 관한 법률 제2조 제1호에 따른 공중 등 협박목적을 위한 자금을 말한다.
대테러활동	테러 관련 정보의 수집, 테러위험인물의 관리, 테러에 이용될 수 있는 위험물질 등 테러수단의 안전관리, 인원・시설・장비의 보호, 국제행사의 안전확보, 테러위협에의 대응 및 무력진압 등 테러 예방과 대응에 관한 제반 활동을 말한다.
관계 기관	대테러활동을 수행하는 국가기관, 지방자치단체, 그 밖에 대통령령으로 정하는 기관을 말한다.
대테러조사	대테러활동에 필요한 정보나 자료를 수집하기 위하여 현장조사・문서열람・시료채취 등을 하거나 조사대상자에게 자료제출 및 진술을 요구하는 활동을 말한다.

3. 다른 법률과의 관계(제4조)

이 법은 대테러활동에 관하여 다른 법률에 우선하여 적용한다.

4. 테러대응기관

(1) 국가테러대책위원회(제5조)

① 대테러활동에 관한 정책의 중요사항을 심의·의결하기 위하여 국가테러대책위원회(이하 '대책위원회'라 한다)를 둔다.

② 대책위원회는 국무총리 및 관계 기관의 장 중 대통령령으로 정하는 사람으로 구성하고 위원장은 국무총리로 한다.

③ 대책위원회는 다음의 사항을 심의·의결한다.

㉠ 대테러활동에 관한 국가의 정책 수립 및 평가

㉡ 국가 대테러 기본계획 등 중요 중장기 대책 추진사항

㉢ 관계 기관의 대테러활동 역할 분담·조정이 필요한 사항

㉣ 그 밖에 위원장 또는 위원이 대책위원회에서 심의·의결할 필요가 있다고 제의하는 사항

④ 그 밖에 대책위원회의 구성·운영 등에 필요한 사항은 대통령령으로 정한다.

(2) 대테러센터(제6조)

① 대테러활동과 관련하여 다음의 사항을 수행하기 위하여 국무총리 소속으로 관계 기관 공무원으로 구성되는 대테러센터를 둔다.

㉠ 국가 대테러활동 관련 임무분담 및 협조사항 실무 조정

㉡ 장단기 국가대테러활동 지침 작성·배포

㉢ 테러경보 발령

㉣ 국가 중요행사 대테러안전대책 수립

㉤ 대책위원회의 회의 및 운영에 필요한 사무의 처리

㉥ 그 밖에 대책위원회에서 심의·의결한 사항

② 대테러센터의 조직·정원 및 운영에 관한 사항은 대통령령으로 정한다.

③ 대테러센터 소속 직원의 인적사항은 공개하지 아니할 수 있다.

(3) 대테러 인권보호관(제7조)

① 관계 기관의 대테러활동으로 인한 국민의 기본권 침해 방지를 위하여 대책위원회 소속으로 대테러 인권보호관(이하 '인권보호관'이라 한다) 1명을 둔다.

② 인권보호관의 자격, 임기 등 운영에 관한 사항은 대통령령으로 정한다.

5. 테러위험인물에 대한 정보 수집 등(제9조)

(1) 국가정보원장은 테러위험인물에 대하여 출입국·금융거래 및 통신이용 등 관련 정보를 수집할 수 있다. 이 경우 출입국·금융거래 및 통신이용 등 관련 정보의 수집은 출입국관리법, 관세법, 특정 금융거래정보의 보고 및 이용 등에 관한 법률, 통신비밀보호법의 절차에 따른다.

(2) 국가정보원장은 (1)에 따른 정보 수집 및 분석의 결과 테러에 이용되었거나 이용될 가능성이 있는 금융거래에 대하여 지급정지 등의 조치를 취하도록 금융위원회 위원장에게 요청할 수 있다.

(3) 국가정보원장은 테러위험인물에 대한 개인정보(개인정보 보호법상 민감정보를 포함한다)와 위치정보를 개인정보 보호법 제2조의 개인정보처리자와 위치정보의 보호 및 이용 등에 관한 법률 제5조 제7항에 따른 개인위치정보사업자 및 같은 법 제5조의2 제3항에 따른 사물위치정보사업자에게 요구할 수 있다.

(4) 국가정보원장은 대테러활동에 필요한 정보나 자료를 수집하기 위하여 대테러조사 및 테러위험인물에 대한 추적을 할 수 있다. 이 경우 사전 또는 사후에 대책위원회 위원장에게 보고하여야 한다.

6. 외국인테러전투원에 대한 규제(제13조)

(1) 관계 기관의 장은 외국인테러전투원으로 출국하려 한다고 의심할 만한 상당한 이유가 있는 내국인·외국인에 대하여 일시 출국금지를 법무부장관에게 요청할 수 있다.

(2) (1)에 따른 일시 출국금지기간은 90일로 한다. 다만, 출국금지를 계속할 필요가 있다고 판단할 상당한 이유가 있는 경우에 관계 기관의 장은 그 사유를 명시하여 연장을 요청할 수 있다.

(3) 관계 기관의 장은 외국인테러전투원으로 가담한 사람에 대하여 여권법 제13조에 따른 여권의 효력정지 및 같은 법 제12조의2에 따른 재발급 제한을 외교부장관에게 요청할 수 있다.

05 테러취약시설 안전활동에 관한 규칙

1. 서설

(1) 목적(제1조)

이 규칙은 경찰법 제3조, 경찰관 직무집행법 제2조, 통합방위법 및 동법 시행령, 통합방위지침(대통령훈령), 국민보호와 공공안전을 위한 테러방지법 및 동법 시행령, 외교관계에 관한 비엔나협약에 따른 테러취약시설에 대한 안전활동에 관하여 필요한 사항을 규정함을 목적으로 한다.

(2) 정의(제2조)

테러취약시설	테러 예방 및 대응을 위해 경찰이 관리하는 다음의 시설·건축물 등 중 경찰청장이 지정하는 것을 말한다. ① 국가중요시설 ② 다중이용건축물등 ③ 공관지역 ④ 미군 관련 시설 ⑤ 그 밖에 특별한 관리가 필요하다고 제14조의 테러취약시설 심의위원회(이하 '심의위원회'라고 한다)에서 결정한 시설
국가중요시설	통합방위법 제21조 제4항에 따라 국방부장관이 지정한 시설을 말한다.
다중이용건축물 등	재난 및 안전관리 기본법 시행령 제43조의8 제1호·제2호에 따른 건축물 또는 시설로서 관계기관의 장이 소관업무와 관련하여 대테러센터장과 협의하여 지정한 것을 말한다.

2. 테러취약시설의 지정

(1) 지정 등 권한자(제5조)

테러취약시설의 지정 등은 경찰청장이 행한다.

(2) 다중이용건축물등의 분류(제9조)

다중이용건축물등은 기능・역할의 중요성과 가치의 정도에 따라 'A'등급, 'B'등급, 'C'등급(이하 각 'A급', 'B급', 'C급'이라 한다)으로 구분한다.

A급	테러에 의하여 파괴되거나 기능 마비시 광범위한 지역의 대테러진압작전이 요구되고, 국민생활에 결정적인 영향을 미칠 수 있는 건축물 또는 시설
B급	테러에 의하여 파괴되거나 기능 마비시 일부 지역의 대테러진압작전이 요구되고, 국민생활에 중대한 영향을 미칠 수 있는 건축물 또는 시설
C급	테러에 의하여 파괴되거나 기능 마비시 제한된 지역에서 단기간 대테러진압작전이 요구되고, 국민생활에 상당한 영향을 미칠 수 있는 건축물 또는 시설

3. 테러취약시설 지도・점검 및 방호실태조사

(1) 국가중요시설 지도・점검(제21조)

① 경찰서장은 관할 내에 있는 국가중요시설 전체에 대하여 연 1회 이상 지도・점검을 실시하여야 한다.

② 시・도경찰청장은 관할 내 국가중요시설 중 선별하여 연 1회 이상 지도・점검을 실시한다

③ 경찰청장은 경찰관서장이 국가중요시설에 대해 적절한 지도・점검을 실시하는지 감독하고, 선별적으로 지도・점검을 실시한다.

④ 경찰관서장이 통합방위지침에 의한 경・군 합동으로 지도・점검을 실시한 경우에는 해당 기간에 자체 지도・점검을 실시한 것으로 본다.

(2) 다중이용건축물 등 지도・점검(제22조)

① 경찰서장은 관할 내에 있는 다중이용건축물 등 전체에 대해 해당 시설 관리자의 동의를 받아 다음과 같이 지도・점검을 실시하여야 한다.

> ㉠ A급: 분기 1회 이상
> ㉡ B급, C급: 반기 1회 이상

② 시・도경찰청장은 관할 내 다중이용건축물 등 중 일부를 선별하여 해당 시설 관리자의 동의를 받아 반기 1회 이상 지도・점검을 실시하여야 한다.

③ 경찰청장은 경찰관서장이 다중이용건축물 등에 대해 적절한 지도・점검을 실시하는지 감독하고, 해당 시설 관리자의 동의를 받아 선별적으로 지도・점검을 실시하여야 한다.

제12절 경찰작전

01 서설

1. 경찰작전의 의의

대간첩작전, 전시대비 경찰작전, 비상업무, 상황실의 운영, 검문검색 등의 작전상황에 대비한 경비경찰의 일체의 작전업무를 말한다.

2. 경찰작전 근거규정

경찰이 작전임무를 수행하는 것은 우리나라의 남북분단이라는 특수한 상황에 기인한 것으로, 경찰관 직무집행법 제2조와 통합방위법에 근거하여 일정한 지역 및 인적 작전 대상범위 내에서 대간첩작전 등을 수행하도록 되어 있다.

02 통합방위법(통합방위작전)

1. 정의(제2조)

구분	내용
통합방위	적의 침투·도발이나 그 위협에 대응하기 위하여 각종 국가방위요소를 통합하고 지휘체계를 일원화하여 국가를 방위하는 것을 말한다.
통합방위작전	통합방위사태가 선포된 지역에서 제15조에 따라 통합방위본부장, 지역군사령관, 함대사령관 또는 시·도경찰청장(이하 '작전지휘관'이라 한다)이 국가방위요소를 통합하여 지휘·통제하는 방위작전을 말한다.
통합방위사태	적의 침투·도발이나 그 위협에 대응하여 선포하는 단계별 사태를 말한다.
갑종사태	일정한 조직체계를 갖춘 적의 대규모 병력 침투 또는 대량살상무기(大量殺傷武器) 공격 등의 도발로 발생한 비상사태로서 통합방위본부장 또는 지역군사령관의 지휘·통제하에 통합방위작전을 수행하여야 할 사태를 말한다.
을종사태	일부 또는 여러 지역에서 적이 침투·도발하여 단기간 내에 치안이 회복되기 어려워 지역군사령관의 지휘·통제하에 통합방위작전을 수행하여야 할 사태를 말한다.
병종사태	적의 침투·도발 위협이 예상되거나 소규모의 적이 침투하였을 때에 시·도경찰청장, 지역군사령관 또는 함대사령관의 지휘·통제하에 통합방위작전을 수행하여 단기간 내에 치안이 회복될 수 있는 사태를 말한다.

2. 통합방위기구 운용

(1) 중앙 통합방위협의회(제4조)

① 국무총리 소속으로 중앙 통합방위협의회(이하 '중앙협의회'라 한다)를 둔다.

② 중앙협의회의 의장은 국무총리가 되고, 위원은 기획재정부장관, 교육부장관, 과학기술정보통신부장관, 외교부장관, 통일부장관, 법무부장관, 국방부장관, 행정안전부장관, 국가보훈부장관, 문화체육관광부장관, 농림축산식품부장관, 산업통상자원부장관, 보건복지부장관, 환경부장관, 고용노동부장관, 여성가족부장관, 국토교통부장관, 해양수산부장관, 중소벤처기업부장관, 국무조정실장, 법제처장, 식품의약품안전처장, 국가정보원장 및 통합방위본부장과 그 밖에 대통령령으로 정하는 사람이 된다.

③ 중앙협의회에 간사 1명을 두고, 간사는 통합방위본부의 부본부장이 된다.

④ 중앙협의회는 다음의 사항을 심의한다.

㉠ 통합방위 정책

㉡ 통합방위작전 · 훈련 및 지침

㉢ 통합방위사태의 선포 또는 해제

㉣ 그 밖에 통합방위에 관하여 대통령령으로 정하는 사항

(2) 통합방위본부(제8조)

① 합동참모본부에 통합방위본부를 둔다. 통합방위본부에는 본부장과 부본부장 1명씩을 두되, 통합방위본부장은 합동참모의장이 되고 부본부장은 합동참모본부에서 군사작전에 대한 기획 등 작전 업무를 총괄하는 참모 부서의 장이 된다.

② 통합방위본부는 다음의 사무를 분장한다.

㉠ 통합방위 정책의 수립 · 조정

㉡ 통합방위 대비태세의 확인 · 감독

㉢ 통합방위작전 상황의 종합 분석 및 대비책의 수립

㉣ 통합방위작전, 훈련지침 및 계획의 수립과 그 시행의 조정 · 통제

㉤ 통합방위 관계 기관간의 업무협조 및 사업 집행사항의 협의 · 조정

③ 통합방위본부에 통합방위에 관한 정부 내 업무협조와 그 밖에 통합방위업무의 원활한 수행을 위하여 통합방위 실무위원회(이하 '실무위원회'라 한다)를 둔다.

03 경계태세 및 통합방위사태

1. 경계태세(제11조)

(1) 대통령령으로 정하는 군부대의 장 및 경찰관서의 장(이하 '발령권자'라 한다)은 적의 침투 · 도발이나 그 위협이 예상될 경우 통합방위작전을 준비하기 위하여 경계태세를 발령할 수 있다.

(2) 발령권자는 경계태세상황이 종료되거나 상급지휘관의 지시가 있는 경우 경계태세를 해제하여야 하고, 통합방위사태가 선포된 때에는 경계태세는 해제된 것으로 본다.

2. 통합방위사태의 선포(제12조)

통합방위법

제12조 【통합방위사태의 선포】 ① 통합방위사태는 갑종사태, 을종사태 또는 병종사태로 구분하여 선포한다.

② 제1항의 사태에 해당하는 상황이 발생하면 다음 각 호의 구분에 따라 해당하는 사람은 즉시 국무총리를 거쳐 대통령에게 통합방위사태의 선포를 건의하여야 한다.

1. 갑종사태에 해당하는 상황이 발생하였을 때 또는 둘 이상의 특별시 · 광역시 · 특별자치시 · 도 · 특별자치도(이하 '시 · 도'라 한다)에 걸쳐 을종사태에 해당하는 상황이 발생하였을 때: 국방부장관
2. 둘 이상의 시 · 도에 걸쳐 병종사태에 해당하는 상황이 발생하였을 때: 행정안전부장관 또는 국방부장관

③ 대통령은 제2항에 따른 건의를 받았을 때에는 중앙협의회와 국무회의의 심의를 거쳐 통합방위사태를 선포할 수 있다.

④ 시·도경찰청장, 지역군사령관 또는 함대사령관은 을종사태나 병종사태에 해당하는 상황이 발생한 때에는 즉시 시·도지사에게 통합방위사태의 선포를 건의하여야 한다.
⑤ 시·도지사는 제4항에 따른 건의를 받은 때에는 시·도 협의회의 심의를 거쳐 을종사태 또는 병종사태를 선포할 수 있다.
⑥ 시·도지사는 제5항에 따라 을종사태 또는 병종사태를 선포한 때에는 지체 없이 행정안전부장관 및 국방부장관과 국무총리를 거쳐 대통령에게 그 사실을 보고하여야 한다.
⑦ 제3항이나 제5항에 따라 통합방위사태를 선포할 때에는 그 이유, 종류, 선포 일시, 구역 및 작전지휘관에 관한 사항을 공고하여야 한다.
⑧ 시·도지사가 통합방위사태를 선포한 지역에 대하여 대통령이 통합방위사태를 선포한 때에는 그 때부터 시·도지사가 선포한 통합방위사태는 효력을 상실한다.
⑨ 제1항부터 제8항까지에서 규정한 사항 외에 통합방위사태의 구체적인 선포 요건·절차 및 공고 방법 등에 관하여 필요한 사항은 대통령령으로 정한다.

구분	선포건의권자	선포권자
① 갑종사태 ② 둘 이상의 **특별시·광역시·특별자치시·도·특별자치도(이하 '시·도'라 한다)에 걸쳐** 을종사태**에 해당하는 상황이 발생하였을 때**	국방부장관	대통령
둘 이상의 시·도에 걸쳐 병종사태**에 해당하는 상황이 발생하였을 때**	행정안전부장관 또는 국방부장관	
을종사태나 병종사태**에 해당하는 상황이 발생한 때**	시·도경찰청장·지역군사령관 또는 함대사령관	시·도지사

✎ 국방부장관이나 행정안전부장관이 통합방위사태의 선포를 건의하는 경우 국무총리를 거쳐야 한다.

3. 국회 또는 시·도의회에 대한 통고 등(제13조)

(1) 대통령은 통합방위사태를 선포한 때에는 지체 없이 그 사실을 국회에 통고하여야 한다. 시·도지사는 통합방위사태를 선포한 때에는 지체 없이 그 사실을 시·도의회에 통고하여야 한다.

(2) 대통령 또는 시·도지사는 통고를 할 때에 국회 또는 시·도의회가 폐회 중이면 그 소집을 요구하여야 한다.

4. 통합방위사태의 해제(제14조)

(1) 대통령의 통합방위사태 해제

① 대통령은 통합방위사태가 평상 상태로 회복되거나 국회가 해제를 요구하면 지체 없이 그 통합방위사태를 해제하고 그 사실을 공고하여야 한다. 대통령이 통합방위사태를 해제하려면 중앙협의회와 국무회의의 심의를 거쳐야 한다. 다만, 국회가 해제를 요구한 경우에는 그러하지 아니한다.

② 국방부장관 또는 행정안전부장관은 통합방위사태가 평상 상태로 회복된 때에는 국무총리를 거쳐 대통령에게 통합방위사태의 해제를 건의하여야 한다.

(2) 시·도지사의 통합방위사태 해제

① 시·도지사는 통합방위사태가 평상 상태로 회복되거나 시·도의회에서 해제를 요구하면 지체 없이 통합방위사태를 해제하고 그 사실을 공고하여야 한다. 이 경우 시·도지사는 그 통합방위사태의 해제사실을 행정안전부장관 및 국방부장관과 국무총리를 거쳐 대통령에게 보고하여야 한다.

② 시·도지사는 통합방위사태를 해제하려면 시·도 협의회의 심의를 거쳐야 한다. 다만, 시·도의회가 해제를 요구하였을 때에는 그러하지 아니한다.

③ 시 · 도경찰청장, 지역군사령관 또는 함대사령관은 통합방위사태가 평상 상태로 회복된 때에는 시 · 도지사에게 통합방위사태의 해제를 건의하여야 한다.

04 통합방위작전 및 훈련

1. 통합방위작전의 관할 구역(제15조)

지상 관할 구역	특정경비지역, 군 관할 지역 및 경찰 관할 지역
해상 관할 구역	특정경비해역 및 일반경비해역
공중 관할 구역	비행금지공역(空域) 및 일반공역

2. 통합방위작전의 수행권자(제15조)

시 · 도경찰청장, 지역군사령관 또는 함대사령관은 통합방위사태가 선포된 때에는 즉시 다음의 구분에 따라 통합방위작전(공군작전사령관의 경우에는 통합방위 지원작전)을 신속하게 수행하여야 한다. 다만, 을종사태가 선포된 경우에는 지역군사령관이 통합방위작전을 수행하고, 갑종사태가 선포된 경우에는 통합방위본부장 또는 지역군사령관이 통합방위작전을 수행한다.

① **경찰 관할 지역**: 시 · 도경찰청장
② **특정경비지역 및 군 관할 지역**: 지역군사령관
③ **특정경비해역 및 일반경비해역**: 함대사령관
④ **비행금지공역 및 일반공역**: 공군작전사령관

3. 통제구역 등(제16조)

시 · 도지사 또는 시장 · 군수 · 구청장은 다음의 어느 하나에 해당하면 대통령령으로 정하는 바에 따라 인명 · 신체에 대한 위해를 방지하기 위하여 필요한 통제구역을 설정하고, 통합방위작전 또는 경계태세 발령에 따른 군 · 경 합동작전에 관련되지 아니한 사람에 대하여는 출입을 금지 · 제한하거나 그 통제구역으로부터 퇴거할 것을 명할 수 있다.

① 통합방위사태가 선포된 경우
② 적의 침투 · 도발 징후가 확실하여 경계태세 1급이 발령된 경우

4. 대피명령(제17조)

시 · 도지사 또는 시장 · 군수 · 구청장은 통합방위사태가 선포된 때에는 인명 · 신체에 대한 위해를 방지하기 위하여 즉시 작전지역에 있는 주민이나 체류 중인 사람에게 대피할 것을 명할 수 있다.

5. 검문소의 운용(제18조)

시 · 도경찰청장, 지방해양경찰청장(대통령령으로 정하는 해양경찰서장을 포함한다), 지역군사령관 및 함대사령관은 관할구역 중에서 적의 침투가 예상되는 곳 등에 검문소를 설치 · 운용할 수 있다. 다만, 지방해양경찰청장이 검문소를 설치하는 경우에는 미리 관할 함대사령관과 협의하여야 한다.

Add ⊕

적의 침투 또는 출현이나 그러한 흔적을 발견한 사람은 누구든지 그 사실을 지체 없이 군부대 또는 행정기관에 신고하여야 한다(통합방위법 제19조).

Add ⊕

1. C.P
   Command Post의 약자로서 '지휘본부'를 뜻한다.
2. C.P.X
   Command Post Exercise의 약자로서 실제로 부대를 움직이는 것이 아니라 지휘소에서 지도를 놓고 경력을 움직이면서 행하는 훈련을 말하는 것으로 '지휘소 연습'이라고 한다. 경찰에서는 전시대비계획을 보강할 목적으로 제정한 비상대비업무지침에 의거하여 정부 전 기관이 상호 연계성을 유지하면서 동시에 종합적으로 실시하는 정부연습(을지연습)을 말한다.
3. F.T.X
   Field Trainning Exercise의 약자로서 '실제기동훈련'을 뜻한다.
4. O.P
   Observation Post의 약자로서 '관측초소'를 뜻한다.

제13절 경찰 비상업무 규칙

01 서설

1. 목적(제1조)

이 훈령은 「경찰공무원 복무규정」 제14조제2항 및 「국가공무원 복무규칙」 제2조제2항에 따라 치안상의 비상상황에 대한 지역별, 부서별 경찰력의 운용과 활동체계를 규정함으로써 비상상황에 효율적으로 대응함을 목적으로 한다.

2. 정의(제2조)

이 훈령에서 사용하는 용어의 뜻은 다음과 같다.

비상상황	대간첩 · 테러, 대규모 재난 등의 긴급상황이 발생하거나 발생할 우려가 있는 경우 또는 다수의 경력을 동원해야 할 치안수요가 발생하여 치안활동을 강화할 필요가 있는 때를 말한다.
지휘선상 위치 근무	비상연락체계를 유지하며 유사시 1시간 이내에 현장지휘 및 현장근무가 가능한 장소에 위치하는 것을 말한다.
정위치 근무	감독순시 · 현장근무 및 사무실 대기 등 관할 구역 내에 위치하는 것을 말한다.
정착근무	사무실 또는 상황과 관련된 현장에 위치하는 것을 말한다.

필수요원	모든 경찰공무원 및 일반직공무원(이하 "경찰관등"이라 한다) 중 경찰기관의 장이 지정한 사람으로 비상소집 시 1시간 이내에 응소해야 할 사람을 말한다.
일반요원	필수요원을 제외한 경찰관등으로 비상소집 시 2시간 이내에 응소해야 할 사람을 말한다.
가용경력	총원에서 휴가·출장·교육·파견 등을 제외하고 실제 동원될 수 있는 모든 인원을 말한다.
소집관	비상근무의 발령권자로부터 권한을 위임받아 비상근무발령에 따른 비상소집을 지휘·감독하는 주무 참모 또는 상황관리관(상황관리관의 임무를 수행하는 사람을 포함한다. 이하 같다)을 말한다.
작전준비태세	'경계강화' 단계를 발령하기 이전에 별도의 경력동원 없이 경찰작전부대의 출동태세 점검, 지휘관 및 참모의 비상연락망 구축 및 신속한 응소체제를 유지하며, 작전상황반을 운영하는 등 필요한 작전사항을 미리 조치하는 것을 말한다.

02 비상근무

1. 근무방침(제3조)

(1) 비상근무는 비상상황하에서 업무수행의 효율화를 도모하기 위해서 발령한다.

(2) 비상근무 대상은 경비·작전·재난·안보·수사·교통 업무와 관련한 비상상황에 국한한다. 다만, 두 종류 이상의 비상상황이 동시에 발생한 경우에는 긴급성 또는 중요도가 상대적으로 더 큰 비상상황의 비상근무로 통합하여 실시한다.

(3) 적용지역은 전국 또는 일정지역(시·도경찰청 또는 경찰서 관할)으로 구분한다. 다만, 2개 이상의 지역에 관련되는 상황은 바로 위의 상급 기관에서 주관하여 실시한다.

2. 비상근무의 종류 및 등급(제4조)

(1) 상황의 유형에 따른 구분

경비 소관	경비, 작전, 재난비상
안보 소관	안보비상
수사 소관	수사비상
교통 소관	교통비상

(2) 부서별 상황의 긴급성 및 중요도에 따른 구분

① 갑호 비상
② 을호 비상
③ 병호 비상
④ 경계강화
⑤ 작전준비태세(작전비상시 적용)

Add ⊕

비상근무의 종류별 정황

경비비상	갑호	① 계엄이 선포되기 전의 치안상태 ② 대규모 집단사태 · 테러 · 재난 등의 발생으로 치안질서가 극도로 혼란하게 되었거나 그 징후가 현저한 경우 ③ 국제행사 · 기념일 등을 전후하여 치안수요의 급증으로 가용경력을 100% 동원할 필요가 있는 경우
	을호	① 대규모 집단사태 · 테러 · 재난 등의 발생으로 치안질서가 혼란하게 되었거나 그 징후가 예견되는 경우 ②. 국제행사 · 기념일 등을 전후하여 치안수요가 증가하여 가용경력의 50%를 동원할 필요가 있는 경우
	병호	① 집단사태 · 테러 · 재난 등의 발생으로 치안질서의 혼란이 예견되는 경우 ② 국제행사 · 기념일 등을 전후하여 치안수요가 증가하여 가용경력의 30%를 동원할 필요가 있는 경우
작전비상	갑호	대규모 적정이 발생하였거나 발생 징후가 현저한 경우
	을호	적정이 발생하였거나 일부 적의 침투가 예상되는 경우
	병호	정 · 첩보에 의해 적 침투에 대비한 고도의 경계강화가 필요한 경우
안보비상	갑호	간첩 또는 정보사범 색출을 위한 경계지역 내 검문검색 필요시
	을호	상기 상황하에서 특정지역 · 요지에 대한 검문검색 필요시
수사비상	갑호	사회이목을 집중시킬만한 중대범죄 발생시
	을호	중요범죄 사건발생시
교통비상	갑호	농무, 풍수설해 및 화재로 극도의 교통혼란 및 사고발생시
	을호	상기 징후가 예상될 시
재난비상	갑호	대규모 재난의 발생으로 치안질서가 극도로 혼란하게 되었거나 그 징후가 현저한 경우
	을호	대규모 재난의 발생으로 치안질서가 혼란하게 되었거나 그 징후가 예견되는 경우
	병호	재난의 발생으로 치안질서의 혼란이 예견되는 경우
경계강화 (기능 공통)		'병호' 비상보다는 낮은 단계로, 별도의 경력동원 없이 평상시보다 치안활동을 강화할 필요가 있을 때
작전준비태세 (작전비상시 적용)		'경계강화'를 발령하기 이전에 별도의 경력동원 없이 필요한 작전사항을 미리 조치할 필요가 있을 때

3. 비상근무의 발령(제5조)

(1) 비상근무의 발령권자

① 전국 또는 2개 이상 시 · 도경찰청 관할지역: 경찰청장

② 시 · 도경찰청 또는 2개 이상 경찰서 관할지역: 시 · 도경찰청장

③ 단일 경찰서 관할지역: 경찰서장

(2) 비상근무의 발령권자는 비상상황이 발생하여 비상근무를 실시하고자 할 경우에는 비상근무의 목적, 지역, 기간 및 동원대상(해당 부서, 지휘관 및 참모의 범위 등을 포함한다) 등을 특정하여 비상근무발령서에 의하여 비상근무를 발령한다.

(3) 비상근무 발령권자는 비상구분, 실시목적, 기간 및 범위, 경력 및 장비동원사항 등을 바로 위의 상급 기관의 장에게 보고하여 사전에 승인을 얻어야 한다. 다만, 긴급을 요하는 경우에는 비상근무를 발령하고, 사후에 승인을 얻을 수 있다.

(4) 자치경찰사무와 관련이 있는 비상근무가 발령된 경우에는 해당 시·도경찰청장은 자치경찰위원회에 그 발령사실을 통보한다.

(5) 경계강화, 작전준비태세를 발령한 경우에는 승인을 요하지 아니한다.

(6) 비상근무를 발령할 경우에는 정황의 특수성을 고려하여 비상근무의 목적이 원활히 달성될 수 있도록 적정한 인원, 계급, 부서를 동원하여 불필요한 동원이 없도록 해야 한다.

4. 해제(제6조)

(1) 비상근무의 발령권자는 비상상황이 종료되는 즉시 비상근무를 해제하고, 비상근무 해제시 발령권자는 6시간 이내에 해제일시, 사유 및 비상근무결과 등을 바로 위의 상급 기관의 장에게 보고한다.

(2) 비상근무의 발령권자가 비상근무를 발령한 경우 바로 위의 상급 기관의 장은 비상근무의 적정성을 판단하여 비상근무의 해제를 지시할 수 있으며 지시를 받은 비상근무의 발령권자는 즉시 비상근무를 해제해야 한다.

5. 근무요령(제7조)

(1) 비상근무의 발령권자는 비상상황을 판단하여 다음의 기준에 따라 비상근무를 실시한다.

구분	내용
갑호 비상	① 연가를 중지하고 가용경력 100%까지 동원할 수 있다. ② 지휘관과 참모는 정착 근무를 원칙으로 한다.
을호 비상	① 연가를 중지하고 가용경력 50%까지 동원할 수 있다. ② 지휘관과 참모는 정위치근무를 원칙으로 한다.
병호 비상	① 부득이한 경우를 제외하고는 연가를 억제하고 가용경력 30%까지 동원할 수 있다. ② 지휘관과 참모는 정위치 근무 또는 지휘선상 위치근무를 원칙으로 한다.
경계강화	① 별도의 경력동원 없이 특정분야의 근무를 강화한다. ② 경찰관 등은 비상연락체계를 유지하고 상황발생시 즉각 출동이 가능하도록 출동대기태세를 유지한다. ③ 지휘관과 참모는 지휘선상 위치근무를 원칙으로 한다.
작전준비태세 (작전비상시 적용)	① 별도의 경력동원 없이 경찰관서 지휘관 및 참모의 비상연락망을 구축하고 신속한 응소체제를 유지한다. ② 경찰관등은 상황발생시 즉각 출동이 가능하도록 출동태세 점검을 실시한다. ③ 유관기관과의 긴밀한 연락체계를 유지하고, 필요시 작전상황반을 유지한다.

경계강화와 작전준비태세의 비교

경계강화	작전준비태세
① 별도의 경력동원 없이 특정분야의 근무를 강화한다. ② 경찰관 등은 비상연락체계를 유지하고 상황발생시 즉각 출동이 가능하도록 출동대기태세를 유지한다. ③ 지휘관과 참모는 지휘선상 위치근무를 원칙으로 한다.	① 별도의 경력동원 없이 경찰관서 지휘관 및 참모의 비상연락망을 구축하고 신속한 응소체제를 유지한다. ② 경찰관등은 상황발생시 즉각 출동이 가능하도록 출동태세 점검을 실시한다. ③ 유관기관과의 긴밀한 연락체계를 유지하고, 필요시 작전상황반을 유지한다.

(2) 비상근무의 발령권자는 비상근무에 동원된 경찰관등을 비상근무의 목적과 인원 등을 고려하여 현장배치, 대기근무 등으로 편성하여 운용한다.

(3) 비상근무가 장기간 유지될 경우에는 비상근무의 목적과 기간 등을 종합적으로 판단하여 지휘관과 참모 및 동원된 경찰관등은 기본근무 복귀 또는 귀가하여 비상연락체계를 갖추도록 할 수 있다.

(4) 비상등급별로 연가를 중지 또는 억제하되 경조사 휴가, 공가, 병가, 출산휴가 등 특별한 사유가 있는 경우에는 그렇지 않다.

6. 비상근무의 면제(제7조의2)

비상근무의 발령권자는 다음 각 호에 해당하는 경찰관등을 비상근무에서 면제할 수 있다.

1. 「국가공무원 복무규정」 제20조제5항에 따른 육아시간을 사용할 수 있는 사람. 다만 부부공무원인 경우 1명으로 한정한다.
2. 「비상대비훈련예규」 제7장제2절제1호나목 전단에 따라 을지연습 또는 을지연습 간 공무원비상소집 훈련의 제외 대상에 해당하는 사람
3. 건강상태 및 그 밖에 부득이한 사유로 비상근무를 수행할 수 없다고 비상근무의 발령권자가 인정하는 경우

7. 연습상황의 부여금지(제8조)

비상근무기간 중에는 비상근무의 발령권자의 지시 또는 승인 없이 연습상황을 부여해서는 안 된다. 다만, 경계강화, 작전준비태세의 경우에는 그렇지 않다.

03 응소

비상소집명령을 전달받은 자와 이를 알게 된 경찰관 등은 소집 장소로 응소하되, 필수요원은 1시간 이내에 일반요원은 2시간 이내에 응소함을 원칙으로 한다. 다만, 교통수단이 두절되거나 없을 때에는 가까운 경찰서에 응소 후 지시에 따른다(제12조 제2항).

04 연락체계의 유지

각 경찰기관에 근무하는 경찰관 등은 근무시간이 아닌 때에도 항상 소재파악이 가능하도록 비상연락체계를 유지하여야 한다(제17조 제1항).

제14절 청원경찰(청원경찰법)

01 목적

이 법은 청원경찰의 직무 · 임용 · 배치 · 보수 · 사회보장 및 그 밖에 필요한 사항을 규정함으로써 청원경찰의 원활한 운영을 목적으로 한다(제1조).

1. 청원경찰 일반

구분	내용
정의 (제2조)	'청원경찰'이란 다음의 어느 하나에 해당하는 기관의 장 또는 시설 · 사업장 등의 경영자가 경비[이하 '청원경찰경비'(請願警察經費)라 한다]를 부담할 것을 조건으로 경찰의 배치를 신청하는 경우 그 기관 · 시설 또는 사업장 등의 경비(警備)를 담당하게 하기 위하여 배치하는 경찰을 말한다. ① 국가기관 또는 공공단체와 그 관리하에 있는 중요 시설 또는 사업장 ② 국내 주재(駐在) 외국기관 ③ 그 밖에 행정안전부령으로 정하는 중요 시설, 사업장 또는 장소
청원경찰의 직무 (제3조)	청원경찰은 청원경찰의 배치결정을 받은 자(청원주)와 배치된 기관 · 시설 또는 사업장 등의 구역을 관할하는 경찰서장의 감독을 받아 그 경비구역만의 경비를 목적으로 필요한 범위에서 경찰관 직무집행법에 따른 경찰관의 직무를 수행한다. ✎ 경비구역 내에서의 범죄의 예방 · 진압 · 경비 · 요인경호 및 대간첩 작전수행, 위해의 방지, 질서유지가 직무범위에 해당한다(경찰관 직무집행법 제2조).

2. 청원경찰의 임용

구분	내용
청원경찰의 배치 (제4조)	① 청원경찰을 배치받으려는 자는 대통령령으로 정하는 바에 따라 관할 시 · 도경찰청장에게 청원경찰 배치를 신청하여야 한다. ② 시 · 도경찰청장은 제1항의 청원경찰 배치신청을 받으면 지체 없이 그 배치 여부를 결정하여 신청인에게 알려야 한다. ③ 시 · 도경찰청장은 청원경찰 배치가 필요하다고 인정하는 기관의 장 또는 시설 · 사업장의 경영자에게 청원경찰을 배치할 것을 요청할 수 있다.
청원경찰의 임용 등 (제5조)	① 청원경찰은 청원주가 임용하되, 임용을 할 때에는 미리 시 · 도경찰청장의 승인을 받아야 한다. ② 국가공무원법 제33조 각 호의 어느 하나의 결격사유에 해당하는 사람은 청원경찰로 임용될 수 없다. ③ 청원경찰의 임용자격 · 임용방법 · 교육 및 보수에 관하여는 대통령령으로 정한다. **청원경찰법 시행령** **제3조 【임용자격】** 법 제5조 제3항에 따른 청원경찰의 임용자격은 다음 각 호와 같다. 1. 18세 이상인 사람 2. 행정안전부령으로 정하는 신체조건에 해당하는 사람 ④ 청원경찰의 복무에 관하여는 국가공무원법 제57조, 제58조 제1항, 제60조 및 경찰공무원법 제24조를 준용한다.

임용방법 등 (청원경찰법 시행령 제4조)	① 법 제4조 제2항에 따라 청원경찰의 배치 결정을 받은 자(이하 '청원주'라 한다)는 법 제5조 제1항에 따라 그 배치 결정의 통지를 받은 날부터 30일 이내에 배치 결정된 인원수의 임용예정자에 대하여 청원경찰 임용승인을 시·도경찰청장에게 신청하여야 한다. ② 청원주가 법 제5조 제1항에 따라 청원경찰을 임용하였을 때에는 임용한 날부터 10일 이내에 그 임용사항을 관할 경찰서장을 거쳐 시·도경찰청장에게 보고하여야 한다. 청원경찰이 퇴직하였을 때에도 또한 같다.

3. 청원경찰의 감독

(1) 시·도경찰청장

시·도경찰청장은 청원경찰의 효율적인 운영을 위하여 청원주를 지도하며 감독상 필요한 명령을 발할 수 있다(제9조의3 제2항).

(2) 경찰서장

관할 경찰서장은 매월 1회 이상 청원경찰을 배치한 경비구역에 대하여 현장감독을 실시하여야 하며 복무규율과 근무사항, 무기의 관리 및 취급사항을 감독하여야 한다(청원경찰법 시행령 제17조).

(3) 청원주

청원주는 항시 소속 청원경찰의 근무수행상황을 감독하고 필요한 교양을 실시하여야 한다(제9조의3 제1항).

4. 청원경찰의 무기휴대(제8조)

시·도경찰청장은 청원경찰이 직무를 수행하기 위하여 필요하다고 인정하면 청원주의 신청을 받아 관할 경찰서장으로 하여금 청원경찰에게 무기를 대여하여 지니게 할 수 있다. 청원경찰의 복제(服制)와 무기휴대에 필요한 사항은 대통령령으로 정한다.

청원경찰법 시행령

제16조 【무기휴대】 ① 청원주가 법 제8조 제2항에 따라 청원경찰이 휴대할 무기를 대여받으려는 경우에는 관할 경찰서장을 거쳐 시·도경찰청장에게 무기대여를 신청하여야 한다.

② 제1항의 신청을 받은 시·도경찰청장이 무기를 대여하여 휴대하게 하려는 경우에는 청원주로부터 국가에 기부채납된 무기에 한정하여 관할 경찰서장으로 하여금 무기를 대여하여 휴대하게 할 수 있다.

③ 제1항에 따라 무기를 대여하였을 때에는 관할 경찰서장은 청원경찰의 무기관리 상황을 수시로 점검하여야 한다.

④ 청원주 및 청원경찰은 행정안전부령으로 정하는 무기관리수칙을 준수하여야 한다.

5. 청원경찰의 징계

청원경찰에 대한 징계의 종류는 파면·해임·정직·감봉 및 견책으로 한다.

청원경찰법

제5조의2 【청원경찰의 징계】 ① 청원주는 청원경찰이 다음 각 호의 어느 하나에 해당하는 때에는 대통령령으로 정하는 징계절차를 거쳐 징계처분을 하여야 한다.

1. 직무상의 의무를 위반하거나 직무를 태만히 한 때
2. 품위를 손상하는 행위를 한 때

② 청원경찰에 대한 징계의 종류는 파면, 해임, 정직, 감봉 및 견책으로 구분한다.
③ 청원경찰의 징계에 관하여 그 밖에 필요한 사항은 대통령령으로 정한다.

청원경찰법 시행령
제8조【징계】 ① 관할 경찰서장은 청원경찰이 법 제5조의2 제1항 각 호의 어느 하나에 해당한다고 인정되면 청원주에게 해당 청원경찰에 대하여 징계처분을 하도록 요청할 수 있다.
② 법 제5조의2 제2항의 정직(停職)은 1개월 이상 3개월 이하로 하고, 그 기간에 청원경찰의 신분은 보유하나 직무에 종사하지 못하며, 보수의 3분의 2를 줄인다.
③ 법 제5조의2 제2항의 감봉은 1개월 이상 3개월 이하로 하고, 그 기간에 보수의 3분의 1을 줄인다.
④ 법 제5조의2 제2항의 견책(譴責)은 전과(前過)에 대하여 훈계하고 회개하게 한다.

Add

청원경찰법
제7조의2【퇴직금】 청원주는 청원경찰이 퇴직할 때에는 근로자퇴직급여 보장법에 따른 퇴직금을 지급하여야 한다. 다만, 국가기관이나 지방자치단체에 근무하는 청원경찰의 퇴직금에 관하여는 따로 대통령령으로 정한다.
제8조【제복착용과 무기휴대】 ① 청원경찰은 근무 중 제복을 착용하여야 한다.
제10조【직권남용금지 등】 ① 청원경찰이 직무를 수행할 때 직권을 남용하여 국민에게 해를 끼친 경우에는 6개월 이하의 징역이나 금고에 처한다.
제10조의2【청원경찰의 불법행위에 대한 배상책임】 청원경찰(국가기관이나 지방자치단체에 근무하는 청원경찰은 제외한다)의 직무상 불법행위에 대한 배상책임에 관하여는 민법의 규정을 따른다.

MEMO

CHAPTER
04 치안정보경찰

제1절 정보의 기본개념

01 정보의 개념

1. 정보와 첩보의 의의

(1) 정보의 의의

정보란 정보를 필요로 하는 분야에 따라 여러 가지로 정의할 수 있으나 원래는 군대에서 사용하던 전문용어로 '적국의 동정에 관하여 알림'이라는 의미가 있다. 정보란 '특정한 상황에서 가치가 평가되고 체계화된 지식'으로 '2차 정보' 또는 '지식'이라고도 한다.

(2) 정보의 정의

제프리 리첼슨 (Jeffery T. Richelson)	정보는 외국이나 국외지역과 관련된 제반 첩보자료들을 수집 · 평가 · 분석 · 종합 · 판단의 과정을 거쳐 생성된 산출물이다.
마이클 허만 (Michael Herman)	정보란 정부 내에서 조직된 지식을 말한다.
에이브럼 슐스키 (Abram N. Shulsky)	정보란 국가안보 이익을 극대화하고 실제적 또는 잠재적 적대세력의 위험을 취급하는 정부의 정책수립과 정책의 구현과 연관된 자료이다.
마크 로웬탈 (Mark M. Lowenthal)	정보란 정책결정자의 필요성에 부응하는 지식을 말하며 이를 위해 수집 · 가공된 것을 말한다.
마이클 워너 (Michael Warner)	정보는 아측에 해악을 끼칠 수 있는 다른 국가나 다양한 적대세력의 영향을 완화시키거나, 그에 영향을 미치거나 또는 단지 그들을 이해하기 위한 노력을 지원하는 비밀스러운 그 무엇이다.
셔먼 켄트 (Sherman Kent)	정보란 지식이며 조직이고 활동이다.
노버트 위너 (Norvert Wiener)	정보란 인간이 외계에 적응하려고 행동하고 또 그 조절행동의 결과를 외계로부터 감지할 때에 외계와 교환하는 내용이다.
칼 클라우제비츠 (Carl von Clausewitz)	정보란 적과 적국에 관한 우리들의 지식의 총체를 의미하며 전쟁에 있어 아군의 계획 및 행동의 기초를 이루는 것이다.
데이비스 (G. B. Davis)	정보란 받아들이는 사람에게 필요한 형태로 처리된 데이터이며 현재 또는 정책의 의사결정에 있어서 실현되든가 또는 가치를 인정받는 것이다.
미국 CIA	우리를 둘러싸고 있는 주변 세계에 대한 지식과 선지로서 민간 지도자나 군지휘관에 관계없이 (정보)소비자들로 하여금 다양한 정책선택과 그 결과를 고려하게 하는 것이다.

정보기관이 내리는 정보에 대한 정의	① 정보란 국가의 정책결정을 위하여 수집된 첩보를 평가, 분석, 종합 및 해석한 결과로 얻은 지식을 말한다. ② 국가정책이나 전략기획을 수립하거나 의사를 결정하기 위한 사용자에게 가치 있고 유용한 지식이다. ③ 정보는 1차 정보 또는 생정보인 첩보의 평가·분석 등의 일련의 과정을 통하여 생산된 제2차적, 종합적, 창조적 지식이다.

⑶ 첩보의 의의

① 첩보란 목적성을 가지고 의도적으로 수집한 데이터를 말한다. 첩보는 의식적으로 수집하여야 하며, 아직 분석이나 평가 등의 정보처리과정을 거치지 않은 것이므로 다소 불확실하다는 특징을 가지고 있다. 그러므로 첩보는 다소 조잡하고 경우에 따라서는 용도에 맞지 않을 때도 있다. 근거가 희박한 풍문, 소문, 루머도 첩보의 일종에 해당한다.

② 첩보의 질을 결정짓는 요소에는 첩보수집기법, 수집자의 자질, 망원의 자질 등이 있다.

2. 정보와 첩보의 관계

⑴ 정보와 첩보의 비교

첩보의 수집은 정보생산의 전 단계이므로 첩보의 범주는 정보보다 훨씬 넓다. 정보활동의 궁극적 목적이 국가안전보장과 국가발전에 있으므로 첩보와 정보는 당연히 국가정책과 연계되어야 한다. 현재는 민주화 시대의 도래와 함께 국가이익 우선주의 사상에서 탈피하여 각종 첩보활동에 대한 민주적 통제가 강화되어가는 추세에 있다.

⑵ 정보와 첩보의 구분기준

구분	정보	첩보
정확성	객관적으로 평가된 정확한 지식	부정확한 견문지식을 포함
완전성	특정한 사용목적에 맞도록 평가·분석·종합·해석하여 만든 완전한 지식	기초적·단편적·불규칙적·미확인 상태의 불완전한 지식
적시성	정보사용자가 필요로 하는 때에 제공되어야 하는 적시성이 특히 요구됨	시간에 구애받지 않고 과거와 현재의 것을 불문
사용자의 목적성	사용자의 목적에 맞도록 작성된 지식	사물에 대해 보고 들은 상태 그 자체의 묘사이므로 목적성이 없음
생산과정의 특수성	첩보의 요구·수집 및 정보의 생산·배포 등의 과정을 거치면서 여러 사람의 협동작업을 통하여 생산	협동작업이 아닌 단편적이고 개인의 식견에 의한 지식
공통점	정보와 첩보 모두 지식으로서의 자료적 가치가 있음	

3. 정보와 정책과의 관계

⑴ 전통주의

전통주의란 정보와 정책에 대한 일정수준의 분리의 필요성을 강조한 입장으로 대표적 학자로는 Mark M. Lowenthal을 들 수 있다.

① 정보는 정책에 의존하여 존재하지만, 정책은 정보의 지지 없이도 존재할 수 있다.

② 정보생산자는 정보의 제공과 정보의 조작을 구분해야 한다.

③ 고위정책결정자들은 고위정보관에게 자문을 구할 수 있어야 한다.

④ 정보는 정책결정에 조언을 주는 방향으로만 기능해야 한다.

⑤ 전통주의를 따를 경우 현용정보에 치중하게 되는 경향이 있다.

(2) 행동주의

정보와 정책이 공생관계에 있기 때문에 상호관련성을 강조한 입장으로 CIA가 채택한 입장이다. 대표적 학자로는 Roger Hilsman이 있다.

① 정보생산자는 정책결정과정에 대한 연구와 이해가 있어야 한다.

② 정보생산자는 정보사용자에게 의미가 있는 사안들에 정보역량을 동원한다.

③ 정보와 정책간에 환류체제가 필요하다.

02 정보의 학문적 특성

1. 정보의 특성

필요성	정보는 정보사용자가 현재 당면하고 있거나 당면하게 될 문제해결을 위해 필요한 내용을 제공할 때 가치가 있다.
적시성	① 정보는 정보사용자의 의사결정에 필요한 시기에 제공되어야 가치가 있다. ② 일반적으로 시간이 지체될수록 정보의 가치가 줄어든다.
비이전성	정보는 타인에게 전달해도 본인에게 그 가치가 그대로 남는다.
누적효과성	정보는 축적되면 될수록 그 가치가 커진다.
신용가치성	정보는 출처(정보원)의 신용 정도에 따라 가치가 달라진다.
무한가치성	정보는 필요한 사람이면 누구에게나 가치를 가진다.
정보제공의 빈도	정보는 정보사용자에게 제시되는 빈도에 따라 그 가치가 달라진다.
완벽성	정보는 특정 상황에 대한 전반적이고 체계적인 내용을 모두 전달해 줄 수 있는가에 따라 가치가 달라진다.

2. 정보의 가치에 대한 평가요소와 효용성

(1) 정보의 가치

① 정보는 그 자체로 아무리 훌륭하다고 하더라도 그 정보를 필요로 하는 사람에 의해 적절히 사용되지 않는다면 아무런 가치가 없는 것이 된다.

② 동일한 정보라도 사용자가 다르면 그 가치는 달라진다.

③ 정보는 신속하고 정확하게 사용자의 목적에 도움을 줄 수 있을 때에 그 가치가 인정되며, 정보를 사용하는 사용자의 지식과 경험에 따라서도 정보의 활용성은 달라진다.

(2) 정보의 가치에 대한 평가요소

적실성(관련성)	정보가 정보 사용자의 사용목적에 얼마나 관련된 것인가의 여부에 대한 평가요소이다.
필요성	관련 정보가 사용자에게 필요한 지식인지에 대한 평가요소이다.
정확성	수집된 정보가 얼마나 정확한 것이냐에 대한 평가요소이다.
적시성	① 정보가 사용자가 필요한 때에 사용될 수 있도록 제공되느냐에 대한 평가요소이다. ② 정보의 적시성 문제를 평가할 때 그 기준이 되는 시점은 '사용자의 사용시점'이다. ③ 정보가 너무 이른 시기에 전달될 경우 불확실한 변수로 인한 오류가 있게 되고 보안성이 상실되기 쉬우며, 지나치게 늦게 제공될 경우 정보가치가 상실되거나 감소한다.
완전성	제시된 주제와 관련하여 얼마나 완전한 내용의 정보가 제공되느냐에 대한 평가요소이다.
객관성	정보가 생산자나 사용자의 의도에 따라 주관적으로 왜곡되면 선호 정책의 합리화 도구로 전락할 수 있다.
정보제공의 빈도	① 정보의 사용자에게 얼마나 자주 제공되느냐에 대한 평가요소이다. ② 정보가 자주 제공될수록 사용자에게는 도움이 될 가능성이 높으므로 그만큼 정보의 가치도 높아진다.

(3) 정보의 효용성

정보의 질적 요건을 갖춘 정보를 어떻게 사용하면 정책결정에 기여할 수 있는가에 대한 기준을 정보의 효용성이라고 한다.

형식효용	① 정보는 정보사용자가 요구하는 형식에 부합할 때 형식효용이 높다고 평가를 받게 된다. ② 형식효용은 보고서 1면주의와 관련이 있다. ③ 전략정보는 높은 수준의 정책결정자가 보는 만큼 형식효용에 있어서도 중요한 요소만을 압축한 형태(1면주의)가 바람직하지만, 전술정보는 낮은 수준의 정책결정자나 실무자에게 제공되므로 비교적 상세하고 구체적일 필요가 있다.
시간효용	① 정보는 정보사용자가 정보를 필요로 하는 시점에 제공될 때 시간효용이 높다는 평가를 받는다. ② 정보의 적시성과 가장 밀접하게 관련된 것은 시간효용이다.
소유효용	① 정보는 상대적으로 많이 소유할수록 집적의 효과를 발휘할 수 있다. ② 소유효용은 "정보는 국력이다."라는 말로 표현될 수 있다.
접근효용	정보는 정보사용자가 쉽게 접근할 수 있어야 한다.
통제효용	① 정보는 정보를 필요로 하는 사람들에게 필요한 만큼 제공되도록 통제되어야 한다. ② 차단의 원칙이나 방첩활동은 통제효용과 관련이 깊다.

3. 정보의 구분

(1) 사용수준(성질)에 따른 구분

전략정보	① 전략정보라 함은 국가정책과 안전보장에 막대한 영향을 주는 국가수준의 정보를 의미한다. ② 전시는 물론이고 평시에도 요구되는 국가수준의 정보이다.
전술정보	① 전략정보의 기본적인 방침하에서 이를 구체적으로 수행하기 위한 세부적 · 부분적인 정보를 말한다. ② 전략정보가 국가의 기본적 종합정보인 데 비하여 전술정보는 세부적이고 부분적인 정보이다.

Add ⊕

1. 방첩정보란 적 또는 집단의 정보공작에 대항하기 위한 정보를 말한다.
2. 전략정보와 전술정보는 항상 상대적인 개념으로 파악되고 있으며 또한 방첩정보와 구별하여 적극정보로서의 성격을 가진다.

(2) 출처에 따른 구분

① 근본출처와 부차적 출처

근본출처	㉠ 정보가 획득되는 실질적인 원천 ㉡ 이 출처에서 획득되는 정보가 중간기관이나 전달자에 의한 변조 없이 원형 그대로 입수할 수 있는 장점이 있음
부차적 출처	㉠ 근본출처에 의해 입수된 첩보가 중간기관에 의하여 부분적으로 평가, 요약, 변형된 것을 제공받는 출처 ㉡ 이 출처에서는 진실을 위장한 역정보와 과장 및 모략정보 그리고 조작정보가 산출될 소지가 많음

② 정기출처와 우연출처

정기출처	㉠ 정기적으로 정보를 획득할 수 있는 출처 ㉡ 정기간행물, 방송, 신문 등의 매스컴 출처와 정기적인 회의, 기타 정기적인 제보를 해주는 망원(網員) 등이 이에 해당
우연출처	㉠ 한때 우연히 정보가 제공되는 출처 ㉡ **소극적인 경우**: 사람이 많이 모인 장소, 다방이나 공원, 시장 등지에서 우연한 기회에 정보를 입수하는 것 ㉢ **적극적인 경우**: 평소 주위 사람들과 원만한 인간관계를 이루어 주변 사람들로 하여금 발생된 정보를 자발적으로 제공해 올 수 있도록 하는 경우

③ **비밀출처와 공개출처**: 비밀출처는 취재원이 보호를 받는 출처이며, 공개출처는 취재원이 공개된 출처를 말한다. 출처가 개방되고 공개되어 있다 하여 공개출처에서 얻은 첩보가 비밀출처보다 가치가 떨어지는 것은 아니며 오히려 우리가 얻는 정보의 대부분은 공개출처에서 얻어지고 있음을 감안할 때 공개출처의 중요성은 더욱 강조되고 있다고 할 수 있다.

(3) 입수형태에 따른 구분

직접정보	① 직접정보는 정보입수에 있어 어떠한 매체도 통하지 않고 직접 입수하는 형태 ② 신뢰도가 가장 높음
간접정보	간접정보는 입수시에 중간매체를 통하여 입수한 정보

(4) 요소별 구분

정치정보, 경제정보, 사회정보, 군사정보, 과학정보, 산업정보 등으로 분류할 수 있다.

(5) 대상(사용목적)에 따른 구분

적극정보	국가의 경찰기능에 필요한 정보 이외의 모든 정보
소극정보 (보안정보)	국가안전보장을 위태롭게 하는 간첩활동, 태업 및 전복에 대비할 국가적 취약점의 분석과 판단에 관한 정보로서 국가의 경찰기능을 위한 정보

(6) 기능(분석형태)에 따른 구분 – 기본정보, 현용정보, 판단정보

기본정보	① 모든 사상과 정적인 상태를 기술한 정보이다. ② 기술적·서술적 또는 일반자료적 유형의 정보이다. ③ 비교적 변화가 적은 기초적인 사항을 내용으로 한다. ④ 기본정보가 취급할 내용은 사실상 모든 변화의 기초라고 할 수 있다. ⑤ 기본정보는 현용정보 또는 판단정보의 작성자가 사용할 정보로서 일반적으로 정보수집록에 보관하였다가 백과사전화할 수 있는 정보이다.
현용정보	① 모든 사상의 동태를 현재의 시점에서 객관적으로 기술한 정보이다. ② 정책결정자 또는 의사결정자에게 현재 상황을 즉시 알리기 위한 정보이다. ③ 상황속보를 의미한다.
판단정보	① 어떤 사실 또는 사상에 대한 장래를 예고하고 정책결정에 대한 책임이 있는 정보사용자에게 적당한 사전지식을 주는 것이 주목적인 정보이다. ② 판단정보는 장래에 있을 어떤 상태에 관한 예측평가 또는 보고 유형의 정보로서 정보생산자의 능력과 재능을 가장 많이 요구한다. ③ 기획정보라고도 한다.

(7) 수집활동(방법)에 따른 구분 – 인간정보·기술정보

인간정보 (Human Intelligence)	① 인적 수단을 사용하여 수집한 정보(Human Intelligence ; HUMINT) ② 정보를 수집하는 임무를 수행하는 공무원인 정보요원(Intelligence Officer ; IO)이 대표적인 수단 ③ 해외에 주재하면서 주재국의 정보를 수집하는 외교관도 공적인 인적 수단에 해당 ④ 공적인 인적 수단 외에도 인간이 정보수집의 대상이 되는 경우가 많다. 공작원이나 협조자 또는 망명자, 여행객 등이 그 대표적인 사례 ⑤ 인간 자원을 통해 생산하는 정보로 주로 전술적으로 접촉에 의한 직접적인 관찰이나 기만수단, 포로, 서류, 장비, 공작원에 의한 장거리 정찰·청음 및 관측소, 군사 및 준 군사 부대와 접촉 그리고 접적지역에 있는 아군 부대의 보고에 의해 얻어지는 정보
기술정보 (Technical Intelligence)	① 기술정보란 기술적 수단을 사용하여 수집된 정보 ② 기술정보(Technical Intelligence ; TECHINT)는 첩보위성을 활용한 영상정보(Imagery Intelligence ; IMINT)와 각종 신호(인간의 음성, 레이더 신호, 방사능 반응 등)를 대상으로 하는 신호정보(Signal Intelligence; SIGINT)로 구분

03 정보공개 제도와 정보제공

구분	정보공개	정보제공
의미	국민이 원하는 정보를 접근·이용할 수 있게 하는 것	정부가 홍보·선전용으로 국민에게 제공하는 것
제공정보	가공되지 않은 정보를 제공	가공된 홍보성 정보를 제공
청구유무	원칙적으로 공개청구를 필요로 함	공개청구 유무에 관계없음
제공의무	법령에 의해 공개가 의무화	정보제공 여부의 선택이 재량사항

사례	① 법령에 의한 의무적 공표제도 ② 행정절차에 의한 이해관계인에 대한 정보공개 ③ 쟁송에 있어 증거의 제출 ④ 정보공개제도에 의한 정보공개 ⑤ 자기정보공개청구제도에 의한 자기정보의 공개	① 홍보·공청회제도에 의한 행정홍보 ② 보도기관에 대한 정보제공 ③ 행정창구나 행정자료실에 의한 일반정보 서비스

04 프라이버시와 정보활동

1. 프라이버시의 개념

Samuel Warren & Louise Brandeis	개인의 혼자 있을 권리로 이해하여 민주주의에서 가장 중요한 자유로서 헌법에 반영되어야 한다고 주장
Alan F. Westin	개인, 그룹 또는 조직이 자기에 관한 정보를 언제, 어떻게 또는 어느 정도 타인에게 전달할까 하는 것을 스스로 결정할 권리
Edward Bloustine	인간의 인격권의 법익이므로 인격의 침해, 개인의 자주성, 존엄과 완전성을 보호하는 것
Ruth Gavison	프라이버시는 3가지 요소로 비밀, 익명성, 고독을 가지고 있으며 그것이 자신의 선택에 의해서 또는 타인의 행위에 의해서 상실될 수 있는 상태

2. W. L. Prosser의 프라이버시 침해 유형

사적인 일에의 침입	① 개인의 일상적이고 정상적인 사생활을 침해하여 불안이나 불쾌감 등을 유발하는 행위를 말한다. ② 개인뿐만 아니라 공권력에 의해서도 일어날 수 있다. ③ 개인정보취득의 수단이 비정상적이고 불법적이면 목적에 관계없이 프라이버시의 침해가 된다. ④ 도청, 타인의 은행계좌의 불법 추적 등이 사적인 일에의 침입에 해당하는 사례라고 할 수 있다.
사적인 사실의 공개	① 공개를 원치 않는 사적인 사실을 일반에게 공개하는 행위로서 주로 신문, 잡지, 방송 등의 대중매체에 의해서 이루어질 수 있다. ② 표현의 자유와의 충돌문제가 거론될 수 있지만 본인이 희망하지 않는 한 프라이버시가 우선되어야 한다고 본다. ③ 범죄경력 사실을 공개하면 현재의 정상적인 생활을 침해하는 경우나 특정인의 기형적인 신체상태를 공개하여 누구나 식별할 수 있도록 하는 행위 등이 그 예가 될 수 있다.
사생활에 관한 판단의 오도	① 내용의 본질을 왜곡시켜 대중의 판단을 그릇되게 하여 해당 개인의 신상에 침해를 주는 행위를 말한다. ② 특정인에 대한 허위 또는 허구사실을 발표하거나, 타인사진의 무단사용 및 무단전재 등을 자행하여 일반인의 눈에 해당인이 진실과 다르게 보이도록 하여 해당 개인에게 정신적인 고통을 주는 행위를 말한다. ③ 형법상 명예훼손죄가 될 수도 있다. ④ 특정인의 사진을 현상수배자 리스트에 넣는 행위 등을 그 예로 들 수 있다.
사적인 일의 영리적 이용	① 특정 개인의 인격적 이익을 침해하여 경제상의 이익을 취하는 행위를 의미한다. ② 특정인의 성명을 영업적 이익의 확보를 위해 이용하는 행위 등이 사적인 일의 영리적 이용에 해당한다.

제2절 정보경찰의 정보활동

01 정보경찰

1. 정보경찰의 의의

(1) 정보경찰의 개념

정보경찰은 공공의 안녕과 질서에 대한 위험 또는 경찰 위반의 상태를 제거하기 위하여 치안정보 또는 그 배경이 되는 국내외의 정치・경제・사회・문화 등의 일반적 정보 등을 수집・분석・작성・배포하는 경찰활동이다.

(2) 정보경찰 활동의 법적 근거

국가경찰과 자치경찰의 조직 및 운영에 관한 법률 제3조와 경찰관 직무집행법 제2조가 '공공안녕에 대한 위험의 예방과 대응을 위한 정보의 수집・작성 및 배포'를 규정하고 있어 경찰의 사물관할의 범위로서 정보활동의 법적 근거가 된다.

2. 정보경찰의 특성

(1) 목적상 특성

정보경찰은 국민의 생명・신체・재산을 보호하고 사회공공의 안녕과 질서를 유지하는 것을 목적으로 하지만 단순히 개인적 법익을 침해하는 범죄나 질서유지를 위한 일시적인 경찰권 발동의 대상은 정보경찰의 직접적인 활동 대상이라고 볼 수 없다. 그러므로 국가목적적 작용이라고 보아야 할 것이다.

(2) 수단상 특성

정보경찰은 국가의 안전을 위해하는 요소에 대한 사전적 활동에 해당하며 활동수단은 비공개적이라는 특징이 있다.

(3) 조직상 특성

정보조직은 목적달성을 위해 기획기능・첩보수집기능・분석 및 생산기능・수요자에게 적시에 배포하는 모든 기능을 할 수 있도록 조직되어 있다. 그러므로 정보조직은 총괄성과 전문성이라는 원칙을 융합시키기 위해 조정이 필요하다.

02 경찰의 정보활동

1. 경찰의 정보활동의 필요성

(1) 예방수단으로서 정보활동

예방수단으로서의 정보활동을 통하여 공공의 안녕과 질서에 대한 위험이나 경찰위반의 상태를 야기하는 경비상황 또는 범죄를 사전에 방지할 수 있다.

(2) 사후수단으로서의 정보활동

경찰은 사태가 발생한 후에라도 진압 또는 검거를 위한 사후수단으로서의 정보활동을 통하여 위해의 최소화를 도모하고 적절한 조치가 가능해진다.

2. 경찰의 정보활동의 한계

(1) 실정법상의 한계

① 헌법상 보장된 기본권은 국민의 모든 자유와 권리는 국가안전보장·질서유지 또는 공공복리를 위하여 필요한 경우에 한하여 법률로써 제한할 수 있으며, 제한하는 경우에도 자유와 권리의 본질적인 내용을 침해할 수 없다.

② 정보경찰활동도 원칙적으로 헌법과 법률이 허용하는 범위 내의 활동이어야 정당성이 인정된다.

(2) 조리상의 한계

① 의의: 정보활동은 그 특성상 활동목적이나 수단 등을 법제화하는 것이 불가능하다. 따라서 정보경찰권발동의 한계가 문제되는데 현저한 국가이익이나 위해예방 및 제거가 필요한 경우에는 국가이익의 보호차원에서 적합성, 필요성, 상당성의 원리에 따라야 할 것이다.

② 구체적 예시

㉠ **망원(網員)을 이용한 정보활동**: 개인의 인격을 적극적으로 침해하는 경우를 제외하고 망원을 이용하여 정보활동을 할 수 있다.

㉡ (간첩사실 구증을 위한 경우) 감청, 사진촬영, 고도의 국가이익이나 안전보장을 위한 도청, 사진촬영 등의 정보경찰활동이 가능하다.

㉢ 법령에 의한 시찰, 보호관찰업무, 법령에 의한 개인의 동향을 파악하거나 행동을 규제하는 경우 정보경찰활동이 가능하다.

3. 경찰의 정보활동의 특색

구분	내용
기초활동성	① 경비정보, 범죄정보, 보안정보, 외사정보, 기타정보 등의 정보수집활동은 각종 경찰활동을 하는데 있어 기초가 되는 활동이다. ② 정보기능에는 최종적인 조치권한이 수반되어 있지 않으며, 그러한 권한은 다른 기능 또는 다른 기관에서 수행한다.
사실행위성	정보수집활동은 각종 경찰활동을 하는데 있어 기초가 되는 활동으로서, 그 법적 성질은 사실행위에 속한다.
비권력성	정보활동은 국민과의 관계에서 국민의 자유 또는 권리를 침해하는 권력적 작용이 아니라 임의 수단에 의한 비권력 작용이다.
광범성	정보경찰활동은 모든 경찰활동을 위한 기초활동이기 때문에, 대상의 측면에서나 사태 또는 범죄의 전후 여부 등에 제한이 없다.

제3절 정보의 순환

01 정보의 순환과정

1. 정보순환의 의의

(1) 정보순환의 개념

정보의 순환과정은 정보산출의 과정으로 '정보의 요구 ⇨ 첩보의 수집 ⇨ 정보의 생산 ⇨ 정보의 배포' 과정이 계속적, 반복적으로 진행하여 순환하는 형식을 취한다.

(2) 정보순환의 성격

정보순환의 각 단계는 소순환과정을 거치며 전체 순환과정에 연결된다. 정보의 순환은 연속적 또는 동시에 이루어질 수도 있다.

(3) 정보의 순환과정

정보요구단계	정보의 사용자가 첩보의 수집활동을 집중 지시하는 단계로서 정보활동의 기초가 된다.
첩보수집단계	수집기관의 수집지시 및 요구에 의해 첩보를 수집하고 이를 지시 또는 요구한 사용자에게 제공하는 단계이다.
정보생산과정	수집된 첩보를 선택 · 기록 · 평가 · 분석 · 종합 · 해석하는 특수처리과정을 통해 정보로 전환하여 처리하는 단계로서 학문적 성격이 가장 강한 단계이다.
정보배포단계	생산된 정보가 정보를 필요로 하는 정보의 사용자에게 유용한 형태(구두, 서면, 도식 등)로 배포되는 단계이다.

두문자 정보의 순환과정: 요수생포

2. 정보의 요구

(1) 정보요구의 의의

정보의 사용자가 필요에 따라 첩보의 수집활동을 집중 지시하는 것(정보활동의 기초)으로 정보순환의 첫 단계로서 필요성을 결정하고 이러한 결정 내용을 지시하는 단계에 해당한다.

(2) 정보요구의 소순환과정

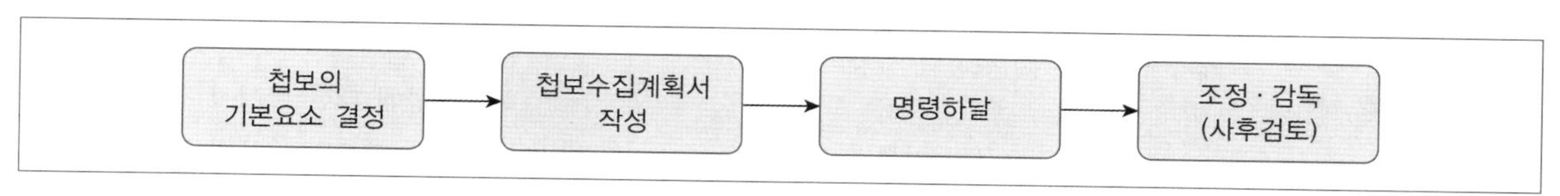

(3) 정보요구의 소순환과정의 내용

① 첩보의 기본요소 결정: 먼저 정치, 경제, 사회 등 어느 부문의 정보를 요구할 것인가에 대하여 첩보의 기본요소를 결정하여야 한다.

② 첩보수집계획서 작성: 사전에 어떤 내용을 누가 언제까지 어떤 방법으로 수집 · 보고할 것인가에 관한 계획서(명령서)를 작성하여 지시한다. 그러나 첩보수집계획서의 작성과정에서는 첩보의 출처에 대한 내용이 고려되지는 않는다.

③ **명령하달**: 수집계획서가 완성되면 수집활동에 적합한 시기에 요구내용을 명령하게 되는데 이때는 구두나 서면 등 상황에 따라 알맞은 방법이 사용된다.

④ **정보활동의 감독 · 조정(사후검토)**: 요구한 내용이 잘 수집되고 있는지, 수집지시 된 내용 중 필요 없는 내용이 없는지 검토하는 등 지속적인 감독 · 조정이 요구된다.

(4) 정보요구의 방법

① PNIO(Priority of National Intelligence Objective)

㉠ 국가정보목표 우선순위

㉡ 국가안전보장이나 정책에 관련되어 정부에서 기획된 연간 기본정책을 수행함에 있어 필요로 하는 자료를 목표로 하여 선정하는 한 국가의 1년간 기본정보운용지침

㉢ 우선적인 정보목표일 뿐만 아니라 국가의 모든 정보기관 활동의 기본방침

② EEI(Essential of Information)

㉠ 첩보의 기본요소

㉡ 임무를 효과적으로 수행하기 위하여 우선적으로 필요로 하는 정보요구사항

㉢ 첩보수집계획서(정보수집계획서)의 핵심을 이루는 기준이며, 해당 기관의 정보활동에 대한 기본 방침에 해당

㉣ 가장 기본적인 요구일 뿐만 아니라 계속적 · 반복적인 요구이며, 광범위한 지역에 걸쳐 수집되어야 할 요구사항인 동시에 일반적으로 항상 필요한 사항의 요구

③ SRI(Special Requirement for Information)

㉠ 특정첩보요구

㉡ 어떤 돌발사항에 대하여 필요한 한도 내에서 단편적 · 지역적인 특수사건을 단기에 해결하기 위해 필요한 경우에 정보를 요구하는 방법

㉢ 정보기관의 활동은 주로 SRI에 의하며 사전 수집계획서는 불요

④ OIR(Other Intelligence Requirement)

㉠ 기타 정보요구

㉡ 국가정책목표 수행여건의 변화 등으로 정책상 수정이 요구되거나 또는 이를 위한 자료가 절실히 요구될 때 PNIO에 우선하여 정보목표를 달성하기 위한 정보요구

EEI와 SRI의 비교

구분	EEI	SRI
성질	계속적 · 반복적 · 전국적 사항의 첩보요구	임시적 · 돌발적 · 특수적 · 지역적인 특수사항에 대한 단기적 첩보요구
의의	첩보수집요구의 기본적 지침	단기적인 문제 해결의 즉응적 첩보 요구방법 (EEI에 비해 구체적 · 전문적)
사전계획서	필요	불필요
활동기관	공개적이고 문서화되어 사회연구기관에서 담당	통상정보기관의 정보활동
형식	서면원칙	구두원칙

3. 첩보의 수집

(1) 의의

첩보수집기관이 출처를 확보하여 첩보를 입수・획득하고 이를 정보작성기관에 전달하는 과정이다. 첩보의 수집단계는 정보의 순환과정 중에서 가장 중요하고 어려운 단계이다.

(2) 첩보수집의 소순환과정

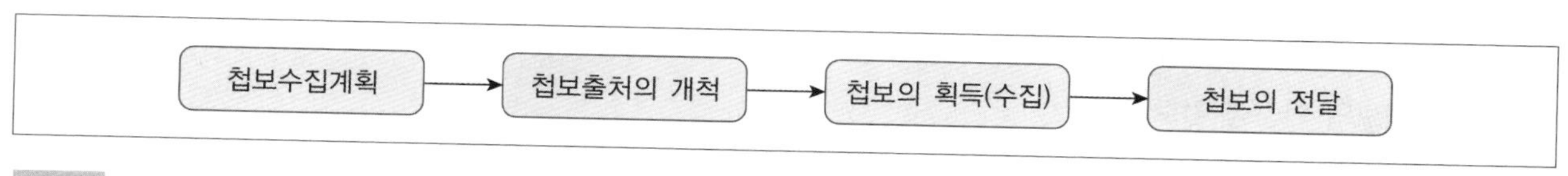

Add ⊕

단일출처를 통한 첩보수집의 경우 첩보를 비교할 대상이 없으므로 해당 첩보의 정확성을 판단하기가 어렵다. 그러므로 정보의 생산시 첩보에 대한 정확한 분석이나 비교를 위해서는 이중출처를 활용하는 것이 바람직하다.

(3) 첩보수집시 우선순위를 결정할 때 고려해야 할 기준

고이용정보 우선의 원칙	이용가치가 높은 정보부터 수집
참신성의 원칙	지금까지 알려지지 않은 정보부터 수집
긴급성의 원칙	긴급한 정보부터 수집
수집가능성의 원칙	수집가능성이 있는 정보부터 수집
경제성의 원칙	경제성이 있는 정보부터 수집

두문자 우선순위 결정기준 : 고참긴수경

4. 정보의 생산

(1) 정보생산의 의의

① 첩보를 정보로 산출하는 정보순환의 단계로서 정보사용자의 요구에 맞도록 생산기관에서 첩보의 기록 및 보관, 첩보의 평가・분석・종합・해석의 과정을 거쳐 보고서를 작성하여 정보를 생산하는 과정이다. 정보순환의 단계 중에서 학문적 성격이 가장 많이 지배하는 단계에 해당한다.

② 양질의 정보생산을 좌우하는 변수에는 첩보의 질, 정보처리의 전문성, 첩보수집 요원의 자질 등이 있다.

(2) 정보의 생산과정

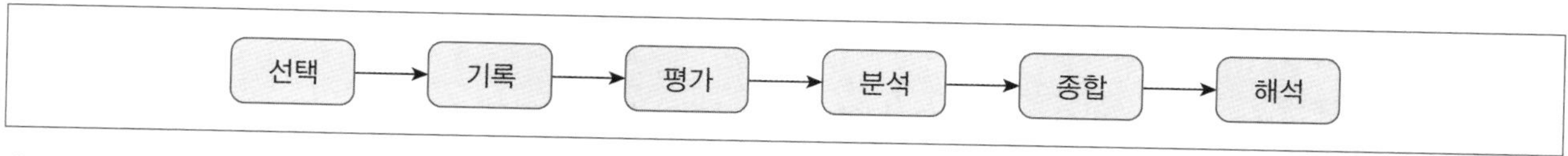

① 첩보의 선택

㉠ 수집된 첩보 중에서 우선 불필요한 첩보를 골라내고 긴급성, 유효성 등을 기준으로 필요한 것들을 걸러내는 초기적 평가과정

㉡ 정보생산단계의 소순환 과정 중 제1차적 평가과정

㉢ 첩보는 긴급성, 유용성, 신뢰성, 적합성 등을 평가하여 선택한다.

② **첩보의 기록**: 당장 사용할 필요가 없는 자료는 가급적 그 양을 최소화하여 기록・보관한다. 또한, 필요한 자료만을 선별적으로 보관하여야 하며, 필요할 때 신속하고 용이하게 사용할 수 있도록 기록하여 보관해야 한다.

③ **첩보의 평가**: 첩보의 타당성을 판정하는 생산과정이다.

㉠ **수집된 첩보를 평가하는 과정에서 검토되어야 할 사항**

ⓐ 첩보의 적절성

ⓑ 첩보를 제공한 출처 및 기관에 대한 신뢰성

ⓒ 내용에 대한 가망성

㉡ **첩보의 가망성 검토의 요건**

ⓐ **견실성**: 내용이 얼마나 충실하고 전후 모순이 없는지 여부

ⓑ **상세성**: 보고내용이 얼마나 내용을 상세히 포함하는지 여부

ⓒ **타당성**: 평가자의 보유정보로 보아 얼마나 타당성이 있는지 여부

ⓓ **일치성**: 타 출처에서 입수된 첩보와 얼마나 내용이 일치하는지 여부

> **Add**
>
> 가망성은 기존성 또는 정확성으로 해석되기도 한다. 첩보 자체의 가망성은 출처의 신뢰성과는 관계없이 검토되는 것이 바람직하다.

④ **첩보의 분석**: 분석은 평가된 첩보를 기본요소별로 분류하고 기존자료에 관계있는 것과 비교하여 유사한 것끼리 재분류를 하는 과정으로서 수집된 첩보를 재평가하는 과정에 해당한다.

⑤ **첩보의 종합**: 부여된 주제에 대한 정보를 생산하기 위하여 동류의 것끼리 분류된 사실을 하나의 통일체로 결합하는 과정으로서 분석에서 확인된 각각의 단편적인 자료와 그에 관련된 여러 가지 사실을 맞추어 하나의 통일체로 만드는 작업이다.

⑥ **첩보의 해석**: 평가, 분석, 종합된 생정보(1차 정보)에 대하여 그 의미와 중요성을 결정하여 건전한 결론도출을 가능하게 하는 과정이다.

5. 정보의 배포

(1) 정보배포의 의의

정보의 배포란 정보를 필요로 하는 개인이나 기관에게 적합한 형태와 내용을 갖추어 적당한 시기에 제공하는 과정이다. 정보는 소요시기와 사용목적에 따라 시급하고 중요한 정보를 우선적으로 배포해야지 먼저 생산되었다고 우선적으로 배포하는 것은 적절하지 않다.

(2) 정보배포의 원칙

구분	내용
필요성	정보는 반드시 알아야 할 필요가 있는 대상에게만 알려야 한다.
적당성	정보는 사용자의 능력과 상황에 맞추어서 적당한 양을 조절하여 필요한 만큼만 적절한 전파수단을 통해 전달되어야 한다.
보안성	정보의 배포시에는 보안을 갖추기 위한 장치가 필요하다.
적시성	① 정보는 정보사용자의 정보소요시기에 배포되어야 한다. ② 정보의 배포시기를 결정하는 기준은 적시성이며 정확하고 완전한 정보라 할지라도 배포과정에서 지연되어 사용시기를 놓치거나 너무 일찍 전달되면 정보의 가치는 상실되기 때문에 생산된 정보가 적시에 배포될 수 있도록 정보사용자의 정보소요시기를 계속적으로 연구해야 한다.

적시성	③ 정보배포시 적시성의 원칙이 중시되는 이유는 정보가 의사결정을 위한 자료이기 때문이다. 사용자가 의사결정을 이미 했을 때는 무용하고 너무 일찍 배포해도 상황변화 등으로 내용이 변동되어 자료가치가 상실될 가능성이 있기 때문이다.
계속성	이미 배포된 정보와 관련성을 가진 새로운 정보를 조직적이고 계속적으로 배포해야 한다.

(3) 배포수단과 방법을 결정하는 요인

정보내용의 형태와 양, 정보의 긴급성, 비밀등급, 이용 가능한 전달방법, 정보의 사용 목적, 요구되는 부수(수량), 수수기관의 형태 등에 따라 배포의 수단은 달라진다.

구두	정보의 배포수단 중 보안 유지가 가장 용이한 방법이다.
비공식적 방법	① 통상 개인적인 대화의 형태로 이루어지며, 질문에 대한 답변이나 토의 형태로 직접 전달하는 방법이다. ② 정보생산자와 정보사용자 개인간 대화의 형태로 이루어지는 것이 일반적이다.
브리핑 (Briefing)	정보사용자 또는 다수 인원에게 신속히 전달하는 경우에 이용되는 방법으로 강연식이나 문답식으로 진행되며, 현용정보의 배포수단으로 많이 이용된다.
메모 (Memo)	① 정보분석관이 가장 많이 활용하는 방법으로 정기간행물에 포함시키는 것이 적절하지 못한 긴급한 정보를 전달하는 데 주로 사용되며, 신속성이 중요하다. ② 현용정보의 배포에 주로 사용된다. ③ 요약된 내용이나 결론만 기재되므로 다소 정확도가 떨어진다는 단점이 있다. ④ 브리핑과 달리 필기내용이 증거로 남으며, 서류철로 보관이 가능하다는 장점이 있다.
일일정보 보고서	① 매일 24시간에 걸친 정치, 경제, 사회, 문화 등 제반 정세의 변화를 중점적으로 망라한 보고서로 사전에 고안된 양식에 의해 매일 작성되며, 제한된 범위에서 배포된다. ② 미리 정해진 보고서 양식에 따라 매일 작성되고, 일반적으로 제한된 대상에게만 배포한다.
정기간행물	① 주간 또는 월간의 형태로 발행된다. ② 다수인을 대상으로 광범위한 배포를 목적으로 한다.
특별보고서	수집된 정보가 다수의 사용자나 기관에 대하여 이해관계가 있거나 가치가 있을 때 사용한다.
서적	수집된 정보가 다수인에게 참고자료나 교범으로 이용될 때 사용하는 배포수단이다.
전화	① 돌발적이고 긴급한 경우에 사용하는 정보의 배포수단이다. ② 주로 해외에 주재하는 정보생산자가 국내의 정보사용자에게 정보를 신속하게 전달하기 위해 사용한다. ③ 다른 정보배포수단보다 보안의 유지가 중요하다.
문자메시지	① 정보사용자가 공식적 행사나 회의 등에 참석 중이라 물리적인 접촉이 불가능한 경우에 사용한다. ② 일반적으로 사실확인 차원의 단순보고에 활용한다.

(4) 정보보고서

① 정보보고서의 종류

견문보고서	경찰관이 오관의 작용을 통해 근무 및 일상생활 중 지득한 여러 견문을 신속·정확하게 수집·보고하는 보고서
특별보고서	국내 치안상 중대한 위해를 미치거나 사회에 물의를 야기시킬 사항, 중요시책자료에 제공할 사항에 관한 보고서
정보판단서	타 견문과 자료를 종합·분석하여 작성한 보고서로서 지휘관으로 하여금 상황에 대한 조치를 하게 하는 보고서

② 정보보고서 작성시 판단을 나타내는 용어

판단됨	어떠한 징후가 나타나거나 상황이 전개될 것이 거의 확실시되는 근거가 있는 경우
예상됨	첩보 등을 분석한 결과 단기적으로 어떠한 상황이 전개될 것이 비교적 확실한 경우
전망됨	과거의 움직임이나 현재동향, 미래의 계획 등으로 미루어 장기적으로 활동의 윤곽이 어떠하리라 예측을 할 경우
우려됨	구체적인 징후는 없으나 전혀 그 가능성을 배제하기 곤란하여 최소한의 대비가 필요한 때
추정됨	구체적인 근거는 없이 현재 나타난 동향의 원인, 배경 등을 다소 막연히 추측할 때

6. 정보순환과정의 장애요인

(1) 정보생산자로부터의 장애요인

다른 정보와의 경쟁	신문, 방송 및 인터넷 등을 통해 수많은 정보들이 거의 실시간으로 전파되고 있으며, 기업 정보부서, 증권가 등의 신설 정보지 등과도 경쟁한다.
편향적 분석의 문제	정보분석관의 객관적 분석의 결여, 정보기관의 집단적 편견 등이 정보순환과정 실패의 주요 원인이다.
적시성의 문제	정책결정자의 수요에 맞추어 제시간에 정보보고서를 제출할 수 있어야 하며, 완벽한 보고서를 만든다고 시간변수를 간과한다면 좋은 정보보고서를 만들 수 없다.
적합성의 문제	정책결정자의 소요(필요)에 부합되지 않는다면 정책수립에 도움이 될 수 없다.
판단의 불명확성	정보의 속성상 정보는 애매하고 불명확한 사안을 다루고 있어 여러 가능성을 언급하는 경우가 많다.

(2) 정보사용자로부터의 장애요인

정책결정자의 시간적 제약성	정책결정자들은 각종 정책보고에서부터 관련 설명자료, 언론보도 내용 등 수많은 문서와 구두보고에 시달리고 있어 항상 시간적 제약을 받는다.
정책결정자의 선호정보	정책결정자는 선호정책을 뒷받침할 수 있는 정보를 원한다.
정책결정자의 자존심	정책결정자가 가지게 되는 자기분야에서의 최고라는 자신감이 자신의 견해를 반대하는 정보들을 비현실적이고 잘 알지 못한 데 따른 것이라면 무시한다.
정보에 대한 과도한 기대	정책결정자들은 정보가 문제에 대한 비밀스런 대답과 지침을 주기를 기대한다. 그러나 그 기대가 충족되지 못한 경우에는 정보에 대한 불신으로 이어지게 된다.
판단정보의 소외	정책결정자들은 현용정보를 가장 높이 평가하며, 판단정보는 그 보다 낮게 평가한다.

02 정보의 채증 및 신원조사

1. 정보의 채증

(1) 정보채증의 개념

각종 집회나 시위 및 치안위해사태의 발생시에 범법정황을 촬영·녹화 또는 녹음 등의 방법으로 정확한 상황파악과 사법처리를 위한 자료를 확보하는 정보경찰의 활동이다. 정보채증은 정보활동과 수사활동으로서의 성격을 동시에 가진다.

(2) 채증시 유의사항

① 주동자 등 인물채증은 얼굴의 식별이 가능하도록 채증

② 사용된 차량은 번호를 식별할 수 있도록 채증

③ 전체 현장을 촬영하기 어려울 때에는 파노라마식으로 촬영

④ 주요부분은 반복하여 촬영

⑤ 사용된 주요장비 및 시위용품은 특정지을 수 있도록 채증

⑥ 채증을 하는 동안 집회나 시위 참가자의 오해를 사지 않도록 유의

⑦ 채증장비의 피탈 등에 대비

2. 신원조사

(1) 개념

신원조사란 국가안보를 위하여 보안의 대상이 되는 인원에 대하여 국가에 대한 충성심, 성실성 및 신뢰성을 조사·확인하는 권력적 사실행위인 대인정보활동이다.

(2) 신원조사의 원칙적 실시방법

모든 신원조사는 간접조사가 원칙이며, 부득이 직접조사를 할 경우에는 보안에 유의하여야 한다.

(3) 신원조사 관련 업무 담당부서

각종 신원조사는 경찰서 정보과에서 처리함을 원칙으로 하나 외국인 및 교포·출입국자와 강제송환자·외국기관 종사원에 대한 신원조사는 외사과에서 처리하고 긴급조회·긴급신원조사는 보안과에서 주관한다.

제4절 집회 및 시위에 관한 법률

01 목적

집회 및 시위에 관한 법률(이하 '법'이라 한다)은 적법한 집회(集會) 및 시위(示威)를 최대한 보장하고 위법한 시위로부터 국민을 보호함으로써 집회 및 시위의 권리 보장과 공공의 안녕질서가 적절히 조화를 이루도록 하는 것을 목적으로 한다(제1조).

02 용어의 정의

이 법에서 사용하는 용어의 뜻은 다음과 같다(제2조).

옥외집회	천장이 없거나 사방이 폐쇄되지 아니한 장소에서 여는 집회를 말한다.
시위	여러 사람이 공동의 목적을 가지고 도로, 광장, 공원 등 일반인이 자유로이 통행할 수 있는 장소를 행진하거나 위력(威力) 또는 기세(氣勢)를 보여, 불특정한 여러 사람의 의견에 영향을 주거나 제압(制壓)을 가하는 행위를 말한다.
주최자	자기 이름으로 자기 책임 아래 집회나 시위를 여는 사람이나 단체를 말한다. 주최자는 주관자(主管者)를 따로 두어 집회 또는 시위의 실행을 맡아 관리하도록 위임할 수 있다. 이 경우 주관자는 그 위임의 범위 안에서 주최자로 본다.
질서유지인	주최자가 자신을 보좌하여 집회 또는 시위의 질서를 유지하게 할 목적으로 임명한 자를 말한다.
질서유지선	관할 경찰서장이나 시·도경찰청장이 적법한 집회 및 시위를 보호하고 질서유지나 원활한 교통 소통을 위하여 집회 또는 시위의 장소나 행진 구간을 일정하게 구획하여 설정한 띠, 방책(防柵), 차선(車線) 등의 경계 표지(標識)를 말한다.
경찰관서	국가경찰관서를 말한다.

판례 **경찰관들이 집회 또는 시위가 이루어지는 장소의 외곽이나 그 장소 안에서 줄지어 서는 등의 방법으로 사실상 질서유지선의 역할을 수행하는 경우, 같은 법상 질서유지선에 해당하는지 여부(소극)**

질서유지선은 띠, 방책, 차선 등과 같이 경계표지로 기능할 수 있는 물건 또는 도로교통법상 안전표지라고 봄이 타당하므로, 경찰관들이 집회 또는 시위가 이루어지는 장소의 외곽이나 그 장소 안에서 줄지어 서는 등의 방법으로 사실상 질서유지선의 역할을 수행한다고 하더라도 이를 가리켜 집시법에서 정한 질서유지선이라고 할 수는 없다(대판 2019.1.10, 2016도21311).

03 옥외집회 및 시위의 신고 등

1. 옥외집회 및 시위의 신고(제6조)

(1) 신고서의 제출

① 옥외집회나 시위를 주최하려는 자는 그에 관한 다음의 사항 모두를 적은 신고서를 옥외집회나 시위를 시작하기 720시간 전부터 48시간 전에 관할 경찰서장에게 제출하여야 한다.

② 다만, 옥외집회 또는 시위 장소가 두 곳 이상의 경찰서의 관할에 속하는 경우에는 관할 시・도경찰청장에게 제출하여야 하고, 두 곳 이상의 시・도경찰청 관할에 속하는 경우에는 주최지를 관할하는 시・도경찰청장에게 제출하여야 한다.

㉠ 목적

㉡ 일시(필요한 시간을 포함한다)

㉢ 장소

㉣ 주최자(단체인 경우에는 그 대표자를 포함한다), 연락책임자, 질서유지인에 관한 다음의 사항

ⓐ 주소

ⓑ 성명

ⓒ 직업

ⓓ 연락처

㉤ 참가 예정인 단체와 인원

㉥ 시위의 경우 그 방법(진로와 약도를 포함한다)

(2) 접수증의 교부

관할 경찰서장 또는 시・도경찰청장(이하 '관할 경찰관서장'이라 한다)은 신고서를 접수하면 신고자에게 접수 일시를 적은 접수증을 즉시 내주어야 한다.

(3) 철회신고서의 제출

주최자는 신고한 옥외집회 또는 시위를 하지 아니하게 된 경우에는 신고서에 적힌 집회 일시 24시간 전에 그 철회 사유 등을 적은 철회신고서를 관할 경찰관서장에게 제출하여야 한다.

2. 신고서의 보완(제7조)

(1) 관할 경찰관서장은 신고서의 기재 사항에 미비한 점을 발견하면 접수증을 교부한 때부터 12시간 이내에 주최자에게 24시간을 기한으로 그 기재 사항을 보완할 것을 통고할 수 있다.

(2) 보완통고는 보완할 사항을 분명히 밝혀 서면으로 주최자 또는 연락책임자에게 송달하여야 한다.

04 집회 및 시위의 금지 또는 제한통고

신고서를 접수한 관할 경찰관서장은 신고된 옥외집회 또는 시위가 다음의 어느 하나에 해당하는 때에는 신고서를 접수한 때부터 48시간 이내에 집회 또는 시위를 금지할 것을 주최자에게 통고할 수 있다. 다만, 집회 또는 시위가 집단적인 폭행, 협박, 손괴, 방화 등으로 공공의 안녕 질서에 직접적인 위험을 초래한 경우에는 남은 기간의 해당 집회 또는 시위에 대하여 신고서를 접수한 때부터 48시간이 지난 경우에도 금지통고를 할 수 있다(제8조).

(1) 제5조 제1항(절대적 집회금지사유), 제10조 본문(옥외집회 또는 시위의 금지시간) 또는 제11조(옥외집회 또는 시위의 금지장소)에 위반된다고 인정될 때

(2) 제7조 제1항에 따른 신고서 기재 사항을 보완하지 아니한 때

(3) 제12조(교통소통을 위한 제한)에 따라 금지할 집회 또는 시위라고 인정될 때

1. 집회 및 시위의 금지(제5조)

누구든지 다음의 어느 하나에 해당하는 집회나 시위를 주최하여서는 아니 된다. 또한, 누구든지 다음의 금지된 집회 또는 시위를 할 것을 선전하거나 선동하여서는 아니 된다.

(1) 헌법재판소의 결정에 따라 해산된 정당의 목적을 달성하기 위한 집회 또는 시위

(2) 집단적인 폭행, 협박, 손괴(損壞), 방화 등으로 공공의 안녕 질서에 직접적인 위협을 끼칠 것이 명백한 집회 또는 시위

2. 옥외집회와 시위의 금지시간(제10조)

누구든지 해가 뜨기 전이나 해가 진 후에는 옥외집회 또는 시위를 하여서는 아니 된다. 다만, 집회의 성격상 부득이하여 주최자가 질서유지인을 두고 미리 신고한 경우에는 관할 경찰관서장은 질서 유지를 위한 조건을 붙여 해가 뜨기 전이나 해가 진 후에도 옥외집회를 허용할 수 있다.

판례

1. 집회 및 시위에 관한 법률(2007.5.11. 법률 제8424호로 전부개정된 것) 제10조 중 '옥외집회' 부분 및 제23조 제1호 중 '제10조 본문의 옥외집회' 부분은 헌법에 합치되지 아니한다. 위 조항들은 2010.6.30.을 시한으로 입법자가 개정할 때까지 계속 적용된다(헌재 2009.9.24, 2008헌가25).
2. 집회 및 시위에 관한 법률(2007.5.11. 법률 제8424호로 개정된 것) 제10조 본문 중 '시위'에 관한 부분 및 제23조 제3호 중 '제10조 본문' 가운데 '시위'에 관한 부분은 각 '해가 진 후부터 같은 날 24시까지의 시위'에 적용하는 한 헌법에 위반된다(헌재 2014.3.27, 2010헌가2).

3. 옥외집회와 시위의 금지장소(제11조)

누구든지 다음의 어느 하나에 해당하는 청사 또는 저택의 경계 지점으로부터 100m 이내의 장소에서는 옥외집회 또는 시위를 하여서는 아니 된다.

(1) 국회의사당. 다만, 다음의 어느 하나에 해당하는 경우로서 국회의 기능이나 안녕을 침해할 우려가 없다고 인정되는 때에는 그러하지 아니하다.

① 국회의 활동을 방해할 우려가 없는 경우
② 대규모 집회 또는 시위로 확산될 우려가 없는 경우

(2) 각급 법원, 헌법재판소. 다만, 다음의 어느 하나에 해당하는 경우로서 각급 법원, 헌법재판소의 기능이나 안녕을 침해할 우려가 없다고 인정되는 때에는 그러하지 아니하다.
① 법관이나 재판관의 직무상 독립이나 구체적 사건의 재판에 영향을 미칠 우려가 없는 경우
② 대규모 집회 또는 시위로 확산될 우려가 없는 경우

(3) 대통령 관저(官邸), 국회의장 공관, 대법원장 공관, 헌법재판소장 공관

판례

1. [헌법불합치, 2018헌바48 2018헌바48, 2019헌가1(병합), 2022.12.22.집회 및 시위에 관한 법률(2020. 6. 9. 법률 제17393호로 개정된 것) 제11조 제3호 중 '대통령 관저(官邸)' 부분 및 제23조 제1호 중 제11조 제3호 가운데 '대통령 관저(官邸)'에 관한 부분은 헌법에 합치되지 아니한다. 위 법률조항은 2024. 5. 31.을 시한으로 개정될 때까지 계속 적용된다.]
2. [헌법불합치, 2021헌가1, 2023.3.23, 1. 구 집회 및 시위에 관한 법률(2007. 5. 11. 법률 제8424호로 전부개정되고, 2020. 6. 9. 법률 제17393호로 개정되기 전의 것) 제11조 제2호 중 '국회의장 공관'에 관한 부분 및 제23조 제3호 중 제11조 제2호 가운데 '국회의장 공관'에 관한 부분은 헌법에 합치되지 아니한다. 법원 기타 국가기관 및 지방자치단체는 위 법률조항의 적용을 중지하여야 한다. 2. 집회 및 시위에 관한 법률(2020. 6. 9. 법률 제17393호로 개정된 것) 제11조 제3호 중 '국회의장 공관'에 관한 부분 및 제23조 제3호 중 제11조 제3호 가운데 '국회의장 공관'에 관한 부분은 헌법에 합치되지 아니한다. 위 법률조항은 2024. 5. 31.을 시한으로 개정될 때까지 계속 적용된다.]

(4) 국무총리 공관. 다만, 다음의 어느 하나에 해당하는 경우로서 국무총리 공관의 기능이나 안녕을 침해할 우려가 없다고 인정되는 때에는 그러하지 아니하다.
① 국무총리를 대상으로 하지 아니하는 경우
② 대규모 집회 또는 시위로 확산될 우려가 없는 경우

(5) 국내 주재 외국의 외교기관이나 외교사절의 숙소. 다만, 다음의 어느 하나에 해당하는 경우로서 외교기관 또는 외교사절 숙소의 기능이나 안녕을 침해할 우려가 없다고 인정되는 때에는 해당하지 아니한다.
① 해당 외교기관 또는 외교사절의 숙소를 대상으로 하지 아니하는 경우
② 대규모 집회 또는 시위로 확산될 우려가 없는 경우
③ 외교기관의 업무가 없는 휴일에 개최하는 경우

4. 교통 소통을 위한 제한(제12조)

(1) 관할 경찰관서장은 대통령령으로 정하는 주요 도시의 주요 도로에서의 집회 또는 시위에 대하여 교통 소통을 위하여 필요하다고 인정하면 이를 금지하거나 교통질서유지를 위한 조건을 붙여 제한할 수 있다.

(2) 집회 또는 시위의 주최자가 질서유지인을 두고 도로를 행진하는 경우에는 금지를 할 수 없다. 다만, 해당 도로와 주변 도로의 교통 소통에 장애를 발생시켜 심각한 교통 불편을 줄 우려가 있으면 금지를 할 수 있다.

5. 특정장소에서의 집회 및 시위(제8조 제5항)

다음의 어느 하나에 해당하는 경우로서 그 거주자나 관리자가 시설이나 장소의 보호를 요청하는 경우에는 집회나 시위의 금지 또는 제한을 통고할 수 있다.

(1) 신고서에 적힌 장소(이하 '신고장소'라 한다)가 다른 사람의 주거지역이나 이와 유사한 장소로서 집회나 시위로 재산 또는 시설에 심각한 피해가 발생하거나 사생활의 평온(平穩)을 뚜렷하게 해칠 우려가 있는 경우

(2) 신고장소가 초·중등교육법에 따른 학교의 주변 지역으로서 집회 또는 시위로 학습권을 뚜렷이 침해할 우려가 있는 경우

(3) 신고장소가 군사기지 및 군사시설 보호법에 따른 군사시설의 주변 지역으로서 집회 또는 시위로 시설이나 군 작전의 수행에 심각한 피해가 발생할 우려가 있는 경우

6. 금지 및 제한통고의 방식(제8조 제6항)

집회 또는 시위의 금지 또는 제한통고는 그 이유를 분명하게 밝혀 서면으로 주최자 또는 연락책임자에게 송달하여야 한다.

7. 중복되는 집회 및 시위의 처리(제8조 제2항·제3항·제4항)

(1) 후신고 집회 및 시위의 금지

① 관할 경찰관서장은 집회 또는 시위의 시간과 장소가 중복되는 2개 이상의 신고가 있는 경우 그 목적으로 보아 서로 상반되거나 방해가 된다고 인정되면 각 옥외집회 또는 시위간에 시간을 나누거나 장소를 분할하여 개최하도록 권유하는 등 각 옥외집회 또는 시위가 서로 방해되지 아니하고 평화적으로 개최·진행될 수 있도록 노력하여야 한다.

② 관할 경찰관서장은 권유가 받아들여지지 아니하면 뒤에 접수된 옥외집회 또는 시위에 대하여 그 집회 또는 시위의 금지를 통고할 수 있다.

③ 뒤에 접수된 옥외집회 또는 시위가 금지 통고된 경우 먼저 신고를 접수하여 옥외집회 또는 시위를 개최할 수 있는 자는 집회 시작 1시간 전에 관할 경찰관서장에게 집회 개최 사실을 통지하여야 한다.

(2) 철회신고서의 제출(제6조 제3항)

주최자는 신고한 옥외집회 또는 시위를 하지 아니하게 된 경우에는 신고서에 적힌 집회 일시 24시간 전에 그 철회 사유 등을 적은 철회신고서를 관할 경찰관서장에게 제출하여야 한다.

> **집회 및 시위에 관한 법률**
> **제26조 【과태료】** ① 제8조 제4항에 해당하는 먼저 신고된 옥외집회 또는 시위의 주최자가 정당한 사유 없이 제6조 제3항을 위반한 경우에는 100만원 이하의 과태료를 부과한다.
> ② 제1항에 따른 과태료는 대통령령으로 정하는 바에 따라 시·도경찰청장 또는 경찰서장이 부과·징수한다.

(3) 미개최 사실의 통지(제6조 제4항)

철회신고서를 받은 관할 경찰관서장은 금지통고를 한 집회나 시위(후신고 집회·시위)가 있는 경우에는 그 금지통고를 받은 주최자에게 선신고 집회·시위의 미개최 사실을 즉시 알려야 한다.

(4) 후신고 집회 및 시위의 개최(제6조 제5항)

미개최 통지를 받은 주최자(후신고 집회·시위의 주최자)는 그 금지통고된 집회 또는 시위를 최초에 신고한 대로 개최할 수 있다. 다만, 금지통고 등으로 시기를 놓친 경우에는 일시를 새로 정하여 집회 또는 시위를 시작하기 24시간 전에 관할 경찰관서장에게 신고서를 제출하고 집회 또는 시위를 개최할 수 있다.

05 집회 및 시위의 금지통고에 대한 이의신청

1. 이의신청(제9조)

집회 또는 시위의 주최자는 제8조에 따른 금지통고를 받은 날부터 10일 이내에 해당 경찰관서의 바로 위의 상급경찰관서의 장에게 이의를 신청할 수 있다.

2. 재결기한(제9조)

(1) 이의신청을 받은 경찰관서의 장은 접수일시를 적은 접수증을 이의신청인에게 즉시 내주고 접수한 때부터 24시간 이내에 재결(裁決)을 하여야 한다. 이 경우 접수한 때부터 24시간 이내에 재결서를 발송하지 아니하면 관할 경찰관서장의 금지통고는 소급하여 그 효력을 잃는다.

집회 및 시위에 관한 법률 시행령
제8조【이의 신청의 통지 및 답변서 제출】 ① 법 제9조 제1항에 따른 이의 신청을 받은 경찰관서장은 즉시 집회 또는 시위의 금지를 통고한 경찰관서장에게 이의 신청의 취지와 이유(이의 신청시 증거서류나 증거물을 제출한 경우에는 그 요지를 포함한다)를 알리고, 답변서의 제출을 명하여야 한다.
② 제1항에 따른 답변서에는 금지 통고의 근거와 이유를 구체적으로 밝히고 이의 신청에 대한 답변을 적되 필요한 증거서류나 증거물이 있으면 함께 제출하여야 한다.
제9조【재결의 통지】 이의 신청을 받은 경찰관서장은 법 제9조 제2항에 따라 재결을 한 때에는 집회 또는 시위의 금지를 통고한 경찰관서장에게 재결 내용을 즉시 알려야 한다.

(2) 이의신청인은 금지통고가 위법하거나 부당한 것으로 재결되거나 그 효력을 잃게 된 경우 처음 신고한 대로 집회 또는 시위를 개최할 수 있다. 다만, 금지통고 등으로 시기를 놓친 경우에는 일시를 새로 정하여 집회 또는 시위를 시작하기 24시간 전에 관할 경찰관서장에게 신고함으로써 집회 또는 시위를 개최할 수 있다.

06 집회 및 시위의 보호

1. 집회 및 시위에 대한 방해금지(제3조)

(1) 집회 및 시위의 보호

누구든지 폭행, 협박 그 밖의 방법으로 평화적인 집회 또는 시위를 방해하거나 질서를 문란하게 하여서는 아니 된다.

(2) 주최자 등의 임무수행 방해금지

누구든지 폭행, 협박 그 밖의 방법으로 집회 또는 시위의 주최자나 질서유지인의 이 법의 규정에 따른 임무수행을 방해하여서는 아니 된다.

집회 및 시위에 관한 법률
제22조 【벌칙】 ① 제3조 제1항 또는 제2항을 위반한 자는 3년 이하의 징역 또는 300만원 이하의 벌금에 처한다. 다만, 군인·검사 또는 경찰관이 제3조 제1항 또는 제2항을 위반한 경우에는 5년 이하의 징역에 처한다.

2. 집회 및 시위의 보호요청(제3조)

집회 또는 시위의 주최자는 평화적인 집회 또는 시위가 방해받을 염려가 있다고 인정되면 관할 경찰관서에 그 사실을 알려 보호를 요청할 수 있다. 이 경우 관할 경찰관서의 장은 정당한 사유 없이 보호요청을 거절하여서는 아니 된다.

3. 특정인 참가의 배제(제4조)

집회 또는 시위의 주최자 및 질서유지인은 특정한 사람이나 단체가 집회나 시위에 참가하는 것을 막을 수 있다. 다만, 언론사의 기자는 출입이 보장되어야 하며, 이 경우 기자는 신분증을 제시하고 기자임을 표시한 완장(腕章)을 착용하여야 한다.

4. 질서유지선의 설정(제13조)

신고를 받은 관할 경찰관서장은 집회 및 시위의 보호와 공공의 질서유지를 위하여 필요하다고 인정하면 최소한의 범위를 정하여 질서유지선을 설정할 수 있다. 경찰관서장이 질서유지선을 설정할 때에는 주최자 또는 연락책임자에게 이를 알려야 한다.

집회 및 시위에 관한 법률 시행령
제13조 【질서유지선의 설정·고지 등】 ① 관할 경찰관서장은 집회 및 시위의 보호와 공공의 질서 유지를 위하여 다음 각 호의 어느 하나에 해당하는 경우에는 법 제13조 제1항에 따라 질서유지선을 설정할 수 있다.
1. 집회·시위의 장소를 한정하거나 집회·시위의 참가자와 일반인을 구분할 필요가 있을 경우
2. 집회·시위의 참가자를 일반인이나 차량으로부터 보호할 필요가 있을 경우
3. 일반인의 통행 또는 교통 소통 등을 위하여 필요할 경우
4. 다음 각 목의 어느 하나의 시설 등에 접근하거나 행진하는 것을 금지하거나 제한할 필요가 있을 경우
   가. 법 제11조에 따른 집회 또는 시위가 금지되는 장소
   나. 통신시설 등 중요시설
   다. 위험물시설
   라. 그 밖에 안전 유지 또는 보호가 필요한 재산·시설 등
5. 집회·시위의 행진로를 확보하거나 이를 위한 임시횡단보도를 설치할 필요가 있을 경우
6. 그 밖에 집회·시위의 보호와 공공의 질서 유지를 위하여 필요할 경우

② 법 제13조 제2항에 따른 질서유지선의 설정 고지는 서면으로 하여야 한다. 다만, 집회 또는 시위 장소의 상황에 따라 질서유지선을 새로 설정하거나 변경하는 경우에는 집회 또는 시위의 장소에 있는 경찰공무원이 구두로 알릴 수 있다.
제24조 【벌칙】 다음 각 호의 어느 하나에 해당하는 자는 6개월 이하의 징역 또는 50만원 이하의 벌금·구류 또는 과료에 처한다.
3. 제13조에 따라 설정한 질서유지선을 경찰관의 경고에도 불구하고 정당한 사유 없이 상당 시간 침범하거나 손괴·은닉·이동 또는 제거하거나 그 밖의 방법으로 그 효용을 해친 자

5. 질서유지인에 대한 협의(제17조)

(1) 관할 경찰관서장은 집회 또는 시위의 주최자와 협의하여 질서유지인의 수(數)를 적절하게 조정할 수 있다.

(2) 집회나 시위의 주최자는 질서유지인의 수를 조정한 경우 집회 또는 시위를 개최하기 전에 조정된 질서유지인의 명단을 관할 경찰관서장에게 알려야 한다.

6. 경찰관의 출입(제19조)

(1) 경찰관은 집회 또는 시위의 주최자에게 알리고 그 집회 또는 시위의 장소에 정복(正服)을 입고 출입할 수 있다. 다만, 옥내집회 장소에 출입하는 것은 직무집행을 위하여 긴급한 경우에만 할 수 있다.

(2) 집회나 시위의 주최자, 질서유지인 또는 장소관리자는 질서를 유지하기 위한 경찰관의 직무집행에 협조하여야 한다.

7. 확성기 등 사용의 제한(제14조)

(1) 집회 또는 시위의 주최자는 확성기, 북, 징, 꽹과리 등의 기계·기구(이하 '확성기 등'이라 한다)를 사용하여 타인에게 심각한 피해를 주는 소음으로서 대통령령으로 정하는 기준을 위반하는 소음을 발생시켜서는 아니 된다.

(2) 관할 경찰관서장은 집회 또는 시위의 주최자가 기준을 초과하는 소음을 발생시켜 타인에게 피해를 주는 경우에는 그 기준 이하의 소음 유지 또는 확성기 등의 사용 중지를 명하거나 확성기 등의 일시보관 등 필요한 조치를 할 수 있다.

확성기 등의 소음기준(제14조 관련)

[단위 : dB(A)]

소음도 구분		대상 지역	시간대		
			주간(07:00~해지기 전)	야간(해진 후~24:00)	심야(00:00~07:00)
대상 소음도	등가소음도(Leq)	주거지역, 학교, 종합병원	60 이하	50 이하	45 이하
		공공도서관	60 이하	55 이하	
		그 밖의 지역	70 이하	60 이하	
	최고소음도(Lmax)	주거지역, 학교, 종합병원	80 이하	70 이하	65 이하
		공공도서관	80 이하	75 이하	
		그 밖의 지역	90 이하		

Add

1. 확성기 등의 소음은 관할 경찰서장(현장 경찰공무원)이 측정한다.
2. 소음 측정 장소는 피해자가 위치한 건물의 외벽에서 소음원 방향으로 1~3.5m 떨어진 지점으로 하되, 소음도가 높을 것으로 예상되는 지점의 지면 위 1.2~1.5m 높이에서 측정한다. 다만, 주된 건물의 경비 등을 위하여 사용되는 부속 건물, 광장·공원이나 도로상의 영업시설물, 공원의 관리사무소 등은 소음 측정 장소에서 제외한다.
3. 2.의 장소에서 확성기 등의 대상소음이 있을 때 측정한 소음도를 측정소음도로 하고, 같은 장소에서 확성기 등의 대상소음이 없을 때 5분간 측정한 소음도를 배경소음도로 한다.
4. 측정소음도가 배경소음도보다 10dB 이상 크면 배경소음의 보정 없이 측정소음도를 대상소음도로 하고, 측정소음도가 배경소음도보다 3.0~9.9dB 차이로 크면 보정치에 따라 측정소음도에서 배경소음을 보정한 소음도를 대상소음도로 하며, 측정소음도가 배경소음도보다 3dB 미만으로 크면 다시 한 번 측정소음도를 측정하고, 다시 측정하여도 3dB 미만으로 크면 확성기 등의 소음으로 보지 아니한다.

5. 등가소음도는 10분간(소음 발생 시간이 10분 이내인 경우에는 그 발생 시간 동안을 말한다) 측정한다. 다만, 다음 각 목에 해당하는 대상 지역의 경우에는 등가소음도를 5분간(소음 발생 시간이 5분 이내인 경우에는 그 발생 시간 동안을 말한다) 측정한다.
   가. 주거지역, 학교, 종합병원
   나. 공공도서관
6. 최고소음도는 확성기등의 대상소음에 대해 매 측정 시 발생된 소음도 중 가장 높은 소음도를 측정하며, 동일한 집회 · 시위에서 측정된 최고소음도가 1시간 내에 3회 이상 위 표 및 제3호 후단에 따른 최고소음도 기준을 초과한 경우 소음기준을 위반한 것으로 본다. 다만, 다음 각 목에 해당하는 대상 지역의 경우에는 1시간 내에 2회 이상 위 표 및 제3호 후단에 따른 최고소음도 기준을 초과한 경우 소음기준을 위반한 것으로 본다.
   가. 주거지역, 학교, 종합병원
   나. 공공도서관
7. 다음에 해당하는 행사(중앙행정기관이 개최하는 행사만 해당한다)의 진행에 영향을 미치는 소음에 대해서는 그 행사의 개최시간에 한정하여 위 표의 주거지역의 소음기준을 적용한다.
   ① 국경일에 관한 법률 제2조에 따른 국경일의 행사
   ② 각종 기념일 등에 관한 규정 별표에 따른 각종 기념일 중 주관 부처가 국가보훈부인 기념일의 행사
8. 그 밖에 소음의 측정방법 등에 관한 사항은 환경분야 시험 · 검사 등에 관한 법률 제6조 제1항 제2호에 따른 소음 및 진동분야 환경오염공정시험기준 중 생활소음 기준에 따른다.

참고

1인 시위의 경우 집회 및 시위에 관한 법률을 적용할 수 없으므로 소음제한 규정이 적용되지 않는다.

07 관계자의 준수사항

1. 주최자의 준수사항(제16조)

(1) 집회 또는 시위의 주최자는 집회 또는 시위에 있어서의 질서를 유지하여야 한다.

(2) 집회 또는 시위의 주최자는 집회 또는 시위의 질서 유지에 관하여 자신을 보좌하도록 18세 이상의 사람을 질서유지인으로 임명할 수 있다.

(3) 집회 또는 시위의 주최자는 (1)에 따른 질서를 유지할 수 없으면 그 집회 또는 시위의 종결(終結)을 선언하여야 한다.

(4) 집회 또는 시위의 주최자는 다음의 어느 하나에 해당하는 행위를 하여서는 아니 된다.
   ① 총포, 폭발물, 도검(刀劍), 철봉, 곤봉, 돌덩이 등 다른 사람의 생명을 위협하거나 신체에 해를 끼칠 수 있는 기구(器具)를 휴대하거나 사용하는 행위 또는 다른 사람에게 이를 휴대하게 하거나 사용하게 하는 행위
   ② 폭행, 협박, 손괴, 방화 등으로 질서를 문란하게 하는 행위
   ③ 신고한 목적, 일시, 장소, 방법 등의 범위를 뚜렷이 벗어나는 행위

(5) 옥내집회의 주최자는 확성기를 설치하는 등 주변에서의 옥외 참가를 유발하는 행위를 하여서는 아니 된다.

2. 질서유지인의 준수사항(제17조)

(1) 질서유지인은 주최자의 지시에 따라 집회 또는 시위 질서가 유지되도록 하여야 한다.

(2) 질서유지인은 위 1.의 (4) 중 어느 하나에 해당하는 행위를 하여서는 아니 된다.

(3) 질서유지인은 참가자 등이 질서유지인임을 쉽게 알아볼 수 있도록 완장, 모자, 어깨띠, 상의 등을 착용하여야 한다.

> **집회 및 시위에 관한 법률 시행령**
> **제15조 【질서유지인의 완장 등의 통일】** 법 제17조 제3항에 따른 질서유지인의 완장 · 모자 · 어깨띠 또는 상의 등은 종류 · 모양 및 색상이 통일되어야 한다.

3. 참가자의 준수사항(제18조)

집회나 시위에 참가하는 자는 주최자 및 질서유지인의 질서 유지를 위한 지시에 따라야 한다. 집회나 시위에 참가하는 자는 위 1.의 (4)의 ① 및 ②에 해당하는 행위를 하여서는 아니 된다.

08 집회 또는 시위의 해산

1. 집회 또는 시위의 해산사유(제20조)

관할 경찰관서장은 다음의 어느 하나에 해당하는 집회 또는 시위에 대하여는 상당한 시간 이내에 자진(自進)해산할 것을 요청하고 이에 따르지 아니하면 해산(解散)을 명할 수 있다.

(1) 제5조 제1항(집회 및 시위의 금지), 제10조 본문(옥외집회와 시위의 금지시간) 또는 제11조(옥외집회와 시위의 금지장소)를 위반한 집회 또는 시위

(2) 제6조 제1항에 따른 신고를 하지 아니하거나 제8조(집회 및 시위의 금지 또는 제한통고) 또는 제12조(교통 소통을 위한 제한)에 따라 금지된 집회 또는 시위

(3) 제8조 제5항에 따른 제한, 제10조 단서 또는 제12조에 따른 조건을 위반하여 교통 소통 등 질서 유지에 직접적인 위험을 명백하게 초래한 집회 또는 시위

(4) 제16조 제3항에 따른 종결선언을 한 집회 또는 시위

(5) 제16조 제4항 각 호의 어느 하나에 해당하는 행위로 질서를 유지할 수 없는 집회 또는 시위

> **판례** **집회 및 시위에 관한 법률 위반**
> 집회 및 시위에 관한 법률(이하 '집시법'이라 한다)상 일정한 경우 집회의 자유가 사전 금지 또는 제한된다 하더라도 이는 다른 중요한 법익의 보호를 위하여 반드시 필요한 경우에 한하여 정당화되는 것이며, 특히 집회의 금지와 해산은 원칙적으로 공공의 안녕질서에 대한 직접적인 위협이 명백하게 존재하는 경우에 한하여 허용될 수 있고, 집회의 자유를 보다 적게 제한하는 다른 수단, 예컨대 시위 참가자수의 제한, 시위대상과의 거리제한, 시위 방법, 시기, 소요시간의 제한 등 조건을 붙여 집회를 허용하는 가능성을 모두 소진한 후에 비로소 고려될 수 있는 최종적인 수단이다. 따라서 사전 금지 또는 제한된 집회라 하더라도 실제 이루어진 집회가 당초 신고 내용과 달리 평화롭게 개최되거나 집회 규모를 축소하여 이루어지는 등 타인의 법익 침해나 기타 공공의 안녕질서에 대하여 직접적이고 명백한 위험을 초래하지 않은 경우에는 이에 대하여 사전 금지 또는 제한을 위반하여 집회를 한 점을 들어 처벌하는 것 이외에 더 나아가 이에 대한 해산을 명하고 이에 불응하였다 하여 처벌할 수는 없다(대판 2011.10.13, 2009도13846).

2. 해산

집회 또는 시위의 모든 참가자는 해산 명령을 받았을 때에는 지체 없이 해산하여야 한다(제20조 제2항).

(1) 집회 또는 시위의 해산절차(집회 및 시위에 관한 법률 시행령 제17조)

집회 또는 시위를 해산시키려는 때에는 관할 경찰관서장 또는 관할 경찰관서장으로부터 권한을 부여받은 경찰공무원은 다음의 순서에 따라야 한다. 다만, 법 제20조 제1항 제1호·제2호 또는 제4호에 해당하는 집회·시위의 경우와 주최자·주관자·연락책임자 및 질서유지인이 집회 또는 시위 장소에 없는 경우에는 종결선언의 요청을 생략할 수 있다.

종결선언의 요청	주최자에게 집회 또는 시위의 종결선언을 요청하되, 주최자의 소재를 알 수 없는 경우에는 주관자·연락책임자 또는 질서유지인을 통하여 종결선언을 요청할 수 있다.
자진해산의 요청	종결선언요청에 따르지 아니하거나 종결선언에도 불구하고 집회 또는 시위의 참가자들이 집회 또는 시위를 계속하는 경우에는 직접 참가자들에 대하여 자진해산할 것을 요청한다.
해산명령 및 직접 해산	자진해산요청에 따르지 아니하는 경우에는 세 번 이상 자진해산할 것을 명령하고, 참가자들이 해산명령에도 불구하고 해산하지 아니하면 직접 해산시킬 수 있다.

(2) 집회 또는 시위의 해산사유

① 절대적으로 금지되는 집회·시위
② 금지시간에의 옥외집회·시위
③ 금지장소에서의 옥외집회·시위
④ 주최자가 종결선언을 한 집회·시위
⑤ 신고의무를 이행하지 않고 개최한 옥외집회·시위
⑥ 금지·제한통고된 옥외집회·시위 등
⑦ 교통소통을 위하여 금지·제한한 집회·시위
⑧ 질서유지를 위한 조건을 위반한 집회·시위
⑨ 금지행위로 인하여 질서를 유지할 수 없는 집회·시위

09 적용의 배제

학문, 예술, 체육, 종교, 의식, 친목, 오락, 관혼상제(冠婚喪祭) 및 국경행사(國慶行事)에 관한 집회에는 제6조부터 제12조까지의 규정을 적용하지 아니한다(제15조).

Add

집회·시위자문위원회(제21조)

1. 설치목적

집회 및 시위의 자유와 공공의 안녕 질서가 조화를 이루도록 하기 위하여 각급 경찰관서에 다음의 사항에 관하여 각급 경찰관서장의 자문 등에 응하는 집회·시위자문위원회(이하 '위원회'라 한다)를 둘 수 있다.

2. 자문사항

① 제8조에 따른 집회 또는 시위의 금지 또는 제한통고
② 제9조 제2항에 따른 이의신청에 관한 재결

③ 집회 또는 시위에 대한 사례 검토
④ 집회 또는 시위업무의 처리와 관련하여 필요한 사항

3. 위원회의 구성

위원회에는 위원장 1명을 두되, 위원장을 포함한 5명 이상 7명 이하의 위원으로 구성된다.

4. 위원의 자격

위원장과 위원은 각급 경찰관서장이 전문성과 공정성 등을 고려하여 다음의 사람 중에서 위촉한다.
① 변호사
② 교수
③ 시민단체에서 추천하는 사람
④ 관할 지역의 주민대표

제5절 노동조합 및 노동관계조정법

01 서설

노동조합 및 노동관계조정법(이하 '법'이라 한다)이 법은 헌법에 의한 근로자의 단결권·단체교섭권 및 단체행동권을 보장하여 근로조건의 유지·개선과 근로자의 경제적·사회적 지위의 향상을 도모하고, 노동관계를 공정하게 조정하여 노동쟁의를 예방·해결함으로써 산업평화의 유지와 국민경제의 발전에 이바지함을 목적으로 한다(제1조).

대한민국 헌법

제33조 ① 근로자는 근로조건의 향상을 위하여 자주적인 단결권·단체교섭권 및 단체행동권을 가진다.
② 공무원인 근로자는 법률이 정하는 자에 한하여 단결권·단체교섭권 및 단체행동권을 가진다.
③ 법률이 정하는 주요 방위산업체에 종사하는 근로자의 단체행동권은 법률이 정하는 바에 의하여 이를 제한하거나 인정하지 아니할 수 있다.

1. 용어의 정의(제2조)

이 법에서 사용하는 용어의 정의는 다음과 같다.

근로자	직업의 종류를 불문하고 임금·급료 기타 이에 준하는 수입에 의하여 생활하는 자를 말한다.
사용자	사업주, 사업의 경영담당자 또는 그 사업의 근로자에 관한 사항에 대하여 사업주를 위하여 행동하는 자를 말한다.
사용자단체	노동 관계에 관하여 그 구성원인 사용자에 대하여 조정 또는 규제할 수 있는 권한을 가진 사용자의 단체를 말한다.
노동쟁의	노동조합과 사용자 또는 사용자단체(이하 '노동 관계 당사자'라 한다)간에 임금·근로시간·복지·해고 기타 대우 등 근로조건의 결정에 관한 주장의 불일치로 인하여 발생한 분쟁상태를 말한다. 이 경우 주장의 불일치라 함은 당사자간에 합의를 위한 노력을 계속하여도 더 이상 자주적 교섭에 의한 합의의 여지가 없는 경우를 말한다.
쟁의행위	파업·태업·직장폐쇄 기타 노동 관계 당사자가 그 주장을 관철할 목적으로 행하는 행위와 이에 대항하는 행위로서 업무의 정상적인 운영을 저해하는 행위를 말한다.

Add ⊕

쟁의행위의 유형

동맹파업	집단적으로 노동력의 제공을 거부하는 것, 가장 강력한 쟁의행위
태업	의도적으로 작업능률을 떨어뜨리는 집단행동으로 작업을 하면서 고의로 작업능률을 저하시키는 행위
사보타지	태업과 비슷한 행위이지만 태업이 소극적인 투쟁방법인 데 반해 사보타지는 능동적으로 생산 또는 사무를 방해하거나 원자재·생산시설을 파괴하는 것까지 포함하는 넓은 개념
불매운동	사용자가 생산하는 상품을 사지 않는 방법
감시행위	파업효과를 높이기 위해 파업상태를 순찰·감시하는 것
준법투쟁	법령이나 단체협약 등의 내용을 엄격히 준수한다는 명분 아래 업무능률이나 실적을 저하시키는 집단행동

2. 근로 3권의 내용

단결권	근로자가 작업환경의 유지·개선을 실현하기 위해서 자주적으로 단체를 조직할 수 있는 권리
단체교섭권	근로자가 작업환경의 유지·개선을 위하여 근로자단체의 이름으로 사용자 또는 사용자단체와 자주적으로 교섭할 수 있는 권리
단체행동권	근로자가 사용주에게 대항하여 근로조건의 유지·개선을 위하여 집단적으로 시위행동을 함으로써 업무의 정상적인 운영을 저해할 수 있는 권리

02 노동조합

1. 현행법상 노동조합

(1) 의의(제2조)

노동조합이라 함은 근로자가 주체가 되어 자주적으로 단결하여 근로조건의 유지·개선 기타 근로자의 경제적·사회적 지위의 향상을 도모함을 목적으로 조직하는 단체 또는 그 연합단체를 말한다. 다만, 다음의 하나에 해당하는 경우에는 노동조합으로 보지 아니한다.

① 사용자 또는 항상 그의 이익을 대표하여 행동하는 자의 참가를 허용하는 경우
② 경비의 주된 부분을 사용자로부터 원조받는 경우
③ 공제·수양 기타 복리사업만을 목적으로 하는 경우
④ 근로자가 아닌 자의 가입을 허용하는 경우
⑤ 주로 정치운동을 목적으로 하는 경우

(2) 노동조합 설립신고의 관할권자(제10조)

고용노동부장관	연합단체인 노동조합과 둘 이상의 특별시·광역시·특별자치시·도·특별자치도에 걸치는 단위노동조합
특별시장·광역시장·도지사	둘 이상의 시·군·구에 걸치는 단위노동조합
특별자치시장·특별자치도지사·시장·군수·구청장	그 외의 노동조합

Add ⊕

공무원의 노동조합 설립 및 운영 등에 관한 법률
제5조【노동조합의 설립】 ② 노동조합을 설립하려는 사람은 고용노동부장관에게 설립신고서를 제출하여야 한다.

2. 노동조합의 해산(제28조)

(1) 해산사유

노동조합은 다음의 어느 하나에 해당하는 경우에는 해산한다.

① 규약에서 정한 해산사유가 발생한 경우
② 합병 또는 분할로 소멸한 경우
③ 총회 또는 대의원회의의 해산결의가 있는 경우
④ 노동조합의 임원이 없고 노동조합으로서의 활동을 1년 이상 하지 아니한 것으로 인정되는 경우로서 행정관청이 노동위원회의 의결을 얻은 경우

(2) 해산신고

노동조합이 해산할 때에는 그 대표자는 해산한 날부터 15일 이내에 행정관청에게 이를 신고하여야 한다.

03 단체교섭 및 단체협약

1. 단체교섭(제29조)

노동조합의 대표자는 그 노동조합 또는 조합원을 위하여 사용자나 사용자단체와 교섭하고 단체협약을 체결할 권리를 가진다.

2. 단체협약의 유효기간

노동조합 및 노동관계조정법
제32조【단체협약의 유효기간】 ① 단체협약에는 3년을 초과하지 않는 범위에서 노사가 합의하여 정할 수 있다.
② 단체협약에 그 유효기간을 정하지 아니한 경우 또는 제1항의 기간을 초과하는 유효기간을 정한 경우에 그 유효기간은 3년으로 한다.
③ 단체협약의 유효기간이 만료되는 때를 전후하여 당사자 쌍방이 새로운 단체협약을 체결하고자 단체교섭을 계속하였음에도 불구하고 새로운 단체협약이 체결되지 아니한 경우에는 별도의 약정이 있는 경우를 제외하고는 종전의 단체협약은 그 효력만료일부터 3월까지 계속 효력을 갖는다. 다만, 단체협약에 그 유효기간이 경과한 후에도 새로운 단체협약이 체결되지 아니한 때에는 새로운 단체협약이 체결될 때까지 종전 단체협약의 효력을 존속시킨다는 취지의 별도의 약정이 있는 경우에는 그에 따르되, 당사자 일방은 해지하고자 하는 날의 6월 전까지 상대방에게 통고함으로써 종전의 단체협약을 해지할 수 있다.

3. 단체협약 체결의 신고(제31조)

단체협약의 당사자는 단체협약의 체결일부터 15일 이내에 행정관청에 신고하여야 한다.

04 근로자의 단체행동권과 이에 따른 사용자의 권리

1. 근로자의 단체행동권

최후수단적 성질을 갖는 근로자의 기본권으로 정당한 쟁의행위는 형사책임과 민사책임을 발생시키지 않는다.

> **노동조합 및 노동관계조정법**
> **제39조 【근로자의 구속제한】** 근로자는 쟁의행위기간 중에는 현행범 외에는 이 법 위반을 이유로 구속되지 아니한다.

2. 사용자의 권리(직장폐쇄)

(1) 직장폐쇄가 가능한 시점(제46조)

사용자는 노동조합이 쟁의행위를 개시한 이후에만 직장폐쇄가 가능하다.

(2) 직장폐쇄의 효과

① 직장폐쇄는 근로자의 사업장 출입을 저지하는 것을 의미한다.

② 직장폐쇄의 경우 사용자는 원칙적으로 임금지불의무가 면제된다.

③ 직장폐쇄가 정당한 경우 파업불참 근로자에 대해서도 임금지불의무가 면제된다.

3. 쟁의행위

원칙적으로 노사관계 당사자는 노동쟁의가 발생한 때는 상대방에게 서면으로 통보하고 일정한 조정철차를 거친 후에만 쟁의행위를 할 수 있다.

(1) 쟁위행위 결정(제41조)

① 노동조합의 쟁의행위는 그 조합원(제29조의2에 따라 교섭대표노동조합이 결정된 경우에는 그 절차에 참여한 노동조합의 전체조합원)의 직접 · 비밀 · 무기명투표에 의한 조합원 과반수의 찬성으로 결정되지 아니하면 이를 행할 수 없다.

② 방위사업법에 의하여 지정된 주요방위산업체에 종사하는 근로자 중 전력, 용수 및 주로 방산물자를 생산하는 업무에 종사하는 자는 쟁의행위를 할 수 없다.

(2) 쟁의행위의 제한 · 금지

① 사용자가 쟁의행위기간 중 그 쟁의행위로 중단된 업무를 도급 또는 하도급 주는 행위금지

② 쟁의행위기간 중 노조의 임금지급요구금지: 사용자는 지급의무 없음(무노동 무임금원칙)

③ 조합원의 직접 · 비밀 · 무기명투표에 의한 과반수의 찬성으로 결정하지 아니한 쟁의행위금지

④ 비공인파업금지

⑤ 쟁의행위와 관계없는 자 또는 근로를 제공하고자 하는 자의 출입 · 조업 기타 정상적인 업무방해금지

⑥ 쟁의행위의 참가를 호소하거나 설득하는 행위로서 폭행 · 협박사용금지

⑦ 사업장의 안전보호시설에 대하여 정상적인 유지 · 운영을 정지 · 폐지 또는 방해하는 행위금지

⑧ 폭력 · 파괴행위금지

⑨ 생산 기타 주요업무 관련 시설 점거금지

Add ⊕

공무원의 노동조합 설립 및 운영 등에 관한 법률
제11조【쟁의행위의 금지】 노동조합과 그 조합원은 파업, 태업 또는 그 밖에 업무의 정상적인 운영을 방해하는 어떠한 행위도 하여서는 아니 된다.

(3) 노동쟁의 발생시 일반사업과 공익사업의 조정기간(제54조)

① 조정기간

㉠ 일반사업: 조정의 신청이 있는 날부터 10일 이내

㉡ 공익사업: 조정의 신청이 있은 날부터 15일 이내

② 기간의 연장: 조정기간은 관계 당사자간의 합의로 일반사업에 있어서는 10일, 공익사업에 있어서는 15일 이내에서 연장할 수 있다.

(4) 중재

① 중재의 개시(제62조): 노동위원회는 관계 당사자의 쌍방이 함께 중재를 신청한 때, 관계 당사자의 일방이 단체협약에 의하여 중재를 신청한 때에는 중재를 행한다.

② 중재시 쟁의행위의 금지(제63조): 노동쟁의가 중재에 회부된 때에는 그 날부터 15일간은 쟁의행위를 할 수 없다.

③ 중재재정 등의 확정(제69조)

㉠ 관계 당사자는 지방노동위원회 또는 특별노동위원회의 중재재정이 위법이거나 월권에 의한 것이라고 인정하는 경우에는 그 중재재정서의 송달을 받은 날부터 10일 이내에 중앙노동위원회에 그 재심을 신청할 수 있다.

㉡ 관계 당사자는 중앙노동위원회의 중재재정이나 재심결정이 위법이거나 월권에 의한 것이라고 인정하는 경우에는 그 중재재정서 또는 재심결정서의 송달을 받은 날부터 15일 이내에 행정소송을 제기할 수 있다.

㉢ 긴급조정에 의한 중앙노동위원회의 결정은 통고를 받은 날부터 15일 이내에 하여야 한다.

(5) 긴급조정

① 긴급조정의 결정(제76조): 고용노동부장관은 긴급조정의 결정이 가능하다.

② 긴급조정시의 쟁의행위 중지(제77조): 긴급조정의 결정이 공표된 때에는 즉시 쟁의행위를 중지하여야 하며, 공표일부터 30일이 경과하지 아니하면 쟁의행위를 재개할 수 없다.

제6절 공직선거법

01 서설

1. 목적(제1조)

공직선거법(이하 '법'이라 한다)이 법은 대한민국 헌법과 지방자치법에 의한 선거가 국민의 자유로운 의사와 민주적인 절차에 의하여 공정히 행하여지도록 하고, 선거와 관련한 부정을 방지함으로써 민주정치의 발전에 기여함을 목적으로 한다.

2. 선거인의 정의(제3조)

선거인이란 선거권이 있는 사람으로서 선거인명부 또는 재외선거인명부에 올라 있는 사람을 말한다.

3. 공무원의 중립의무 등(제9조)

(1) 공무원 기타 정치적 중립을 지켜야 하는 자(기관・단체를 포함한다)는 선거에 대한 부당한 영향력의 행사 기타 선거결과에 영향을 미치는 행위를 하여서는 아니된다.

(2) 검사(군검사를 포함한다) 또는 경찰공무원(검찰수사관 및 군사법경찰관리를 포함한다)은 이 법의 규정에 위반한 행위가 있다고 인정되는 때에는 신속・공정하게 단속・수사를 하여야 한다.

4. 후보자

(1) 후보자 등의 신분보장(제11조)

대통령선거의 후보자	후보자의 등록이 끝난 때부터 개표종료시까지 사형・무기 또는 장기 7년 이상의 징역이나 금고에 해당하는 죄를 범한 경우를 제외하고는 현행범인이 아니면 체포 또는 구속되지 아니하며, 병역소집의 유예를 받는다.
국회의원선거, 지방의회의원 및 지방자치단체의 장의 선거의 후보자	후보자의 등록이 끝난 때부터 개표종료시까지 사형・무기 또는 장기 5년 이상의 징역이나 금고에 해당하는 죄를 범하였거나 제16장 벌칙에 규정된 죄를 범한 경우를 제외하고는 현행범인이 아니면 체포 또는 구속되지 아니하며, 병역소집의 유예를 받는다.
선거사무장・선거연락소장・선거사무원・회계책임자・투표참관인・사전투표참관인과 개표참관인 (예비후보자가 선임한 선거사무장・선거사무원 및 회계책임자는 제외한다)	해당 신분을 취득한 때부터 개표종료시까지 사형・무기 또는 장기 3년 이상의 징역이나 금고에 해당하는 죄를 범하였거나 제230조부터 제235조까지 및 제237조부터 제259조까지의 죄를 범한 경우를 제외하고는 현행범인이 아니면 체포 또는 구속되지 아니하며, 병역소집의 유예를 받는다.

(2) 후보자 등록(제49조)

후보자의 등록은 대통령선거에서는 선거일 전 24일, 국회의원선거와 지방자치단체의 의회의원 및 장의 선거에서는 선거일 전 20일(이하 '후보자등록신청 개시일'이라 한다)부터 2일간(이하 '후보자등록기간'이라 한다) 관할 선거구선거관리위원회에 서면으로 신청하여야 한다.

(3) 기탁금(제56조)

① 후보자등록을 신청하는 자는 등록신청시에 후보자 1명마다 다음의 기탁금(후보자등록을 신청하는 사람이 장애인복지법 제32조에 따라 등록한 장애인이거나 선거일 현재 29세 이하인 경우에는 다음에 따른 기탁금의 100분의 50에 해당하는 금액을 말하고, 30세 이상 39세 이하인 경우에는 다음에 따른 기탁금의 100분의 70에 해당하는 금액을 말한다)을 중앙선거관리위원회규칙으로 정하는 바에 따라 관할 선거구선거관리위원회에 납부하여야 한다. 이 경우 예비후보자가 해당 선거의 같은 선거구에 후보자등록을 신청하는 때에는 납부한 기탁금을 제외한 나머지 금액을 납부하여야 한다.

㉠ 대통령선거: 3억원
㉡ 국회의원선거: 1천 500만원
㉢ 시・도의회의원선거: 300만원
㉣ 시・도지사선거: 5천만원
㉤ 자치구・시・군의 장 선거: 1천만원
㉥ 자치구・시・군의원선거: 200만원

② 기탁금은 체납처분이나 강제집행의 대상이 되지 아니한다.

CHAPTER 04

02 선거권과 피선거권

1. 선거권(제15조)

(1) 원칙

18세 이상의 국민은 대통령 및 국회의원의 선거권이 있다.

(2) 지역구국회의원의 선거권

지역구국회의원의 선거권은 18세 이상의 국민으로서 선거인 명부 작성기준일 현재 다음의 어느 하나에 해당하는 사람에 한하여 인정된다.

① 주민등록법 제6조 제1항 제1호 또는 제2호에 해당하는 사람으로서 해당 국회의원지역선거구 안에 주민등록이 되어 있는 사람

② 주민등록법 제6조 제1항 제3호에 해당하는 사람으로서 주민등록표에 3개월 이상 계속하여 올라 있고 해당 국회의원지역선거구 안에 주민등록이 되어 있는 사람

(3) 지방선거

18세 이상으로서 선거인 명부 작성기준일 현재 다음의 어느 하나에 해당하는 사람은 그 구역에서 선거하는 지방자치단체의 의회의원 및 장의 선거권이 있다.

① 주민등록법 제6조 제1항 제1호 또는 제2호에 해당하는 사람으로서 해당 지방자치단체의 관할 구역에 주민등록이 되어 있는 사람

② 주민등록법 제6조 제1항 제3호에 해당하는 사람으로서 주민등록표에 3개월 이상 계속하여 올라 있고 해당 지방자치단체의 관할 구역에 주민등록이 되어 있는 사람

③ 출입국관리법 제10조에 따른 영주의 체류자격 취득일 후 3년이 경과한 외국인으로서 같은 법 제34조에 따라 해당 지방자치단체의 외국인등록대장에 올라 있는 사람

2. 피선거권(제16조)

(1) 대통령

선거일 현재 5년 이상 국내에 거주하고 있는 40세 이상의 국민은 대통령의 피선거권이 있다. 이 경우 공무로 외국에 파견된 기간과 국내에 주소를 두고 일정기간 외국에 체류한 기간은 국내거주기간으로 본다.

(2) 국회의원

18세 이상의 국민은 국회의원의 피선거권이 있다.

(3) 지방선거

선거일 현재 계속하여 60일 이상(공무로 외국에 파견되어 선거일 전 60일 후에 귀국한 자는 선거인 명부 작성기준일부터 계속하여 선거일까지) 해당 지방자치단체의 관할 구역에 주민등록이 되어 있는 주민으로서 18세 이상의 국민은 그 지방의회의원 및 지방자치단체의 장의 피선거권이 있다. 이 경우 60일의 기간은 그 지방자치단체의 설치 · 폐지 · 분할 · 합병 또는 구역변경(제28조 각 호의 어느 하나에 따른 구역변경을 포함한다)에 의하여 중단되지 아니한다.

3. 연령산정기준(제17조)

선거권자와 피선거권자의 연령은 선거일 현재로 산정한다.

4. 선거권이 없는 자(제18조)

선거일 현재 다음의 어느 하나에 해당하는 자는 선거권이 없다.

(1) 금치산선고를 받은 자

(2) 1년 이상의 징역 또는 금고의 형의 선고를 받고 그 집행이 종료되지 아니하거나 그 집행을 받지 아니하기로 확정되지 아니한 사람. 다만, 그 형의 집행유예를 선고받고 유예기간 중에 있는 사람은 제외한다.

(3) 선거범, 정치자금법 제45조(정치자금부정수수죄) 및 제49조(선거비용 관련 위반행위에 관한 벌칙)에 규정된 죄를 범한 자 또는 대통령 · 국회의원 · 지방의회의원 · 지방자치단체의 장으로서 그 재임 중의 직무와 관련하여 형법(특정범죄 가중처벌 등에 관한 법률 제2조에 의하여 가중처벌되는 경우를 포함한다) 제129조(수뢰, 사전수뢰) 내지 제132조(알선수뢰), 특정범죄 가중처벌 등에 관한 법률 제3조(알선수재)에 규정된 죄를 범한 자로서, 100만원 이상의 벌금형의 선고를 받고 그 형이 확정된 후 5년 또는 형의 집행유예의 선고를 받고 그 형이 확정된 후 10년을 경과하지 아니하거나 징역형의 선고를 받고 그 집행을 받지 아니하기로 확정된 후 또는 그 형의 집행이 종료되거나 면제된 후 10년을 경과하지 아니한 자(형이 실효된 자도 포함한다)

(4) 법원의 판결 또는 다른 법률에 의하여 선거권이 정지 또는 상실된 자

5. 피선거권이 없는 자(제19조)

선거일 현재 다음의 어느 하나에 해당하는 자는 피선거권이 없다.

(1) 제18조(선거권이 없는 자) 제1항 제1호 · 제3호 또는 제4호에 해당하는 자

(2) 금고 이상의 형의 선고를 받고 그 형이 실효되지 아니한 자

(3) 법원의 판결 또는 다른 법률에 의하여 피선거권이 정지되거나 상실된 자

(4) 국회법 제166조(국회 회의 방해죄)의 죄를 범한 자로서 다음의 어느 하나에 해당하는 자(형이 실효된 자를 포함한다)
① 500만원 이상의 벌금형의 선고를 받고 그 형이 확정된 후 5년이 경과되지 아니한 자
② 형의 집행유예의 선고를 받고 그 형이 확정된 후 10년이 경과되지 아니한 자
③ 징역형의 선고를 받고 그 집행을 받지 아니하기로 확정된 후 또는 그 형의 집행이 종료되거나 면제된 후 10년이 경과되지 아니한 자

(5) 제230조 제6항의 죄를 범한 자로서 벌금형의 선고를 받고 그 형이 확정된 후 10년을 경과하지 아니한 자(형이 실효된 자도 포함한다)

03 선거기간과 선거일

1. 선거기간(제33조)

선거별 선거기간은 다음과 같다.

대통령선거	23일	후보자등록마감일의 다음 날부터 선거일까지
국회의원선거와 지방자치단체의 의회의원 및 장의 선거	14일	후보자등록마감일 후 6일부터 선거일까지

2. 선거일(제34조)

임기만료에 의한 선거의 선거일은 다음과 같다.

대통령선거	그 임기만료일 전 70일 이후 첫번째 수요일
국회의원선거	그 임기만료일 전 50일 이후 첫번째 수요일
지방의회의원 및 지방자치단체의 장의 선거	그 임기만료일 전 30일 이후 첫번째 수요일

04 선거운동

1. 선거운동의 정의(제58조)

이 법에서 '선거운동'이라 함은 당선되거나 되게 하거나 되지 못하게 하기 위한 행위를 말한다. 다만, 다음의 하나에 해당하는 행위는 선거운동으로 보지 아니한다.

(1) 선거에 관한 단순한 의견개진 및 의사표시

(2) 입후보와 선거운동을 위한 준비행위

(3) 정당의 후보자 추천에 관한 단순한 지지·반대의 의견개진 및 의사표시

(4) 통상적인 정당활동

(5) 설날·추석 등 명절 및 석가탄신일·기독탄신일 등에 하는 의례적인 인사말(그림말·음성·화상·동영상 등을 포함한다)을 문자메시지로 전송하는 행위

2. 선거운동기간(제59조)

선거운동은 선거기간 개시일부터 선거일 전일까지에 한하여 할 수 있다. 다만, 다음의 어느 하나에 해당하는 경우에는 그러하지 아니하다.

(1) 제60조의3(예비후보자 등의 선거운동) 제1항 및 제2항의 규정에 따라 예비후보자 등이 선거운동을 하는 경우

(2) 문자메시지를 전송하는 방법으로 선거운동을 하는 경우. 이 경우 자동 동보통신의 방법(동시 수신대상자가 20명을 초과하거나 그 대상자가 20명 이하인 경우에도 프로그램을 이용하여 수신자를 자동으로 선택하여 전송하는 방식을 말한다)으로 전송할 수 있는 자는 후보자와 예비후보자에 한하되, 그 횟수는 8회(후보자의 경우 예비후보자로서 전송한 횟수를 포함한다)를 넘을 수 없으며, 중앙선거관리위원회규칙에 따라 신고한 1개의 전화번호만을 사용하여야 한다.

(3) 인터넷 홈페이지 또는 그 게시판·대화방 등에 글이나 동영상 등을 게시하거나 전자우편(컴퓨터 이용자끼리 네트워크를 통하여 문자·음성·화상 또는 동영상 등의 정보를 주고받는 통신시스템을 말한다)을 전송하는 방법으로 선거운동을 하는 경우. 이 경우 전자우편 전송대행업체에 위탁하여 전자우편을 전송할 수 있는 사람은 후보자와 예비후보자에 한한다.

3. 선거운동을 할 수 없는 자(제60조)

다음의 어느 하나에 해당하는 사람은 선거운동을 할 수 없다. 다만, ①에 해당하는 사람이 예비후보자·후보자의 배우자인 경우와 ④부터 ⑧까지의 규정에 해당하는 사람이 예비후보자·후보자의 배우자이거나 후보자의 직계존비속인 경우에는 그러하지 아니하다.

(1) 대한민국 국민이 아닌 자. 다만, 외국인이 해당 선거에서 선거운동을 하는 경우에는 그러하지 아니하다.

(2) 미성년자(18세 미만의 자를 말한다)

(3) 제18조(선거권이 없는 자) 제1항의 규정에 의하여 선거권이 없는 자

(4) 국가공무원법 제2조(공무원의 구분)에 규정된 국가공무원과 지방공무원법 제2조(공무원의 구분)에 규정된 지방공무원. 다만, 정당법 제22조(발기인 및 당원의 자격) 제1항 제1호 단서의 규정에 의하여 정당의 당원이 될 수 있는 공무원(국회의원과 지방의회의원 외의 정무직공무원을 제외한다)은 그러하지 아니하다.

(5) 제53조(공무원 등의 입후보) 제1항 제2호 내지 제7호에 해당하는 자(제4호 내지 제6호의 경우에는 그 상근직원을 포함한다)

(6) 예비군 중대장급 이상의 간부

(7) 통·리·반의 장 및 읍·면·동주민자치센터(그 명칭에 관계없이 읍·면·동사무소 기능전환의 일환으로 조례에 의하여 설치된 각종 문화·복지·편익시설을 총칭한다)에 설치된 주민자치위원회(주민자치센터의 운영을 위하여 조례에 의하여 읍·면·동사무소의 관할 구역별로 두는 위원회를 말한다)위원

(8) 특별법에 의하여 설립된 국민운동단체로서 국가 또는 지방자치단체의 출연 또는 보조를 받는 단체(바르게살기운동협의회·새마을운동협의회·한국자유총연맹을 말한다)의 상근 임·직원 및 이들 단체 등(시·도조직 및 구·시·군조직을 포함한다)의 대표자

(9) 선상투표신고를 한 선원이 승선하고 있는 선박의 선장

05 예비후보자

1. 예비후보자등록(제60조의2)

예비후보자가 되려는 사람(비례대표국회의원선거 및 비례대표지방의회의원선거는 제외한다)은 다음에서 정하는 날(그 날 후에 실시사유가 확정된 보궐선거 등에 있어서는 그 선거의 실시사유가 확정된 때)부터 관할 선거구선거관리위원회에 예비후보자등록을 서면으로 신청하여야 한다.

구분	내용
대통령선거	선거일 전 240일
지역구국회의원선거 및 시 · 도지사선거	선거일 전 120일
지역구시 · 도의회의원선거, 자치구 · 시의 지역구의회의원 및 장의 선거	선거기간 개시일 전 90일
군의 지역구의회의원 및 장의 선거	선거기간 개시일 전 60일

2. 예비후보자 등의 선거운동(제60조의3)

(1) 예비후보자는 다음의 어느 하나에 해당하는 방법으로 선거운동을 할 수 있다.

① 제61조(선거운동기구의 설치) 제1항 및 제6항 단서의 규정에 의하여 선거사무소를 설치하거나 그 선거사무소에 간판 · 현판 또는 현수막을 설치 · 게시하는 행위

② 자신의 성명 · 사진 · 전화번호 · 학력(정규학력과 이에 준하는 외국의 교육과정을 이수한 학력을 말한다) · 경력 그 밖에 홍보에 필요한 사항을 게재한 길이 9cm 너비 5cm 이내의 명함을 직접 주거나 지지를 호소하는 행위. 다만, 선박 · 정기여객자동차 · 열차 · 전동차 · 항공기의 안과 그 터미널 · 역 · 공항의 개찰구 안, 병원 · 종교시설 · 극장의 옥내(대관 등으로 해당 시설이 본래의 용도 외의 용도로 이용되는 경우는 제외한다)에서 주거나 지지를 호소하는 행위는 그러하지 아니하다.

③ 선거구 안에 있는 세대수의 100분의 10에 해당하는 수 이내에서 자신의 사진 · 성명 · 전화번호 · 학력 · 경력 그 밖에 홍보에 필요한 사항을 게재한 인쇄물(이하 '예비후보자홍보물'이라 한다)을 작성하여 관할 선거관리위원회로부터 발송대상 · 매수 등을 확인받은 후 선거기간 개시일 전 3일까지 중앙선거관리위원회규칙이 정하는 바에 따라 우편발송하는 행위. 이 경우 대통령선거 및 지방자치단체의 장선거의 예비후보자는 표지를 포함한 전체면수의 100분의 50 이상의 면수에 선거공약 및 이에 대한 추진계획으로 각 사업의 목표 · 우선순위 · 이행절차 · 이행기한 · 재원조달방안을 게재하여야 하며, 이를 게재한 면에는 다른 정당이나 후보자가 되려는 자에 관한 사항을 게재할 수 없다.

④ 선거운동을 위하여 어깨띠 또는 예비후보자임을 나타내는 표지물을 착용하는 행위

(2) 다음의 어느 하나에 해당하는 사람은 예비후보자의 선거운동을 위하여 위 (1)의 ②에 따른 예비후보자의 명함을 직접 주거나 예비후보자에 대한 지지를 호소할 수 있다.

① 예비후보자의 배우자(배우자가 없는 경우 예비후보자가 지정한 1명)와 직계존비속

② 예비후보자와 함께 다니는 선거사무장 · 선거사무원 및 활동보조인

③ 예비후보자가 그와 함께 다니는 사람 중에서 지정한 1명

CHAPTER 04

06 당선인

1. 대통령당선인의 결정 · 공고 · 통지(제187조)

(1) 대통령선거에 있어서는 중앙선거관리위원회가 유효투표의 다수를 얻은 자를 당선인으로 결정하고, 이를 국회의장에게 통지하여야 한다. 다만, 후보자가 1인인 때에는 그 득표수가 선거권자총수의 3분의 1 이상에 달하여야 당선인으로 결정한다.

(2) 최고득표자가 2인 이상인 때에는 중앙선거관리위원회의 통지에 의하여 국회는 재적의원 과반수가 출석한 공개회의에서 다수표를 얻은 자를 당선인으로 결정한다.

2. 지역구국회의원당선인의 결정 · 공고 · 통지(제188조)

(1) 지역구국회의원선거에 있어서는 선거구선거관리위원회가 당해 국회의원지역구에서 유효투표의 다수를 얻은 자를 당선인으로 결정한다. 다만, 최고득표자가 2인 이상인 때에는 연장자를 당선인으로 결정한다.

(2) 후보자등록마감시각에 지역구국회의원후보자가 1인이거나 후보자등록마감 후 선거일 투표개시시각 전까지 지역구국회의원후보자가 사퇴 · 사망하거나 등록이 무효로 되어 지역구국회의원후보자수가 1인이 된 때에는 지역구국회의원후보자에 대한 투표를 실시하지 아니하고, 선거일에 그 후보자를 당선인으로 결정한다.

(3) 선거일의 투표개시시각부터 투표마감시각까지 지역구국회의원후보자가 사퇴 · 사망하거나 등록이 무효로 되어 지역구국회의원후보자수가 1인이 된 때에는 나머지 투표는 실시하지 아니하고 그 후보자를 당선인으로 결정한다.

(4) 선거일의 투표마감시각 후 당선인결정 전까지 지역구국회의원후보자가 사퇴 · 사망하거나 등록이 무효로 된 경우에는 개표결과 유효투표의 다수를 얻은 자를 당선인으로 결정하되, 사퇴 · 사망하거나 등록이 무효로 된 자가 유효투표의 다수를 얻은 때에는 그 국회의원지역구는 당선인이 없는 것으로 한다.

07 당선무효

피선거권상실로 인한 당선무효 등 (제192조)	① 선거일에 피선거권이 없는 자는 당선인이 될 수 없다. ② 당선인이 임기개시 전에 피선거권이 없게 된 때에는 당선의 효력이 상실된다. ③ 당선인이 임기개시 전에 다음의 어느 하나에 해당되는 때에는 그 당선을 무효로 한다. ㉠ 당선인이 ①의 규정에 위반하여 당선된 것이 발견된 때 ㉡ 당선인이 제52조 제1항 각 호의 어느 하나 또는 같 은 조 제2항 · 제3항의 등록무효사유에 해당하는 사실이 발견된 때 ㉢ 비례대표국회의원 또는 비례대표지방의회의원의 당선인이 소속정당의 합당 · 해산 또는 제명 외의 사유로 당적을 이탈 · 변경하거나 2 이상의 당적을 가지고 있는 때(당선인결정시 2 이상의 당적을 가진 자를 포함한다)

08 공소시효

이 법에 규정한 죄의 공소시효는 당해 선거일 후 6개월(선거일 후에 행하여진 범죄는 그 행위가 있는 날부터 6개월)을 경과함으로써 완성한다. 다만, 범인이 도피한 때나 범인이 공범 또는 범죄의 증명에 필요한 참고인을 도피시킨 때에는 그 기간은 3년으로 한다(제268조 제1항).

Add

공직선거법상 선거기간 중 금지사항

1. 여론조사의 선거기간 중 금지사항(제108조)

① 누구든지 선거일 전 6일부터 선거일의 투표마감시각까지 선거에 관하여 정당에 대한 지지도나 당선인을 예상하게 하는 여론조사의 경위와 그 결과를 공표하거나 인용하여 보도할 수 없다.

② 누구든지 선거일 전 60일부터 선거일까지 선거에 관한 여론조사를 투표용지와 유사한 모형에 의한 방법을 사용하거나 후보자 또는 정당의 명의로 선거에 관한 여론조사를 할 수 없다.

2. 의정활동 보고(제111조)

국회의원 또는 지방의회의원은 대통령선거 · 국회의원선거 · 지방의회의원선거 및 지방자치단체의 장선거의 선거일 전 90일부터 선거일까지 직무상의 행위 기타 명목 여하를 불문하고 의정활동을 인터넷 홈페이지 또는 그 게시판 · 대화방 등에 게시하거나 전자우편 · 문자메시지로 전송하는 외의 방법으로 의정활동을 보고할 수 없다.

3. 당원수련회(제141조)

정당은 선거일 전 30일부터 선거일까지 선거구민인 당원을 대상으로 당원수련회 등을 개최할 수 없다.

4. 출판기념회(제103조)

누구든지 선거일 전 90일부터 선거일까지 후보자와 관련 있는 저서의 출판기념회를 개최할 수 없다.

Add

출구(여론)조사에 대한 반응

1. 밴드왜건 효과(Band-Wagon Effect)

여론조사 결과 우세한 것으로 나타난 후보나 정당의 지지도가 상승한다.

2. 언더독 효과(Under-Dog Effect)

사람은 약자를 동정하는 심리가 있어 여론 조사 결과 열세에 있는 후보를 지지하는 경향이 나타난다.

CHAPTER 05 안보(보안)경찰

제1절 서설

01 안보경찰의 의의

1. 안보경찰의 개념

안보경찰이란 국가안전보장을 위태롭게 하는 간첩활동 및 반국가활동세력에 대비하는 국가적 대공취약점에 대한 첩보수집과 분석 및 판단, 보안사범수사를 전담하는 경찰활동을 말한다.

2. 안보경찰활동의 법적 근거

국가보안법, 보안관찰법, 국가경찰과 자치경찰의 조직 및 운영에 관한 법률, 경찰관 직무집행법, 형법 제98조(간첩) 등이 안보경찰활동의 근거법에 해당한다. 이 중 국가보안법은 반국가단체, 이적단체 등을 규정하고 있고 각종 이적활동에 대한 처벌을 규정하고 있으므로 안보경찰활동에 가장 근간이 되는 법률이다.

02 안보경찰의 특징

1. 안보경찰의 특징

(1) 안보경찰은 국가안전 · 공공의 안녕과 질서유지를 목적으로 한다는 점에서 정보경찰과 같은 특색을 가진다. 그러므로 국민의 생명 · 신체 · 재산의 보호를 직접적인 목적으로 하는 일반적인 경찰활동과 차이가 있다.

(2) 안보경찰은 고도의 보안을 요하는 비공개활동, 국가적 · 사회적 침해범죄를 대상으로 한다는 점에서 정보경찰과 동일하지만 주 대상이 대공분야라는 점에서 정보경찰과 차이가 있다.

2. 안보경찰의 업무

(1) 간첩 등 중요 방첩공작수사

(2) 좌익사범수사

(3) 반국가적 안보위해문건 수집 및 분석

(4) 보안관찰

(5) 북한이탈주민, 남북교류 관련 업무 등

제2절 공산주의의 이념

01 공산주의의 이론

1. 공산주의 철학이론

<table>
<tr><td rowspan="3">헤겔의 변증법</td><td>양(量)의 질(質)화 및 그 역의 법칙</td><td>인류사회의 발전은 점진적인 성장과정을 거치는 것이 아니라 돌연한 비약에 의해 이루어진다. 레닌주의자들은 이러한 비약을 '혁명'이라고 한다.</td></tr>
<tr><td>대립물 통일의 법칙</td><td>① 모든 현상은 그 자체 내에 모순을 가지고 있으며, 이러한 모순이 처음에는 통일되어 있는 것처럼 보이지만 일정한 단계에 이르면 대립하게 되고 이러한 대립을 극복하기 위한 투쟁이 일어나게 된다. 이러한 투쟁은 사회발전의 요소가 된다.
② 마르크스는 이러한 법칙에 의해 부르주아와 프롤레타리아가 모순・대립을 경합하게 되고 사회는 발전된 사회로 변증한다고 주장했다.</td></tr>
<tr><td>부정의 부정법칙</td><td>모든 사물의 발전은 낡은 것의 부정을 통하여 무한하게 계속된다.</td></tr>
<tr><td>유물론</td><td colspan="2">① 만물의 근원을 물질로 파악함으로써 인간의 정신을 부정했다는 비판을 받는다.
② 집단주의적 사고방식이나 인간의 수단적 가치화를 합리화한다는 비판을 받는다.</td></tr>
<tr><td rowspan="2">유물사관</td><td colspan="2">① 인간사회를 움직이는 근원은 물질, 경제로 파악한다.
② 인간의 역사를 발전시키는 원동력은 물질적인 생산양식(생산력 + 생산관계)에 의해 결정된다.</td></tr>
<tr><td>계급투쟁론</td><td>① 공산주의자들은 인류의 역사를 지배계급과 피지배계급간의 계급투쟁의 과정으로 이해한다.
② 마르크스는 역사발전을 5단계(원시공동사회 ⇨ 고대노예사회 ⇨ 중세봉건사회 ⇨ 근대자본주의 사회 ⇨ 공산주의 사회)로 나누고 있다.
③ 변증법적 유물사관에 의하면, 원시공동사회가 정(正)의 개념에, 고대노예・중세봉건・근대자본주의사회는 반(反)의 개념에, 사회(공산)주의사회는 합(合)의 개념에 해당된다.</td></tr>
</table>

2. 공산주의 경제이론

노동가치설	마르크스는 노동이야말로 모든 상품의 가치의 원인이고, 가치를 형성하는 실질이며 가치를 측정하는 척도라고 설명하였다.
잉여가치설	마르크스는 이윤이 오직 잉여가치에서만 얻어진다고 본다. 그러나 이러한 잉여가치는 노동자에게 지불되는 것이 아니라 자본가의 주머니로 들어가서 이윤의 원천이 되며, 이것이 착취라고 주장했다.
자본주의 붕괴론	자본주의는 자본주의 사회 내의 모순 때문에 스스로 붕괴된다는 이론이다. ① 자본축적의 법칙: 자본주의 경제제도는 극심한 경쟁으로 말미암아 생산비를 낮춰야 하는데 인건비를 줄이는 것은 한계가 있으므로 대규모 기계설비를 통한 생산형태를 취하게 된다. 이에 소요되는 대자본은 자본을 축적하는데서 얻어진다. ② 자본집중의 법칙: 자본을 축적하지 못한 중・소자본가는 경쟁에서 밀려나게 되고 대자본가에게 흡수된다. 결국 자본의 집중형태가 발생하게 되고 계급의 분화작용이 발생한다. ③ 빈곤증대의 법칙: 자본축적과 집중으로 노동계급과 실업자(산업예비군)가 늘어나게 되며 이로 인해 빈곤이 증가하게 된다.

3. 공산주의 정치이론

폭력혁명론	공산당 선언에서 시작된 프롤레타리아 혁명론을 통하여 부르주아로부터 국가권력을 탈취하는 방법으로 폭력혁명론을 주장했다.
프롤레타리아 독재론	폭력혁명을 통해 부르주아기구를 전복한 후 계급이 소멸하고 국가가 사멸하는 공산주의 사회에 도달하기 위해서는 일정기간 프롤레타리아가 독재하여야 한다는 이론이다.

02 좌익이론

1. 종속이론

(1) 1960년대 전후 중남미 지역에서 등장한 급진적 이데올로기로서 자본주의 선진국과 저개발국의 경제적 관계를 지배와 종속의 관계로 규정하여 정치・경제・사회・문화・사상 등의 모순을 비판한 이론이다.

(2) 정치적 지배 없이 경제적 지배만으로도 지배와 종속의 관계가 성립한다고 규정하며 중남미국가들은 미발전의 상태가 아닌 저발전의 상태에 있다고 주장하였다.

2. 신좌파운동

(1) 1960~1970년대 미국 및 서구, 일본 등에서 일부 지식인과 대학생을 중심으로 전개된 이론으로 독자적 사상체계 없이 선진국에 대한 비판 및 저항운동으로 표출된 운동이다.

(2) 선진국에서 시작되었으며 자본주의 및 소련 공산주의 체제를 모두 격렬히 비판하였다. 신좌파운동은 기존 공산당과 사회당을 구 좌익으로 규정하고 폭력적인 직접적 행동을 강조했다.

3. 유로코뮤니즘(Eurocommunism)

서구 공산주의를 가리키는 말로 신 마르크스주의의 한 분파로 지칭되기도 한다. 공산당 제1당 독재의 포기와 복수정당 허용, 폭력혁명 포기를 선언하여 현재 공산주의 정치의 오류를 입증하고자 하였다.

4. 신 마르크스주의

1930년대 유럽 마르크시즘의 위기시에 공산권 밖의 마르크스주의 학자들이 마르크스주의와 산업자본주의를 인본주의적 입장에서 동시에 비판하고 마르크스주의에 대한 재해석이 주된 내용을 구성하고 있다. 휴머니즘을 강조하고 전 세계의 공산화, 사회혁명을 주장하였다.

제3절 대남전략노선

01 전략과 전술

1. 전략과 전술의 개념

(1) 전략

혁명의 일정단계에서 프롤레타리아의 주요 공격방향을 결정하며, 이를 위한 혁명적 총 역량을 가장 효과적으로 배치할 수 있는 적절한 계획을 수립·수행하려는 목표활동을 말한다.

(2) 전술

전략을 실천하는 구체적인 방법으로 혁명운동의 전진 또는 후퇴시 등 비교적 단기간에 혁명군이 취하여야 할 행동 지침이다.

(3) 전략과 전술의 관계

전략	전술
① 역사적 단계에 따라 행동하는 정치노선 ② 기본목표이자 큰 행동지침 ③ 거시적이면서 불변의 목적	① 단시간에 적용되는 세부적인 행동지침 ② 전략에 종속된 구체적 방법 ③ 미시적이고 정세에 따라 수시로 변화

2. 전략과 전술의 원칙과 형태

(1) 전략의 원칙

다양성의 원칙	공산혁명 수행에 필요한 모든 전술을 다양하게 준비하였다가 어떠한 역사적 정세에도 적절히 공급할 수 있어야 함
임기응변의 원칙	주변정서의 변화에 알맞은 전술로 대처할 수 있는 임기응변의 능력을 갖춰야 함
배합의 원칙	상호상반 또는 상호배타적인 두 개 이상 전술을 동시에 구사
일시적 후퇴와 양보의 원칙	공산화운동은 상황에 따라 수시로 후퇴하고 양보할 수 있지만 그것은 절대적으로 일시적인 것이어야 함
불포기의 원칙	기존 전술은 정세 변화에 따라 다시 사용될 수 있으므로 절대 포기하는 것이 아님
관망의 원칙	전략의 중간목표가 달성되었을 때 등에는 일시적으로 상황을 관망하고 새로운 전략과 전술을 구상해야 함

(2) 전술의 형태

연합전선전술	강력한 적(기존 정부)에 대항하기 위해 소수의 다른 계급 및 정당과 연합전선을 구축(연합관계는 일시적)
무장봉기전술	무기를 이용하여 폭력으로 지배계급에 대항, 정권을 탈취하고자 하는 혁명전술
폭로전술	선동의 방법으로 정치폭로를 함으로써 정치지도자의 정치 외적 행위를 문제 삼아 지배자 고립 및 대중들의 반정부활동 조장

전위조직 및 침투전술	① 전위조직: 공산당은 공산화 혁명의 상급전위가 되며, 그 아래 하급전위로 각종 노동조합과 농민조합, 청년단체, 학생동맹 등을 거느리고 있는 것 ② 침투전술: 전위조직의 한계 극복을 위해 프락치를 이용하여 자본주의 군대, 경찰, 국회, 언론기관, 정부기관, 교육기관 등의 계층 내부의 분열·혼란을 조장하여 악화, 와해 및 친공세력으로 전환하고 국가 체계 가동력을 상실하게 하여 공산화 혁명에 결정적 시기를 마련하는 전술
종교이용전술	종교를 대외정책 및 공산주의 이론의 보급로로 이용, 위장단체를 만들어 전위의 구실로 이용
문학과 예술의 이용전술	대중의 심리 조작을 위한 감화 수단으로 사용
테러전술	공산화 혁명과정 및 성공된 혁명의 유지를 위해 테러리즘을 이용
평화공존전술	공산화 혁명과정에서 불리할 때 확고한 전쟁준비기간을 벌기 위한 계급투쟁의 특수한 형태
군중노선전술	공산당 간부와 인민대중 사이의 통일적인 관계의 수립 및 발전을 통한 인민 대중의 적극적 지지와 참여 극대화 및 당 간부들에 대한 적대감 제거
게릴라 전술	억압자에 대한 피억압자의 자기해방이란 명분하에 비정규전의 전개를 위해 비교적 자발적으로 조직 후 장기간에 걸친 유격 전술로 삼고 전투행위를 하는 소수단위의 무장전투조직을 의미

Add ⊕

합법 · 비합법 · 반합법투쟁

1. **합법투쟁**
   지하조직이 미약한 경우 합법의 범위 내에서 투쟁하는 것을 말한다.
2. **비합법투쟁**
   법에 위배되는 본격적인 혁명투쟁으로 비밀조직을 결성하여 자행하는 불법적 투쟁을 말한다.
3. **반합법투쟁**
   비합법투쟁과 병행하여 용인된 제반 관례에 편승하여 투쟁하는 방식을 말한다.

02 북한의 기본전략과 대남공작기구

1. 기본전략

혁명기지전략	북한지역을 혁명의 근거지로 구축한 다음 이를 바탕으로 전 한반도에서 공산혁명을 완수하려는 전략이다.
남조선혁명전략	조선혁명은 남한의 혁명세력이 주체가 되어 수행해야 한다는 전략으로 남한 내 친북세력의 자생력 촉진을 위하여 남조선 혁명전략을 수립하고 북한주민에게는 혁명기지전략을, 남한주민에게는 남조선 혁명전략을 강조(양면전략)한다.
통일전선전략	힘의 부족으로 1대 1로 타도가 어려울 경우 다른 세력과 일시 제휴하여 적대세력을 단계적으로 타도하는 대남적화 혁명을 위한 연합 동맹전략으로 일시 제휴할 세력이 정치적 이념과 투쟁목적을 달리 하더라도 투쟁 대상만 같으면 공동전선을 펴 적을 타도하는 전략이다(예 남북연방제통일방안, 중국의 1·2차 국공합작, 베트남전 당시 남부베트남 민족전선 등).

2. 대남공작기구

(1) 기존의 대남공작기구로는 노동당 계열의 대외연락부, 통일전선사업부, 35호실, 작전부와 인민무력부 계열의 정찰국이 존재하였다. 그러나 북한은 최근에 대남공작기구의 개편작업을 단행하여 기존의 대외연락부를 노동당에서 떼어내고 내각소속으로 하고, 명칭을 대외교류국으로 하였다. 또한, 기존의 35호실과 작전부는 인민무력부 계열의 정찰국과 통합하여 인민무력부 소속의 정찰총국을 만들었다.

(2) 개편의 결과 노동당 계열의 대남공작기구는 통일전선사업부만 남고, 인민무력부 소속의 정찰총국이 총정치국, 총참모부와 함께 북한군부의 3대 실세기구로 급부상하였다.

북한의 대남공작기구

소속	기관 명칭		주요 내용
노동당	통일전선부		남북대화 주관 및 대남심리전과 형제협력사업, 해외교포공작, 통일전선공작, 반제민전활동을 담당하는 핵심적 대남공작부서이다.
내각	225국 (구 대외연락부)		① 대외연락부는 대외교류국으로 축소돼 기존의 노동당 소속에서 내각소속으로 변경되었다. ② 당계통의 간첩업무 및 남한 내 지하당 조직공작으로 혁명토대의 구축과 우회침투를 위한 해외공작을 담당하고 있다. ③ 대외교류국은 과거 대외연락부의 대남공작 및 조총련 업무를 전부 그대로 관장한 채 내각으로부터 독립적으로 활동하는 것으로 알려져 있다. ④ 1995년 부여간첩 김동식의 소속 기관이다.
인민무력부	정찰총국	1국 (작전국)	① 남파공작원과 전투원에 대한 정규 기본훈련 및 호송·안내를 담당하며, 남파공작원 파견기지인 해상연락소를 청진·원산·남포·해주 등에 보유하고 있다. ② 위조지폐·마약제조 거래·무기수출 등 불법행위를 통하여 자금을 확보한다. ③ 1998년 속초지역 유고급 잠수정 침투를 자행하였다.
		2국 (정찰국)	① 448부대·907부대·남포해상특수부대 등을 관장하며 특공부대의 후방침입과 잠수함침투, 유격활동 등 군사정찰임무를 담당한다. ② 공비양성·남파, 요인암살·파괴, 납치 등 게릴라활동과 남한에 대한 군사정보수집 등을 주된 임무로 한다. ③ 1983년 미얀마 아웅산 암살폭파사건과 1996년 강릉 무장공비사건 등을 자행하였다.
		5국 (35호실)	공작원 남파 및 정보수집을 수행하는 부서와 해외공작 및 테러를 전담하는 부서로 구분된다. 일명 조사부로도 불리며 KAL폭파사건(김현희 소속) 등을 자행하였다.
		6국 (기술국)	첩보장비, 기술증진, 사이버테러, 사이버 감시 및 온라인 선전 등 기술적 업무를 담당하고 있다.

제4절 방첩활동

01 서설

1. 방첩의 의의

(1) 개념

방첩이란 비밀유지, 보안유지라고도 하며 이는 적국에 의한 태업·간첩·전복 등 위해로부터 국가안전을 보장하기 위한 일체의 활동을 말한다.

(2) 방첩의 대상

간첩	타국에 대한 첩보수집행위, 태업행위, 전복행위 등을 목적으로 대상국 내에 잠입한 자 또는 이를 지원·동조하거나 협조하는 자를 말한다.
태업	대상국가의 전쟁수행능력과 방위능력을 약화시키기 위하여 행하여지는 직·간접적인 모든 손상 및 파괴행위를 말한다.
전복	공산주의자들의 프롤레타리아 혁명 또는 이와 유사한 불순 정치세력에 의하여 폭력수단을 사용하는 위헌적인 방법으로 정권을 탈취하는 행위를 말한다.

2. 방첩의 기본원칙

완전협조의 원칙	방첩기관은 보조기관 및 일반대중으로부터의 완전한 협조가 필요하다.
치밀의 원칙	간첩은 치밀한 계획하에 침투준비를 하므로 이에 상응하는 치밀한 계획과 준비로 간첩활동에 대한 대비가 이루어져야 한다.
계속접촉의 원칙	① 조직망 전체가 파악될 때까지 계속 접촉을 유지하고 조직망의 파악 이후에 일망타진을 할 수 있도록 하여야 한다. ② 계속접촉의 유지는 '탐지 ⇨ 판명 ⇨ 주시 ⇨ 이용 ⇨ 검거'의 순서로 이루어진다.

3. 방첩의 수단

적극적 방첩수단	① 적에 대한 첩보수집 ② 침투공작 전개 ③ 적의 첩보공작 분석 ④ 대상인물 감시 ⑤ 간첩신문 ⑥ **역용공작**: 검거된 간첩을 전향시켜 충성, 협력할 것을 서약 받은 후 역용가치가 있을 경우에는 그 간첩을 활용하여 적의 첩보수집과 다른 간첩을 검거하는데 이용하는 것
소극적 방첩수단	① 정보 및 자재보안의 확립 ② 인원보안의 확립 ③ 시설보안의 확립 ④ 보안업무 규정화 확립 ⑤ 입법사항 건의

기만적 방첩수단 (심리전의 중요한 수단)	① 허위정보의 유포: 사실을 허위 · 날조하여 우리가 기도하고 있는 바를 적이 오인하도록 하는 방법 ② 양동간계시위: 거짓행동을 적에게 시위함으로써 우리가 기도한 바를 적이 오인 · 판단하도록 하는 방법 ③ 유언비어 유포: 유언비어를 유포하여 적이 오인하도록 하는 방법

02 간첩

1. 간첩의 개념

(1) 의의

한 국가(정치적 집단)의 이익을 위하여 비밀 또는 허위의 구실하에 정보수집을 하거나 태업, 전복활동을 하는 모든 조직적 구성분자를 말한다.

(2) 간첩의 구분

① 인원수에 의한 구분

구분	대량형 간첩	지명형 간첩
내용	㉠ 간첩활동에 필요한 교육을 받은 자들이 대상국가에 밀파되어 특수한 대상의 지목 없이 광범위한 분야의 정보를 수집하는 간첩이다. ㉡ 주로 전시에 파견된다. ㉢ 지명형 간첩의 보호를 위해 파견되는 경우도 있다.	㉠ 특정 목표 및 임무를 부여받아 필요한 비밀활동 및 공작기술에 대한 교육을 받고 해당 정보를 수집하도록 개별적으로 지명하여 침투된 간첩이다. ㉡ 고정간첩인 경우가 많으며 전쟁 및 평상시를 불문하고 파견된다.
비교	대량형 간첩의 경우 대량의 정보를 단시간에 입수할 수 있지만 상대 국가가 색출하기 용이하므로 검거될 위험이 높다. 반면 지명형 간첩의 경우 상대 국가가 색출해내기 어려우며, 상대 국가에 상당한 수준의 위험을 미칠 수 있다.	

② 활동방법에 의한 구분

고정간첩	㉠ 일정한 공작기간이 없다. ㉡ 지역적 연고권과 생업을 유지하며 합법적으로 보장된 신분을 구비한다. ㉢ 일정지역에서 장기간 · 고정적으로 간첩활동을 하도록 임무를 부여받고 활동한다.
배회간첩	㉠ 일정한 공작기간이 설정되어 있다. ㉡ 일정한 주거장소 없이 전국을 배회하며 임무를 수행한다. ㉢ 배회기간 중 확고한 토대가 구축되고 합법적 신분을 획득하는 경우 고정간첩으로 변경될 수 있다.
공행간첩	㉠ 상사 주재원, 외교관 등과 같이 공용의 목적으로 입국하여 합법적인 신분을 가지고 있는 간첩이다. ㉡ 대상 국가에 입국할 때 합법적 신분을 보장받는다는 특징이 있다.

③ 임무(사명)에 의한 구분

일반간첩	㉠ 우리나라에 잠입한 대다수의 간첩이 일반간첩에 해당한다. ㉡ 일반적인 정보를 수집하거나 또는 태업공작 · 전복공작을 전개한다. ㉢ 기밀탐지 · 수집 등의 활동을 하는 가장 전형적인 형태의 간첩이다.
증원간첩	㉠ 이미 구성된 간첩망의 보강을 위해 파견되는 간첩이다. ㉡ 간첩으로 이용할 일반인 등의 납치 · 월북 유도 등을 주된 임무로 한다.

보급간첩	㉠ 간첩을 파견하기 위해 필요한 일정한 장소에서 토대를 구축한다. ㉡ 남파간첩의 공작활동에 필요한 공작금품, 장비, 증명서 원본 등 물적 지원의 임무를 담당한다. ㉢ 일본 등 주변국에 거점을 형성하고 있다.
무장간첩	㉠ 특별한 훈련을 받으며 요인암살, 남파간첩의 호송, 월북안내, 연락 및 남파루트 등을 개척한다. ㉡ 부수적으로 휴전선 일대의 군사정보수집을 그 임무로 한다.

④ 대상에 의한 구분

군사적 간첩	전쟁 전이나 전쟁 중에 적의 세력 및 의도의 정확한 파악을 위한 전쟁기술의 하나로 활용하는 간첩을 말한다.
정치적 간첩	국가가 다른 국가나 국민에 대하여 정치적 정보를 수집하려고 정탐하는 간첩을 말한다.
경제적 간첩	산업기술 등 경제적 사항을 대상으로 하는 간첩이다.

Add ⊕

손자의 간첩 구분

1. 향간

적국의 시민을 사용하여 정보활동을 하는 것

2. 내간

적의 관리를 매수하여 정보활동을 시키는 것

3. 반간

적의 간첩을 역으로 이용하여 아군을 위해 활동하는 것

4. 사간

배반할 염려가 있는 아군의 간첩으로 하여금 고의로 조작된 허위정보를 사실로 알고 적에게 전언 또는 누설하게 하는 것으로 이 경우 간첩은 대체로 피살되기 마련이므로 사간이라 함

5. 생간

적국 내에 잠입하여 정보활동을 하고 돌아와 보고하는 간첩

2. 간첩망의 형태

구분	구성방식	장점	단점
단일형	단독으로 활동	보안유지 및 신속한 활동 가능	① 활동범위 협소 ② 공작성과가 낮음
삼각형	지하당 구축을 하명받은 간첩이 3명 이내의 공작원을 포섭하여 공작원 간의 횡적 연락을 차단하고 직접 지휘하는 형태	① 보안유지 용이 ② 일망타진이 어려움	① 활동범위 협소 ② 공작원 검거시 주공작원의 정체노출
피라미드형	간첩 밑에 주공작원 2~3명을 두고 다시 주공작원이 각각 2~3명의 공작원을 두는 조직형태	① 일시에 많은 공작을 입체적으로 수행 ② 활동범위 넓음	① 노출 가능성 ② 일망타진 가능성 ③ 조직 구성에 많은 시간 소요
레포형	피라미드형 조직에 있어서 간첩과 주공작원간, 행동공작원 상호간에 연락원을 두고 종횡으로 연결하는 방식(레포는 연락 또는 연락원을 뜻하는 공산당 용어, 현재는 사용하지 않음)		

써클형	합법적 신분으로 침투, 대상국 정치·사회문제를 통해 적국의 이념이나 사상에 동조토록 유도하여 공작목표를 달성하기 위한 조직형태	① 간첩활동 용이 ② 대중적 조직의 구성과 대중동원이 가능	간첩 정체 폭로시 외교적 문제 야기

03 태업

1. 태업의 의의

방첩분야에서의 태업이란 대상국가의 전쟁 수행능력, 방위력을 약화시키기 위하여 행하여지는 직접적·간접적인 모든 손상, 파괴행위를 말한다.

2. 태업의 대상

(1) 전략, 전술적인 가치를 가진 것

(2) 태업에 필요한 기구를 용이하게 입수할 수 있고, 접근이 가능한 것

(3) 일단 파괴되면 수리하거나 대체하기가 어렵고 많은 시간이 소요되는 것

3. 태업의 형태

구분	종류	내용
물리적 태업	방화태업	① 인화물질로 목표물에 화재를 발생하게 하는 태업방법 ② 특징 ㉠ 가장 파괴력이 강함 ㉡ 어떠한 목표에 대해서도 위력 발휘가 가능 ㉢ 우연한 사고로 가장하기 용이 ㉣ 인화물질의 습득이 용이
	폭파태업	① TNT, 다이너마이트 등 폭발물을 사용하여 목표물을 파괴하는 태업 ② 특징 ㉠ 파괴가 전체적이고 즉각적일 때 사용 ㉡ 목표물을 파괴하는 목적을 달성하기 위하여 강한 절단력, 분쇄력을 필요로 할 때 사용
	기계태업	① 기계, 기구에 손상을 가하거나 조작하여 큰 파괴를 유발시키는 태업(열차탈선, 전복, 충돌 등) ② 특징 ㉠ 범행이 용이 ㉡ 목표물에 접근하여 있는 자가 실행 ㉢ 특별한 도구나 수단이 필요 없음 ㉣ 사용자가 사전에 결함을 발견하기 어려워 성공도가 높음
심리적 태업	선전태업	허위사실 또는 유언비어의 유포, 반정부 선동 등으로 민심을 혼란시키고 사회불안을 일으켜 전쟁수행능력에 영향을 미치게 하는 태업
	경제태업	위조통화·증권의 유통, 대규모 부도사태 촉발, 악성 노동쟁의행위 확산 등 대상국의 경제질서를 혼란 또는 마비시키는 태업
	정치태업	정치적 갈등과 분열을 일으켜 국민적 불신과 불화를 조장하고 일체성을 파괴하는 태업

04 전복

1. 전복의 개념

전복이란 폭력수단동원 등과 같은 위헌적인 방법으로 헌법에 의하여 설치된 국가기관을 강압적인 방법으로 변혁하거나 기능을 저하시키기 위하여 취하여지는 실력행사를 말한다.

2. 전복의 형태

국가전복	협의의 혁명으로 피치자(피지배자)가 치자(지배자)를 무력으로 타도하여 정권을 탈취하는 행위를 말하며 헌법의 파기라고도 한다.
정부전복	동일계급 내의 일부세력이 집권세력을 폭력으로 기습·제압하여 정권을 차지하거나 권력을 강화하는 쿠데타를 말한다. 헌법의 폐지라고도 한다.

3. 전복의 수단

전복의 수단에는 전위당(공산당) 조직, 통일전선전술, 선전 및 선동, 게릴라전술, 테러전술, 파업과 폭동 등이 있다.

4. 대전복활동

(1) 대전복활동의 의의

대전복활동이란 국가사회의 기본질서를 폭력적으로 파괴하려는 전복책동을 예방·적발·분쇄하는 활동을 말한다.

(2) 대전복활동의 대상

대전복활동은 공산세력, 좌경급진세력, 불법·폭력적 대중운동 등을 대상으로 하여 이루어지는 것이 일반적이다.

(3) 대전복활동의 내용

대전복활동 대상에 대한 기본정보의 수집·분석·검토와 지속적인 감시를 통하여 대전복활동이 전개된다. 또한 국민계몽이나 적의 선전으로부터의 차단, 반공단체의 육성 및 대전복활동에 대한 전문적 연구 등도 이루어진다.

05 공작

1. 공작일반

(1) 공작활동의 의의

공작이란 정보기관이 어떠한 목적하에 주어진 목표에 대하여 계획적으로 수행하는 비밀활동을 말한다.

(2) 비밀공작의 성격

헌신성	비밀공작 종사요원에 대하여 국가목적적 헌신성이 요구됨
비밀성	공작의 계획 추진과정에는 물론 종료 후에도 비밀유지
전제성	강력한 통제하에 수행되며 지령에 대한 이의를 불허
복선성	노출에 대비 주관자는 철저한 위장대책의 수립이 필요
변화성(비정형성)	현실상황에 따라 다양한 대처로 비정형성을 띰

다양성	적대국, 제3국, 우방 등 다양한 대상에 전개
장기성	목적의 성과보다 장기에 걸친 활동효과 추구

두문자 비밀공작의 성격: 헌비전복변다장

(3) 공작의 4대 요소

주관자		① 상부의 지령에 따르는 하나의 집단 ② 이 집단의 대표자를 공작관이라고 함
공작목표		① 공작목적 수행을 위한 지정대상 ② 공작진행에 따라 구체화·세분화되는 것이 특징
공작원	주공작원	공작관의 명령하달에 의거 자기 공작망 산하 공작원에 대한 지휘·조종 책임 담당
	행동공작원	① 공작목표에 대한 실제 첩보수집 기타 공작임무 수행 ② 주공작원의 지휘·감독을 받음
	지원공작원	① 공작원 및 조직체에 필요한 물자, 기술 등을 지원 ② 주공작원의 지휘·감독을 받음
공작금		공작목적 달성을 위한 제한활동의 효율적 수행을 위한 자금

(4) 공작의 구분

운영기구에 따른 분류	통합공작(연락공작, 연합공작), 합동공작
대상지역에 따른 분류	대북공작, 대공산권공작, 대우방국공작
목적에 따른 분류	첩보수집공작, 태업공작, 지원공작, 와해모략공작(심리적 공작), 역용공작 등

(5) 비밀공작의 순환과정

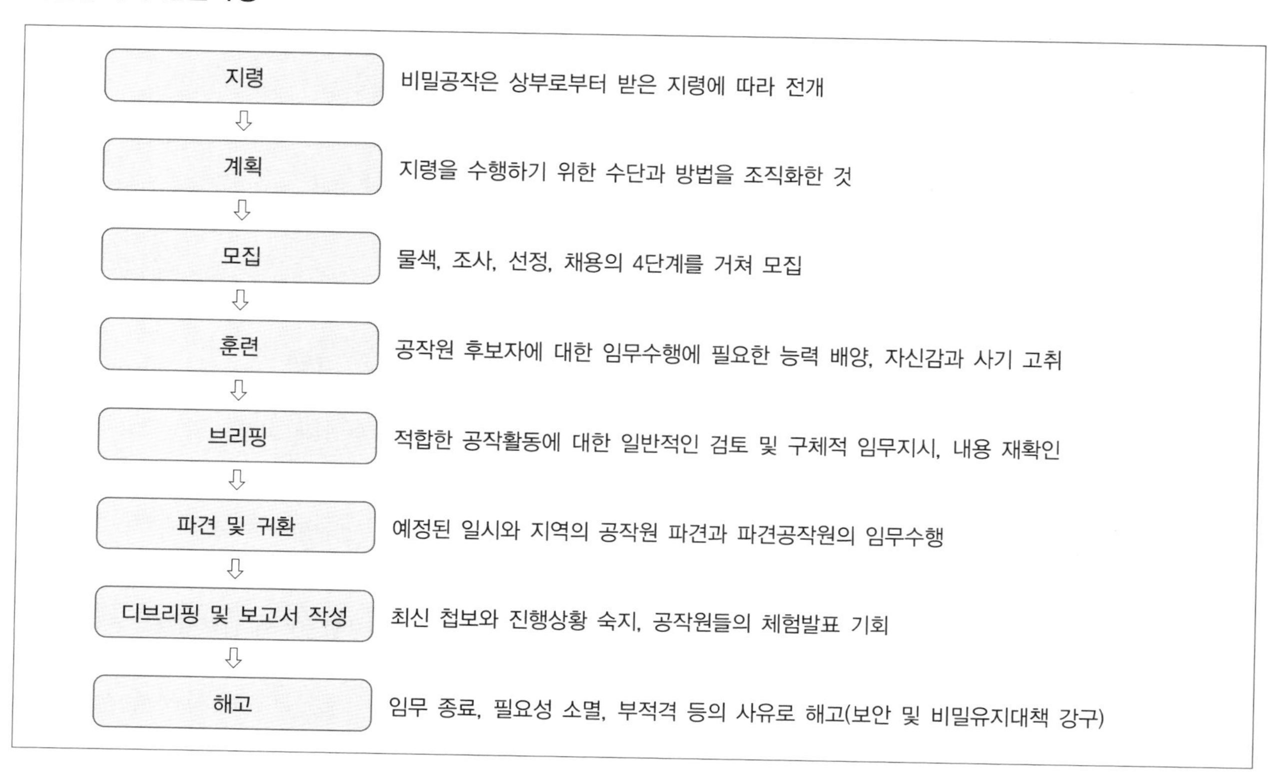

(6) 비밀공작망의 형태

구분	직접망	주공작원망	혼합망
개념	일선 공작원이 직접 공작관과 연락되어 조정 및 통제를 받는 형태	공작관의 위임을 받은 주공작원이 공작망을 조정 및 통제	직접망과 주공작망의 혼합형태
장점	① 공작원의 통제 및 테스트 용이 ② 공작비 절감 ③ 양질의 첩보수집과 보안유지 가능	① 많은 공작원의 간접 조정 가능 ② 공작관의 노출가능성이 희박 ③ 언어 장벽 해소 ④ 능률을 높일 수 있음	① 직접적인 주공작원 통제 가능 ② 첩보 보고의 진위 여부 확인 용이
단점	① 조직 노출우려 ② 공작원의 업무량 과다 ③ 대량공작 불가	① 행동 공작원의 직접 통제 불가능 ② 공작비 과다 ③ 공작원테스트 곤란 ④ 공작원의 해고 곤란	

2. 가장

(1) 개념

정보활동에 관계되는 여러 요소의 정체가 외부에 노출되지 않도록 하기 위한 외적·내적 여러 형태를 말한다.

(2) 종류

① 자연적 가장과 인공적 가장

자연적 가장	기존사실 그대로 가장하는 것
인공적 가장	새로운 신분이나 직업 등을 조작하여 허위의 가장을 사용하는 것

② 신분가장과 행동가장

신분가장	공작지역 체류시 자연스럽도록 신분이나 상태를 보호하는 것
행동가장	공작을 위한 행동을 정상적인 행동처럼 보이도록 꾸미는 것

③ 기본적 가장과 부차적 가장

기본적 가장	제1차적이고 기본이 되는 가장
부차적 가장	기본적 가장 폭로나 사용 불가시 마련된 제2차적 가장

④ 중가장과 경가장

중가장	가장을 위한 가장구실, 증명 문건 등의 완전 구비로 실체파악을 어렵게 하는 것
경가장	입증문건 등의 구비 불비로 평범한 수사에도 쉽게 노출될 수 있는 가장

⑤ 개인가장·조직가장과 집단가장

개인가장	개개인을 비밀활동에 적합하게 가장하는 것
조직가장	비밀공작조직 자체를 정보활동 수행에 적합한 명칭이나 사업체처럼 가장하는 것
집단가장	정보기관 종사자가 집단적으로 행동을 취하게 되는 경우 정보활동과의 관련성으로부터 은폐하기 위한 것

3. 잠복전술

비합법	기술잠복	가장 기본적인 것으로 침투지점부터 공작지역까지 침투, 복귀시, 공작지역에 체류하는 기관에 기본적으로 은거하는 잠복(잠복 장소 – 비트)
	자연잠복	비트를 마련할 여건이 안 되는 경우에 자연적·지리적 조건과 지형지물을 이용하여 잠복
반합법	기술잠복	유흥업소 종사자와 동거, 동숙하는 등 신분확인이 곤란한 점을 이용하여 합법적인 인물처럼 공개적으로 잠복
	엄호잠복	침투간첩들이 포섭된 대상의 엄호를 받으며, 포섭된 대상의 거주지나 영업소에 은거하여 합법적 인물로 가장 잠복

4. 연락

(1) 연락의 의의

연락이란 비밀공작을 수행함에 있어서 상·하급인원이나 기관 상호간에 비밀을 은폐하려고 기도하는 방법이다.

(2) 연락의 3대 요소

연락에 있어서는 안전성, 정확성, 신속성이 확보되어야 한다.

(3) 연락선

① 의의: 연락선이란 변동하는 각종 상황하에서도 비밀조직 내의 인원이나 기관 사이에 연락이 유지될 수 있도록 체계를 구성하는 것을 말한다.

② 종류

정상선		정상적인 공작상황하에서 지령, 첩보, 문서 등 통신내용을 전달하기 위하여 조직한 접촉수단
	기본선	㉠ 정기적 접촉을 목적으로 한 최초의 연락선 ㉡ 가장 안전한 상태하에서 이루어짐 ㉢ 개인회합과 같은 연락수단을 이용하는 경우가 많음
	보조선	㉠ 기본선의 과중한 사용을 피하기 위하여 마련한 연락선 ㉡ 기본선의 사고발생시를 대비하여 기본선을 보호하기 위한 방법으로서 조직된 연락선 ㉢ 주로 수수소와 같은 연락수단을 사용
	긴급선	㉠ 시간적으로 긴급한 지령이나 첩보를 전달함에 있어서 기본선과 보조선을 이용할 시간적 여유가 없을 때의 연락을 위하여 조직하는 연락선 ㉡ 전화 및 전보와 같은 연락수단을 사용
예비선		㉠ 조직원의 교체 또는 조직의 확장·부활·변동 등에 대비하여 서로 알지 못하는 조직원간의 최초 접촉을 위한 연락선 ㉡ 예비선을 이용한 연락을 통해 신임공작관이나 상급기관의 피지명인이 기성조직과의 접촉에 있어 진실성을 입증할 수 있음
비상선(경고선)		위급상황하에서 공작의 중단이나 정지를 알리기 위해 조직된 연락선

(4) 연락수단

① 의의: 연락수단이란 본부와 공작원간 또는 공작원 상호간에 첩보, 지령, 보고문서 등의 통신물이나 공작물자 등을 비밀리에 전달, 수령하는 수단을 말한다.

② 연락수단의 종류

개인회합	개념	비밀조직 내의 구성원(기관) 사이에 접촉을 유지하며 첩보를 보고하거나, 지령・공작자료를 전달 또는 연락하기 위하여 직접 대면하는 연락수단
	장점	공작원의 능력파악, 첩보의 대량 전달, 하급공무원의 사기 문제 및 이중간첩화 여부의 파악이 용이
	단점	부분화의 원칙을 적용하기 어렵고, 가장 구축이 곤란하며 상급자가 하급자의 함정에 빠질 염려가 있음
차단	비밀조직 내 구성원(기관) 사이에 직접 접촉 없이 연락을 은폐・보호할 수 있는 매개자나 매개물을 통한 연락수단	

차단의 종류

수수자(유인포스트)	조직원간 직접 접촉 없이 목적물의 전달을 위해 선정된 제3자(중계인)
연락원(레포)	비밀문서・물자・관념을 다른 곳으로 전달하는 공작원(연락원 체포시 공작원도 위험)
수수소(무인포스트)	조직원간 대면 없이 목적물을 간접 전달하는 중계소로 이용되는 장소나 시설물
편의주소관리인	비밀공작과 관계없는 제3주소의 관리인
광고	일시에 전체에게 전달시, 비상선을 사용한 경고시, 공작시행 여부 및 공작원의 출발・도착의 고지시, 두절선 재접촉시 이용
방송	하향선의 경우 공작기관에서의 방송을 이용 행하는 지령이나 신호로, 공작원은 이를 청취・해독

5. 신호

(1) 의의

비밀공작 활동시 조직원간 은밀한 의사소통과 연락을 위해 사전에 약정해 놓은 표시(자연성, 명백성, 공개성, 간단성, 확실성, 안전성)를 말한다.

(2) 신호의 구분

인식신호	첫 대면하는 양자의 상호식별을 위해 사용하는 신호(약정된 동작, 태도, 착의, 소지품 등)
확인신호	인식신호 후 쌍방 재확인을 위해 약속된 신호(물자교환이나 약속된 대화 등)
안전・위협신호	공작상황(인원・시설・지역・단체의 현재상태 등)의 안전 또는 위험을 알리기 위한 신호
행동신호	공작활동의 가능 여부를 연락하기 위한 신호

6. 관찰묘사와 사전정찰

(1) 관찰·묘사의 의의

일정 목적하에 사물의 현상 및 사건의 전말을 감지하는 과정(첩보수집단계)을 말하며 묘사는 관찰한 경험을 재생하여 표현 기술하는 것(보고단계)을 말한다.

Add ⊕

관찰묘사의 순서
생활화, 객관성, 묘사의 전제, 가치판단, 대상지식 등이 필요하며, 주의 ⇨ 감지 ⇨ 기억의 순서에 의한다.

(2) 사전정찰

사전정찰이란 계획된 공작활동을 위한 목표·지역에 대한 예비지식을 수집하는 사전조사활동을 말하며 목표지역에 대한 예비지식, 적합한 가장, 임무에 대한 완전한 이해, 목표지역의 입지조건 연구, 접근로와 탈출로의 파악 등이 사전정찰에 해당하는 활동이다.

Add ⊕

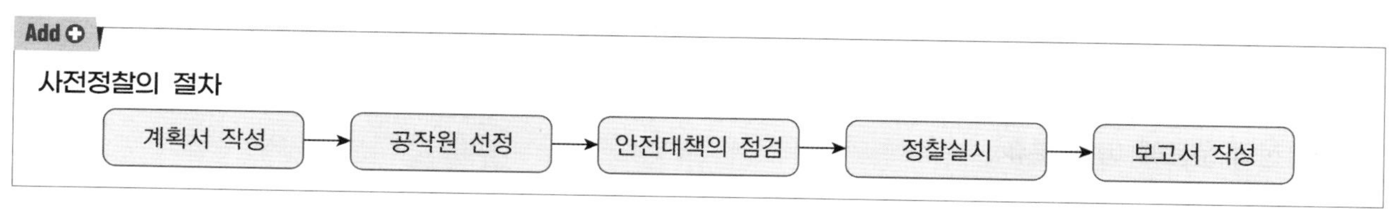

7. 감시

(1) 감시의 의의

공작대상의 인물, 시설, 물자 및 지역 등에 대한 정보를 획득하기 위한 목적으로 시각·청각 등을 사용하여 대상을 관찰하는 것이다. 이러한 감시에 관하여 대통령 등의 경호에 관한 법률 등에 직·간접적인 법적 근거가 존재한다.

(2) 감시의 형태

일반적인 형태	신중감시	① 감시대상자가 감지하지 못하도록 행하는 감시 ② 행위 중단 방지, 접촉인물 파악 후 연락선·조직 정체 규명시 사용
	근접감시 (직접감시)	대상자를 절대 놓쳐서는 안 될 경우, 대상자의 공작을 방해하기 위한 경우, 대상자가 중요한 행동을 하는 경우에 사용(접선·도주·자해·중요증거인멸 등)
	완만감시	① 계속적인 감시의 필요가 없는 대상자에 대해 필요한 시간·장소 등을 정하여 행하는 감시방법 ② 대상자가 이미 노출된 자로 중점적인 감시 요구시, 인적·물적·시간적 사정이 여의치 않을시, 적은 인원으로 많은 감시효과를 올리고자 할 때 활용
실행(활동) 방법에 의한 형태	고정감시	일정한 감시장소에서 고정으로 대상의 활동·정황을 관찰하는 감시방법
	기술감시	단순한 육체적·물리적 감시방법을 지양한 기술적인 수단에 의한 감시방법
	이동감시	대상자의 모든 활동 관찰을 위해 미행하면서 감시하는 방법

8. 선전

(1) 선전의 의의

특정집단의 심리를 자극하여 해당 집단의 감정이나 견해를 공작국가측에 유리하도록 유도하기 위해 계획적으로 특정 주장 · 지식 등을 전파하는 심리전 기술이다.

(2) 선전의 출처공개 여부에 따른 분류

백색선전	주체 · 출처 등을 밝히면서 공개적으로 행하는 선전활동	공식보도에 의하므로 주제의 선정과 용어사용이 제한을 받지만 신뢰도가 높음. 공공연한 심리전
회색선전	① 출처가 불분명한 선전활동 ② 백색선전의 효과 감쇠에 유리, 신뢰도 낮음	① 선전이라는 선입감 없이 효과 창출 ② 적의 역선전시 대항하기 어려움
흑색선전	주체 · 출처의 위장 후 암암리에 행하는 선전	① 특수목표를 대상으로 한 계층에 대한 즉각적 · 집중적 선전 가능 ② 적 스스로 내부에 모순을 드러내어 내부 분열 · 혼란으로 사기 저하 유도 ③ 출처미상으로 역선전이 어려움

(3) 심리전의 운용에 따른 분류

전략 심리전	① 광범위하고 장기적인 목표 아래 대상국의 전 국민을 대상으로 실시하는 심리전 ② 공산국가의 국민들을 대상으로 행하는 대공산권 방송 등이 이에 해당
전술 심리전	① 단기적인 목표하에 즉각적인 효과를 기대하고 실시하는 심리전 ② 간첩을 체포했을 때 널리 공개하는 것이 이에 해당

(4) 심리전의 목적에 따른 분류

선무 심리전	아군 후방지역의 사기를 고취시키거나 수복지역 주민들의 협조를 얻고 질서를 유지하는 선전활동을 말하며 타협 심리전이라고도 함
공격적 심리전	적측에 대해 특정의 목적을 달성하기 위해 공격적으로 행하는 심리전
방어적 심리전	적측이 가해 오는 공격을 와해 · 축소시키기 위해 방어적으로 행하는 심리전

(5) 선전과 선동의 구별

선전	선동
특정문제에 대한 체계적 · 학문적 · 이론적인 설득으로 그 목적을 달성	대중의 감정을 고조시켜 폭동화함
특정문제에 대한 전문가 · 학자에 의해 행해짐	웅변 · 예언 등에 뛰어난 사람, 대중의 인기를 모을 수 있는 사람에 의해 행해짐

9. 유언비어

유언비어란 국가불안이나 국론분열 등 공작목표에 따라 확실한 근거가 없고 출처가 불분명한 풍문을 퍼뜨리는 심리전의 한 방법으로 인위적으로 조작하여 전파시키는 경우와 사회환경의 변화 등에 의해 자연발생적으로 발생하는 경우가 있다.

10. 불온선전물

(1) 불온선전물이란 북한이 민심교란, 관민이간, 반정부·반미선동, 사회 불안조성 등 대남심리전의 목적으로 대한민국의 정치·경제·사회·문화·군사 및 외교 등의 문제를 그때그때의 시사성에 민감하게 맞추어 왜곡·선전하는 내용을 담은 각종 삐라·책자·신문·화보·팸플릿 등의 선전물을 뜻한다.

(2) 북한 불온선전물은 북한이 선전선동 등 대남심리전의 일환으로 살포한 것으로서 국내에서 집회·시위 또는 인권운동의 수단으로 정치·사회·노동단체·학생 등이 제작·살포하는 국내 불온유인물과는 구별된다.

제5절 보안사범의 수사

01 우리나라의 보안경찰

1. 보안경찰의 특징

국가안전, 공공의 안녕질서 유지(정보경찰과 유사하고, 일반경찰과 상이함)와 자유민주적 기본질서를 보호하는 것이 목적이다. 고도의 보안성, 비공개성을 그 특징으로 한다.

2. 보안경찰의 업무

(1) 방첩공작, 국내보안정보수집(신흥종교집단 첩보수집 ×)

(2) 좌익사범수사, 보안경찰(보호감호, 보호관찰 ×)

(3) 불온유인물 수집·분석

(4) 북한이탈주민 직업 알선·동향파악

(5) 남북교류 관련 업무

Add ⊕

정보 및 보안업무기획·조정규정은 정보사범에 해당하는 범죄의 범위를 규정하고 있다.

3. 보안(정보)사범의 특성

확신범	보안사범은 범죄학의 유형상 대부분 확신범에 해당한다. 확신범은 법규상 부정되는 행위지만 자신의 양심이 허용하는 별개의 명령을 준수하고 수행하여야 할 의무가 있다고 믿고 범행을 저지른다. 자기가 지키는 규범이나 질서를 국가의 질서보다 상위의 것으로 평가하고 범행을 수행해야할 의무가 있다고 확신한다(정치적 성향).
보안성	치밀의 원칙과 관련된 것으로 보안사범은 범죄의 성격상 자체의 보안에 특별한 대책을 강구하고 있을 뿐만 아니라, 범행을 수사기관에서 인지하거나 확인하였다고 의심이 되면 즉각 범행을 중지하거나 기타 조직적인 보안대책을 수립하고 행동한다.

비노출적 범행	정보사범은 일반형사범죄와 달리 범행의 결과가 노출되지 않는 경우가 많다. 하부책 검거에 성공해도 배후조직에 대해서는 수사권이 미치지 않는 경우도 있다.
조직적 범죄	보안사범은 적 또는 적 동맹국의 지령을 받고 불법 잠입하였거나 그들에게 포섭된 자들의 범행으로서, 그들의 활동은 대부분 지하당과 같이 조직적이고 집단적인 경우가 많다.
비인도적 범행	보안사범은 많은 경우에 있어 목적달성을 위해 수단·방법을 가리지 않기 때문에 살인·방화·폭행·폭파 등의 비인도적 범행을 저지르는 경우가 많다. 또한, 범행 후에도 자수나 자백을 기대하기 힘들며 태연하다는 특징이 있다.
동족간의 범행	우리나라의 경우 동족에 의한 범행이 대부분이다.
추상적 위험범	보안사범의 경우 범죄행위로 인한 결과의 발생을 요하지 않는다. 보호법익이 국가의 존립과 안전에 있으므로 행위시 즉시 범죄가 성립한다.

02 국가보안법

1. 국가보안법의 일반적 특성

(1) 국가보안법의 목적

국가보안법은 국가의 안전을 위태롭게 하는 반국가활동을 규제하여 국가의 안전과 국민의 생존 및 자유의 확보를 목적으로 하며 형법의 특별법으로 존재한다.

(2) 국가보안법의 법적 성격

형사특별법	국가보안법은 '반국가활동'이라는 특정한 행위에 대하여 특별한 처벌규정과 절차를 두고 있으므로 일반형법과 형사소송법에 대한 특별법이다.
형사사법법	국가보안법은 반국가적 행위에 대한 재판의 준거가 되는 법률이며 국가형벌권의 실현을 목적으로 하는 형사사법법에 해당한다.

(3) 국가보안법의 법률상 특성

<table>
<tr><td colspan="2">고의범</td><td>국가보안법 위반사범의 경우 고의범만을 처벌하며 과실범에 대한 처벌규정이 없다.</td></tr>
<tr><td colspan="2">미수·예비·
음모죄의 확장</td><td>① 모든 반국가적 범죄에 대하여 원칙적으로 미수는 물론 예비·음모행위도 처벌
② 반국가단체의 구성·가입(제3조), 목적수행죄(제4조), 자진지원죄(제5조), 잠입·탈출죄(제6조), 이적단체의 구성·가입죄(제7조), 무기류 등의 편의제공죄(제9조)는 예비·음모를 처벌한다.
③ 불고지죄(제10조), 특수직무유기죄(제11조), 무고·날조죄(제12조)는 미수범을 처벌하지 않는다.</td></tr>
<tr><td rowspan="2">특수한
범죄의
성립
인정</td><td>편의제공죄
(제9조)</td><td>본범의 실행행위에 편의를 제공한 자도 종범이 아니라 별개의 독립된 편의제공죄의 정범으로 처벌한다.</td></tr>
<tr><td>선동·선전 및 권유죄
(제7조 제1항)</td><td>국가보안법은 반국가적 행위의 다양화 및 조직화·집단화에 효율적으로 대처하기 위하여 선동·선전행위를 종범이 아닌 별도의 범죄로 규정하여 정범으로 처벌한다.</td></tr>
</table>

특수한 범죄의 성립 인정	불고지죄 (제10조)	국가보안법에 의하여 보호되는 법익은 국가의 안전보장이라는 매우 중대한 사항이므로 국가보안법 제10조에 의하면 반국가단체구성 등 죄, 목적수행죄, 자진지원죄 등은 모든 국민에 대하여 일반적으로 고지의무를 부과하고 이를 위반한 경우에는 범죄가 되어 처벌하는 것으로 규정한다.

(4) 수사절차상 특징

참고인의 구인·유치 (제18조)	① 검사 또는 사법경찰관으로부터 이 법에 정한 죄의 참고인으로 출석을 요구받은 자가 정당한 이유 없이 2회 이상 출석요구에 불응한 때에는 관할 법원판사의 구속영장을 발부받아 구인할 수 있다. ② 구속영장에 의하여 참고인을 구인하는 경우에 필요한 때에는 근접한 경찰서 기타 적당한 장소에 임시로 유치할 수 있다.
구속기간의 연장 (제19조)	사법경찰관은 구속기간의 연장을 1차까지 연장이 가능하므로 20일, 검사의 경우는 구속기간의 연장을 2차까지 연장이 가능하므로 30일, 총 50일간 구속수사가 가능(찬양·고무죄, 불고지죄, 특수직무유기죄, 무고·날조죄는 제외)

국가보안법

제19조【구속기간의 연장】 ① 지방법원판사는 제3조 내지 제10조의 죄로서 사법경찰관이 검사에게 신청하여 검사의 청구가 있는 경우에 수사를 계속함에 상당한 이유가 있다고 인정한 때에는 형사소송법 제202조의 구속기간의 연장을 1차에 한하여 허가할 수 있다.
② 지방법원판사는 제1항의 죄로서 검사의 청구에 의하여 수사를 계속함에 상당한 이유가 있다고 인정한 때에는 형사소송법 제203조의 구속기간의 연장을 2차에 한하여 허가할 수 있다.
③ 제1항 및 제2항의 기간의 연장은 각 10일 이내로 한다.

형사소송법

제202조【사법경찰관의 구속기간】 사법경찰관이 피의자를 구속한 때에는 10일 이내에 피의자를 검사에게 인치하지 아니하면 석방하여야 한다.
제203조【검사의 구속기간】 검사가 피의자를 구속한 때 또는 사법경찰관으로부터 피의자의 인치를 받은 때에는 10일 이내에 공소를 제기하지 아니하면 석방하여야 한다.
제205조【구속기간의 연장】 ① 지방법원판사는 검사의 신청에 의하여 수사를 계속함에 상당한 이유가 있다고 인정한 때에는 10일을 초과하지 아니하는 한도에서 제203조의 구속기간의 연장을 1차에 한하여 허가할 수 있다.

판례

국가보안법(1980.12.31. 법률 제3318호, 개정 1991.5.31. 법률 제4373호) 제19조 중 제7조 및 제10조의 죄에 관한 구속기간 연장부분은 헌법에 위반된다(헌재 1992.4.14, 90헌마82).

(5) 중형주의

재범자의 특수가중 (제13조)	이 법, 군형법 제13조, 제15조 또는 형법 제2편 제1장 내란의 죄·제2장 외환의 죄를 범하여 금고 이상의 형의 선고를 받고 그 형의 집행을 종료하지 아니한 자 또는 그 집행을 종료하거나 집행을 받지 아니하기로 확정된 후 5년이 경과하지 아니한 자가 제3조 제1항 제3호 및 제2항 내지 제5항, 제4조 제1항 제1호 중 형법 제94조 제2항, 제97조 및 제99조, 동항 제5호 및 제6호, 제2항 내지 제4항, 제5조, 제6조 제1항 및 제4항 내지 제6항, 제7조 내지 제9조의 죄를 범한 때에는 그 죄에 대한 법정형의 최고를 사형으로 한다.

자격정지형의 병과 (제14조)	이 법의 죄에 관하여 유기징역형을 선고할 때에는 그 형의 장기 이하의 자격정지를 병과할 수 있다.
몰수 · 추징 및 압수물의 처분 (제15조)	① 이 법의 죄를 범하고 그 보수를 받은 때에는 이를 몰수한다. 다만, 이를 몰수할 수 없을 때에는 그 가액을 추징한다. ② 검사는 이 법의 죄를 범한 자에 대하여 소추를 하지 아니할 때에는 압수물의 폐기 또는 국고귀속을 명할 수 있다.

판례

국가보안법(1980.12.31. 법률 제3318호로 전문개정된 것) 제13조 중 "이 법, 군형법 제13조, 제15조 또는 형법 제2편 제1장 내란의 죄 · 제2장 외환의 죄를 범하여 금고 이상의 형의 선고를 받고 그 형의 집행을 종료하지 아니한 자 또는 그 집행을 종료하거나 집행을 받지 아니하기로 확정된 후 5년이 경과하지 아니한 자가 … 제7조 제5항, 제1항의 죄를 범한 때에는 그 죄에 대한 법정형의 최고를 사형으로 한다." 부분은 헌법에 위반된다(헌재 2002.11.28, 2002헌가5).

(6) 형의 감면(제16조)

다음의 어느 하나에 해당한 때에는 그 형을 감경 또는 면제한다.

① 이 법의 죄를 범한 후 자수한 때

② 이 법의 죄를 범한 자가 이 법의 죄를 범한 타인을 고발하거나 타인이 이 법의 죄를 범하는 것을 방해한 때

(7) 공소보류제도(제20조)

① 검사는 이 법의 죄를 범한 자에 대하여 형법 제51조의 사항을 참작하여 공소제기를 보류할 수 있다.

② ①에 의하여 공소보류를 받은 자가 공소의 제기 없이 2년을 경과한 때에는 소추할 수 없다.

③ 공소보류를 받은 자가 법무부장관이 정한 감시 · 보도에 관한 규칙에 위반한 때에는 공소보류를 취소할 수 있다.

④ 위 ③에 의하여 공소보류가 취소된 경우에는 형사소송법 제208조의 규정에 불구하고 동일한 범죄사실로 재구속할 수 있다.

형사소송법

제208조 【재구속의 제한】 ① 검사 또는 사법경찰관에 의하여 구속되었다가 석방된 자는 다른 중요한 증거를 발견한 경우를 제외하고는 동일한 범죄사실에 관하여 재차 구속하지 못한다.
② 전항의 경우에는 1개의 목적을 위하여 동시 또는 수단결과의 관계에서 행하여진 행위는 동일한 범죄사실로 간주한다.

2. 구성요건

(1) 반국가단체의 구성 · 가입 · 가입권유죄

국가보안법

제2조 【정의】 ① 이 법에서 '반국가단체'라 함은 정부를 참칭하거나 국가를 변란할 것을 목적으로 하는 국내외의 결사 또는 집단으로서 지휘통솔체제를 갖춘 단체를 말한다.
② 삭제 〈1991.5.31.〉

제3조 【반국가단체의 구성 등】 ① 반국가단체를 구성하거나 이에 가입한 자는 다음의 구별에 따라 처벌한다.
1. 수괴의 임무에 종사한 자는 사형 또는 무기징역에 처한다.
2. 간부 기타 지도적 임무에 종사한 자는 사형 · 무기 또는 5년 이상의 징역에 처한다.
3. 그 이외의 자는 2년 이상의 유기징역에 처한다.

② 타인에게 반국가단체에 가입할 것을 권유한 자는 2년 이상의 유기징역에 처한다.
③ 제1항 및 제2항의 미수범은 처벌한다.
④ 제1항 제1호 및 제2호의 죄를 범할 목적으로 예비 또는 음모한 자는 2년 이상의 유기징역에 처한다.
⑤ 제1항 제3호의 죄를 범할 목적으로 예비 또는 음모한 자는 10년 이하의 징역에 처한다.

① 반국가단체의 의의: 국가보안법 제2조 제1항은 "반국가단체라 함은 정부를 참칭하거나 국가를 변란할 것을 목적으로 하는 국내·외의 결사 또는 집단으로서 지휘통솔체제를 갖춘 단체를 말한다."라고 규정하여 반국가단체의 개념을 분명히 하고 있다(판례를 통하여 인정 ×).

② 반국가단체의 성립조건

정부를 참칭하거나 국가를 변란할 것을 목적으로 할 것	㉠ 함부로 단체를 조직하여 정부를 사칭하는 것은 정부 참칭에 해당 – 정부와 동일한 명칭을 사용할 필요는 없고, 일반인이 정부로 오인할 정도면 충분함 ㉡ 국가변란이란 정부를 전복하여 새로운 정부를 조직하는 것을 의미 – 정부전복은 정부를 구성하고 있는 자연인의 사임이나 교체만으로는 부족하고, 정부조직이나 제도 그 자체를 파괴 또는 변혁하는 것을 의미함 ㉢ 형법상 내란죄의 국헌문란은 국가보안법상 반국가단체의 국가변란보다는 넓은 개념에 해당함
결사 또는 집단일 것	㉠ 반드시 구성원이 2인 이상이어야 하고, 그 구성원은 특정되어야 함 ㉡ 계속성이 있어야 함(일시적인 집합은 결사 ×) – 영구히 존속하거나 사실상 계속하여 존속함을 요하지 않으며 일정한 기간 존속하게 할 의도하에 조직된 것이면 충분함
지휘·통솔체제를 갖출 것	2인 이상의 특정 다수인 사이에 단체의 내부질서를 유지하고 그 단체를 유지하기 위하여 일정한 위계(수괴의 임무에 종사한 자·간부 기타 지도적 임무에 종사한 자·그 이외의 자) 및 분담 등의 체계를 갖춘 결합체를 의미함

판례 **간첩·간첩방조·국가보안법 위반·법령 제5호 위반**

구 국가보안법(1958.12.26. 법률 제500호로 폐지제정되기 전의 것) 제1조, 제3조는 "국헌을 위배하여 정부를 참칭하거나 그에 부수하여 국가를 변란할 목적으로 결사 또는 집단을 구성한 자로서 수괴와 간부는 무기, 3년 이상의 징역 또는 금고에 처하고, 그 목적으로서 그 목적한 사항의 실행을 협의 선동 또는 선전한 자는 10년 이하의 징역에 처한다."고 규정하고 있다. 여기에서 '국헌을 위배하여'라 함은 대한민국헌법에 위반하는 것을, '정부를 참칭한다'고 함은 합법적 절차에 의하지 않고 임의로 정부를 조직하여 진정한 정부인 것처럼 사칭하는 것을, '국가를 변란한다'고 함은 정부를 전복하여 새로운 정부를 구성하는 것을 각 의미하고, '결사 또는 집단'이라 함은 공동의 목적을 가진 2인 이상 특정 다수인의 임의적인 계속적 또는 일시적 결합체를 말한다. 그러므로 위 법 제1조, 제3조의 구성요건을 충족하기 위해서는 그 구성된 결사나 집단의 공동목적으로서 정부를 참칭하거나 그에 부수하여 국가를 변란할 목적, 즉 주관적 요건을 갖추어야 하고, 그와 같은 목적을 가지고 있는지 여부는 그 결사나 집단의 강령이나 규약에 의하여 판단하는 것이 보통이나, 외부적으로 표방한 목적이 무엇인가에 구애되지 않고 그 결사 또는 집단이 실제로 추구하는 목적이 무엇인가에 의하여 판단되어야 하며, 어느 구성원 한 사람의 내심의 의도를 가지고 그 결사 또는 집단의 공동목적이라고 단정해서는 아니 된다(대판 2011.1.20, 2008재도11).

③ 반국가단체 구성·가입·가입권유죄의 처벌 여부

구분	예비·음모	미수	기수	구성원의 지위
구성·가입죄	○	○	○	법정형의 차이 ○
가입권유죄	×	○	○	법정형의 차이 ×

CHAPTER 05

(2) 목적수행죄

국가보안법
제4조【목적수행】 ① 반국가단체의 구성원 또는 그 지령을 받은 자가 그 목적수행을 위한 행위를 한 때에는 다음의 구별에 따라 처벌한다.
1. 형법 제92조 내지 제97조, 제99조, 제250조 제2항, 제338조 또는 제340조 제3항에 규정된 행위를 한 때에는 그 각 조에 정한 형에 처한다.
2. 형법 제98조에 규정된 행위를 하거나 국가기밀을 탐지·수집·누설·전달하거나 중개한 때에는 다음의 구별에 따라 처벌한다.
   가. 군사상 기밀 또는 국가기밀이 국가안전에 대한 중대한 불이익을 회피하기 위하여 한정된 사람에게만 지득이 허용되고 적국 또는 반국가단체에 비밀로 하여야 할 사실, 물건 또는 지식인 경우에는 사형 또는 무기징역에 처한다.
   나. 가목 외의 군사상 기밀 또는 국가기밀의 경우에는 사형·무기 또는 7년 이상의 징역에 처한다.
3. 형법 제115조, 제119조 제1항, 제147조, 제148조, 제164조 내지 제169조, 제177조 내지 제180조, 제192조 내지 제195조, 제207조, 제208조, 제210조, 제250조 제1항, 제252조, 제253조, 제333조 내지 제337조, 제339조 또는 제340조 제1항 및 제2항에 규정된 행위를 한 때에는 사형·무기 또는 10년 이상의 징역에 처한다.
4. 교통·통신, 국가 또는 공공단체가 사용하는 건조물 기타 중요시설을 파괴하거나 사람을 약취·유인하거나 함선·항공기·자동차·무기 기타 물건을 이동·취거한 때에는 사형·무기 또는 5년 이상의 징역에 처한다.
5. 형법 제214조 내지 제217조, 제257조 내지 제259조 또는 제262조에 규정된 행위를 하거나 국가기밀에 속하는 서류 또는 물품을 손괴·은닉·위조·변조한 때에는 3년 이상의 유기징역에 처한다.
6. 제1호 내지 제5호의 행위를 선동·선전하거나 사회질서의 혼란을 조성할 우려가 있는 사항에 관하여 허위사실을 날조하거나 유포한 때에는 2년 이상의 유기징역에 처한다.

② 제1항의 미수범은 처벌한다.
③ 제1항 제1호 내지 제4호의 죄를 범할 목적으로 예비 또는 음모한 자는 2년 이상의 유기징역에 처한다.
④ 제1항 제5호 및 제6호의 죄를 범할 목적으로 예비 또는 음모한 자는 10년 이하의 징역에 처한다.

목적수행죄의 행위태양

의의		국가보안법 제4조는 정부를 참칭하거나 국가를 변란할 목적으로 조직된 결사·집단(반국가단체)의 구성원 또는 그 지령을 받은 자가 그 결사·집단의 목적수행을 위하여 행하는 간첩·인명살상·시설파괴 등의 범죄를 특별히 중하게 처벌하기 위하여 마련된 조항이다.
행위태양	제1호	외환의 죄, 존속살해죄, 강도살인죄, 강도치사죄 등
	제2호	간첩죄, 간첩방조죄, 국가기밀탐지·수집·누설 등의 죄
	제3호	소요죄, 폭발물사용죄, 방화죄, 살인죄 등
	제4호	중요시설파괴죄, 약취유인죄, 항공기·무기 등의 이동·취거 등의 범죄
	제5호	유가증권위조죄, 상해죄, 국가기밀서류·물품의 손괴·은닉 등의 범죄
	제6호	선전·선동죄, 허위사실날조·유포 등의 범죄

Add

목적수행 간첩(국가보안법 제4조 제1항 제2호)

1. 의의

국가보안법 제4조 제1항 2호는 '반국가단체의 구성원 또는 그 지령을 받은 자가 그 목적을 위하여 형법 제98조에 규정된 행위를 하거나 국가기밀을 탐지·수집·누설·전달·중개하는 것'을 처벌 대상으로 규정하고 있다.

형법
제98조【간첩】 ① 적국을 위하여 간첩하거나 적국의 간첩을 방조한 자는 사형, 무기 또는 7년 이상의 징역에 처한다.
② 군사상의 기밀을 적국에 누설한 자도 전항의 형과 같다.

2. 구성요건

주체	본죄의 주체는 반국가단체의 구성원 또는 그 지령을 받은 자이어야 함
행위의 객체	① 본죄의 객체는 군사상 기밀 ② 군사상 기밀이란 순수한 군사에 관한 사항뿐만 아니라 정치·경제·사회·문화 등 각 방면에 걸쳐 적국에 알리지 아니하거나 확인되지 아니함이 우리나라의 국가이익 내지 국가정책상 필요한 모든 기밀사항을 포함 ③ 적법한 절차 등을 거쳐 이미 일반인에게 널리 알려진 공지의 사실 등은 기밀에 해당하지 않음
행위의 태양	대한민국의 군사상 기밀을 탐지·수집하는 것

3. 기수, 미수 및 예비·음모

기수	① 본죄의 기수시기에 관하여는 반국가단체에 통보할 의사로써 대한민국의 군사상의 기밀에 속하는 사항을 탐지, 수집함으로써 간첩행위는 완성 ② 간첩이 군사기밀을 수집하였으나 자료가 지령자에게 도달하지 않은 경우에도 본죄의 기수가 성립
미수(실행의 착수시기)	① 간첩죄의 미수범(제4조 제2항)이 성립하기 위해서는 일단 간첩행위의 실행에 착수하였을 것이 요구 ② 북괴 남파간첩의 경우 간첩의 목적으로 남하하여 대한민국 지역에 침입하면 이미 예비단계를 지나 간첩행위에 착수한 것으로 인정
예비·음모	본조의 범행이 실행의 착수에 이르지 못한 경우에는 예비 또는 음모죄로 처벌

4. 간첩방조죄

① 개념간첩을 방조함으로써 성립하는 범죄로서 간첩이라는 정을 알면서 간첩의 임무수행과 관련하여 간첩행위자의 범의를 강화시키거나 또는 간첩의 범의에 의한 실행행위를 용이하게 하는 일체의 행위를 말한다.

② 구성요건

주체	반국가 단체의 간첩이라는 인식만 있으면 주체에 해당
객체	본죄의 객체는 간첩
행위	무기나 금품의 제공 등과 같은 물질적 방법(유형방조)에 의하거나, 격려 등과 같은 정신적 방법(무형방조)에 의하건 아무런 상관이 없음

5. 처벌

국가보안법상 간첩죄와 간첩방조죄는 그 처벌이 동일하다.

(3) 자진지원죄(제5조 제1항)

국가보안법

제5조 【자진지원·금품수수】 ① 반국가단체나 그 구성원 또는 그 지령을 받은 자를 지원할 목적으로 자진하여 제4조 제1항 각 호에 규정된 행위를 한 자는 제4조 제1항의 예에 의하여 처벌한다.

③ 제1항 및 제2항의 미수범은 처벌한다.

④ 제1항의 죄를 범할 목적으로 예비 또는 음모한 자는 10년 이하의 징역에 처한다.

⑤ 삭제 〈1991.5.31.〉

① 의의: 본조는 반국가단체의 구성원 또는 그 지령을 받은 자 이외의 자가 반국가단체나 그 구성원 또는 그 지령을 받은 자를 지원할 목적으로 자진하여 외환유치·간첩·소요·중요시설파괴·유가증권위조·선동 등 국가보안법 제4조 제1항 각 호에 규정된 행위를 함으로써 성립하는 범죄이다.

② 구성요건

주체	본 죄는 반국가단체의 구성원 또는 그 지령을 받은 자를 제외한 자만이 주체가 될 수 있다.
행위태양	㉠ 자진하여 제4조 제1항 각 호에 규정된 행위를 하여야 한다. ㉡ '자진하여'란 반국가단체나 그 구성원 또는 그 지령을 받은 자의 요구나 권유 등에 의하지 아니하고 아무런 의사의 연락 없이 스스로의 의사에 의하여 범행함을 의미한다. ㉢ 타인의 요구나 권유 등에 의하여 본 죄를 범한 경우, 그 타인이 반국가단체의 구성원이나 그 지령을 받은 자가 아닐 경우에는 입법취지에 비추어 본 죄의 성립에 아무런 지장이 없다.

(4) 금품수수죄(제5조 제2항)

국가보안법

제5조 【자진지원 · 금품수수】 ② 국가의 존립 · 안전이나 자유민주적 기본질서를 위태롭게 한다는 정을 알면서 **반국가단체의 구성원 또는 그 지령을 받은 자로부터 금품을 수수한 자는 7년 이하의 징역에 처한다.**
③ 제1항 및 제2항의 미수범은 처벌한다.

① 의의: 본죄는 국가의 존립 · 안전이나 자유민주적 기본질서를 위태롭게 한다는 정을 알면서 반국가단체의 구성원 또는 그 지령을 받은 자로부터 금품을 수수함으로써 성립하는 범죄이다.

② 성립요건

주체	본죄의 주체에는 아무런 제한이 없음(자진지원죄와는 달리 반국가단체의 구성원이나 그 지령을 받은 자도 본죄의 주체가 될 수 있다)
행위태양	㉠ 반국가단체의 구성원 또는 그 지령을 받은 자로부터 금품을 수수하는 것 ㉡ 금품은 사람의 수요나 욕망을 충족시킬 수 있는 일체의 물건 또는 이익을 말함

판례 **국가보안법 위반**

국가보안법 제5조 제2항의 금품수수죄는 반국가단체의 구성원이나 그 지령을 받은 자라는 정을 알면서 또는 국가의 존립, 안전이나 자유민주적 기본질서를 위태롭게 한다는 정을 알면서 반국가단체의 구성원이나 그 지령을 받은 자로부터 금품을 수수함에 의하여 성립하는 것으로서, 그 수수가액이나 가치는 물론 그 목적도 가리지 아니하고, 그 금품수수가 대한민국을 해할 의도가 있는 경우에 한하는 것도 아니다(대판 1995.9.26, 95도1624).

(5) 잠입 · 탈출죄

국가보안법

제6조 【잠입 · 탈출】 ① 국가의 존립 · 안전이나 자유민주적 기본질서를 위태롭게 한다는 정을 알면서 반국가단체의 지배하에 있는 지역으로부터 잠입하거나 그 지역으로 탈출한 자는 10년 이하의 징역에 처한다.
② 반국가단체나 그 구성원의 지령을 받거나 받기 위하여 또는 그 목적수행을 협의하거나 협의하기 위하여 잠입하거나 탈출한 자는 사형 · 무기 또는 5년 이상의 징역에 처한다.
③ 삭제 〈1991.5.31.〉
④ 제1항 및 제2항의 미수범은 처벌한다.
⑤ 제1항의 죄를 범할 목적으로 예비 또는 음모한 자는 7년 이하의 징역에 처한다.
⑥ 제2항의 죄를 범할 목적으로 예비 또는 음모한 자는 2년 이상의 유기징역에 처한다.

구분	대상지역	목적
단순잠입 · 탈출죄	반국가단체의 지배하에 있는 지역	없음
특수잠입 · 탈출죄	제한 없음	반국가단체나 그 구성원의 지령을 받거나 또는 목적수행을 협의하거나 협의하기 위하여

Add ⊕

잠입 · 탈출죄의 행위태양

1. 본죄의 행위태양은 반국가단체의 지배하에 있는 지역으로부터 잠입하거나 그 지역으로 탈출하는 것
2. 반국가단체의 지배하에 있는 지역이란 반국가단체가 사실상 지배하고 있는 모든 지역을 지칭
3. 북괴의 불법적 지배하에 있는 지역은 물론 외국에 있는 북한공관이나 공작원의 교육, 공작 등에 이용되는 소위 안전가옥과 해상에 있는 공작선 등도 포함
4. 잠입이란 반국가단체의 지배하에 있는 지역으로부터 대한민국의 통치권이 실제로 행사되는 지역, 즉 사실상의 영토 내로 들어오는 것을 의미
5. 육로로 들어올 경우에는 휴전선 월경시, 해상 또는 공로로 들어올 경우에는 영해 · 영공 침범시 각각 기수가 성립

(6) 찬양 · 고무죄

국가보안법

제7조 【찬양 · 고무 등】 ① 국가의 존립 · 안전이나 자유민주적 기본질서를 위태롭게 한다는 정을 알면서 반국가단체나 그 구성원 또는 그 지령을 받은 자의 활동을 찬양 · 고무 · 선전 또는 이에 동조하거나 국가변란을 선전 · 선동한 자는 7년 이하의 징역에 처한다.
② 삭제 〈1991.5.31.〉
③ 제1항의 행위를 목적으로 하는 단체를 구성하거나 이에 가입한 자는 1년 이상의 유기징역에 처한다.
④ 제3항에 규정된 단체의 구성원으로서 사회질서의 혼란을 조성할 우려가 있는 사항에 관하여 허위사실을 날조하거나 유포한 자는 2년 이상의 유기징역에 처한다.
⑤ 제1항 · 제3항 또는 제4항의 행위를 할 목적으로 문서 · 도화 기타의 표현물을 제작 · 수입 · 복사 · 소지 · 운반 · 반포 · 판매 또는 취득한 자는 그 각항에 정한 형에 처한다.
⑥ 제1항 또는 제3항 내지 제5항의 미수범은 처벌한다.
⑦ 제3항의 죄를 범할 목적으로 예비 또는 음모한 자는 5년 이하의 징역에 처한다.

구분		내용
의의		본죄는 이적동조 등, 이적단체 구성 · 가입, 이적단체구성원의 허위사실날조 · 유포, 안보위해문건제작 등의 행위를 처벌함을 목적으로 한다.
유형	이적동조 등	① 찬양 · 고무 · 선전 · 동조행위 또는 국가변란을 선전 · 선동하는 행위를 말한다. ② 행위주체에는 아무런 제한이 없다.
	이적단체 구성 · 가입죄	① 행위주체에는 아무런 제한이 없다. ② 반국가단체의 구성원은 물론 그 지령을 받거나 그러한 자들로부터 다시 지령을 받은 자도 주체가 될 수 있다. ③ 반국가단체나 그 구성원 또는 그 지령을 받은 자의 활동을 찬양 · 고무 · 선전 · 동조 또는 국가변란 선전 · 선동행위를 목적으로 단체를 구성하거나 이에 가입함으로써 성립한다. ④ 본죄는 반국가단체구성 및 가입죄와는 달리 지위와 역할에 따른 법정형에 차등이 없다.
	이적단체구성원의 허위사실날조 · 유포죄	이적단체의 구성원만이 본죄의 주체가 될 수 있다.

유형	안보위해문건 제작 등의 죄	① 문서·도화 기타의 표현물을 제작·수입·복사·소지·운반·반포·판매·취득하는 일체의 행위를 처벌한다. ② 문서는 형법상의 개념과는 다르며, 명의의 유무불문, 초고·초안·사본 등도 해당한다. ③ 이적동조 등, 이적단체의 구성·가입, 이적단체구성원의 허위사실날조·유포의 행위를 할 목적이 있어야 한다.

Add ⊕

반국가단체와 이적단체의 구분기준

단체가 정부참칭이나 국가변란 자체를 1차적인 목적으로 삼고 있다면 반국가단체에 해당하고, 별개의 반국가단체의 존재를 전제로 하여 그 반국가단체의 활동을 찬양하는 방법으로 동조하는 것을 목적(2차적)으로 하는 경우에는 이적단체에 해당한다.

판례

1. **국가보안법 위반**

   [1] 국가보안법 제2조에 의한 반국가단체로서의 지휘통솔체제를 갖춘 단체라 함은 2인 이상의 특정 다수인 사이에 단체의 내부질서를 유지하고, 그 단체를 주도하기 위하여 일정한 위계 및 분담 등의 체계를 갖춘 결합체를 의미한다.

   [2] 국가보안법상 반국가단체나 이적단체 모두 그 궁극적인 목적은 동일한 것에 귀결되나, 반국가단체와 이적단체의 구별은 각 단체가 그 활동을 통하여 직접 달성하려고 하는 목적을 기준으로 하여, 그 단체가 정부 참칭이나 국가의 변란 자체를 직접적이고도 1차적인 목적으로 삼고 있는 때에는 반국가단체에 해당되고, 별개의 반국가단체의 존재를 전제로 하여 그 반국가단체의 활동을 찬양하는 등 방법으로 동조하는 것을 목적으로 하는 경우에는 이적단체에 해당한다고 보아야 한다(대판 1995.7.28, 95도1121).

2. **국가보안법 위반(반국가단체의 구성 등)(인정된 죄명 : 국가보안법 위반(찬양·고무 등)·국가보안법 위반(회합·통신 등)(변경된 죄명, 일부 인정된 죄명 : 국가보안법 위반(찬양·고무 등)·국가보안법 위반(찬양·고무 등)**

   국가보안법상 반국가단체와 이적단체를 구별하기 위하여는 그 단체가 그 활동을 통하여 직접 달성하려고 하는 목적을 기준으로 하여, 그 단체가 정부 참칭이나 국가의 변란 그 자체를 직접적이고도 1차적인 목적으로 삼고 있는 때에는 반국가단체에 해당하고, 별개의 반국가단체의 존재를 전제로 하여 그 반국가단체의 활동에 동조하는 것을 직접적, 1차적 목적으로 하는 경우에는 이적단체에 해당한다(대판 1999.9.3, 99도2317).

(7) 회합·통신죄

국가보안법

제8조【회합·통신 등】 ① 국가의 존립·안전이나 자유민주적 기본질서를 위태롭게 한다는 정을 알면서 반국가단체의 구성원 또는 그 지령을 받은 자와 회합·통신 기타의 방법으로 연락을 한 자는 10년 이하의 징역에 처한다.

② 삭제 〈1991.5.31.〉

③ 제1항의 미수범은 처벌한다.

④ 삭제 〈1991.5.31.〉

주체	상대방이 반국가단체의 구성원 또는 그 지령을 받은 자이면 본죄의 주체에는 제한이 없다.
특징	① 단순한 신년인사나 안부편지 등은 특별한 사정이 없는 한 본죄를 구성하지 아니한다. ② 목적수행활동과 관련이 없는 경우 본죄가 성립하지 않는다.
행위	회합은 2인 이상이 일정한 장소에서 만나는 것을 의미하며, 통신은 우편·전신·전화 등을 통하여 서로의 의사를 전달하는 행위를 말한다.

(8) 편의제공죄

국가보안법
제9조 【편의제공】 ① 이 법 제3조 내지 제8조의 죄를 범하거나 범하려는 자라는 정을 알면서 총포·탄약·화약 기타 무기를 제공한 자는 5년 이상의 유기징역에 처한다.
② 이 법 제3조 내지 제8조의 죄를 범하거나 범하려는 자라는 정을 알면서 금품 기타 재산상의 이익을 제공하거나 잠복·회합·통신·연락을 위한 장소를 제공하거나 기타의 방법으로 편의를 제공한 자는 10년 이하의 징역에 처한다. 다만, 본범과 친족관계가 있는 때에는 그 형을 감경 또는 면제할 수 있다.
③ 제1항 및 제2항의 미수범은 처벌한다.
④ 제1항의 죄를 범할 목적으로 예비 또는 음모한 자는 1년 이상의 유기징역에 처한다.
⑤ 삭제 〈1991.5.31.〉

무기류 등의 편의제공	예비·음모를 처벌함
단순편의제공	본범과 편의를 제공한 자가 친족관계에 있는 경우 그 형을 감면할 수 있음

(9) 불고지죄

국가보안법
제10조 【불고지】 제3조, 제4조, 제5조 제1항·제3항(제1항의 미수범에 한한다)·제4항의 죄를 범한 자라는 정을 알면서 수사기관 또는 정보기관에 고지하지 아니한 자는 5년 이하의 징역 또는 200만원 이하의 벌금에 처한다. 다만, 본범과 친족관계가 있는 때에는 그 형을 감경 또는 면제한다.

① 반국가단체를 구성하거나 반국가단체에 가입한 자 또는 그 구성원, 구성원으로부터 지령을 받은 자의 일정한 범죄행위 또는 그들에 대한 자진지원행위를 알면서도 그 사실을 수사기관에 신고하지 아니함으로써 본 죄는 성립한다. 본조의 입법취지는 국가보안법 위반사범에 대한 불가비호성(不可庇護性)에 있다.
② 국가보안법상의 범죄에 대한 형벌 중 유일하게 벌금형을 규정하고 있으며, 본범과 친족관계가 있을 때에는 그 형을 감경 또는 면제한다.

(10) 특수직무유기죄

국가보안법
제11조 【특수직무유기】 범죄수사 또는 정보의 직무에 종사하는 공무원이 이 법의 죄를 범한 자라는 정을 알면서 그 직무를 유기한 때에는 10년 이하의 징역에 처한다. 다만, 본범과 친족관계가 있는 때에는 그 형을 감경 또는 면제할 수 있다.

① 범죄 수사 또는 정보의 직무에 종사하는 공무원이 국가보안법에 규정된 죄를 범한 자라는 것을 인지하고도 그 직무를 유기하기 위하여 수사 등 필요한 조치를 취하지 아니하는 경우를 가중처벌하기 위한 규정이다.
② 본범과 친족관계에 있을 경우 그 형을 감경 또는 면제할 수 있다.

(11) 무고 · 날조죄

국가보안법
제12조 【무고 · 날조】 ① 타인으로 하여금 형사처분을 받게 할 목적으로 이 법의 죄에 대하여 무고 또는 위증을 하거나 증거를 날조 · 인멸 · 은닉한 자는 그 각 조에 정한 형에 처한다.
② 범죄수사 또는 정보의 직무에 종사하는 공무원이나 이를 보조하는 자 또는 이를 지휘하는 자가 직권을 남용하여 제1항의 행위를 한 때에도 제1항의 형과 같다. 다만, 그 법정형의 최저가 2년 미만일 때에는 이를 2년으로 한다.

Add
타인으로 하여금 형사처벌을 받게 할 목적으로 국가보안법에 규정된 죄에 대하여 무고 · 위증하거나 증거를 날조 · 인멸 · 은닉하는 행위를 처벌하는 규정이다.

일반무고 · 날조죄	주체에 아무런 제한이 없다.
직권남용무고 · 날조죄	범죄 수사 또는 정보의 직무에 종사하는 공무원이나 이를 보조하는 자 또는 이를 지휘하는 자만이 본 죄의 주체가 될 수 있다.

3. 보상과 원호

상금 (제21조)	① 이 법의 죄를 범한 자를 수사기관 또는 정보기관에 통보하거나 체포한 자에게는 대통령령이 정하는 바에 따라 상금을 지급한다. ② 이 법의 죄를 범한 자를 인지하여 체포한 수사기관 또는 정보기관에 종사하는 자에 대하여도 제1항과 같다. ③ 이 법의 죄를 범한 자를 체포할 때 반항 또는 교전상태하에서 부득이한 사유로 살해하거나 자살하게 한 경우에는 ①에 준하여 상금을 지급할 수 있다.
보로금 (제22조)	① 제21조의 경우에 압수물이 있는 때에는 상금을 지급하는 경우에 한하여 그 압수물 가액의 2분의 1에 상당하는 범위 안에서 보로금을 지급할 수 있다. ② 반국가단체나 그 구성원 또는 그 지령을 받은 자로부터 금품을 취득하여 수사기관 또는 정보기관에 제공한 자에게는 그 가액의 2분의 1에 상당하는 범위 안에서 보로금을 지급할 수 있다. 반국가단체의 구성원 또는 그 지령을 받은 자가 제공한 때에도 또한 같다. ③ 보로금의 청구 및 지급에 관하여 필요한 사항은 대통령령으로 정한다.
보상 (제23조)	이 법의 죄를 범한 자를 신고 또는 체포하거나 이에 관련하여 상이를 입은 자와 사망한 자의 유족은 대통령령이 정하는 바에 따라 국가유공자 등 예우 및 지원에 관한 법률에 따른 공상군경 또는 순직군경의 유족이나 보훈보상대상자 지원에 관한 법률에 따른 재해부상군경 또는 재해사망군경의 유족으로 보아 보상할 수 있다.

Add
국가보안법
제24조 【국가보안유공자 심사위원회】 ① 이 법에 의한 상금과 보로금의 지급 및 제23조에 의한 보상대상자를 심의 · 결정하기 위하여 법무부장관 소속하에 국가보안유공자 심사위원회(이하 '위원회'라 한다)를 둔다.
② 위원회는 심의상 필요한 때에는 관계자의 출석을 요구하거나 조사할 수 있으며, 국가기관 기타 공 · 사단체에 조회하여 필요한 사항의 보고를 요구할 수 있다.
③ 위원회의 조직과 운영에 관하여 필요한 사항은 대통령령으로 정한다.
제25조 【군법 피적용자에 대한 준용규정】 이 법의 죄를 범한 자가 군사법원법 제2조 제1항 각 호의 1에 해당하는 자인 때에는 이 법의 규정 중 판사는 군사법원군판사로, 검사는 군검찰부 군검사로, 사법경찰관은 군사법경찰관으로 본다.

국가보안법 주요 내용

신분범	① 목적수행죄: 반국가단체의 구성원 또는 그 지령을 받은 자 ② 자진지원죄: 반국가단체의 구성원 또는 그 지령을 받은 자 이외의 자 ③ 허위사실날조·유포: 이적단체의 구성원 ④ 특수직무유기죄: 범죄수사 또는 정보의 직무에 종사하는 공무원 ⑤ 직권남용무고·날조죄: 범죄수사 또는 정보의 직무에 종사하는 공무원이나 이를 보조하는 자 또는 이를 지휘하는 자
목적범	① 자진지원죄 ② 특수잠입·탈출죄 ③ 이적단체구성·가입죄 ④ 안보위해문건제작 등의 죄 ⑤ 무고·날조죄 ⑥ 국가보안법상의 각 죄의 예비·음모에 관한 죄
예비·음모의 처벌	① 반국가단체의 구성·가입죄(가입권유 ×) ② 목적수행죄 ③ 자진지원죄 ④ 잠입·탈출죄 ⑤ 이적단체구성·가입죄 ⑥ 무기류 등의 편의제공죄
본범과 친족관계가 있을 경우의 감경 또는 면제	① 단순편의제공: 임의적 감면 ② 불고지죄: 필요적 감면 ③ 특수직무유기죄: 임의적 감면

제6절 보안관찰

01 보안관찰의 개념

(1) 보안관찰이란 행위 속에 객관화된 행위자의 장래의 위험성 때문에 행위자의 치료·교육·재사회화를 위한 개선과, 그에 대한 보안이라는 사회방위를 주목적으로 하여 과하여지는 형벌 이외의 형사제재를 말한다.

(2) 보안관찰처분에는 여행의 자유를 제한하는 등 주거제한적 요소는 있지만 가택보호처분을 포함하지는 않는다.

02 보안관찰법

보안관찰법(이하 '법'이라 한다)은 특정범죄를 범한 자에 대하여 재범의 위험성을 예방하고 건전한 사회복귀를 촉진하기 위하여 보안관찰처분을 함으로써 국가의 안전과 사회의 안녕을 유지함을 목적으로 한다(제1조).

1. 보안관찰 해당 범죄(제2조)

구분	내용	비고
형법	① 내란목적 살인죄 ② 외환유치죄 ③ 여적죄 ④ 모병・시설제공・시설파괴・물건제공 이적죄 ⑤ 간첩죄 ⑥ 위 죄의 미수범과 예비・음모・선동・선전죄	내란죄, 일반이적죄, 전시군수계약불이행죄 등은 해당 범죄가 아님
군형법	① 반란죄, 반란목적의 군용물탈취죄 ② 군대 및 군용시설제공죄, 군용시설 등 파괴죄 ③ 간첩죄 ④ 일반이적죄 ⑤ 위 죄의 미수범과 예비・음모・선동・선전죄 ⑥ 반란불보고죄	단순반란불보고죄는 해당 범죄 아님
국가보안법	① 목적수행죄 ② 자진지원・금품수수죄 ③ 잠입・탈출죄 ④ 무기류 등의 편의제공죄 ⑤ 위 죄의 미수범과 예비・음모죄	반국가단체의 구성・가입・가입권유죄, 찬양고무죄, 회합・통신죄 등은 해당 범죄 아님

2. 정의

구분	내용
보안관찰처분대상자 (제3조)	보안관찰 해당 범죄 또는 이와 경합된 범죄로 금고 이상의 형의 선고를 받고 그 형기 합계가 3년 이상인 자로서 형의 전부 또는 일부의 집행을 받은 사실이 있는 자를 말한다.
보안관찰처분 (제4조)	① 제3조에 해당하는 자 중 보안관찰 해당 범죄를 다시 범할 위험성이 있다고 인정할 충분한 이유가 있어 재범의 방지를 위한 관찰이 필요한 자에 대하여는 보안관찰처분을 한다. ② 보안관찰처분을 받은 자는 이 법이 정하는 바에 따라 소정의 사항을 주거지 관할 경찰서장(이하 '관할 경찰서장'이라 한다)에게 신고하고, 재범방지에 필요한 범위 안에서 그 지시에 따라 보안관찰을 받아야 한다. **보안관찰법 시행령** **제2조 【정의】** 이 영에서 사용하는 용어의 정의는 다음과 같다. 3. '피보안관찰자'라 함은 법 제4조 제1항의 규정에 의한 보안관찰처분을 받은 자를 말한다.

3. 보안관찰처분의 절차

구분	내용
보안관찰처분 대상자의 신고 (제6조)	① 보안관찰처분대상자는 대통령령이 정하는 바에 따라 그 형의 집행을 받고 있는 교도소, 소년교도소, 구치소, 유치장, 또는 군교도소(이하 '교도소 등'이라 한다)에서 출소 전에 거주예정지 기타 대통령령으로 정하는 사항을 교도소 등의 장을 경유하여 거주예정지 관할 경찰서장에게 신고하고, 출소 후 7일 이내에 그 거주예정지 관할 경찰서장에게 출소사실을 신고하여야 한다. 제20조 제3항에 해당하는 경우에는 법무부장관이 제공하는 거주할 장소(이하 '거소'라 한다)를 거주예정지로 신고하여야 한다.

<table>
<tr><td>보안관찰처분
대상자의 신고
(제6조)</td><td>

보안관찰법 시행규칙
제5조 【보안관찰처분대상자 신고】 ③ 교도소 등의 장은 제2항 및 영 제6조 제2항의 규정에 의하여 신고서를 송부하는 때에는 특별한 사유가 있는 경우를 제외하고는 보안관찰처분대상자의 출소예정일 2월 전까지 이를 송부하여야 한다.

② 보안관찰처분대상자는 교도소 등에서 출소한 후 ①의 신고사항에 변동이 있을 때에는 변동이 있는 날부터 7일 이내에 그 변동된 사항을 관할 경찰서장에게 신고하여야 한다. 다만, 제20조 제3항에 의하여 거소제공을 받은 자가 주거지를 이전하고자 할 때에는 미리 관할 경찰서장에게 제18조 제4항 단서에 의한 신고를 하여야 한다.

헌법불합치, 2017헌바479, 2021.6.24, 보안관찰법(1989.6.16. 법률 제4132호로 전부개정된 것) 제6조 제2항 전문 및 제27조 제2항 중 제6조 제2항 전문에 관한 부분은 각 헌법에 합치되지 아니한다. 위 법률조항들은 2023.6.30.을 시한으로 개정될 때까지 계속 적용한다.

③ 교도소 등의 장은 제3조에 해당하는 자가 생길 때에는 지체 없이 보안관찰처분 심의위원회와 거주예정지를 관할하는 검사 및 경찰서장에게 통고하여야 한다.</td></tr>
<tr><td>조사
(제9조)</td><td>① 검사는 제7조의 규정에 의한 보안관찰처분 청구를 위하여 필요한 때에는 보안관찰처분대상자, 청구의 원인이 되는 사실과 보안관찰처분을 필요로 하는 자료를 조사할 수 있다.
② 사법경찰관리와 특별사법경찰관리(이하 ‘사법경찰관리’라 한다)는 검사의 지휘를 받아 ①의 규정에 의한 조사를 할 수 있다.

보안관찰법 시행규칙
제30조 【송치 후의 조사 등】 ① 사법경찰관리는 사안송치 후 조사를 계속하고자 하는 때에는 미리 주임검사의 지휘를 받아야 한다.
② 사법경찰관리는 사안송치 후 당해사안에 속하는 용의자의 다른 재범의 위험성을 발견한 때에는 즉시 주임검사에게 보고하고 그 지휘를 받아야 한다.</td></tr>
<tr><td>보안관찰처분의 청구
(제7조)</td><td>보안관찰처분청구는 검사가 행한다.</td></tr>
<tr><td>청구의 방법
(제8조)</td><td>① 제7조의 규정에 의한 보안관찰처분청구는 검사가 보안관찰처분청구서(이하 ‘처분청구서’라 한다)를 법무부장관에게 제출함으로써 행한다.
② 처분청구서에는 다음 사항을 기재하여야 한다.
㉠ 보안관찰처분을 청구받은 자(이하 ‘피청구자’라 한다)의 성명 기타 피청구자를 특정할 수 있는 사항
㉡ 청구의 원인이 되는 사실
㉢ 기타 대통령령으로 정하는 사항
③ 검사가 처분청구서를 제출할 때에는 청구의 원인이 되는 사실을 증명할 수 있는 자료와 의견서를 첨부하여야 한다.
④ 검사는 보안관찰처분청구를 한 때에는 지체 없이 처분청구서등본을 피청구자에게 송달하여야 한다. 이 경우 송달에 관하여는 민사소송법 중 송달에 관한 규정을 준용한다.

보안관찰법
제13조 【피청구자의 자료제출 등】 ① 피청구자는 처분청구서등본을 송달받은 날부터 7일 이내에 법무부장관 또는 위원회에 서면으로 자기에게 이익된 사실을 진술하고 자료를 제출할 수 있다.</td></tr>
</table>

CHAPTER 05

<table>
<tr><td>청구의 방법
(제8조)</td><td>② 위원회는 필요하다고 인정하는 경우에는 피청구자 및 기타 관계자를 출석시켜 심문·조사하거나 공무소 기타 공·사단체에 대하여 조회할 수 있으며, 관계 자료의 제출을 요구할 수 있다.</td></tr>
<tr><td>심사
(제10조)</td><td>① 법무부장관은 처분청구서와 자료에 의하여 청구된 사안을 심사한다.
② 법무부장관은 ①의 규정에 의한 심사를 위하여 필요한 때에는 법무부 소속 공무원으로 하여금 조사하게 할 수 있다.
③ ②의 규정에 의하여 조사의 명을 받은 공무원은 다음의 권한을 가진다.
㉠ 피청구자 기타 관계자의 소환·심문·조사
㉡ 국가기관 기타 공·사단체에의 조회 및 관계 자료의 제출요구</td></tr>
<tr><td>보안관찰처분의 면제
(제11조)</td><td>① 법무부장관은 보안관찰처분대상자 중 다음의 요건을 갖춘 자에 대하여는 보안관찰처분을 하지 아니하는 결정(이하 '면제결정'이라 한다)을 할 수 있다.
㉠ 준법정신이 확립되어 있을 것
㉡ 일정한 주거와 생업이 있을 것
㉢ 대통령령이 정하는 신원보증이 있을 것

보안관찰법 시행령
제14조 【보안관찰처분 면제결정 신청 등】 ① 법 제11조 제2항에 따른 보안관찰처분면제결정 신청을 하려는 보안관찰처분대상자는 관할 경찰서장에게 다음 각 호의 서류를 첨부한 보안관찰처분면제결정신청서(전자문서로 된 신청서를 포함한다)를 제출해야 한다. 이 경우 관할 경찰서장은 전자정부법 제36조 제1항에 따른 행정정보의 공동이용을 통하여 보안관찰처분대상자의 주민등록표 등본을 확인해야 하며, 보안관찰처분대상자가 확인에 동의하지 않는 경우에는 이를 첨부하도록 해야 한다.
1. 삭제 〈2019.10.8.〉
2. 주거가 일정함을 인정할 수 있는 서류(주민등록표 등본으로 주거를 확인할 수 없는 경우로 한정한다)
3. 재직증명서 기타 생업이 일정함을 인정할 수 있는 서류
4. 2인 이상의 신원보증인의 신원보증서
② 관할 경찰서장은 제1항의 규정에 의한 신청서를 접수한 때에는 20일 이내에 전과관계를 증명할 수 있는 서류와 의견서를 첨부하여 검사에게 송부하여야 한다.
③ 검사는 제2항의 규정에 의하여 신청서와 관계서류를 송부받은 때에는 20일 이내에 의견서를 첨부하여 법무부장관에게 송부하여야 한다.

② 법무부장관은 ①의 요건을 갖춘 보안관찰처분대상자의 신청이 있을 때에는 부득이한 사유가 있는 경우를 제외하고는 3월 내에 보안관찰처분면제 여부를 결정하여야 한다.
③ 검사는 ①의 ① 및 ②의 요건을 갖춘 보안관찰처분대상자의 정상을 참작하여 위험성이 없다고 인정되는 때에는 법무부장관에게 면제결정을 청구할 수 있다.
④ 면제결정을 받은 자가 그 면제결정요건에 해당하지 아니하게 된 때에는 검사의 청구에 의하여 법무부장관은 면제결정을 취소할 수 있다.
⑤ 면제결정과 면제결정청구, 면제결정취소청구 및 그 결정에 대하여는 보안관찰처분청구 및 심사결정에 관한 규정을 준용한다.
⑥ 보안관찰처분의 면제결정을 받은 자는 그때부터 이 법에 의한 보안관찰처분대상자 또는 피보안관찰자로서의 의무를 면한다.</td></tr>
</table>

결정 (제14조)	① 보안관찰처분에 관한 결정은 위원회의 의결을 거쳐 법무부장관이 행한다. ② 법무부장관은 위원회의 의결과 다른 결정을 할 수 없다. 다만, 보안관찰처분대상자에 대하여 위원회의 의결보다 유리한 결정을 하는 때에는 그러하지 아니하다. **보안관찰법** **제15조 【의결서 등】** ① 위원회의 의결은 이유를 붙이고 위원장과 출석위원이 기명날인하는 문서로써 행한다. ② 법무부장관의 결정은 이유를 붙이고 법무부장관이 기명·날인하는 문서로써 행한다. **제16조 【결정의 취소 등】** ① 검사는 법무부장관에게 보안관찰처분의 취소 또는 기간의 갱신을 청구할 수 있다. ② 법무부장관은 제1항의 규정에 의한 청구를 받은 때에는 위원회의 의결을 거쳐 이를 심사·결정하여야 한다. ③ 제1항 및 제2항의 규정에 의한 청구와 그 청구의 심사·결정에 대하여는 보안관찰처분청구 및 심사결정에 관한 규정을 준용한다.
보안관찰처분의 기간 (제5조)	① 보안관찰처분의 기간은 2년으로 한다. ② 법무부장관은 검사의 청구가 있는 때에는 보안관찰처분 심의위원회의 의결을 거쳐 그 기간을 갱신할 수 있다.
보안관찰 처분의 집행 (제17조)	① 보안관찰처분의 집행은 검사가 지휘한다. ② ①의 지휘는 결정서등본을 첨부한 서면으로 하여야 한다. ③ 검사는 피보안관찰자가 도주하거나 1월 이상 그 소재가 불명한 때에는 보안관찰처분의 집행중지결정을 할 수 있다. 그 사유가 소멸된 때에는 지체 없이 그 결정을 취소하여야 한다.

4. 처분의 내용

신고사항 (제18조)	① 보안관찰처분을 받은 자(이하 '피보안관찰자'라 한다)는 보안관찰처분 결정고지를 받은 날부터 7일 이내에 다음의 사항을 주거지를 관할하는 지구대 또는 파출소의 장(이하 '지구대·파출소장'이라 한다)을 거쳐 관할 경찰서장에게 신고하여야 한다. 제20조 제3항에 해당하는 경우에는 법무부장관이 제공하는 거소를 주거지로 신고하여야 한다. ㉠ 등록기준지, 주거(실제로 생활하는 거처), 성명, 생년월일, 성별, 주민등록번호 ㉡ 가족 및 동거인 상황과 교우관계 ㉢ 직업, 월수, 본인 및 가족의 재산상황 ㉣ 학력, 경력 ㉤ 종교 및 가입한 단체 ㉥ 직장의 소재지 및 연락처 ㉦ 보안관찰처분대상자 신고를 행한 관할 경찰서 및 신고일자 ㉧ 기타 대통령령이 정하는 사항 ② 피보안관찰자는 보안관찰처분 결정고지를 받은 날이 속한 달부터 매 3월이 되는 달의 말일까지 다음의 사항을 지구대·파출소장을 거쳐 관할 경찰서장에게 신고하여야 한다. ㉠ 3개월간의 주요활동사항 ㉡ 통신·회합한 다른 보안관찰처분대상자의 인적사항과 그 일시, 장소 및 내용 ㉢ 3월간에 행한 여행에 관한 사항(신고를 마치고 중지한 여행에 관한 사항을 포함한다) ㉣ 관할 경찰서장이 보안관찰과 관련하여 신고하도록 지시한 사항

신고사항 (제18조)	③ 피보안관찰자는 ①의 신고사항에 변동이 있을 때에는 7일 이내에 지구대·파출소장을 거쳐 관할 경찰서장에게 신고하여야 한다. 피보안관찰자가 제1항의 신고를 한 후 제20조 제3항에 의하여 거소제공을 받거나 제20조 제5항에 의하여 거소가 변경된 때에는 제공 또는 변경된 거소로 이전한 후 7일 이내에 지구대·파출소장을 거쳐 관할 경찰서장에게 신고하여야 한다. ④ 피보안관찰자가 주거지를 이전하거나 국외여행 또는 10일 이상 주거를 이탈하여 여행하고자 할 때에는 미리 거주예정지, 여행예정지 기타 대통령령이 정하는 사항을 지구대·파출소장을 거쳐 관할 경찰서장에게 신고하여야 한다. 다만, 제20조 제3항에 의하여 거소제공을 받은 자가 주거지를 이전하고자 할 때에는 제20조 제5항에 의하여 거소변경을 신청하여 변경결정된 거소를 거주예정지로 신고하여야 한다. ⑤ 관할 경찰서장은 ① 내지 ④의 규정에 의한 신고를 받은 때에는 신고필증을 교부하여야 한다.
지도 (제19조)	① 검사 및 사법경찰관리는 피보안관찰자의 재범을 방지하고 건전한 사회복귀를 촉진하기 위하여 다음의 지도를 할 수 있다. ㉠ 피보안관찰자와 긴밀한 접촉을 가지고 항상 그 행동 및 환경 등을 관찰하는 것 ㉡ 피보안관찰자에 대하여 신고사항을 이행함에 적절한 지시를 하는 것 ㉢ 기타 피보안관찰자가 사회의 선량한 일원이 되는데 필요한 조치를 취하는 것 ② 검사 및 사법경찰관은 피보안관찰자의 재범방지를 위하여 특히 필요한 경우에는 다음의 조치를 할 수 있다. ㉠ 보안관찰 해당 범죄를 범한 자와의 회합·통신을 금지하는 것 ㉡ 집단적인 폭행, 협박, 손괴, 방화 등으로 공공의 안녕질서에 직접적인 위협을 가할 것이 명백한 집회 또는 시위장소에의 출입을 금지하는 것 ㉢ 피보안관찰자의 보호 또는 조사를 위하여 특정장소에의 출석을 요구하는 것
보호 (제20조)	① 검사 및 사법경찰관리는 피보안관찰자가 자조의 노력을 함에 있어, 그의 개선과 자위를 위하여 필요하다고 인정되는 적절한 보호를 할 수 있다. ② ①의 보호의 방법은 다음과 같다. ㉠ 주거 또는 취업을 알선하는 것 ㉡ 직업훈련의 기회를 제공하는 것 ㉢ 환경을 개선하는 것 ㉣ 기타 본인의 건전한 사회복귀를 위하여 필요한 원조를 하는 것 ③ 법무부장관은 보안관찰처분대상자 또는 피보안관찰자 중 국내에 가족이 없거나 가족이 있어도 인수를 거절하는 자에 대하여는 대통령령이 정하는 바에 의하여 거소를 제공할 수 있다. ④ 사회복지사업법에 의한 사회복지시설로서 대통령령이 정하는 시설의 장은 법무부장관으로부터 보안관찰처분대상자 또는 피보안관찰자에 대한 거소제공의 요청을 받은 때에는 정당한 이유 없이 이를 거부하여서는 아니 된다. ⑤ 법무부장관은 ③에 의하여 거소제공을 받은 자에게 국내에 인수를 희망하는 가족이 생기거나 기타 거소변경의 필요가 있는 때에는 본인의 신청 또는 검사의 청구에 의하여 이미 제공한 거소를 변경할 수 있다. 이 경우 법무부장관은 3월 이내에 거소의 변경 여부를 결정하여야 한다.
응급구호 (제21조)	검사 및 사법경찰관리는 피보안관찰자에게 부상·질병 기타 긴급한 사유가 발생하였을 때에는 대통령령이 정하는 바에 따라 필요한 구호를 할 수 있다.
경고 (제22조)	검사 및 사법경찰관리는 피보안관찰자가 의무를 위반하였거나 위반할 위험성이 있다고 의심할 상당한 이유가 있는 때에는 그 이행을 촉구하고 형사처벌 등 불이익한 처분을 받을 수 있음을 경고할 수 있다.

5. 불복수단과 기간의 계산

(1) 행정소송(보안관찰법 제23조)

법무부장관의 결정을 받은 자가 그 결정에 이의가 있을 때에는 행정소송법이 정하는 바에 따라 그 결정이 집행된 날부터 60일 이내에 서울고등법원에 소를 제기할 수 있다. 다만, 면제결정신청에 대한 기각결정을 받은 자가 그 결정에 이의가 있을 때에는 그 결정이 있는 날부터 60일 이내에 서울고등법원에 소를 제기할 수 있다.

(2) 기간의 계산(보안관찰법 제25조)

보안관찰처분의 기간은 보안관찰처분결정을 집행하는 날부터 계산한다. 이 경우 초일은 산입한다.

보안관찰처분대상자와 피보안관찰자의 신고

보안관찰처분대상자의 신고	출소 전 신고	
	출소 후 신고	출소사실신고
		변동사항신고(헌법불합치)
피보안관찰자의 신고	최초신고	
	정기신고	
	수시신고	변동사항신고
		주거지이전, 여행신고

Add

집행중지와 집행정지

1. **집행중지**
   검사는 피보안관찰자가 도주하거나 1개월 이상 그 소재가 불명한 때에는 보안관찰처분의 집행중지결정을 할 수 있다. 그 사유가 소멸된 때에는 지체 없이 그 결정을 취소하여야 한다.
2. **집행정지**
   보안관찰처분의 집행중지결정이 있거나 징역 · 금고 · 구류 · 노역장유치 중에 있는 때, 사회보호법에 의한 감호의 집행 중에 있는 때 또는 치료감호법에 의한 치료감호의 집행 중에 있는 때에는 보안관찰처분의 기간은 그 진행이 정지된다.

6. 보안관찰처분심의위원회(보안관찰법 제12조)

설치목적	보안관찰처분에 관한 사안을 심의 · 의결하기 위하여 법무부에 보안관찰처분심의위원회(이하 '위원회'라 한다)를 둔다.
구성	① 위원회는 위원장 1인과 6인의 위원으로 구성한다. ② 위원장은 법무부차관이 되고, 위원은 학식과 덕망이 있는 자로 하되, 그 과반수는 변호사의 자격이 있는 자이어야 한다. ③ 위원은 법무부장관의 제청으로 대통령이 임명 또는 위촉한다. ④ 위촉된 위원의 임기는 2년으로 한다. 다만, 공무원인 위원은 그 직을 면한 때에는 위원의 자격을 상실한다. ⑤ 위원장이 사고가 있을 때에는 미리 그가 지정한 위원이 그 직무를 대행한다.
심의 · 의결사항	① 보안관찰처분 또는 그 기각의 결정 ② 면제 또는 그 취소결정 ③ 보안관찰처분의 취소 또는 기간의 갱신결정
의결정족수	위원회의 회의는 위원장을 포함한 재적위원 과반수의 출석으로 개의하고 출석위원 과반수의 찬성으로 의결한다.

제7절 북한이탈주민 대책

01 북한주민의 구분

북한은 전체 주민을 출신 성분과 당에 대한 충성도에 따라 핵심계층, 동요계층, 적대계층으로 구분하고, 이 중에서 적대계층에 대한 감시를 강화하고 있다.

핵심계층	정규 당원을 비롯하여 북한의 체제 유지에 충성을 다하는 계층
동요계층	어느 한 쪽으로 분류하기 어려운 계층으로 기본계층, 회색분자, 기회주의자라고도 불리며, 하급 간부나 기술자로 배치되는 계층
적대계층	북한 공산집단에 동조하지 않는 계층으로 복잡계층이라고도 하며, 유해노동직에 배치되고 진학 · 입당 등이 원천적으로 봉쇄되는 계층

02 북한이탈주민의 보호 및 정착지원에 관한 법률

1. 서설

북한이탈주민의 보호 및 정착지원에 관한 법률(이하 '법'이라 한다)은 군사분계선 이북지역에서 벗어나 대한민국의 보호를 받으려는 군사분계선 이북지역의 주민이 정치, 경제, 사회, 문화 등 모든 생활 영역에서 신속히 적응 · 정착하는 데 필요한 보호 및 지원에 관한 사항을 규정함을 목적으로 한다(제1조).

(1) 정의(제2조)

이 법에서 사용하는 용어의 뜻은 다음과 같다.

북한이탈주민	군사분계선 이북지역(이하 '북한'이라 한다)에 주소, 직계가족, 배우자, 직장 등을 두고 있는 사람으로서 북한을 벗어난 후 외국 국적을 취득하지 아니한 사람을 말한다.
보호대상자	이 법에 따라 보호 및 지원을 받는 북한이탈주민을 말한다.
정착지원시설	보호대상자의 보호 및 정착지원을 위하여 제10조 제1항에 따라 설치 · 운영하는 시설을 말한다.
보호금품	이 법에 따라 보호대상자에게 지급하거나 빌려주는 금전 또는 물품을 말한다.

(2) 적용범위(제3조)

이 법은 대한민국의 보호를 받으려는 의사를 표시한 북한이탈주민에 대하여 적용한다.

(3) 기본원칙(제4조)

① 대한민국은 보호대상자를 인도주의에 입각하여 특별히 보호하고 외국에 체류하고 있는 북한이탈주민의 보호 및 지원 등을 위하여 외교적 노력을 다하여야 한다.

② 보호대상자는 대한민국의 자유민주적 법질서에 적응하여 건강하고 문화적인 생활을 할 수 있도록 노력하여야 한다.

③ 통일부장관은 북한이탈주민에 대한 보호 및 지원 등을 위하여 북한이탈주민의 실태를 파악하고, 그 결과를 정책에 반영하여야 한다.

⑷ 국가 및 지방자치단체의 책무(제4조의2)

① 국가 및 지방자치단체는 보호대상자의 성공적인 정착을 위하여 보호대상자의 보호·교육·취업·주거·의료 및 생활보호 등의 지원을 지속적으로 추진하고 이에 필요한 재원을 안정적으로 확보하기 위하여 노력하여야 한다.

② 국가 및 지방자치단체는 ①에 따라 보호대상자에 대한 지원시책을 마련하는 경우 아동·청소년·여성·노인·장애인 등에 대하여 특별히 배려·지원하도록 노력하여야 한다.

2. 북한이탈주민의 보호

⑴ 보호기준 등(제5조)

① 보호대상자에 대한 보호 및 지원기준은 나이, 성별, 세대 구성, 학력, 경력, 자활 능력, 건강 상태 및 재산 등을 고려하여 합리적으로 정하여야 한다.

② 이 법에 따른 보호 및 정착지원은 원칙적으로 개인을 단위로 하되, 필요하다고 인정하는 경우에는 대통령령으로 정하는 바에 따라 세대를 단위로 할 수 있다.

③ 보호대상자를 정착지원시설에서 보호하는 기간은 1년 이내로 하고, 거주지에서 보호하는 기간은 5년으로 한다. 다만, 특별한 사유가 있는 경우에는 북한이탈주민 보호 및 정착지원협의회의 심의를 거쳐 그 기간을 단축하거나 연장할 수 있다.

⑵ 보호신청 등(제7조)

① 북한이탈주민으로서 이 법에 따른 보호를 받으려는 사람은 재외공관이나 그 밖의 행정기관의 장(각급 군부대의 장을 포함한다. 이하 '재외공관장 등'이라 한다)에게 보호를 직접 신청하여야 한다. 다만, 보호를 직접 신청하지 아니할 수 있는 대통령령으로 정하는 사유가 있는 경우에는 그러하지 아니하다.

② 보호신청을 받은 재외공관장 등은 지체 없이 그 사실을 소속 중앙행정기관의 장을 거쳐 통일부장관과 국가정보원장에게 통보하여야 한다. 통보를 받은 국가정보원장은 보호신청자에 대하여 보호결정 등을 위하여 필요한 조사 및 일시적인 신변안전조치 등 임시보호조치를 한 후 지체 없이 그 결과를 통일부장관에게 통보하여야 한다.

③ 국가정보원장은 ②에 따른 조사 및 임시보호조치를 하기 위한 시설(이하 '임시보호시설'이라 한다)을 설치·운영하여야 한다.

④ ②에 따른 조사 및 임시보호조치의 내용 및 방법과 ③에 따른 임시보호시설의 설치·운영에 필요한 사항은 대통령령으로 정한다.

⑶ 보호결정 등(제8조)

① 통일부장관은 통보를 받으면 협의회의 심의를 거쳐 보호 여부를 결정한다. 다만, 국가안전보장에 현저한 영향을 줄 우려가 있는 사람에 대하여는 국가정보원장이 그 보호 여부를 결정하고, 그 결과를 지체 없이 통일부장관과 보호신청자에게 통보하거나 알려야 한다.

② 보호 여부를 결정한 통일부장관은 그 결과를 지체 없이 관련 중앙행정기관의 장을 거쳐 재외공관장 등에게 통보하여야 하고, 통보를 받은 재외공관장 등은 이를 보호신청자에게 즉시 알려야 한다.

(4) 보호결정의 기준(제9조)

보호 여부를 결정할 때 다음의 어느 하나에 해당하는 사람은 보호대상자로 결정하지 아니할 수 있다.

① 항공기 납치, 마약거래, 테러, 집단살해 등 국제형사범죄자

② 살인 등 중대한 비정치적 범죄자

③ 위장탈출 혐의자

④ 국내 입국 후 3년이 지나서 보호신청한 사람(체류국이나 체류 중인 북한이탈주민에게 대통령령으로 정하는 부득이한 사정이 있는 경우에는 그러하지 아니하다)

⑤ 그 밖에 국가안전보장·질서유지·공공복리에 대한 중대한 위해 발생 우려, 보호신청자의 경제적 능력 및 해외 체류 여건 등을 고려하여 보호대상자로 정하는 것이 부적당하거나 보호 필요성이 현저히 부족하다고 대통령령으로 정하는 사람

3. 정착지원시설에서의 보호(제11조)

(1) 정착지원시설을 설치·운영하는 기관의 장은 보호대상자가 거주지로 전출할 때까지 정착지원시설에서 보호하여야 한다.

(2) 정착지원시설을 설치·운영하는 기관의 장은 정착지원시설에서 보호받는 보호대상자에게 대통령령으로 정하는 바에 따라 보호금품을 지급할 수 있다.

(3) 정착지원시설을 설치·운영하는 기관의 장은 보호대상자가 정착지원시설에서 보호받고 있는 동안 신원 및 북한이탈 동기의 확인, 건강진단, 그 밖에 정착지원에 필요한 조치를 할 수 있다.

Add ⊕

1. 정착지원시설의 설치(제10조)

통일부장관은 보호대상자에 대한 보호 및 정착지원을 위하여 정착지원시설을 설치·운영한다. 다만, 국가정보원장이 보호하기로 결정한 사람을 위하여는 국가정보원장이 별도의 정착지원시설을 설치·운영할 수 있다. 통일부장관 또는 국가정보원장은 정착지원시설을 설치하는 경우 보호대상자의 건강하고 쾌적한 생활과 적응활동이 이루어질 수 있도록 숙박시설과 그 밖의 필요한 시설을 갖추어야 한다.

2. 등록대장(제12조)

정착지원시설을 설치·운영하는 기관의 장은 보호결정을 한 때에는 대통령령으로 정하는 바에 따라 보호대상자의 등록기준지, 가족관계(형제, 자매를 포함한다), 경력 등 필요한 사항을 기록한 등록대장을 관리·보존하여야 한다. 통일부장관은 모든 등록대장을 통합하여 관리·보존하여야 한다. 이를 위하여 국가정보원장은 관리·보존하고 있는 등록대장의 기록사항을 통일부장관에게 통보하여야 한다.

4. 보호의 내용

학력 인정 (제13조)	보호대상자는 대통령령으로 정하는 바에 따라 북한이나 외국에서 이수한 학교 교육의 과정에 상응하는 학력을 인정받을 수 있다.
자격 인정 (제14조)	① 보호대상자는 관계 법령에서 정하는 바에 따라 북한이나 외국에서 취득한 자격에 상응하는 자격 또는 그 자격의 일부를 인정받을 수 있다. ② 통일부장관은 자격 인정 신청자에게 대통령령으로 정하는 바에 따라 자격 인정을 위하여 필요한 보수교육 또는 재교육을 실시할 수 있다.

특별임용 (제18조)	① 북한에서의 자격이나 경력이 있는 사람 등 북한이탈주민으로서 공무원으로 채용하는 것이 필요하다고 인정되는 사람에 대하여는 국가공무원법 제28조 제2항 및 지방공무원법 제27조 제2항에도 불구하고 북한을 벗어나기 전의 자격 · 경력 등을 고려하여 국가공무원 또는 지방공무원으로 특별임용할 수 있다. ② 북한의 군인이었던 보호대상자가 국군에 편입되기를 희망하면 북한을 벗어나기 전의 계급, 직책 및 경력 등을 고려하여 국군으로 특별임용할 수 있다.
주민등록번호 정정의 특례 (제19조의3)	① 북한이탈주민 중 정착지원시설의 소재지를 기준으로 하여 주민등록번호를 부여받은 사람은 거주지의 시장 · 군수 · 구청장 또는 특별자치도지사에게 자신의 주민등록번호 정정을 한 번만 신청할 수 있다. ② ①에 따른 신청을 받은 시장 · 군수 · 구청장 또는 특별자치도지사는 특별한 사정이 없으면 현 거주지를 기준으로 하여 주민등록번호를 정정하여야 한다.

5. 보호의 변경(제27조)

통일부장관은 보호대상자가 다음의 어느 하나에 해당하는 경우에는 협의회의 심의를 거쳐 보호 및 정착지원을 중지하거나 종료할 수 있다.

(1) 1년 이상의 징역 또는 금고의 형을 선고받고 그 형이 확정된 경우

(2) 고의로 국가이익에 반하는 거짓 정보를 제공한 경우

(3) 사망선고나 실종선고를 받은 경우

(4) 북한으로 되돌아가려고 기도(企圖)한 경우

(5) 이 법 또는 이 법에 따른 명령을 위반한 경우

(6) 그 밖에 대통령령으로 정하는 사유에 해당한 경우

6. 이의신청(제32조)

(1) 이 법에 따른 보호 및 지원에 관한 처분에 이의가 있는 보호대상자는 그 처분의 통지를 받은 날부터 90일 이내에 통일부장관에게 서면으로 이의신청을 할 수 있다.

(2) 통일부장관은 이의신청을 받은 때에는 지체 없이 이를 검토하여 처분이 위법 또는 부당하다고 인정되는 경우에는 그 시정이나 그 밖의 필요한 조치를 할 수 있다. 이 경우 미리 협의회의 심의를 거쳐야 한다.

Add ⊕

북한이탈주민 보호 및 정착지원협의회(제6조)

1. 설치목적

북한이탈주민에 관한 정책을 협의 · 조정하고 보호대상자의 보호 및 정착지원에 관한 다음의 사항을 심의하기 위하여 통일부에 북한이탈주민 보호 및 정착지원협의회의(이하 '협의회'라 한다)를 둔다.

2. 심의사항

① 제5조 제3항 단서에 따른 보호 및 정착지원기간의 단축 또는 연장에 관한 사항
② 제4조의3에 따른 기본계획 및 시행계획의 수립 · 시행에 관한 사항
③ 제8조 제1항 본문에 따른 보호 여부의 결정에 관한 사항
④ 제17조의2 제2항에 따른 취업보호의 중지 또는 종료에 관한 사항
⑤ 제27조 제1항에 따른 보호 및 정착지원의 중지 또는 종료에 관한 사항

⑥ 제32조 제2항 전단에 따른 시정 등의 조치에 관한 사항
⑦ 그 밖에 보호대상자의 보호 및 정착지원에 관하여 대통령령으로 정하는 사항

3. 위원장
통일부차관이 되며, 협의회의 업무를 총괄한다.

4. 협의회의 구성
협의회는 위원장 1명을 포함한 25명 이내의 위원으로 구성한다.

제8절 남북교류협력

01 남북교류협력에 관한 법률

1. 서설

(1) 목적(제1조)

이 법은 군사분계선 이남지역과 그 이북지역간의 상호 교류와 협력을 촉진하기 위하여 필요한 사항을 규정함으로써 한반도의 평화와 통일에 이바지하는 것을 목적으로 한다.

(2) 정의(제2조)

이 법에서 사용하는 용어의 뜻은 다음과 같다.

용어	뜻
출입장소	군사분계선 이북지역(이하 '북한'이라 한다)으로 가거나 북한으로부터 들어올 수 있는 군사분계선 이남지역(이하 '남한'이라 한다)의 항구, 비행장, 그 밖의 장소로서 대통령령으로 정하는 곳을 말한다.
교역	남한과 북한간의 물품, 대통령령으로 정하는 용역 및 전자적 형태의 무체물(이하 '물품 등'이라 한다)의 반출·반입을 말한다.
반출·반입	매매, 교환, 임대차, 사용대차, 증여, 사용 등을 목적으로 하는 남한과 북한 간의 물품 등의 이동(단순히 제3국을 거치는 물품 등의 이동을 포함한다)을 말한다.
협력사업	남한과 북한의 주민(법인·단체를 포함한다)이 공동으로 하는 환경, 경제, 통계, 학술, 과학기술, 정보통신, 문화, 체육, 관광, 보건의료, 방역, 교통, 농림축산, 해양수산 등에 관한 모든 활동을 말한다.

(3) 다른 법률과의 관계(제3조)

남한과 북한의 왕래·접촉·교역·협력사업 및 통신 역무(役務)의 제공 등 남한과 북한 간의 상호 교류와 협력(이하 '남북교류·협력'이라 한다)을 목적으로 하는 행위에 관하여는 이 법률의 목적 범위에서 다른 법률에 우선하여 이 법을 적용한다.

2. 남북한 방문(제9조)

(1) 남한의 주민이 북한을 방문하거나 북한의 주민이 남한을 방문하려면 대통령령으로 정하는 바에 따라 통일부장관의 방문승인을 받아야 하며, 통일부장관이 발급한 증명서(이하 '방문증명서'라 한다)를 소지하여야 한다.

(2) 방문증명서는 유효기간을 정하여 북한방문증명서와 남한방문증명서로 나누어 발급하며, 다음과 같이 구분한다.

① 한 차례만 사용할 수 있는 방문증명서

② 유효기간이 끝날 때까지 여러 차례 사용할 수 있는 방문증명서(이하 '복수방문증명서'라 한다)

(3) 복수방문증명서의 유효기간은 5년 이내로 하며, 5년의 범위에서 연장할 수 있다.

Add ⊕

남북교류협력에 관한 법률 시행령

제12조 【방문승인 신청】 ① 법 제9조 제1항ㆍ제6항 단서 및 제8항 단서에 따라 북한을 방문하기 위하여 통일부장관의 방문승인을 받으려는 남한의 주민과 재외국민(법 제9조 제8항 각 호의 어느 하나에 해당하는 사람을 말한다. 이하 같다)은 방문 7일 전까지 방문승인 신청서에 다음 각 호의 서류를 첨부하여 통일부장관에게 제출하여야 한다. 다만, 제18조에 따른 가족인 북한주민을 방문하기 위하여 통일부장관이 정하는 바에 따라 신청인 본인의 신원에 관한 서류를 미리 제출한 경우에는 제1호의 서류를 첨부하지 아니할 수 있다.

1. 방문승인 신청인 인적사항
2. 북한 당국이나 단체 등의 초청 의사를 확인할 수 있는 서류
3. 방문증명서용 사진(발급신청일 전 3개월 이내에 촬영한 모자를 쓰지 않은 천연색 상반신 사진으로서 가로 3.5센티미터ㆍ세로 4.5센티미터인 것을 말한다) 1매
4. 그 밖에 통일부장관이 필요하다고 인정하는 서류

② 법 제9조 제1항 및 제6항 단서에 따라 남한을 방문하기 위하여 통일부장관의 방문승인을 받으려는 북한의 주민은 방문 7일 전까지 방문승인 신청서에 제1항 제3호 및 제4호의 서류를 첨부하여 통일부장관에게 제출하여야 한다.

③ 통일부장관은 방문승인을 하는 경우 법 제9조 제1항에 따른 방문증명서(이하 '방문증명서'라 한다)를 발급한다. 다만, 방문승인을 받은 사람이 유효기간이 끝나지 아니한 복수방문증명서(법 제9조 제2항 제2호에 따른 복수방문증명서를 말한다. 이하 같다)를 가지고 있는 경우에는 그러하지 아니하다.

④ 복수방문증명서는 남북교류 및 협력을 추진하기 위하여 수시로 남북한을 방문할 필요가 있다고 통일부장관이 인정하는 사람에게 발급한다.

(4) 다음의 어느 하나에 해당하는 사람(이하 '재외국민'이라 한다)이 외국에서 북한을 왕래할 때에는 통일부장관이나 재외공관(在外公館)의 장에게 신고하여야 한다. 다만, 외국을 거치지 아니하고 남한과 북한을 직접 왕래할 때에는 방문증명서를 소지하여야 한다.

① 외국정부로부터 영주권을 취득하였거나 이에 준하는 장기체류허가를 받은 사람

② 외국에 소재하는 외국법인 등에 취업하여 업무수행의 목적으로 북한을 방문하는 사람

Add ⊕

남북교류협력에 관한 법률 시행령

제14조 【재외국민의 방문 신고】 ① 법 제9조 제8항 본문에 따라 외국에서 북한 왕래를 신고하려는 재외국민은 출발 3일 전까지 또는 귀환 후 10일 이내에 북한방문 신고서에 통일부장관 또는 재외공관의 장이 필요하다고 인정하는 서류를 첨부하여 통일부장관 또는 재외공관의 장에게 제출하여야 한다.

② 재외공관의 장은 제1항에 따라 신고받은 경우 해당 서류를 지체 없이 통일부장관에게 보내야 한다.

3. 남북한 주민 접촉(제9조의2)

(1) 남한의 주민이 북한의 주민과 회합 · 통신, 그 밖의 방법으로 접촉하려면 통일부장관에게 미리 신고하여야 한다. 다만, 대통령령으로 정하는 부득이한 사유에 해당하는 경우에는 접촉한 후에 신고할 수 있다.

(2) 방문증명서를 발급받은 사람이 그 방문 목적의 범위에서 당연히 인정되는 접촉을 하는 경우 등 대통령령으로 정하는 경우에 해당하면 (1)의 접촉신고를 한 것으로 본다.

(3) 통일부장관은 (1) 본문에 따라 접촉에 관한 신고를 받은 때에는 남북교류 · 협력을 해칠 명백한 우려가 있거나 국가안전보장, 질서유지 또는 공공복리를 해칠 명백한 우려가 있는 경우에만 신고의 수리(受理)를 거부할 수 있다.

(4) 위 (1) 본문에 따른 접촉신고를 받은 통일부장관은 남북교류 · 협력의 원활한 추진을 위하여 대통령령으로 정하는 바에 따라 북한주민접촉결과보고서 제출 등 조건을 붙이거나, 3년 이내의 유효기간을 정하여 수리할 수 있다. 다만, 대통령령으로 정하는 가족인 북한주민과의 접촉을 목적으로 하는 경우에는 5년 이내의 유효기간을 정할 수 있다.

(5) 통일부장관은 필요하다고 인정할 경우 (4)에 따른 유효기간을 3년의 범위에서 연장할 수 있다.

Add ⊕

남북교류협력에 관한 법률 시행령

제16조【접촉신고】 ① 법 제9조의2 제1항 본문에 따라 미리 신고하려는 남한의 주민은 접촉 7일 전까지 북한주민접촉 신고서에 다음 각 호의 서류를 첨부하여 통일부장관에게 제출하여야 한다. 다만, 가족인 북한주민을 접촉하기 위하여 남북 이산가족 생사확인 및 교류 촉진에 관한 법률 시행령 제4조에 따라 신고인 본인의 신원에 관한 서류를 미리 제출한 경우에는 제1호의 서류를 첨부하지 아니할 수 있다.

1. 북한주민접촉 신고인 인적사항
2. 그 밖에 통일부장관이 필요하다고 인정하는 서류

4. 반출 · 반입의 승인(제13조)

(1) 물품 등을 반출하거나 반입하려는 자는 대통령령으로 정하는 바에 따라 그 물품 등의 품목, 거래형태 및 대금결제 방법 등에 관하여 통일부장관의 승인을 받아야 한다. 승인을 받은 사항 중 대통령령으로 정하는 주요 내용을 변경할 때에도 또한 같다.

(2) 통일부장관은 (1)의 승인 또는 변경승인을 할 때에는 중요하다고 인정되는 사항은 미리 관계 행정기관의 장과 협의하여야 한다.

(3) 통일부장관은 (1)에 따라 반출이나 반입을 승인하는 경우 남북교류 · 협력의 원활한 추진을 위하여 대통령령으로 정하는 바에 따라 반출 · 반입의 목적 등 조건을 붙이거나, 승인의 유효기간을 정할 수 있다.

(4) 통일부장관은 (1)에 따라 반출이나 반입을 승인할 때에는 물품 등의 품목, 거래형태 및 대금결제 방법 등에 관하여 일정한 범위를 정하여 포괄적으로 승인할 수 있다.

(5) 통일부장관은 (1)에 따라 물품 등의 반출이나 반입을 승인받은 자(이하 '교역당사자'라 한다)가 다음의 어느 하나에 해당하는 경우에는 그 승인을 취소할 수 있다. 다만, ①의 경우에는 그 승인을 취소하여야 한다.

① 거짓이나 그 밖의 부정한 방법으로 반출이나 반입을 승인받은 경우

② 위 (3)에 따른 조건을 위반한 경우

③ 제14조에 따라 공고된 사항을 위반한 경우

④ 제15조 제1항에 따른 조정명령을 따르지 아니한 경우
⑤ 제15조 제3항에 따른 보고를 하지 아니하거나 거짓으로 보고한 경우
⑥ 남북교류・협력을 해칠 명백한 우려가 있는 경우
⑦ 국가안전보장, 질서유지 또는 공공복리를 해칠 명백한 우려가 있는 경우

Add

남북교류협력에 관한 법률

제12조【남북한 거래의 원칙】 남한과 북한간의 거래는 국가간의 거래가 아닌 민족 내부의 거래로 본다.

남북교류협력에 관한 법률 시행령

제25조【반출・반입의 승인 신청】 ① 법 제13조 제1항 전단에 따라 물품 등의 반출・반입 승인을 받으려는 자는 반출・반입 7일 전까지 반출・반입 승인 신청서에 다음 각 호의 서류를 첨부하여 통일부장관에게 제출하여야 한다. 다만, 통일부장관은 반출・반입의 목적 등을 고려하여 다음 각 호의 서류 중 일부를 첨부하지 아니하게 할 수 있다.
1. 반출・반입 계획서
2. 북한측 상대자와의 반출・반입 계약을 증명하는 서류(중개인을 통한 계약인 경우 신청인과 중개인간의 계약서 및 중개인과 북한측 상대자간의 계약서를 포함한다)
3. 물품 등의 취급 등에 관하여 관련 법령에 따라 발급받은 면허증, 허가증 또는 등록증 등의 사본
4. 대외무역법 시행령 제21조 제1항 제1호에 따른 무역거래자별 고유번호를 확인할 수 있는 서류
5. 그 밖에 통일부장관이 필요하다고 인정하는 서류

제9절 국제사회

01 국제질서에 관한 이론

홉스(Hobbes)의 견해	① 자연 상태의 인간은 '만인의 만인에 대한 투쟁 상태'라는 견해를 국제정세에도 적용하여 해석하는 견해이다. ② 전쟁은 생존을 위한 대외전략의 하나로서 아무런 도덕적 또는 법적 구속을 받을 필요가 없으며, 그 이유는 도덕이나 법률은 국내사회에서만 유효한 것이며 국제정치는 국내사회의 범주를 벗어나는 것이기 때문이다.
칸트(Kant)의 견해	① 국제정치의 본질은 국가간의 분쟁이 아니라 국가 내부에 존재하는 '초국가적 유대감'에 있다고 하여 Hobbes의 견해와 반대의 입장을 취하는 견해이다. ② 국제정치의 요체는 도덕성을 바탕으로 국가라는 제도를 종식시키고 인류공동체를 이룩하기 위하여 노력하는 것이다.
루소(Grotius)의 견해	① 주어진 국제사회의 질서 속에서 상호공존과 협력을 위하여 노력하는 것이 국제정치의 요체라고 주장하는 견해이다. ② 주어진 국제사회의 질서 속에서 상호공존과 협력을 위하여 노력하는 것이 국제정치의 요체이기 때문에 도덕성과 국제법도 준수해야 한다고 주장한다.

02 국제질서에 관한 사상들의 변천순서

이상주의	18세기, 이익의 조화, 최대다수의 최대행복
자유방임주의	19세기, 보이지 않는 손(아담스미스), 국제주의, 민족자결주의
제국주의	19세기 말, 보호무역, 이익의 충돌
이데올로기적 패권주의	제1차 세계대전 이후, 자유주의와 공산주의 이데올로기 대립
경제패권주의	1980년 이후, 자국의 경제적 이익추구, 무한 자유무역의 경쟁

03 다문화사회의 접근 유형

구분	내용
급진적 다문화주의	① 급진적 다문화주의는 '차이에 대한 권리'로 해석되며, 소수자의 문화적 권리와 결부되어 이해된다. ② 소수집단이 자결(Self-Determination)의 원칙을 내세워 문화적 공존을 넘어서는 소수민족 집단만의 공동체 건설을 지향한다. ③ 미국에서의 흑인과 원주민에 의한 격리주의 운동이 대표적이다.
조합주의적 다문화주의 (다원주의)	① 다문화주의를 결과에 있어서의 평등보장이라는 측면에서 접근한다. ② 문화적 소수자가 현실적으로 문화적 다수자와의 경쟁에서 불리한 위치에 있다는 것을 전제로 하여, 소수집단의 사회참가를 촉진하기 위해 적극적인 재정적·법적 원조를 한다. ③ 자유주의적 다문화주의와 급진적 다문화주의의 절충적 형태로서 다문화주의를 결과에 있어서의 평등이라는 측면에서 접근한다.
자유주의적 다문화주의 (동화주의)	① 사회통합을 이룩하기 위해 국가 내부의 문화적 다양성을 허용하고, 소수 인종집단 고유의 문화와 가치를 인정하지만, 시민생활이나 공적 생활에서는 주류 사회의 문화·언어·사회습관에 따를 것을 요구한다. ② 차별을 금지하고 사회참여를 위해 기회평등을 보장하며 다수민족과 소수민족간의 차별구조와 불평등구조를 적극적으로 해체하나, 다문화주의를 정치적 자결권부여로 해석하지 않는다. ③ 다문화주의를 소수인종과 문화적 소수자에 대한 기회평등이라는 측면에서 다문화정책을 접근한다.

제10절 외사경찰의 의의

01 외사경찰의 개념

외사경찰이란 대한민국의 안전과 사회공공의 안녕 및 질서유지를 목적으로 외국인 해외교포 또는 외국과 관련된 기관, 단체 등 외사대상에 대하여 이들의 동정을 관찰하고 이들과 관련된 범죄를 예방 단속하는 것을 주된 임무로 하는 경찰활동이다.

02 외사경찰의 특징

1. 외사경찰의 대상

(1) 외사경찰은 주한 외국인 또는 외국기관·단체가 대한민국 내에서 저지른 범죄와 내국인 또는 해외교포가 외국에서 저지른 범죄, 내국인이 외국인 또는 외국기관·단체 등과 연계하여 저지른 범죄를 그 대상으로 한다.

(2) 외국인이 외국에서 대한민국 또는 대한민국 국민을 대상으로 저지른 범죄 및 내국인이 국내에서 외국·외국인을 대상으로 저지른 범죄와 간첩·불순분자 등의 제3국을 통한 우회침투를 방지 색출하고 무장·과격분자 또는 국제범죄단체 등에 의한 테러와 납치 등 국제성 범죄를 담당한다.

2. 외사업무

외사요원 관리규칙 제2조는 외사기획업무, 외사정보업무, 외사수사업무, 해외주재업무를 취급하는 경찰공무원을 외사요원이라고 규정하여 외사업무의 범위를 규정하고 있다.

3. 활동범위의 광범성과 전문성

(1) 활동범위의 광범성

외사경찰은 외사정보, 외사보안활동은 물론, 외사범죄의 수사, 국제협력활동 등 광범위한 업무를 취급한다.

(2) 외사경찰의 전문성

외사경찰은 그 대상의 특성으로 인하여 외국어는 물론 국제안보, 경제, 외교, 국제범죄조직의 동향, 컴퓨터 등 전문적인 지식을 필요로 한다.

03 외국인

1. 외국인의 개념

(1) 외국인의 의의

대한민국의 국적을 가지지 않은 자로 광의의 외국인이 외사경찰의 대상이 되는 외국인에 해당한다. 외국인 여부는 인종이나 언어 등에 의하여 결정되는 것이 아니라 우리나라의 국적유무에 의하여 결정된다. 외국인이란 사인으로서의 외국인을 말하며, 외국의 외교관 및 군대와 같이 외국의 공적 기관이나 공적 지위에 있는 자는 포함되지 않는 개념이다.

(2) 외국인의 일반적 지위

외국인을 자국민과 평등하게 대우하여야 한다는 국제법상의 원칙은 아직까지 확립된 것이 아니며, 외국인은 체류국의 통치권에 복종해야 하며 자국의 통치권에도 복종해야 하는 이중적 복종의 지위에 있다.

(3) 외국인의 권리와 의무

① **외국인의 권리**: 공법상의 권리에 있어서는 원칙적으로 참정권인 선거권, 피선거권, 공무담임권 등과 생활권인 근로의 권리, 교육을 받을 권리 등은 인정되지 않는다. 일반적으로 자유권인 신체의 자유, 종교의 자유, 언론출판의 자유, 통신의 자유, 학문의 자유 등과 재판청구권인 민사재판청구권, 형사재판청구권, 행정재판청구권 등은 인정된다.

② **외국인의 의무**: 공법상의 의무에 있어서는 원칙적으로 내국인과 동일하게 체류국의 통치권에 복종할 의무를 지므로 체류국의 재판권, 경찰권, 과세권에 복종하여야 한다. 그러나 외국인은 내국인이 부담하는 국방(병역)의 의무, 교육의 의무, 사회보장가입의무 등은 부담하지 않는다.

2. 외국인의 구분

구분	내용
최광의의 외국인	① 자국의 국적을 갖고 있지 않은 모든 사람을 의미한다. ② 무국적자와 외국국적을 가진 자가 포함된다.
광의의 외국인	① 무국적자와 외국의 국적을 가진 자 중에서 사인만을 의미한다. ② 외교사절 등 공적기관의 지위에 있는 자는 포함되지 않는다. ③ 일반적으로 외국인의 국제법상 지위를 논할 때의 외국인을 의미한다.
협의의 외국인	① 외국의 국적을 갖고 있는 모든 사람을 의미한다. ② 무국적자가 포함되지 않는다.

Add

1. 외교관

(1) **외교사절**

외교사절이란 외교교섭 기타의 정치적 임무를 수행하기 위하여 외국에 파견되는 국가의 대외적 대표기관을 말한다.

(2) **외교특권**

① 의의

㉠ 외교특권의 근거: 외교관계에 관한 비엔나 협약

㉡ 외교사절의 계급은 그 직무나 특권에 있어서는 아무런 영향이나 차이가 없다.

② 내용

㉠ 불가침권: 외교관은 신체, 관사, 문서의 불가침권을 향유한다.

ⓐ 신체의 불가침(동 협약 제29조): 외교관의 신체는 불가침이다. 그러나 긴급방어, 긴급사태의 경우에 일시적 신체 구속이 가능하다.

ⓑ 관사의 불가침(동 협약 제22조 및 제30조): 공관뿐만 아니라 외교관의 개인주택도 불가침이다. 관사의 소유 또는 임차 여부를 불문하며 관사는 본 건물뿐만 아니라 부속건물, 정원, 차고 등도 포함하는 개념이다. 관사에 대한 불가침에 준하여 외교사절의 승용차, 보트, 비행기 등 교통수단도 불가침의 특권을 누린다. 그러나 예외적으로 화재나 전염병의 발생과 같이 공안을 유지하기 위하여 긴급을 요하는 경우에는 사절의 동의 없이 공관에 들어갈 수 있는데 이는 국제적 관습으로 인정된 내용이며, 불가침의 대상인 관사라고 하더라도 범죄인의 비호권은 인정되지 않는다.

ⓒ 문서의 불가침(동 협약 제24조): 외교공관의 문서와 서류는 언제, 어디서나 불가침의 특권을 향한다. 외교관의 개인서류, 통신문서 및 그의 개인 소유의 재산도 또한 불가침이며 문서가 어느 장소에 있든지를 불문하며 심지어 외교단절의 경우에도 문서에 대한 불가침권이 인정된다. 그러나 관사 내의 문서가 간첩행위의 명백한 서증이 되는 경우는 불가침권을 상실한다.

㉡ 치외법권(면제권)

ⓐ 사법권으로부터의 면제: 외교사절은 접수국의 형사재판관할권으로부터 면제되고 공무수행 중에 행하여진 행위에 대해서 뿐만 아니라 개인자격으로 행한 행위에 대해서도 형사재판 관할권에서 면제된다. 그러나 외교사절이라 할지라도 일정한 경우에는 민사 및 행정재판권으로부터 면제되지 않는다. 개인부동산에 관한 소송, 상속에 관한 소송, 공무 이외의 영업 및 상업 활동에 관한 소송에 대해서는 접수국의 재판관할권이 인정된다. 또한 재판 당사자로서의 증언의무는 면제되지 않으나, 당사자가 아닌 경우에는 증언의무가 면제된다.

ⓑ 경찰권의 면제

ⓒ 과세권의 면제: 간접세, 사유부동산에 대한 조세, 상속세 및 개인영업상의 투자에 관한 등록세, 법원의 수수료 등은 면제되지 않는다.

✎ 주한미군은 재판권, 과세권, 경찰권으로부터 면제되지 않고 특별한 보호를 받을 뿐이다.

③ 외교특권의 포기 : 외교특권은 외교사절 개인의 권리가 아니라 국가의 권리라는 견해에 의하면 치외법권의 포기는 그의 파견국의 명시적 의사에 의해서만 가능하다.

(3) **외교사절의 파견과 접수**

① 아그레망(agrement)의 요청 : 특정의 인물을 외교사절로 임명하기 전에 상대국에게 사전 동의를 구하는 것을 아그레망의 요청이라고 하고, 이에 대하여 이의가 없다고 회답하는 것을 아그레망의 부여라고 한다. 파견국의 아그레망의 요청에 대해 이의가 없음을 회답하는 것을 '아그레망을 부여한다.'고 하며, 아그레망을 받은 사람을 페르소나 그라타(persona grata), 아그레망을 받지 못한 사람을 페르소나 논 그라타(persona non grata)라고 한다.

② 외교사절의 파견

㉠ 외교사절의 파견절차 : 아그레망요청 및 부여 ⇨ 임명 ⇨ 신임장 부여 ⇨ 파견

㉡ 직무개시 및 특권부여

ⓐ 외교사절의 직무의 개시 : 신임장의 원본이 접수국 정부에 정식으로 수리되었을 때부터 외교사절의 임무가 개시된다.

ⓑ 외교사절의 특권 향유시기 : 외교사절의 특권은 입국시부터 향유하며, 출국시까지 외교특권을 누릴 수 있다. 이는 외교관계가 단절되더라도 향유할 수 있는 권리이며, 접수국이 상당한 기간을 정하여 출국을 요청한 경우 상당한 기간까지 외교특권을 향유한다.

2. 영사

영사는 국가 경제적 목적수행과 자국민의 보호를 위하여 국가간에 파견된 공식 기관이다. 외교사절과 달리 국가를 대표하여 외교 교섭을 할 권한이 없고, 파견에 아그레망이 필요 없으며, 비정치적 목적을 수행한다. 영사에게도 외교사절의 특권만큼은 아니지만 역시 특권이 인정된다.

외교사절과 영사의 비교

구분	외교사절	영사
성질	정치적 기관(정치목적)	통상기관(경제목적)
외교교섭	가능	불가능
아그레망	필요	불필요
임무개시	신임장의 제출	위임장의 제출(인가장의 발부)
공관	외교공관은 통상 접수국의 수도에 한 곳 뿐임	영사관은 여러 개가 존재할 수 있음
신체의 불가침	포괄적(안전을 위한 일시적 구속 가능)	공무에 한함(체포, 구속, 기소 가능)
공관의 불가침	포괄적(공관 · 사저)	공관만 향유
문서의 불가침	포괄적(공 · 사문서)	공문서만 보호 (영사직원 입회하에 개봉요구 가능)
면제권	포괄적 향유	공무상 행위만 해당
파견, 접수, 직무, 특권의 규제	일반국제법(국제관습, 협약)	개별적 조약(통상항해조약, 영사조약 등)

Add ⊕

외국군함

1. 군함자체의 지위(군함이 외국의 영해 내에 있는 경우의 지위)

① 불가침권 : 범인이 외국군함 내로 도피한 경우에는 함장의 동의를 얻어 들어가거나 인도를 요청하여야 하며, 함장이 인도를 거부할 때에는 외교경로(범죄인의 인도절차)를 통하여 인도를 요구해야 한다.

② 비호권 : 군함은 범죄자에 대한 비호권이 없다.

③ 치외법권 : 군함은 군함 내에서 발생한 민사 또는 형사사건, 군함 자체에 관한 사건에 대해서 연안국의 재판관할권으로부터 면제된다. 다만, 동 선박 국적 영사의 요청이 있는 경우, 동 범죄의 결과가 영해국에 영향을 준 경우, 영해국의 평화와 질서를 해친 경우, 중대한 범죄인 경우 등에는 영해국의 형사재판관할권이 미친다.

2. 군함승무원의 지위

① 공무상 외국의 영토에 상륙한 승무원의 지위: 연안국은 일시적으로 그 신체를 구속할 수 있으나 처벌할 수는 없으며 함장으로부터 인도의 요구가 있으면 이에 응하여야 한다.

② 공무 외 외국의 영토에 상륙한 승무원의 지위: 원칙적으로 치외법권이 인정되지 않으나 관례상 연안국이 재판권을 행사하지 않고 범인을 군함에 인도하는 것이 일반적이다.

③ 탈주 승무원의 지위: 지휘관은 그를 육상에서 체포하려고 해서는 아니 되며 본국의 영사를 통해 연안국 관계 기관에 체포를 요청하여야 한다.

제11절 외사경찰활동과 법적 근거

01 외사경찰의 업무

(1) 재외국민 · 외국인 및 이에 관련되는 신원조사

(2) 외국경찰기관과의 협력 및 교류

(3) 국제형사경찰기구와 관련되는 업무

(4) 외사정보의 수집 · 분석 및 관리

(5) 외국인 또는 외국인과 관련된 간첩의 검거공작 및 범죄인 수사 · 지도

(6) 외사방첩업무의 지도 · 조정

(7) 국제공항 및 국제해항의 보안활동에 관한 계획 및 지도

02 외사경찰의 활동범위

1. 외사정보활동

외사정보활동이란 대한민국의 안전과 이익, 사회공공의 안녕과 질서유지를 목적으로 주한 외국인, 주한 외교사절, 주한 외국기관, 상사단체, 해외교포 등 각종 외사활동의 객체를 대상으로 외교첩보를 수집하고 이를 판단, 분석하여 정책수립을 위한 자료로 제공함으로써 경찰상 또는 국가안보상의 위해요인을 사전에 제거하고 그 대책을 마련하는 외사경찰의 활동이다.

2. 외사수사활동

(1) 국제성 범죄

의의	① 특별히 법적으로 규정된 범죄를 뜻하는 것은 아님 ② 국제협약 등에서 규정하고 있는 범죄나 국내범죄가 인적·장소적으로 2개 국가 이상과 관련되어 있는 범죄 ③ 국제성·조직성·이동성을 특징으로 하는 범죄
유형	① 국제간첩사건과 같은 반국가적 범죄 ② 국제테러 ③ 항공기 납치범죄 ④ 마약·무기 밀매나 인신매매·국제적 매춘조직 등 인간의 존엄성과 건강을 위협하는 국제적·조직적인 범죄 ⑤ 국제통화 위조·국제상거래 범죄, 돈세탁 등 공공의 신용을 해치는 범죄

(2) 일반 외사사범

주로 국내 체류외국인 또는 내국인의 외국 관련 범죄를 말하며 성질상 국제성 범죄에 속하지 않는 단순범죄를 말한다. 외국인의 국내 형법 위반사범을 비롯하여 한·미행정협정 위반사범, 출입국관리법, 여권법, 밀항단속법 등 각종 단행법규나 국제협정 위반사범 등이 일반 외사사범에 해당한다.

(3) 외국인 피의자의 조사요령

외국인 피의자의 경우에도 속지주의 원칙에 따라 내국인과 마찬가지로 우리나라 형사소송절차에 따르는 것이 원칙이다.

① **외국인의 체포, 구금시의 조치**: 외국인을 체포, 구금할 경우 당사자의 의사에 따라 해당 영사기관에 통보 여부를 결정한다. 그러나 러시아인의 경우 당사자의 의사와 관계없이 해당 영사기관에 통보한다.

② **형사사건과 출입국관리법 위반의 경합**: 일반 형사사건 외에 출입국관리법 위반혐의가 병합되어 있는 경우 우선 일반형사사건 절차를 종료한 후 출입국관리 사무소에 인계한다.

③ **통역**: 외국인 피의자를 조사할 경우에는 비록 조사관이 해당 외국어에 능통하더라도 조서의 신용성과 외국인에게 공정한 조사를 받고 있다는 생각을 가질 수 있도록 반드시 통역을 참여시켜 조사하여야 한다.

④ **비형사사건의 조치**: 형사사건과 관련되지 않았다면 밀입국자(불법체류자 포함)를 출입국관리 사무소에 인계하여 처리한다.

제12절 국적법

01 외국인의 국적취득

선천적 취득사유	① 출생 ② 부모양계혈통주의, 속인주의, 예외적 출생지주의
후천적 취득사유	출생 이외의 일정한 사실(예 혼인, 인지, 귀화, 수반취득 등으로 국적을 취득하는 것을 말한다)

1. 출생에 의한 국적 취득(제2조)

(1) 다음의 어느 하나에 해당하는 자는 출생과 동시에 대한민국 국적(國籍)을 취득한다.

① 출생 당시에 부(父) 또는 모(母)가 대한민국의 국민인 자

② 출생하기 전에 부가 사망한 경우에는 그 사망 당시에 부가 대한민국의 국민이었던 자

③ 부모가 모두 분명하지 아니한 경우나 국적이 없는 경우에는 대한민국에서 출생한 자

(2) 대한민국에서 발견된 기아(棄兒)는 대한민국에서 출생한 것으로 추정한다.

2. 인지에 의한 국적취득(제3조)

(1) 대한민국의 국민이 아닌 자(이하 '외국인'이라 한다)로서 대한민국의 국민인 부 또는 모에 의하여 인지(認知)된 자가 다음의 요건을 모두 갖추면 법무부장관에게 신고함으로써 대한민국 국적을 취득할 수 있다.

① 대한민국의 민법상 미성년일 것

② 출생 당시에 부 또는 모가 대한민국의 국민이었을 것

(2) 신고한 자는 그 신고를 한 때에 대한민국 국적을 취득한다.

3. 귀화에 의한 국적 취득(제4조)

(1) 대한민국 국적을 취득한 사실이 없는 외국인은 법무부장관의 귀화허가(歸化許可)를 받아 대한민국 국적을 취득할 수 있다. 법무부장관은 귀화허가신청을 받으면 귀화요건을 갖추었는지를 심사한 후 그 요건을 갖춘 사람에게만 귀화를 허가한다.

(2) 귀화허가를 받은 사람은 법무부장관 앞에서 국민선서를 하고 귀화증서를 수여받은 때에 대한민국 국적을 취득한다. 다만, 법무부장관은 연령, 신체적·정신적 장애 등으로 국민선서의 의미를 이해할 수 없거나 이해한 것을 표현할 수 없다고 인정되는 사람에게는 국민선서를 면제할 수 있다.

(3) 법무부장관은 위 (2)의 본문에 따른 국민선서를 받고 귀화증서를 수여하는 업무와 같은 항 단서에 따른 국민선서의 면제 업무를 대통령령으로 정하는 바에 따라 지방출입국·외국인관서의 장에게 대행하게 할 수 있다.

(4) 위 (1)부터 (3)까지에 따른 신청절차, 심사, 국민선서 및 귀화증서 수여와 그 대행 등에 관하여 필요한 사항은 대통령령으로 정한다.

일반귀화 (제5조)	외국인이 귀화허가를 받기 위해서는 제6조나 제7조에 해당하는 경우 외에는 다음의 요건을 갖추어야 한다. ① 5년 이상 계속하여 대한민국에 주소가 있을 것 ② 대한민국에서 영주할 수 있는 체류자격을 가지고 있을 것 ③ 대한민국의 민법상 성년일 것 ④ 법령을 준수하는 등 법무부령으로 정하는 품행이 단정의 요건을 갖출 것 ⑤ 자신의 자산(資産)이나 기능(技能)에 의하거나 생계를 같이하는 가족에 의존하여 생계를 유지할 능력이 있을 것 ⑥ 국어능력과 대한민국의 풍습에 대한 이해 등 대한민국 국민으로서의 기본 소양(素養)을 갖추고 있을 것 ⑦ 귀하를 허가하는 것이 국가안정보장 · 질서유지 또는 공공복리를 해치지 아니한다고 법무부장관이 인정할 것
간이귀화 (제6조)	① 다음의 어느 하나에 해당하는 외국인으로서 대한민국에 3년 이상 계속하여 주소가 있는 사람은 제5조 제1호 및 제1호의2의 요건(5년 이상 계속하여 대한민국에 주소가 있을 것)을 갖추지 아니하여도 귀화허가를 받을 수 있다. ㉠ 부 또는 모가 대한민국의 국민이었던 사람 ㉡ 대한민국에서 출생한 사람으로서 부 또는 모가 대한민국에서 출생한 사람 ㉢ 대한민국 국민의 양자(養子)로서 입양 당시 대한민국의 민법상 성년이었던 사람 ② 배우자가 대한민국의 국민인 외국인으로서 다음의 어느 하나에 해당하는 사람은 제5조 제1호 및 제1호의2의 요건을 갖추지 아니하여도 귀화허가를 받을 수 있다. ㉠ 그 배우자와 혼인한 상태로 대한민국에 2년 이상 계속하여 주소가 있는 사람 ㉡ 그 배우자와 혼인한 후 3년이 지나고 혼인한 상태로 대한민국에 1년 이상 계속하여 주소가 있는 사람 ㉢ ㉠이나 ㉡의 기간을 채우지 못하였으나, 그 배우자와 혼인한 상태로 대한민국에 주소를 두고 있던 중 그 배우자의 사망이나 실종 또는 그 밖에 자신에게 책임이 없는 사유로 정상적인 혼인 생활을 할 수 없었던 사람으로서 ㉠이나 ㉡의 잔여기간을 채웠고 법무부장관이 상당(相當)하다고 인정하는 사람 ㉣ ㉠이나 ㉡의 요건을 충족하지 못하였으나, 그 배우자와의 혼인에 따라 출생한 미성년의 자(子)를 양육하고 있거나 양육하여야 할 사람으로서 ㉠이나 ㉡의 기간을 채웠고 법무부장관이 상당하다고 인정하는 사람
특별귀화 (제7조)	다음의 어느 하나에 해당하는 외국인으로서 대한민국에 주소가 있는 사람은 제5조 제1호 · 제1호의2 · 제2호 또는 제4호에 의하거나 생계를 같이하는 가족에 의존하여 생계를 유지할 능력이 있을 것의 요건을 갖추지 아니하여도 귀화허가를 받을 수 있다. ① 부 또는 모가 대한민국의 국민인 사람. 다만, 양자로서 대한민국의 민법상 성년이 된 후에 입양된 사람은 제외한다. ② 대한민국에 특별한 공로가 있는 사람 ③ 과학 · 경제 · 문화 · 체육 등 특정 분야에서 매우 우수한 능력을 보유한 사람으로서 대한민국의 국익에 기여할 것으로 인정되는 사람

4. 수반 취득(제8조)

외국인의 자(子)로서 대한민국의 민법상 미성년인 사람은 부 또는 모가 귀화허가를 신청할 때 함께 국적 취득을 신청할 수 있다. 수반 취득을 신청한 사람은 법무부장관이 부 또는 모가 대한민국 국적을 취득한 때에 함께 대한민국 국적을 취득한다.

5. 국적회복에 의한 국적 취득(제9조)

(1) 대한민국의 국민이었던 외국인은 법무부장관의 국적회복허가(國籍回復許可)를 받아 대한민국 국적을 취득할 수 있다. 법무부장관은 국적회복허가신청을 받으면 심사한 후 다음의 어느 하나에 해당하는 사람에게는 국적회복을 허가하지 아니한다.

① 국가나 사회에 위해(危害)를 끼친 사실이 있는 사람

② 품행이 단정하지 못한 사람

③ 병역을 기피할 목적으로 대한민국 국적을 상실하였거나 이탈하였던 사람

④ 국가안전보장・질서유지 또는 공공복리를 위하여 법무부장관이 국적회복을 허가하는 것이 적당하지 아니하다고 인정하는 사람

(2) 국적회복허가를 받은 사람은 법무부장관 앞에서 국민선서를 하고 국적회복증서를 수여받은 때에 대한민국 국적을 취득한다. 다만, 법무부장관은 연령, 신체적・정신적 장애 등으로 국민선서의 의미를 이해할 수 없거나 이해한 것을 표현할 수 없다고 인정되는 사람에게는 국민선서를 면제할 수 있다.

(3) 법무부장관은 국민선서를 받고 국적회복증서를 수여하는 업무와 국민선서의 면제 업무를 대통령령으로 정하는 바에 따라 재외공관의 장 또는 지방출입국・외국인관서의 장에게 대행하게 할 수 있다.

(4) 신청절차, 심사, 국민선서 및 국적회복증서 수여와 그 대행 등에 관하여 필요한 사항은 대통령령으로 정한다.

(5) 국적회복허가에 따른 수반(隨伴) 취득에 관하여는 제8조를 준용(準用)한다.

6. 국적 취득자의 외국 국적 포기의무(제10조)

대한민국 국적을 취득한 외국인으로서 외국 국적을 가지고 있는 자는 대한민국 국적을 취득한 날부터 1년 내에 그 외국 국적을 포기하여야 한다. 1년 이내에 외국국적을 포기하지 아니한 자는 그 기간이 지난 때에 대한민국 국적을 상실(喪失)한다.

7. 국적의 재취득(제11조)

(1) 외국 국적을 포기하지 않음으로 인해 대한민국 국적을 상실한 자가 그 후 1년 내에 그 외국 국적을 포기하면 법무부장관에게 신고함으로써 대한민국 국적을 재취득할 수 있다.

(2) 재취득을 신고한 자는 그 신고를 한 때에 대한민국 국적을 취득한다.

02 복수국적자

1. 복수국적자의 법적 지위(제11조의2)

(1) 출생이나 그 밖에 이 법에 따라 대한민국 국적과 외국 국적을 함께 가지게 된 사람으로서 대통령령으로 정하는 사람(이하 '복수국적자'라 한다)는 대한민국의 법령 적용에서 대한민국 국민으로만 처우한다.

(2) 복수국적자가 관계 법령에 따라 외국 국적을 보유한 상태에서 직무를 수행할 수 없는 분야에 종사하려는 경우에는 외국 국적을 포기하여야 한다.

2. 복수국적자의 국적선택의무

(1) 국적선택 기한(제12조)

만 20세가 되기 전에 복수국적자가 된 자는 만 22세가 되기 전까지, 만 20세가 된 후에 복수국적자가 된 자는 그 때부터 2년 내에 하나의 국적을 선택하여야 한다. 다만, 법무부장관에게 대한민국에서 외국 국적을 행사하지 아니하겠다는 뜻을 서약한 복수국적자는 제외한다.

(2) 복수국적자에 대한 국적선택명령(제14조의2)

① 법무부장관은 복수국적자로서 법률에서 정한 기간 내에 국적을 선택하지 아니한 자에게 1년 내에 하나의 국적을 선택할 것을 명하여야 한다. 또한, 법무부장관은 복수국적자로서 대한민국에서 외국 국적을 행사하지 아니하겠다는 뜻을 서약한 자가 그 뜻에 현저히 반하는 행위를 한 경우에는 6개월 내에 하나의 국적을 선택할 것을 명할 수 있다.

② 국적선택의 명령을 받은 자가 대한민국 국적을 선택하려면 외국 국적을 포기하여야 한다.

(3) 대한민국 국적의 상실결정(제14조의3)

법무부장관은 복수국적자가 다음의 어느 하나의 사유에 해당하여 대한민국의 국적을 보유함이 현저히 부적합하다고 인정하는 경우에는 청문을 거쳐 대한민국 국적의 상실을 결정할 수 있다. 다만, 출생에 의하여 대한민국 국적을 취득한 자는 제외한다.

① 국가안보, 외교관계 및 국민경제 등에 있어서 대한민국의 국익에 반하는 행위를 하는 경우

② 대한민국의 사회질서 유지에 상당한 지장을 초래하는 행위로서 대통령령으로 정하는 경우

제13절 출입국관리법

01 서설

1. 목적(제1조)

출입국관리법(이하 '법'이라 한다)법은 대한민국에 입국하거나 대한민국에서 출국하는 모든 국민 및 외국인의 출입국관리를 통한 안전한 국경관리, 대한민국에 체류하는 외국인의 체류관리와 사회통합 등에 관한 사항을 규정함을 목적으로 한다.

2. 정의(제2조)

이 법에서 사용하는 용어의 뜻은 다음과 같다.

국민	대한민국의 국민을 말한다.
외국인	대한민국의 국적을 가지지 아니한 사람을 말한다.
난민	난민법 제2조 제1호에 따른 난민을 말한다.

여권	대한민국정부·외국정부 또는 권한 있는 국제기구에서 발급한 여권 또는 난민여행증명서나 그 밖에 여권을 갈음하는 증명서로서 대한민국정부가 유효하다고 인정하는 것을 말한다.
선원신분증명서	대한민국정부나 외국정부가 발급한 문서로서 선원임을 증명하는 것을 말한다.
출입국항	출국하거나 입국할 수 있는 대한민국의 항구·공항과 그 밖의 장소로서 대통령령으로 정하는 곳을 말한다.
보호	출입국관리공무원이 제46조 제1항 각 호에 따른 강제퇴거대상에 해당된다고 의심할 만한 상당한 이유가 있는 사람을 출국시키기 위하여 외국인보호실, 외국인보호소 또는 그 밖에 법무부장관이 지정하는 장소에 인치하고 수용하는 집행활동을 말한다.
출입국사범	제93조의2, 제93조의3, 제94조부터 제99조까지, 제99조의2, 제99조의3 및 제100조에 규정된 죄를 범하였다고 인정되는 자를 말한다.
생체정보	이 법에 따른 업무에서 본인일치 여부 확인 등에 활용되는 사람의 지문·얼굴·홍채 및 손바닥 정맥 등의 개인정보를 말한다.

02 국민의 출입국

1. 국민의 출국(제3조)

대한민국에서 대한민국 밖의 지역으로 출국(이하 '출국'이라 한다)하려는 국민은 유효한 여권을 가지고 출국하는 출입국항에서 출입국관리공무원의 출국심사를 받아야 한다. 다만, 부득이한 사유로 출입국항으로 출국할 수 없을 때에는 관할 지방출입국·외국인관서의 장의 허가를 받아 출입국항이 아닌 장소에서 출입국관리공무원의 출국심사를 받은 후 출국할 수 있다.

Add ⊕

여권과 여행증명서

1. 여권

(1) 발급

여권법

제3조 【발급권자】 여권은 외교부장관이 발급한다.

제21조 【사무의 대행 등】 ① 외교부장관은 여권 등의 발급, 재발급과 기재사항변경에 관한 사무의 일부를 대통령령으로 정하는 바에 따라 지방자치단체의 장에게 대행(代行)하게 할 수 있다.

② 여권 등의 발급, 재발급과 기재사항변경을 신청하려는 사람은 그의 주소지를 관할하지 아니하는 지방자치단체의 장에게도 이를 신청할 수 있다.

(2) 여권의 발급 등의 거부·제한(여권법 제12조)

외교부장관은 다음에 해당하는 사람에 대하여는 여권의 발급 또는 재발급의 거부가 가능하다.

① 장기 2년 이상의 형에 해당하는 죄로 인하여 기소되어 있는 사람 또는 장기 3년 이상의 형에 해당하는 죄로 인하여 기소중지 또는 수사중지(피의자중지로 한정된다)되거나 체포영장·구속영장이 발부된 사람 중 국외에 있는 사람

② 여권법 제24조부터 제26조까지에 규정된 죄를 범하여 형을 선고받고 그 집행이 종료되지 아니하거나 집행을 받지 아니하기로 확정되지 아니한 사람

③ 그 외의 범죄로 금고 이상의 형을 선고받고 그 집행이 종료되지 아니하거나 그 집행을 받지 아니하기로 확정되지 아니한 사람

④ 국외에서 대한민국의 안전보장·질서유지나 통일·외교정책에 중대한 침해를 일으킬 우려가 있는 경우로서 다음에 해당하는 사람
㉠ 출국할 경우 테러 등으로 생명이나 신체의 안전이 침해될 위험이 큰 사람
㉡ 보안관찰처분을 받고 그 기간 중에 있으면서 보안관찰법 제22조에 따라 경고를 받은 사람

2. 여행증명서(여권법 제14조)

(1) 의의

여행증명서란 긴급하거나 부득이 필요한 경우에 외교부장관이 여권에 대신하여 발급하는 연청색 증명서를 말한다.

(2) 유효기간

유효기간은 1년 이내이며 그 증명서의 발급목적이 성취된 때에는 그 효력을 상실한다.

(3) 여행증명서의 발급대상자

① 출국하는 무국적자(無國籍者)
② 국외에 체류하거나 거주하고 있는 사람으로서 여권을 잃어버리거나 유효기간이 만료되는 등의 경우에 여권 발급을 기다릴 시간적 여유가 없이 긴급히 귀국하거나 제3국에 여행할 필요가 있는 사람
③ 국외에 거주하고 있는 사람으로서 일시 귀국한 후 여권을 잃어버리거나 유효기간이 만료되는 등의 경우에 여권 발급을 기다릴 시간적 여유가 없이 긴급히 거주지국가로 출국하여야 할 필요가 있는 사람
④ 해외 입양자
⑤ 남북교류협력에 관한 법률 제10조에 따라 여행증명서를 소지하여야 하는 사람으로서 여행증명서를 발급할 필요가 있다고 외교부장관이 인정하는 사람
⑥ 출입국관리법 제46조에 따라 대한민국 밖으로 강제퇴거되는 외국인으로서 그가 국적을 가지는 국가의 여권 또는 여권을 갈음하는 증명서를 발급받을 수 없는 사람
⑦ ①부터 ⑥까지의 규정에 준하는 사람으로서 긴급하게 여행증명서를 발급할 필요가 있다고 외교부장관이 인정하는 사람

2. 출국의 금지

(1) 출국금지사유(제4조)

법무부장관은 다음의 어느 하나에 해당하는 국민에 대하여는 기간을 정하여 출국을 금지할 수 있다. 출입국관리공무원은 출국심사를 할 때에 출국이 금지된 사람을 출국시켜서는 아니 된다.

6개월 이내		① 형사재판에 계속 중인 사람 ② 징역형이나 금고형의 집행이 끝나지 아니한 사람 ③ 대통령령으로 정하는 금액 이상의 벌금(1천만원)이나 추징금(2천만원)을 내지 아니한 사람 ④ 대통령령으로 정하는 금액 이상의 국세·관세(5천만원) 또는 지방세(3천만원)를 정당한 사유 없이 그 납부기한까지 내지 아니한 사람 ⑤ 양육비 이행확보 및 지원에 관한 법률 제21조의4 제1항에 따른 양육비 채무자 중 양육비이행심의위원회의 심의·의결을 거친 사람 ⑥ 그 밖에 ①부터 ⑤까지의 규정에 준하는 사람으로서 대한민국의 이익이나 공공의 안전 또는 경제질서를 해칠 우려가 있어 그 출국이 적당하지 아니하다고 법무부령으로 정하는 사람
범죄수사	원칙	1개월 이내
	예외	① 소재를 알 수 없어 기소중지 또는 수사중지(피의자중지로 한정한다)된 사람 또는 도주 등 특별한 사유가 있어 수사진행이 어려운 사람: 3개월 이내 ② 기소중지 또는 수사중지(피의자중지로 한정한다)된 경우로서 체포영장 또는 구속영장이 발부된 사람: 영장 유효기간 이내

(2) 출국금지의 요청(제4조)

중앙행정기관의 장 및 법무부장관이 정하는 관계 기관의 장은 소관 업무와 관련하여 출국금지사유에 해당하는 사람이 있다고 인정할 때에는 법무부장관에게 출국금지를 요청할 수 있다.

(3) 출국금지기간의 연장(제4조의2)

법무부장관은 출국금지기간을 초과하여 계속 출국을 금지할 필요가 있다고 인정하는 경우에는 그 기간을 연장할 수 있다.

(4) 출국금지의 해제(제4조의3)

법무부장관은 출국금지사유가 없어졌거나 출국을 금지할 필요가 없다고 인정할 때에는 즉시 출국금지를 해제하여야 하며, 출국금지를 요청한 기관의 장은 출국금지사유가 없어졌을 때에는 즉시 법무부장관에게 출국금지의 해제를 요청하여야 한다.

(5) 출국금지결정 등의 통지(제4조의4)

법무부장관은 출국을 금지하거나 출국금지기간을 연장하였을 때에는 즉시 당사자에게 그 사유와 기간 등을 밝혀 서면으로 통지하여야 하며, 출국금지를 해제하였을 때에도 이를 즉시 당사자에게 통지하여야 한다.

Add ⊕

출국금지(출국금지기간의 연장)통지의 예외

1. 대한민국의 안전 또는 공공의 이익에 중대하고 명백한 위해를 끼칠 우려가 있다고 인정되는 경우
2. 범죄수사에 중대하고 명백한 장애가 생길 우려가 있다고 인정되는 경우. 다만, 연장기간을 포함한 총 출국금지기간이 3개월을 넘는 때에는 당사자에게 통지하여야 한다.
3. 출국이 금지된 사람이 있는 곳을 알 수 없는 경우

(6) 긴급출국금지(제4조의6)

① 긴급출국금지의 요청

㉠ 수사기관은 범죄 피의자로서 사형·무기 또는 장기 3년 이상의 징역이나 금고에 해당하는 죄를 범하였다고 의심할 만한 상당한 이유가 있고, 다음의 어느 하나에 해당하는 사유가 있으며, 긴급한 필요가 있는 때에는 출국심사를 하는 출입국관리공무원에게 출국금지를 요청할 수 있다.

ⓐ 피의자가 증거를 인멸할 염려가 있는 때

ⓑ 피의자가 도망하거나 도망할 우려가 있는 때

㉡ 긴급출국금지요청을 받은 출입국관리공무원은 출국심사를 할 때에 출국금지가 요청된 사람을 출국시켜서는 아니 된다.

② 법무부장관의 승인

㉠ 수사기관은 긴급출국금지를 요청한 때로부터 6시간 이내에 법무부장관에게 긴급출국금지 승인을 요청하여야 한다. 이 경우 검사의 검토의견서 및 범죄사실의 요지, 긴급출국금지의 사유 등을 기재한 긴급출국금지보고서를 첨부하여야 한다.

㉡ 법무부장관은 수사기관이 긴급출국금지 승인요청을 하지 아니한 때에는 수사기관 요청에 따른 출국금지를 해제하여야 한다. 수사기관이 긴급출국금지 승인을 요청한 때로부터 12시간 이내에 법무부장관으로부터 긴급출국금지 승인을 받지 못한 경우에도 또한 같다.

③ 긴급출국금지의 재요청 금지: 법무부장관에게 긴급출국금지의 승인을 요청하지 않았거나 승인을 얻지 못해 출국금지가 해제된 경우에 수사기관은 동일한 범죄사실에 관하여 다시 긴급출국금지 요청을 할 수 없다.

(7) 출국금지결정 등에 대한 이의신청(제4조의5)

① 출국이 금지되거나 출국금지기간이 연장된 사람은 출국금지결정이나 출국금지기간 연장의 통지를 받은 날 또는 그 사실을 안 날부터 10일 이내에 법무부장관에게 출국금지결정이나 출국금지기간 연장결정에 대한 이의를 신청할 수 있다.

② 법무부장관은 이의신청을 받으면 그 날부터 15일 이내에 이의신청의 타당성 여부를 결정하여야 한다. 다만, 부득이한 사유가 있으면 15일의 범위에서 한 차례만 그 기간을 연장할 수 있다.

③ 법무부장관은 이의신청이 이유 있다고 판단하면 즉시 출국금지를 해제하거나 출국금지기간의 연장을 철회하여야 하고, 그 이의신청이 이유 없다고 판단하면 이를 기각하고 당사자에게 그 사유를 서면에 적어 통보하여야 한다.

(8) 국민의 여권 등의 보관(제5조)

출입국관리공무원은 위조되거나 변조된 국민의 여권 또는 선원신분증명서를 발견하였을 때에는 회수하여 보관할 수 있다.

3. 국민의 입국(제6조)

(1) 대한민국 밖의 지역에서 대한민국으로 입국(이하 '입국'이라 한다)하려는 국민은 유효한 여권을 가지고 입국하는 출입국항에서 출입국관리공무원의 입국심사를 받아야 한다. 다만, 부득이한 사유로 출입국항으로 입국할 수 없을 때에는 지방출입국・외국인관서의 장의 허가를 받아 출입국항이 아닌 장소에서 출입국관리공무원의 입국심사를 받은 후 입국할 수 있다.

(2) 출입국관리공무원은 국민이 유효한 여권을 잃어버리거나 그 밖의 사유로 이를 가지지 아니하고 입국하려고 할 때에는 확인절차를 거쳐 입국하게 할 수 있다.

03 외국인의 입국 및 상륙

1. 외국인의 입국(제7조)

(1) 외국인이 입국할 때에는 유효한 여권과 법무부장관이 발급한 사증(査證)을 가지고 있어야 한다. 그러나 다음의 어느 하나에 해당하는 외국인은 사증 없이 입국할 수 있다.

① 재입국허가를 받은 사람 또는 재입국허가가 면제된 사람으로서 그 허가 또는 면제받은 기간이 끝나기 전에 입국하는 사람

② 대한민국과 사증면제협정을 체결한 국가의 국민으로서 그 협정에 따라 면제대상이 되는 사람

③ 국제친선, 관광 또는 대한민국의 이익 등을 위하여 입국하는 사람으로서 대통령령으로 정하는 바에 따라 따로 입국허가를 받은 사람

④ 난민여행증명서를 발급받고 출국한 후 그 유효기간이 끝나기 전에 입국하는 사람

Add

사증발급권한의 위임
법무부장관은 사증발급에 관한 권한을 대통령령으로 정하는 바에 따라 재외공관의 장에게 위임할 수 있다(출입국관리법 제8조 제2항).

(2) 대한민국과 수교하지 아니한 국가나 법무부장관이 외교부장관과 협의하여 지정한 국가의 국민은 대통령령으로 정하는 바에 따라 재외공관의 장이나 지방출입국・외국인관서의 장이 발급한 외국인입국허가서를 가지고 입국할 수 있다.

2. 입국의 금지(제11조)

법무부장관은 다음의 어느 하나에 해당하는 외국인에 대하여는 입국을 금지할 수 있다.

(1) 감염병환자, 마약류중독자, 그 밖에 공중위생상 위해를 끼칠 염려가 있다고 인정되는 사람

(2) 총포・도검・화약류 등의 안전관리에 관한 법률에서 정하는 총포・도검・화약류 등을 위법하게 가지고 입국하려는 사람

(3) 대한민국의 이익이나 공공의 안전을 해치는 행동을 할 염려가 있다고 인정할 만한 상당한 이유가 있는 사람

(4) 경제질서 또는 사회질서를 해치거나 선량한 풍속을 해치는 행동을 할 염려가 있다고 인정할 만한 상당한 이유가 있는 사람

(5) 사리 분별력이 없고 국내에서 체류활동을 보조할 사람이 없는 정신장애인, 국내체류비용을 부담할 능력이 없는 사람, 그 밖에 구호가 필요한 사람

(6) 강제퇴거명령을 받고 출국한 후 5년이 지나지 아니한 사람

(7) 1910년 8월 29일부터 1945년 8월 15일까지 사이에 다음의 어느 하나에 해당하는 정부의 지시를 받거나 그 정부와 연계하여 인종, 민족, 종교, 국적, 정치적 견해 등을 이유로 사람을 학살・학대하는 일에 관여한 사람

① 일본 정부

② 일본 정부와 동맹 관계에 있던 정부

③ 일본 정부의 우월한 힘이 미치던 정부

(8) (1)부터 (7)까지의 규정에 준하는 사람으로서 법무부장관이 그 입국이 적당하지 아니하다고 인정하는 사람

3. 입국심사(제12조)

(1) 외국인이 입국하려는 경우에는 입국하는 출입국항에서 대통령령으로 정하는 바에 따라 여권과 입국신고서를 출입국관리공무원에게 제출하여 입국심사를 받아야 한다. 출입국관리공무원은 입국심사를 할 때에 다음의 요건을 갖추었는지를 심사하여 입국을 허가한다.

① 여권과 사증이 유효할 것. 다만, 사증은 이 법에서 요구하는 경우만을 말한다.

② 입국목적이 체류자격에 맞을 것

③ 체류기간이 법무부령으로 정하는 바에 따라 정하여졌을 것
④ 제11조에 따른 입국의 금지 또는 거부의 대상이 아닐 것

(2) 출입국관리공무원은 외국인이 요건을 갖추었음을 증명하지 못하면 입국을 허가하지 아니할 수 있다.

4. 외국인의 상륙

(1) 승무원의 상륙허가(제14조)

출입국관리공무원은 다음의 어느 하나에 해당하는 외국인승무원에 대하여 선박 등의 장 또는 운수업자나 본인이 신청하면 15일의 범위에서 승무원의 상륙을 허가할 수 있다. 다만, 입국금지사유의 어느 하나에 해당하는 외국인승무원에 대하여는 그러하지 아니하다.

① 승선 중인 선박 등이 대한민국의 출입국항에 정박하고 있는 동안 휴양 등의 목적으로 상륙하려는 외국인승무원
② 대한민국의 출입국항에 입항할 예정이거나 정박 중인 선박 등으로 옮겨 타려는 외국인승무원

(2) 관광상륙허가(제14조의2)

출입국관리공무원은 관광을 목적으로 대한민국과 외국 해상을 국제적으로 순회(巡廻)하여 운항하는 여객운송선박 중 법무부령으로 정하는 선박에 승선한 외국인승객에 대하여 그 선박의 장 또는 운수업자가 상륙허가를 신청하면 3일의 범위에서 승객의 관광상륙을 허가할 수 있다. 다만, 입국금지사유의 어느 하나에 해당하는 외국인승객에 대하여는 그러하지 아니하다.

(3) 긴급상륙허가(제15조)

출입국관리공무원은 선박 등에 타고 있는 외국인(승무원을 포함한다)이 질병이나 그 밖의 사고로 긴급히 상륙할 필요가 있다고 인정되면 그 선박 등의 장이나 운수업자의 신청을 받아 30일의 범위에서 긴급상륙을 허가할 수 있다.

(4) 재난상륙허가(제16조)

지방출입국·외국인관서의 장은 조난을 당한 선박 등에 타고 있는 외국인(승무원을 포함한다)을 긴급히 구조할 필요가 있다고 인정하면 그 선박 등의 장, 운수업자, 수상에서의 수색·구조 등에 관한 법률에 따른 구호업무 집행자 또는 그 외국인을 구조한 선박 등의 장의 신청에 의하여 30일의 범위에서 재난상륙허가를 할 수 있다.

(5) 난민 임시상륙허가(제16조의2)

지방출입국·외국인관서의 장은 선박 등에 타고 있는 외국인이 난민법 제2조 제1호에 규정된 이유나 그 밖에 이에 준하는 이유로 그 생명·신체 또는 신체의 자유를 침해받을 공포가 있는 영역에서 도피하여 곧바로 대한민국에 비호(庇護)를 신청하는 경우 그 외국인을 상륙시킬 만한 상당한 이유가 있다고 인정되면 법무부장관의 승인을 받아 90일의 범위에서 난민 임시상륙허가를 할 수 있다. 이 경우 법무부장관은 외교부장관과 협의하여야 한다.

04 외국인의 체류와 출국

1. 외국인의 체류

(1) 외국인의 체류 및 활동범위(제17조)

외국인은 그 체류자격과 체류기간의 범위에서 대한민국에 체류할 수 있다.

① 단기체류자격

체류자격 (기호)	체류자격에 해당하는 사람 또는 활동범위
1. 사증면제 (B−1)	대한민국과 사증면제협정을 체결한 국가의 국민으로서 그 협정에 따른 활동을 하려는 사람
2. 관광 · 통과 (B−2)	관광 · 통과 등의 목적으로 대한민국에 사증 없이 입국하려는 사람
3. 일시취재 (C−1)	일시적인 취재 또는 보도활동을 하려는 사람
4. 단기방문 (C−3)	시장조사, 업무 연락, 상담, 계약 등의 상용(商用)활동과 관광, 통과, 요양, 친지 방문, 친선경기, 각종 행사나 회의 참가 또는 참관, 문화예술, 일반연수, 강습, 종교의식 참석, 학술자료 수집, 그 밖에 이와 유사한 목적으로 90일을 넘지 않는 기간 동안 체류하려는 사람(영리를 목적으로 하는 사람은 제외한다)
5. 단기취업 (C−4)	㉠ 일시 흥행, 광고 · 패션 모델, 강의 · 강연, 연구, 기술지도 등 별표 1의2 중 14. 교수(E−1)부터 20. 특정활동(E−7)까지의 체류자격에 해당하는 분야에 수익을 목적으로 단기간 취업활동을 하려는 사람 ㉡ 각종 용역계약 등에 의하여 기계류 등의 설치 · 유지 · 보수, 조선 및 산업설비 제작 · 감독 등을 목적으로 국내 공공기관 · 민간단체에 파견되어 단기간 영리활동을 하려는 사람 ㉢ 법무부장관이 관계 중앙행정기관의 장과 협의하여 정하는 농작물 재배 · 수확(재배 · 수확과 연계된 원시가공 분야를 포함한다) 및 수산물 원시가공 분야에서 단기간 취업 활동을 하려는 사람으로서 법무부장관이 인정하는 사람

② 장기체류자격

체류자격 (기호)	체류자격에 해당하는 사람 또는 활동범위
1. 외교 (A−1)	대한민국정부가 접수한 외국정부의 외교사절단이나 영사기관의 구성원, 조약 또는 국제관행에 따라 외교사절과 동등한 특권과 면제를 받는 사람과 그 가족
2. 공무 (A−2)	대한민국정부가 승인한 외국정부 또는 국제기구의 공무를 수행하는 사람과 그 가족
3. 협정 (A−3)	대한민국정부와의 협정에 따라 외국인등록이 면제되거나 면제할 필요가 있다고 인정되는 사람과 그 가족
4. 문화예술 (D−1)	수익을 목적으로 하지 않는 문화 또는 예술 관련 활동을 하려는 사람(대한민국의 전통문화 또는 예술에 대하여 전문적인 연구를 하거나 전문가의 지도를 받으려는 사람을 포함한다)
5. 유학 (D−2)	전문대학 이상의 교육기관 또는 학술연구기관에서 정규과정의 교육을 받거나 특정 연구를 하려는 사람

15. 회화지도 (E-2)	법무부장관이 정하는 자격요건을 갖춘 외국인으로서 외국어전문학원, 초등학교 이상의 교육기관 및 부설어학연구소, 방송사 및 기업체 부설 어학연수원, 그 밖에 이에 준하는 기관 또는 단체에서 외국어 회화지도에 종사하려는 사람
19. 예술흥행 (E-6)	수익이 따르는 음악, 미술, 문학 등의 예술활동과 수익을 목적으로 하는 연예, 연주, 연극, 운동경기, 광고·패션 모델, 그 밖에 이에 준하는 활동을 하려는 사람
21. 비전문취업 (E-9)	외국인근로자의 고용 등에 관한 법률에 따른 국내 취업요건을 갖춘 사람(일정 자격이나 경력 등이 필요한 전문직종에 종사하려는 사람은 제외한다)
23. 방문동거 (F-1)	㉠ 친척 방문, 가족 동거, 피부양(被扶養), 가사정리, 그 밖에 이와 유사한 목적으로 체류하려는 사람으로서 법무부장관이 인정하는 사람 ㉡ 다음의 어느 하나에 해당하는 사람의 가사보조인 ⓐ 외교(A-1), 공무(A-2) 체류자격에 해당하는 사람 ⓑ 미화 50만 달러 이상을 투자한 외국투자가(법인인 경우 그 임직원을 포함한다)로서 기업투자(D-8), 거주(F-2), 영주(F-5), 결혼이민(F-6) 체류자격에 해당하는 사람 ⓒ 인공지능(AI), 정보기술(IT), 전자상거래 등 기업정보화(e-business), 생물산업(BT), 나노기술(NT) 분야 등 법무부장관이 정하는 첨단·정보기술 업체에 투자한 외국투자가(법인인 경우 그 임직원을 포함한다)로서 기업투자(D-8), 거주(F-2), 영주(F-5), 결혼이민(F-6) 체류자격에 해당하는 사람 ⓓ 취재(D-5), 주재(D-7), 무역경영(D-9), 교수(E-1)부터 특정활동(E-7)까지의 체류자격에 해당하거나 그 체류자격에서 거주(F-2) 바목 또는 별표 1의3 영주(F-5) 제1호의 체류자격으로 변경한 전문인력으로서 법무부장관이 인정하는 사람 ㉢ 외교(A-1)부터 협정(A-3)까지의 체류자격에 해당하는 사람의 동일한 세대에 속하지 않는 동거인으로서 그 체류의 필요성을 법무부장관이 인정하는 사람 ㉣ 그 밖에 부득이한 사유로 직업활동에 종사하지 않고 대한민국에 장기간 체류하여야 할 사정이 있다고 인정되는 사람
26. 재외동포 (F-4)	재외동포의 출입국과 법적 지위에 관한 법률 제2조 제2호에 해당하는 사람(단순 노무행위 등 이 영 제23조 제3항 각 호에서 규정한 취업활동에 종사하려는 사람은 제외한다)
27. 결혼이민 (F-6)	㉠ 국민의 배우자 ㉡ 국민과 혼인관계(사실상의 혼인관계를 포함한다)에서 출생한 자녀를 양육하고 있는 부 또는 모로서 법무부장관이 인정하는 사람 ㉢ 국민인 배우자와 혼인한 상태로 국내에 체류하던 중 그 배우자의 사망이나 실종, 그 밖에 자신에게 책임이 없는 사유로 정상적인 혼인관계를 유지할 수 없는 사람으로서 법무부장관이 인정하는 사람

(2) 외국인 고용의 제한(제18조)

외국인이 대한민국에서 취업하려면 대통령령으로 정하는 바에 따라 취업활동을 할 수 있는 체류자격을 받아야 한다. 체류자격을 가진 외국인은 지정된 근무처가 아닌 곳에서 근무하여서는 아니 되고, 누구든지 체류자격을 가지지 아니한 사람을 고용하여서는 아니 된다.

(3) 외국인을 고용한 자 등의 신고의무(제19조)

취업활동을 할 수 있는 체류자격을 가지고 있는 외국인을 고용한 자는 다음의 어느 하나에 해당하는 사유가 발생하면 대통령으로 정하는 바에 따라 15일 이내에 지방출입국·외국인관서의 장에게 신고하여야 한다.

① 외국인을 해고하거나 외국인이 퇴직 또는 사망한 경우
② 고용된 외국인의 소재를 알 수 없게 된 경우
③ 고용계약의 중요한 내용을 변경한 경우

(4) 체류자격 외 활동(제20조)

대한민국에 체류하는 외국인이 그 체류자격에 해당하는 활동과 함께 다른 체류자격에 해당하는 활동을 하려면 대통령령으로 정하는 바에 따라 미리 법무부장관의 체류자격 외 활동허가를 받아야 한다.

(5) 체류자격 부여(제23조)

① 다음의 어느 하나에 해당하는 외국인이 체류자격을 가지지 못하고 대한민국에 체류하게 되는 경우에는 다음의 구분에 따른 기간 이내에 대통령령으로 정하는 바에 따라 체류자격을 받아야 한다.
ⓐ **대한민국에서 출생한 외국인**: 출생한 날부터 90일
ⓑ **대한민국에서 체류 중 대한민국의 국적을 상실하거나 이탈하는 등 그 밖의 사유가 발생한 외국인**: 그 사유가 발생한 날부터 60일
② 체류자격 부여의 심사기준은 법무부령으로 정한다.

2. 외국인의 출국

(1) 출국심사(제28조)

외국인이 출국할 때에는 유효한 여권을 가지고 출국하는 출입국항에서 출입국관리공무원의 출국심사를 받아야 한다.

(2) 외국인의 출국정지

① **출국정지사유(제29조)**: 법무부장관은 다음의 어느 하나에 해당하는 외국인에 대하여는 출국을 정지할 수 있다.

구분		내용
3개월 이내		㉠ 형사재판에 계속 중인 사람 ㉡ 징역형이나 금고형의 집행이 끝나지 아니한 사람 ㉢ 대통령령으로 정하는 금액 이상의 벌금(1천만원)이나 추징금(2천만원)을 내지 아니한 사람 ㉣ 대통령령으로 정하는 금액 이상의 국세·관세(5천만원) 또는 지방세(3천만원)를 정당한 사유 없이 그 납부기한까지 내지 아니한 사람 ㉤ 양육비 이행확보 및 지원에 관한 법률 제21조의4 제1항에 따른 양육비 채무자 중 양육비이행심의위원회의 심의·의결을 거친 사람 ㉥ 그 밖에 ㉠부터 ㉤까지의 규정에 준하는 사람으로서 대한민국의 이익이나 공공의 안전 또는 경제질서를 해칠 우려가 있어 그 출국이 적당하지 아니하다고 법무부령으로 정하는 사람
범죄수사	**원칙**	1개월 이내
	예외	㉠ 도주 등 특별한 사유가 있어 수사진행이 어려운 사람: 3개월 이내 ㉡ 소재를 알 수 없어 기소중지 또는 수사중지(피의자중지로 한정한다) 된 사람: 3개월 이내 ㉢ 기소중지 또는 수사중지(피의자중지로 한정한다)가 된 경우로서 체포영장 또는 구속영장이 발부된 사람: 영장 유효기간 이내

② **출국정지의 절차(제28조)**: 외국인의 출국정지는 국민의 출국금지절차를 준용한다.

05 외국인의 등록

1. 외국인등록(제31조)

(1) 외국인이 입국한 날부터 90일을 초과하여 대한민국에 체류하려면 대통령령으로 정하는 바에 따라 입국한 날부터 90일 이내에 그의 체류지를 관할하는 지방출입국·외국인관서의 장에게 외국인등록을 하여야 한다. 다만, 다음의 어느 하나에 해당하는 외국인의 경우에는 그러하지 아니하다.

① 주한외국공관(대사관과 영사관을 포함한다)과 국제기구의 직원 및 그의 가족

② 대한민국정부와의 협정에 따라 외교관 또는 영사와 유사한 특권 및 면제를 누리는 사람과 그의 가족

③ 대한민국정부가 초청한 사람 등으로서 법무부령으로 정하는 사람

(2) 위 (1)에도 불구하고 위 (1)의 각 사항의 어느 하나에 해당하는 외국인은 본인이 원하는 경우 체류기간 내에 외국인등록을 할 수 있다.

(3) 체류자격을 받는 사람으로서 그 날부터 90일을 초과하여 체류하게 되는 사람은 (1)의 각 사항 외의 부분 본문에도 불구하고 체류자격을 받는 때에 외국인등록을 하여야 한다.

(4) 체류자격 변경허가를 받는 사람으로서 입국한 날부터 90일을 초과하여 체류하게 되는 사람은 (1)의 각 사항 외의 부분 본문에도 불구하고 체류자격 변경허가를 받는 때에 외국인등록을 하여야 한다.

(5) 지방출입국·외국인관서의 장은 (1)부터 (4)까지의 규정에 따라 외국인등록을 한 사람에게는 대통령령으로 정하는 방법에 따라 개인별로 고유한 등록번호(이하 '외국인등록번호'라 한다)를 부여하여야 한다.

2. 외국인등록사항(제32조)

외국인등록사항은 다음과 같다.

(1) 성명, 성별, 생년월일 및 국적

(2) 여권의 번호·발급일자 및 유효기간

(3) 근무처와 직위 또는 담당업무

(4) 본국의 주소와 국내 체류지

(5) 체류자격과 체류기간

(6) (1)부터 (5)까지에서 규정한 사항 외에 법무부령으로 정하는 사항

3. 외국인등록증의 발급(제33조)

(1) 외국인등록을 받은 지방출입국·외국인관서의 장은 대통령령으로 정하는 바에 따라 그 외국인에게 외국인등록증을 발급하여야 한다. 다만, 그 외국인이 17세 미만인 경우에는 발급하지 아니할 수 있다.

(2) 외국인등록증을 발급받지 아니한 외국인이 17세가 된 때에는 90일 이내에 체류지 관할 지방출입국·외국인관서의 장에게 외국인등록증 발급신청을 하여야 한다.

(3) 영주자격을 가진 외국인에게 발부하는 외국인등록증(이하 '영주증'이라 한다)의 유효기간은 10년으로 한다.

06 강제퇴거의 대상자

(1) 지방출입국·외국인관서의 장은 이 장에 규정된 절차에 따라 다음의 어느 하나에 해당하는 외국인을 대한민국 밖으로 강제퇴거시킬 수 있다(제46조).

① 유효한 여권과 사증 또는 외국인입국허가서 없이 입국한 사람
② 허위초청 등의 행위로 입국한 외국인
③ 입국금지사유가 입국 후에 발견되거나 발생한 사람
④ 출입국심사규정 위반자
⑤ 조건부 입국허가에 따라 지방출입국·외국인관서의 장이 붙인 허가조건을 위반한 사람
⑥ 상륙허가를 받지 아니하고 상륙한 사람
⑦ 지방출입국·외국인관서의 장 또는 출입국관리공무원이 붙인 상륙허가조건을 위반한 사람
⑧ 체류자격 외의 활동을 하거나 체류기간 연장허가를 위반한 사람
⑨ 허가를 받지 아니하고 근무처를 변경·추가하거나 제21조 제2항을 위반하여 외국인을 고용·알선한 사람
⑩ 법무부장관이 정한 거소 또는 활동범위의 제한이나 그 밖의 준수사항을 위반한 사람
⑪ 제26조(허위서류 제출 등의 금지)를 위반한 외국인
⑫ 출국심사규정을 위반하여 출국하려고 한 사람
⑬ 외국인등록 의무를 위반한 사람
⑭ 제33조의3(외국인등록증 등의 채무이행 확보수단 제공 등의 금지)를 위반한 외국인
⑮ 금고 이상의 형을 선고받고 석방된 사람
⑯ 제76조의4 제1항 각 호의 어느 하나에 해당하는 사람
⑰ 그 밖에 위 ①부터 ⑩까지, ⑪, ⑫, ⑬, ⑭, ⑮ 또는 ⑯에 준하는 사람으로서 법무부령으로 정하는 사람

(2) 영주자격을 가진 사람은 (1)에도 불구하고 대한민국 밖으로 강제퇴거되지 아니한다. 다만, 다음의 어느 하나에 해당하는 사람은 그러하지 아니하다.

① 형법 제2편 제1장 내란의 죄 또는 제2장 외환의 죄를 범한 사람
② 5년 이상의 징역 또는 금고의 형을 선고받고 석방된 사람 중 법무부령으로 정하는 사람
③ 제12조의3 제1항 또는 제2항을 위반하거나 이를 교사(敎唆) 또는 방조(幇助)한 사람

Add ⊕

출입국관리법

제63조 【강제퇴거명령을 받은 사람의 보호 및 보호해제】 ① 지방출입국·외국인관서의 장은 강제퇴거명령을 받은 사람을 여권 미소지 또는 교통편 미확보 등의 사유로 즉시 대한민국 밖으로 송환할 수 없으면 송환할 수 있을 때까지 그를 보호시설에 보호할 수 있다.
② 지방출입국·외국인관서의 장은 제1항에 따라 보호할 때 그 기간이 3개월을 넘는 경우에는 3개월마다 미리 법무부장관의 승인을 받아야 한다.

판례 **강제퇴거명령을 받은 사람을 즉시 대한민국 밖으로 송환할 수 없으면 송환할 수 있을 때까지 보호시설에 보호할 수 있도록 규정한 출입국관리법(2014.3.18. 법률 제12421호로 개정된 것) 제63조 제1항(이하 '심판대상조항'이라 한다)이 과잉금지원칙에 반하여 신체의 자유를 침해하는지 여부(소극)**

강제퇴거대상자의 송환이 언제 가능해질 것인지 미리 알 수가 없으므로, 심판대상조항이 보호기간의 상한을 두지 않은 것은 입법목적 달성을 위해 불가피한 측면이 있다. 보호기간의 상한이 규정될 경우, 그 상한을 초과하면 보호는 해제되어야 하는데, 강제퇴거대상자들이 보호해제된 후 잠적할 경우 강제퇴거명령의 집행이 현저히 어려워질 수 있고, 그들이 범죄에 연루되거나 범죄의 대상이 될 수도 있다. 강제퇴거대상자는 강제퇴거명령을 집행할 수 있을 때까지 일시적·잠정적으로 신체의 자유를 제한받는 것이며, 보호의 일시해제, 이의신청, 행정소송 및 집행정지 등 강제퇴거대상자가 보호에서 해제될 수 있는 다양한 제도가 마련되어 있다. 따라서 심판대상조항은 침해의 최소성 및 법익의 균형성 요건도 충족한다. 그러므로 심판대상조항은 과잉금지원칙에 위배되어 신체의 자유를 침해하지 아니한다(헌재 2018.2.22, 2047헌가29).

Add

C.I.Q과정

외국에 여행할 때에는 반드시 출입국항에서 출입국에 필요한 통관절차(Customs), 출입국심사(Immigrations), 검역조사(Quarantine)를 받게 되는데 이 절차를 통상 C.I.Q과정이라고 한다.

출입국관리법상 출국금지와 출국정지의 비교

사유	내국인의 출국금지	외국인의 출국정지
① 형사재판에 계속(係屬) 중인 사람 ② 징역형이나 금고형의 집행이 끝나지 아니한 사람 ③ 대통령령으로 정하는 금액 이상의 벌금(1천만원)이나 추징금(2천만원)을 내지 아니한 사람 ④ 대통령령으로 정하는 금액(5천만원) 이상의 국세·관세(5천만원) 또는 지방세(3천만원)를 정당한 사유 없이 그 납부기한까지 내지 아니한 사람 ⑤ 양육비 이행확보 및 지원에 관한 법률 제21조의4 제1항에 따른 양육비 채무자 중 양육비이행심의위원회의 심의·의결을 거친 사람 ⑥ 그 밖에 ①부터 ⑤까지의 규정에 준하는 사람으로서 대한민국의 이익이나 공공의 안전 또는 경제질서를 해칠 우려가 있어 그 출국이 적당하지 아니하다고 법무부령으로 정하는 사람	6개월 이내	3개월 이내
범죄수사를 위하여 출국이 적당하지 아니하다고 인정되는 사람	1개월 이내	1개월 이내
소재를 알 수 없어 기소중지 또는 수사중지(피의자중지로 한정한다)된 사람	3개월 이내	3개월 이내
도주 등 특별한 사유가 있어 수사진행이 어려운 외국인		3개월 이내
기소중지 또는 수사중지(피의자중지로 한정한다)된 경우로서 체포영장 또는 구속영장이 발부된 사람	영장 유효기간 이내	영장 유효기간 이내

제14절 국제형사사법 공조법

01 서설

1. 목적(제1조)

국제형사사법 공조법(이하 '법'이라 한다)은 형사사건의 수사 또는 재판과 관련하여 외국의 요청에 따라 실시하는 공조(共助) 및 외국에 대하여 요청하는 공조의 범위와 절차 등을 정함으로써 범죄를 진압하고 예방하는 데에 국제적인 협력을 증진함을 목적으로 한다.

2. 정의(제2조)

이 법에서 사용하는 용어의 뜻은 다음과 같다.

공조	대한민국과 외국간에 형사사건의 수사 또는 재판에 필요한 협조를 제공하거나 제공받는 것을 말한다.
공조조약	대한민국과 외국간에 체결된 공조에 관한 조약·협정 등을 말한다.
요청국	대한민국에 공조를 요청한 국가를 말한다.
공조범죄	공조의 대상이 되어 있는 범죄를 말한다.

3. 공조조약과의 관계(제3조)

공조에 관하여 공조조약에 이 법과 다른 규정이 있는 경우에는 그 규정에 따른다.

4. 국제형사사법 공조의 원칙

원칙	내용
상호주의 (제4조)	공조조약이 체결되어 있지 아니한 경우에도 동일하거나 유사한 사항에 관하여 대한민국의 공조요청에 따른다는 요청국의 보증이 있는 경우에는 이 법을 적용한다.
쌍방가벌성의 원칙	국제형사사법 공조의 대상이 되는 범죄는 피요청국과 요청국 모두에서 처벌이 가능한 범죄이어야 한다.
특정성의 원칙	요청국이 공조에 의하여 취득한 증거를 공조요청의 대상이 된 범죄 이외의 수사나 재판에 사용하여서는 안 된다는 의미와 피요청국의 증인 등이 공조요청에 따라 요청국에 출두한 경우 피요청국을 출발하기 이전의 행위로 인해 구금·소추를 비롯한 어떠한 자유도 제한받지 않는다는 의미를 포함한다.

02 공조의 범위와 제한

1. 공조의 범위(제5조)

공조의 범위는 다음과 같다.

(1) 사람 또는 물건의 소재에 대한 수사

(2) 서류·기록의 제공

(3) 서류 등의 송달

(4) 증거수집, 압수·수색 또는 검증

(5) 증거물 등 물건의 인도(引渡)

(6) 진술청취, 그 밖에 요청국에서 증언하게 하거나 수사에 협조하게 하는 조치

국제형사사법 공조법
제38조 【국제형사경찰기구와의 협력】 ① 행정안전부장관은 국제형사경찰기구로부터 외국의 형사사건 수사에 대하여 협력을 요청받거나 국제형사경찰기구에 협력을 요청하는 경우에는 다음 각 호의 조치를 취할 수 있다.
1. 국제범죄의 정보 및 자료 교환
2. 국제범죄의 동일증명(同一證明) 및 전과 조회
3. 국제범죄에 관한 사실 확인 및 그 조사
② 제1항 각 호를 제외한 협력요청이 이 법에 따른 공조에 관한 것인 경우에는 이 법에 따른다.

2. 공조의 제한(제6조)

다음의 어느 하나에 해당하는 경우에는 공조를 하지 아니할 수 있다(임의적 공조거절사유).

(1) 대한민국의 주권, 국가안전보장, 안녕질서 또는 미풍양속을 해칠 우려가 있는 경우

(2) 인종, 국적, 성별, 종교, 사회적 신분 또는 특정 사회단체에 속한다는 사실이나 정치적 견해를 달리한다는 이유로 처벌되거나 형사상 불리한 처분을 받을 우려가 있다고 인정되는 경우

(3) 공조범죄가 정치적 성격을 지닌 범죄이거나, 공조요청이 정치적 성격을 지닌 다른 범죄에 대한 수사 또는 재판을 할 목적으로 한 것이라고 인정되는 경우

(4) 공조범죄가 대한민국의 법률에 의하여는 범죄를 구성하지 아니하거나 공소를 제기할 수 없는 범죄인 경우

(5) 이 법에 요청국이 보증하도록 규정되어 있음에도 불구하고 요청국의 보증이 없는 경우

3. 공조의 연기(제7조)

대한민국에서 수사가 진행 중이거나 재판에 계속(係屬)된 범죄에 대하여 외국의 공조요청이 있는 경우에는 그 수사 또는 재판 절차가 끝날 때까지 공조를 연기할 수 있다.

4. 물건의 인도(제8조)

(1) 다음의 어느 하나에 해당하는 물건은 요청국에 인도할 수 있다. 다만, 그 물건에 대한 제3자의 권리는 침해하지 못한다.

① 공조범죄에 제공하였거나 제공하려고 한 것

② 공조범죄로 인하여 생겼거나 취득한 것

③ 공조범죄의 대가로 취득한 것

(2) 물건을 인도할 때에는 대한민국이 그 물건에 대한 권리를 포기한 경우가 아니면 그 반환에 대한 요청국의 보증이 있어야 한다.

5. 외국으로의 송환을 위한 구속(제10조)

(1) 외국에서 구금되어 있던 사람이 공조에 따라 대한민국에 인도되는 경우에는, 공조 목적을 이행한 후 그 사람을 다시 외국으로 송환하기 위하여 공조요청한 곳을 관할하는 지방법원 판사가 발부한 영장에 의하여 구속할 수 있다.

(2) 구속영장에는 다음의 사항을 기재하고 판사가 서명날인하여야 한다.

① 외국으로 송환할 사람의 성명, 주거지, 국적

② 공조범죄 사실

③ 공조요청의 목적 및 내용

④ 인치(引致) 구금할 장소

⑤ 영장 발부연월일, 그 유효기간 및 그 기간이 지나면 집행에 착수하지 못하며 영장을 반환하여야 한다는 취지

03 수사공조

1. 외국의 요청에 따른 수사에 관한 공조

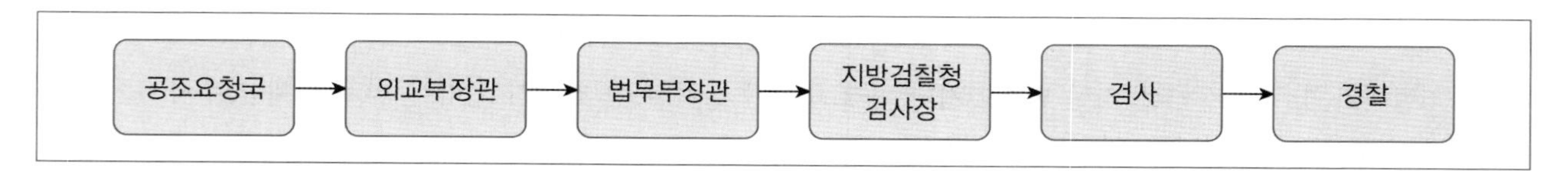

(1) 공조요청의 접수 및 공조 자료의 송부(제11조)

공조요청 접수 및 요청국에 대한 공조 자료의 송부는 외교부장관이 한다. 다만, 긴급한 조치가 필요한 경우나 특별한 사정이 있는 경우에는 법무부장관이 외교부장관의 동의를 받아 이를 할 수 있다.

(2) 공조요청서(제12조)

① 공조요청은 다음의 사항을 기재한 서면(이하 '공조요청서'라 한다)으로 한다.

㉠ 공조요청과 관련된 수사 또는 재판을 담당하는 기관

㉡ 공조요청 사건의 요지

㉢ 공조요청의 목적과 내용

㉣ 그 밖에 공조를 하기 위하여 필요한 사항

② 공조요청이 증인신문, 물건의 인도, 요청국에서의 증언 등의 협조에 관한 것일 때에는 그것이 수사 또는 재판에 반드시 필요하다는 요청국의 소명(疏明)이 있어야 한다.

(3) 공조의 방식(제13조)

요청국에 대한 공조는 대한민국의 법률에서 정하는 방식으로 한다. 다만, 요청국이 요청한 공조 방식이 대한민국의 법률에 저촉되지 아니하는 경우에는 그 방식으로 할 수 있다.

2. 외국에 대한 수사에 관한 공조요청

(1) 검사의 공조요청(제29조)

검사는 외국에 수사에 관한 공조요청을 하려면 법무부장관에게 공조요청서를 송부하여야 하고, 사법경찰관은 검사에게 신청하여 법무부장관에게 공조요청서를 송부하여야 한다.

(2) 법무부장관의 조치(제30조)

공조요청서를 받은 법무부장관은 외국에 공조요청하는 것이 타당하다고 인정하는 경우에는 그 공조요청서를 외교부장관에게 송부하여야 한다. 다만, 긴급한 조치가 필요한 경우나 특별한 사정이 있는 경우에는 외교부장관의 동의를 받아 공조요청서를 직접 외국에 송부할 수 있다.

(3) 외교부장관의 조치(제31조)

외교부장관은 법무부장관으로부터 공조요청서를 받았을 때에는 이를 외국에 송부하여야 한다. 다만, 외교 관계상 공조요청하는 것이 타당하지 아니하다고 인정하는 경우에는 이에 관하여 법무부장관과 협의하여야 한다.

04 형사재판공조

1. 외국의 요청에 따른 형사재판에 관한 공조

(1) 법무부장관의 조치(제23조)

① 법무부장관은 법원에서 하여야 할 형사재판에 관한 공조요청서를 받았을 때에는 이를 법원행정처장에게 송부하여야 한다. 다만, 이 법 또는 공조조약에 따라 공조할 수 없거나 공조하지 아니하는 것이 타당하다고 인정하는 경우에는 그러하지 아니하다.

② 법무부장관은 공조하지 아니하는 것이 타당하다고 인정하는 경우에는 법원행정처장과 협의하여야 한다.

(2) 법원행정처장의 조치(제24조)

법원행정처장은 법무부장관으로부터 공조요청서를 받았을 때에는 이를 관할 지방법원장에게 송부하여야 한다.

(3) 관할 법원(제25조)

형사재판에 관한 공조는 서류 등의 송달에 관한 요청인 경우에는 송달할 장소를 관할하는 지방법원이 하고, 증거조사에 관한 요청인 경우에는 증인 등의 주거지나 증거물 또는 검증·감정 목적물의 소재지를 관할하는 지방법원이 한다.

2. 외국에 대한 형사재판에 관한 공조요청

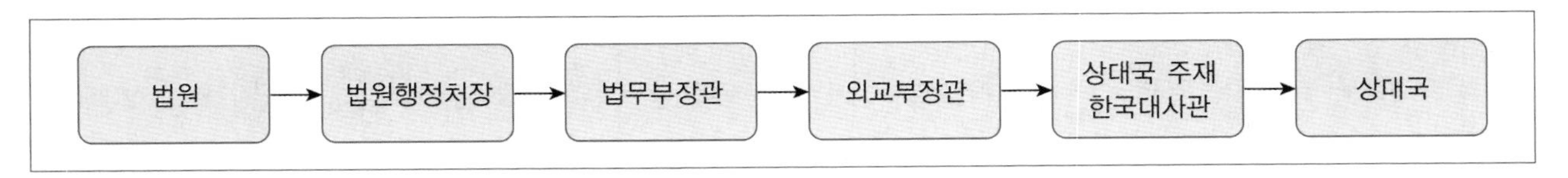

(1) 법원의 공조요청(제33조)

① 법원이 형사재판에 관하여 외국에 공조요청을 하는 경우에는 법원행정처장에게 공조요청서를 송부하여야 한다. 이 경우 법원은 그 사실을 검사에게 통지하여야 한다.

② 법원행정처장은 공조요청서를 받았을 때에는 법무부장관에게 이를 송부하여야 한다.

(2) 법원행정처장과의 협의(제34조)

공조요청서를 받은 법무부장관은 외국에 공조요청을 하는 것이 타당하지 아니하다고 인정하는 경우에는 법원행정처장과 협의하여야 한다.

제15절 범죄인 인도법

01 서설

1. 목적(제1조)

범죄인 인도법(이하 '법'이라 한다)은 범죄인 인도(引渡)에 관하여 그 범위와 절차 등을 정함으로써 범죄진압 과정에서의 국제적인 협력을 증진함을 목적으로 한다.

2. 정의(제2조)

이 법에서 사용하는 용어의 뜻은 다음과 같다.

인도조약	대한민국과 외국간에 체결된 범죄인의 인도에 관한 조약·협정 등의 합의를 말한다.
청구국	범죄인의 인도를 청구한 국가를 말한다.
인도범죄	범죄인의 인도를 청구할 때 그 대상이 되는 범죄를 말한다.
범죄인	인도범죄에 관하여 청구국에서 수사나 재판을 받고 있는 사람 또는 유죄의 재판을 받은 사람을 말한다.
긴급인도구속	도망할 염려가 있는 경우 등 긴급하게 범죄인을 체포·구금(拘禁)하여야 할 필요가 있는 경우에 범죄인 인도청구가 뒤따를 것을 전제로 하여 범죄인을 체포·구금하는 것을 말한다.

3. 범죄인 인도사건의 전속관할(제3조)

이 법에 규정된 범죄인의 인도심사 및 그 청구와 관련된 사건은 서울고등법원과 서울고등검찰청의 전속관할로 한다.

4. 인도조약과의 관계(제3조의2)

범죄인 인도에 관하여 인도조약에 이 법과 다른 규정이 있는 경우에는 그 규정에 따른다.

5. 범죄인 인도의 여러 원칙

상호주의	인도조약이 체결되어 있지 아니한 경우에도 범죄인의 인도를 청구하는 국가가 같은 종류 또는 유사한 인도범죄에 대한 대한민국의 범죄인 인도청구에 응한다는 보증을 하는 경우에는 이 법을 적용한다(제4조).
쌍방가벌성의 원칙 (쌍벌가능성의 원칙)	① 청구국과 피청구국 쌍방의 법률에 의하여 범죄를 구성하지 않는 경우에는 범죄인을 인도하지 않는다는 원칙이다. ② 대한민국과 청구국의 법률에 따라 인도범죄가 사형, 무기징역, 무기금고, 장기(長期) 1년 이상의 징역 또는 금고에 해당하는 경우에만 범죄인을 인도할 수 있다(제6조에 명시).
최소 중요성의 원칙	① 범죄인 인도 기술상 요청되는 원칙이며, 어느 정도 중요한 범죄인만 인도한다는 원칙이다. ② 대한민국과 청구국의 법률에 따라 인도범죄가 사형, 무기징역, 무기금고, 장기(長期) 1년 이상의 징역 또는 금고에 해당하는 경우에만 범죄인을 인도할 수 있다(제6조에 명시).
특정성의 원칙	인도된 범죄인이 인도가 허용된 범죄 외의 범죄로 처벌받지 아니하고 제3국에 인도되지 아니한다는 청구국의 보증이 없는 경우에는 범죄인을 인도하여서는 안 된다는 원칙이다(제10조에 명시).
자국민 불인도의 원칙	① 자국민은 인도하지 않는다는 원칙이며 일반적으로 대륙법계 국가들은 채택, 영미법계 국가들은 채택하지 않고 있다. ② 범죄인이 대한민국 국민인 경우에는 인도하지 아니할 수 있다(임의적 인도거절사유)(제9조에 명시).
유용성의 원칙	① 실제로 처벌하기 위해 필요한 범죄자만 인도한다는 원칙이다. ② 시효완성, 사면 등으로 처벌하지 못하는 범죄자는 인도 대상에서 제외된다(제7조에 명시).
정치범 불인도의 원칙	**범죄인 인도법** **제8조【정치적 성격을 지닌 범죄 등의 인도거절】** ① 인도범죄가 정치적 성격을 지닌 범죄이거나 그와 관련된 범죄인 경우에는 범죄인을 인도하여서는 아니 된다. 다만, 인도범죄가 다음 각 호의 어느 하나에 해당하는 경우에는 그러하지 아니하다. 1. 국가원수(國家元首) · 정부수반(政府首班) 또는 그 가족의 생명 · 신체를 침해하거나 위협하는 범죄 2. 다자간 조약에 따라 대한민국이 범죄인에 대하여 재판권을 행사하거나 범죄인을 인도할 의무를 부담하고 있는 범죄 3. 여러 사람의 생명 · 신체를 침해 · 위협하거나 이에 대한 위험을 발생시키는 범죄 ② 인도청구가 범죄인이 범한 정치적 성격을 지닌 다른 범죄에 대하여 재판을 하거나 그러한 범죄에 대하여 이미 확정된 형을 집행할 목적으로 행하여진 것이라고 인정되는 경우에는 범죄인을 인도하여서는 아니 된다. ① 범죄인 인도법은 정치범 불인도에 관한 명문규정을 두고 있다(제8조에 명시). 그러나 정치범죄에 대한 명확한 개념정의를 하는 경우 외국과의 정치적 분쟁상황에 탄력성 있게 대처하기가 어려울 수도 있으므로 정치범의 개념에 관한 명문규정은 두고 있지 않다. ② 정치범죄의 예외 ㉠ 국제법 위반 범죄는 비록 정치적인 관련성을 갖는다 하더라도 성질상 국제형법을 위반하는 범죄로서 정치범죄의 예외가 되어 일반적으로 인도의 대상에 해당한다.

정치범 불인도의 원칙	㉡ 국제범죄의 유형: UN헌장에서 규정하고 있는 침략행위, UN총회에서 결의한 Nuremberg 원칙에 포함된 인류에 반하는 죄, 집단살해, 전쟁범죄, 해적행위, 항공기 납치, 노예, 인신매매, 기타 부녀자·아동·거래, 국제법 보호대상 인물과 민간인의 납치, 위조, 마약거래, 인종차별, 고문 등이 있다. ③ 가해조항(암살조항): 범죄인 인도법에서는 정치범이라도 국가원수·정부수반 또는 그 가족의 생명·신체를 침해하거나 위협하는 범죄에 대해서는 인도거절사유에서 제외하고 있다.
군사범 불인도의 원칙 (명문의 규정 없음)	군사범죄, 즉 탈영, 항명 등의 범죄자는 인도하지 않는다는 원칙이다.

02 외국으로의 범죄인 인도

1. 인도의 사유와 인도의 제한

(1) 인도에 관한 원칙(제5조)

대한민국 영역에 있는 범죄인은 이 법에서 정하는 바에 따라 청구국의 인도청구에 의하여 소추(訴追), 재판 또는 형의 집행을 위하여 청구국에 인도할 수 있다.

(2) 인도범죄(제6조)

대한민국과 청구국의 법률에 따라 인도범죄가 사형, 무기징역, 무기금고, 장기(長期) 1년 이상의 징역 또는 금고에 해당하는 경우에만 범죄인을 인도할 수 있다.

2. 절대적 인도거절사유(제7조)

다음의 어느 하나에 해당하는 경우에는 범죄인을 인도하여서는 아니 된다.

(1) 대한민국 또는 청구국의 법률에 따라 인도범죄에 관한 공소시효 또는 형의 시효가 완성된 경우

(2) 인도범죄에 관하여 대한민국 법원에서 재판이 계속(係屬) 중이거나 재판이 확정된 경우

(3) 범죄인이 인도범죄를 범하였다고 의심할 만한 상당한 이유가 없는 경우. 다만, 인도범죄에 관하여 청구국에서 유죄의 재판이 있는 경우는 제외한다.

(4) 범죄인이 인종, 종교, 국적, 성별, 정치적 신념 또는 특정 사회단체에 속한 것 등을 이유로 처벌되거나 그 밖의 불리한 처분을 받을 염려가 있다고 인정되는 경우

3. 임의적 인도거절사유(제9조)

다음의 어느 하나에 해당하는 경우에는 범죄인을 인도하지 아니할 수 있다.

(1) 범죄인이 대한민국 국민인 경우

(2) 인도범죄의 전부 또는 일부가 대한민국 영역에서 범한 것인 경우

(3) 범죄인의 인도범죄 외의 범죄에 관하여 대한민국 법원에 재판이 계속 중인 경우 또는 범죄인이 형을 선고받고 그 집행이 끝나지 아니하거나 면제되지 아니한 경우

(4) 범죄인이 인도범죄에 관하여 제3국(청구국이 아닌 외국을 말한다)에서 재판을 받고 처벌되었거나 처벌받지 아니하기로 확정된 경우

(5) 인도범죄의 성격과 범죄인이 처한 환경 등에 비추어 범죄인을 인도하는 것이 비인도적(非人道的)이라고 인정되는 경우

4. 인도가 허용된 범죄 외의 범죄에 대한 처벌금지에 관한 보증(제10조)

인도된 범죄인이 다음의 어느 하나에 해당하는 경우를 제외하고는 인도가 허용된 범죄 외의 범죄로 처벌받지 아니하고 제3국에 인도되지 아니한다는 청구국의 보증이 없는 경우에는 범죄인을 인도하여서는 아니 된다.

(1) 인도가 허용된 범죄사실의 범위에서 유죄로 인정될 수 있는 범죄 또는 인도된 후에 범한 범죄로 범죄인을 처벌하는 경우

(2) 범죄인이 인도된 후 청구국의 영역을 떠났다가 자발적으로 청구국에 재입국한 경우

(3) 범죄인이 자유롭게 청구국을 떠날 수 있게 된 후 45일 이내에 청구국의 영역을 떠나지 아니한 경우

(4) 신대한민국이 동의하는 경우

5. 동의요청에 대한 법무부장관의 조치(제10조의2)

법무부장관은 범죄인을 인도받은 청구국으로부터 인도가 허용된 범죄 외의 범죄로 처벌하거나 범죄인을 제3국으로 다시 인도하는 것에 관한 동의요청을 받은 경우 그 요청에 타당한 이유가 있다고 인정될 때에는 이를 승인할 수 있다. 다만, 청구국이나 제3국에서 처벌하려는 범죄가 절대적 인도거절사유 또는 정치적 성격을 지닌 범죄에 해당되는 경우에는 그 요청을 승인하여서는 아니 된다.

03 인도심사 절차

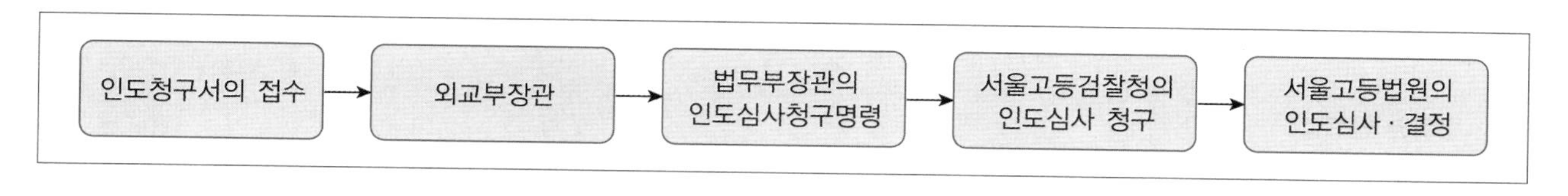

1. 인도청구를 받은 외교부장관의 조치(제11조)

외교부장관은 청구국으로부터 범죄인의 인도청구를 받았을 때에는 인도청구서와 관련 자료를 법무부장관에게 송부하여야 한다.

2. 법무부장관의 인도심사청구명령(제12조)

(1) 법무부장관은 외교부장관으로부터 인도청구서 등을 받았을 때에는 이를 서울고등검찰청 검사장(檢事長)에게 송부하고 그 소속 검사로 하여금 서울고등법원(이하 '법원'이라 한다)에 범죄인의 인도허가 여부에 관한 심사(이하 '인도심사'라 한다)를 청구하도록 명하여야 한다. 다만, 인도조약 또는 이 법에 따라 범죄인을 인도할 수 없거나 인도하지 아니하는 것이 타당하다고 인정되는 경우에는 그러하지 아니하다.

(2) 법무부장관은 인도심사청구명령을 하지 아니하는 경우에는 그 사실을 외교부장관에게 통지하여야 한다.

범죄인 인도법
제18조【인도심사청구명령의 취소】 ① 외교부장관은 제11조에 따른 서류를 송부한 후에 청구국으로부터 범죄인의 인도청구를 철회한다는 통지를 받았을 때에는 그 사실을 법무부장관에게 통지하여야 한다.
② 법무부장관은 제12조 제1항 본문에 따른 인도심사청구명령을 한 후에 외교부장관으로부터 제1항에 따른 통지를 받거나 제12조 제1항 단서에 해당하게 되었을 때에는 인도심사청구명령을 취소하여야 한다.
③ 검사는 제13조 제1항에 따른 인도심사청구를 한 후에 인도심사청구명령이 취소되었을 때에는 지체 없이 인도심사청구를 취소하고 범죄인에게 그 내용을 통지하여야 한다.
④ 제3항에 따른 인도심사청구의 취소는 서면으로 하여야 한다.

3. 인도심사청구(제13조)

(1) 검사는 법무부장관의 인도심사청구명령이 있을 때에는 지체 없이 법원에 인도심사를 청구하여야 한다. 다만, 범죄인의 소재(所在)를 알 수 없는 경우에는 그러하지 아니하다.

(2) 범죄인이 인도구속영장에 의하여 구속되었을 때에는 구속된 날부터 3일 이내에 인도심사를 청구하여야 한다.

4. 법원의 인도심사(제14조)

법원은 인도심사의 청구를 받았을 때에는 지체 없이 인도심사를 시작하여야 한다. 법원은 범죄인이 인도구속영장에 의하여 구속 중인 경우에는 구속된 날부터 2개월 이내에 인도심사에 관한 결정(決定)을 하여야 한다.

5. 법원의 결정(제15조)

법원은 인도심사의 청구에 대하여 다음의 구분에 따라 결정을 하여야 한다.

구분	내용
인도심사청구 각하결정	인도심사의 청구가 적법하지 아니하거나 취소된 경우
인도거절결정	범죄인을 인도할 수 없다고 인정되는 경우
인도허가결정	범죄인을 인도할 수 있다고 인정되는 경우

범죄인 인도법
제15조의2【범죄인의 인도 동의】 ① 범죄인이 청구국으로 인도되는 것에 동의하는 경우 법원은 신속하게 제15조에 따른 결정을 하여야 한다. 이 경우 제9조에 해당한다는 이유로 인도거절결정을 할 수 없다.
② 제1항에 따른 동의는 서면으로 법원에 제출되어야 하며, 법원은 범죄인의 진의(眞意) 여부를 직접 확인하여야 한다.
③ 제1항에 따른 결정이 있는 경우 법무부장관은 제34조 제1항에 따른 명령 여부를 신속하게 결정하여야 한다.
제16조【인도청구의 경합】 ① 법무부장관은 둘 이상의 국가로부터 동일 또는 상이한 범죄에 관하여 동일한 범죄인에 대한 인도청구를 받은 경우에는 범죄인을 인도할 국가를 결정하여야 하며, 필요한 경우 외교부장관과 협의할 수 있다.
② 제1항에 따른 결정을 할 때에는 인도범죄의 발생일시, 발생장소, 중요성, 인도청구 날짜, 범죄인의 국적 및 거주지 등을 고려하여야 한다.
제17조【물건의 양도】 ① 법원은 인도범죄로 인하여 생겼거나 인도범죄로 인하여 취득한 물건 또는 인도범죄에 관한 증거로 사용될 수 있는 물건 중 대한민국 영역에서 발견된 것은 검사의 청구에 의하여 청구국에 양도할 것을 허가할 수 있다. 범죄인의 사망 또는 도망으로 인하여 범죄인 인도가 불가능한 경우에도 또한 같다.
② 제1항에 따라 청구국에 양도할 물건에 대한 압수·수색은 검사의 청구로 서울고등법원 판사(이하 '판사'라 한다)가 발부하는 압수·수색영장에 의하여 한다.
③ 제2항의 경우에는 그 성질에 반하지 아니하는 범위에서 형사소송법 제1편 제10장을 준용한다.

04 범죄인의 인도구속

1. 인도구속영장의 발부(제19조)

검사는 법무부장관의 인도심사청구명령이 있을 때에는 인도구속영장에 의하여 범죄인을 구속하여야 한다. 다만, 범죄인이 주거가 일정하고 도망할 염려가 없다고 인정되는 경우에는 그러하지 아니하다.

2. 인도구속영장의 집행(제20조)

인도구속영장은 검사의 지휘에 따라 사법경찰관리가 집행한다.

3. 교도소 등에의 구금(제21조)

검사는 인도구속영장에 의하여 구속된 범죄인을 인치 받으면 인도구속영장에 기재된 사람과 동일인인지를 확인한 후 지체 없이 교도소, 구치소 또는 그 밖에 인도구속영장에 기재된 장소에 구금하여야 한다.

4. 인도구속의 적부심사(제22조)

인도구속영장에 의하여 구속된 범죄인 또는 그 변호인, 법정대리인, 배우자, 직계친족, 형제자매, 가족이나 동거인 또는 고용주는 법원에 구속의 적부심사를 청구할 수 있다.

5. 인도구속의 집행정지와 효력 상실(제23조)

(1) 검사는 타당한 이유가 있을 때에는 인도구속영장에 의하여 구속된 범죄인을 친족, 보호단체 또는 그 밖의 적당한 자에게 맡기거나 범죄인의 주거를 제한하여 구속의 집행을 정지할 수 있다.

(2) 검사는 범죄인이 다음의 어느 하나에 해당할 때에는 구속의 집행정지를 취소할 수 있다.

① 도망하였을 때

② 도망할 염려가 있다고 믿을 만한 충분한 이유가 있을 때

③ 주거의 제한이나 그 밖에 검사가 정한 조건을 위반하였을 때

(3) 검사는 법무부장관으로부터 범죄인에 대하여 인도장(引渡狀)이 발부되었을 때에는 지체 없이 구속의 집행정지를 취소하여야 한다.

05 범죄인의 긴급인도구속

1. 긴급인도구속의 청구를 받은 외교부장관의 조치(제24조)

외교부장관은 청구국으로부터 범죄인의 긴급인도구속을 청구받았을 때에는 긴급인도구속 청구서와 관련 자료를 법무부장관에게 송부하여야 한다.

2. 긴급인도구속에 관한 법무부장관의 조치(제25조)

법무부장관은 제24조에 따른 서류를 송부받은 경우에 범죄인을 긴급인도구속하는 것이 타당하다고 인정할 때에는 그 서류를 서울고등검찰청 검사장에게 송부하고 그 소속 검사로 하여금 범죄인을 긴급인도구속하도록 명하여야 한다. 다만, 다음의 어느 하나에 해당하는 경우에는 긴급인도구속을 명할 수 없다.

(1) 청구국에서 범죄인을 구속하여야 할 뜻의 영장이 발부되었거나 형의 선고가 있었다고 믿을 만한 상당한 이유가 없는 경우

(2) 청구국에서 범죄인의 인도청구를 하겠다는 뜻의 보증이 있다고 믿을 만한 상당한 이유가 없는 경우

3. 긴급인도구속영장에 의한 구속(제26조)

검사는 법무부장관의 긴급인도구속명령이 있을 때에는 긴급인도구속영장에 의하여 범죄인을 구속하여야 한다.

4. 긴급인도구속된 범죄인의 석방(제27조)

(1) 법무부장관은 긴급인도구속영장에 의하여 구속된 범죄인에 대하여 인도심사청구명령을 하지 아니하는 경우에는 서울고등검찰청 검사장에게 그 소속 검사로 하여금 범죄인을 석방하도록 명함과 동시에 외교부장관에게 그 사실을 통지하여야 한다.

(2) 검사는 법무부장관의 석방명령이 있을 때에는 지체 없이 범죄인에게 그 내용을 통지하고 그를 석방하여야 한다.

5. 범죄인에 대한 통지(제28조)

(1) 검사는 긴급인도구속영장에 의하여 구속된 범죄인에 대하여 법무부장관의 인도심사청구명령을 받았을 때에는 지체 없이 범죄인에게 그 사실을 서면으로 통지하여야 한다.

(2) 긴급인도구속영장에 의하여 구속된 범죄인에 대하여 (1)에 따른 통지가 있은 때에는 그 구속은 인도구속영장에 의한 구속으로 보고, 제13조 제2항과 제14조 제2항을 적용할 때에는 그 통지가 있은 때에 인도구속영장에 의하여 범죄인이 구속된 것으로 본다.

06 외국에 대한 범죄인 인도청구

1. 법무부장관의 인도청구 등(제42조)

(1) 법무부장관은 대한민국 법률을 위반한 범죄인이 외국에 있는 경우 그 외국에 대하여 범죄인 인도 또는 긴급인도구속을 청구할 수 있다.

(2) 법무부장관은 외국에 대한 범죄인 인도청구 또는 긴급인도구속청구 등과 관련하여 필요하다고 판단할 때에는 적절하다고 인정되는 검사장·지청장 또는 고위공직자범죄수사처장 등에게 필요한 조치를 명하거나 요구할 수 있다.

2. 검사장 등의 조치(제42조의2)

법무부장관으로부터 명령 또는 요구를 받은 검사장 · 지청장 또는 고위공직자범죄수사처장 등은 소속 검사에게 관련 자료의 검토 · 작성 · 보완 등 필요한 조치를 하도록 명하여야 한다. 검사장 · 지청장의 명령을 받은 검사는 그 명령을 신속히 이행하고 관련 자료를 첨부하여 그 결과를 법무부장관에게 보고하여야 한다.

3. 검사의 범죄인 인도청구 등의 건의(제42조의3)

검사 또는 고위공직자범죄수사처장은 외국에 대한 범죄인 인도청구 또는 긴급인도구속청구가 타당하다고 판단할 때에는 법무부장관에게 외국에 대한 범죄인 인도청구 또는 긴급인도구속청구를 건의 또는 요청할 수 있다.

4. 외국에 대한 동의요청(제42조의4)

(1) 법무부장관은 외국으로부터 인도받은 범죄인을 인도가 허용된 범죄 외의 범죄로도 처벌할 필요가 있다고 판단하는 경우에는 그 외국에 대하여 처벌에 대한 동의를 요청할 수 있다.

(2) 검사 또는 고위공직자범죄수사처장은 (1)에 따른 동의 요청이 필요하다고 판단하는 경우에는 법무부장관에게 동의 요청을 건의 또는 요청할 수 있다.

5. 인도청구서 등의 송부(제43조)

법무부장관은 범죄인 인도청구, 긴급인도구속청구, 동의요청 등을 결정한 경우에는 인도청구서 등과 관계 자료를 외교부장관에게 송부하여야 한다.

6. 외교부장관의 조치(제44조)

외교부장관은 법무부장관으로부터 인도청구서 등을 송부받았을 때에는 이를 해당 국가에 송부하여야 한다.

제16절 인터폴(국제형사경찰기구 ; I.C.P.O)

01 서설

1. 인터폴의 연혁

(1) 1914년 모나코에서 국제형사경찰회의(International Criminal Police Congress)가 개최되어 국제범죄 기록보관소 설립, 범죄인 인도절차의 표준화 등에 대하여 논의하였는데 이것이 국제경찰협력의 기초가 되었다.

(2) 1923년 오스트리아 비엔나에서 열린 제2차 국제형사경찰회의 때 19개국 경찰기관장이 참석하여 인터폴의 전신인 국제형사경찰위원회(ICPC)를 항구적 기구로 만들고 사무국을 두기로 결정했다.

(3) 1956년 비엔나에서 열린 26차 총회 때 비로소 55개 회원국의 결의로 현행 인터폴로 기구를 바꾸어 출발, 사무총국을 파리에 두게 됐다. 1989년에 사무총국을 리옹(Lyon)으로 이전하였다.

(4) 우리나라는 1964년에 인터폴에 가입하였다.

2. 인터폴의 기능

(1) 인터폴(International Criminal Police Organization ; INTERPOL)은 수사기관이 아니고 정보와 자료를 교환하고 범인체포와 인도에 관하여 상호 협조하는 국제형사 공조기구이다.

(2) 인터폴 내에는 자체적인 국제수사관이 없고, 국경에 구애됨 없이 자유로이 왕래하면서 범인을 추적 · 체포 · 구속 등을 행할 수 있는 권한이 없기 때문에 국제수사기관이 아니다(예외적인 사안에서는 국제형사경찰기구 소속 수사관이 범인을 체포하거나 구속할 수도 있다 ×).

(3) 국제형사경찰기구(인터폴)의 회원국은 자국 내 설치된 국가중앙사무국을 통해 다른 나라의 국가중앙사무국과 국제범죄정보 및 자료를 교환하며, 임의적(강제적 ×) 협조의 성격을 가진다.

3. 인터폴 조직

구분	내용
총회	인터폴의 최고 의결기관이며 매년 1회 개최된다.
사무총국	상설행정기관으로 프랑스의 리옹(Lyon)에 위치한다. 사무총국 제2국이 연락 및 범죄정보의 배포 등 핵심적 기능을 수행한다.
국가중앙사무국	모든 회원국에 설치된 상설기구로 회원국간의 각종 공조요구에 대응한다.
기타	집행위원회, 고문 등으로 구성된다.
공용어	영어, 프랑스어, 아랍어, 스페인어

Add

대한민국이 인터폴 회원국으로서의 업무를 수행하기 위해, 헌장 제5조 및 제32조에 의하여 경찰청에 인터폴 대한민국 국가중앙사무국(이하 '국가중앙사무국'이라 한다)을 둔다. 경찰청 국제협력관 내 담당부서를 국가중앙사무국으로 하고, 경찰청 국제협력관을 국가중앙사무국장으로 한다[국제형사경찰기구(인터폴) 대한민국 국가중앙사무국 운영규칙 제4조, 제5조].

4. 공조거절

인터폴은 군사적, 정치적, 종교적 또는 인종적 성격을 지닌 범죄에 대해서는 협조를 하지 않는다.

5. 공조의 원칙

인터폴은 국제공조에 있어 주권 존중의 원칙, 일반법 집행의 원칙, 보편성의 원칙, 평등성의 원칙, 업무방법 유연성의 원칙 등을 준수해야 한다.

구분	내용
보편성	모든 회원국은 타 회원국과 협력할 수 있으며, 그러한 협력은 지리적 또는 언어적 요소에 의해 방해받아서는 안 된다.
평등성	모든 회원국은 재정분담금의 규모와 관계없이 동일한 혜택과 지원을 받을 수 있다.

02 인터폴을 통한 공조의 절차

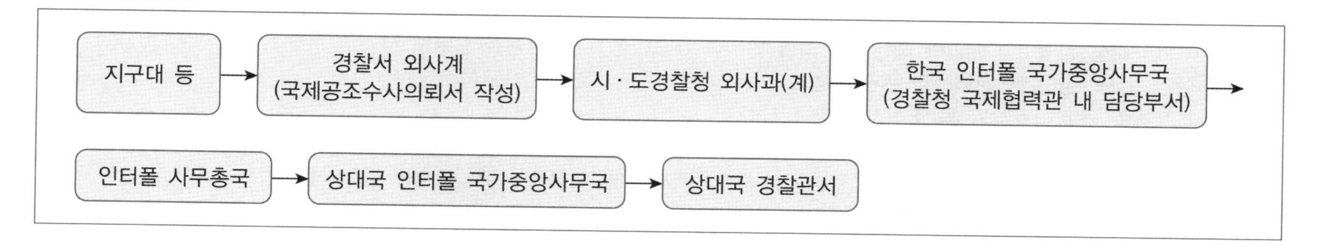

03 국제수배서의 종류

적색수배서 (국제체포수배서 · Red Notice)	① 일반형법을 위반하여 체포영장이 발부된 범죄인에 대하여 범죄인 인도를 목적으로 하는 경우에 발행 ② 범죄인 인도조약이 체결된 국가의 경찰이 피수배자를 발견한 때 긴급인도구속 가능함
청색수배서 (국제정보조회 수배서 · Blue Notice)	① 일반형법 위반자로 범죄인 인도를 요청할 가능성이 있는 자의 신원과 소재파악을 위해 발행(수배자의 도피처가 명확한 경우에 한하여 발행) ② 피수배자의 소재 · 신원확인시는 사무총장 및 수배요청국에 통보하여 외교절차를 밟아 해결
녹색수배서 (상습국제범죄자 수배서 · Green Notice)	① 여러 국가에서 상습적으로 범행하였거나 범행할 우려가 있는 국제범죄자의 동향을 파악하여 사전에 그 범행을 방지할 목적으로 발행 ② 전과의 정도, 범죄의 종류, 국제범죄조직원 여부 등을 고려하여 중요한 국제적 범죄자라고 판단되는 경우에 한하여 발행 ③ 상습 국제범죄자 발견시 계속 동향을 감시하여 범죄행위를 사전에 예방조치하고, 어떤 범법행위가 있으면 사무총국 및 수배요청국에 통보하여 외교절차를 통해 해결
황색수배서 (가출인 수배서 · Yellow Notice)	가출인 소재확인 또는 기억상실자 등의 신원을 확인할 목적으로 발행
흑색수배서 (사망자 수배서 · Black Notice)	① 사망자의 신원을 확인할 수 없거나 사망자가 가명을 사용하였을 경우 정확한 신원을 파악할 목적으로 발행 ② 사체의 사진과 지문 · 치아상태 · 문신 등 신체적 특징, 의복 및 소지품의 상표 등 사망자의 신원파악에 도움이 될 수 있는 자료가 수록되어 있음
장물수배서 (Stolen Property Notice)	① 도난당하거나 또는 불법으로 취득한 것으로 보이는 물건, 문화재 등에 대해 수배하는 것 ② 상품적 가치 및 문화적 가치 등을 고려하여 발행되며 장물의 특징과 사진 등이 첨부되어 있음
자주색수배서 (범죄수법수배서, Purple Notice)	① 사무총국에서는 국제수배서의 한 종류로 분류하고 있으나 단순한 범죄정보의 자료라 할 수 있음 ② 세계 각국에서 범인들이 범행시 사용한 새로운 범죄수법 등을 사무총국에서 집중 관리하여 각 회원국에 배포
오렌지색 수배서 (보안경고서)	폭발물 · 테러범(위험인물) 등에 대하여 보안을 경고하기 위하여 발행
INTERPOL – United Nations Security Council Special Notice	UN 안전보장이사회 제재위원회(UN Security Council Sanctions Committees)의 의결대상이 된 집단이나 개인에 대하여 발행하는 수배서

Add ⊕

인터폴 적색수배 요청기준

장기 2년 이상 징역이나 금고에 해당하는 죄를 범하여 체포영장·구속영장이 발부된 자 중

1. 살인, 강도, 강간 등 강력범죄 관련 사범
2. 조직폭력, 전화금융사기 등 조직범죄 관련 사범
3. 다액(5억원 이상) 경제사범
4. 사회적 파장 및 사안의 중대성을 고려하여 수사관서에서 특별히 적색수배를 요청한 중요사범

국제형사사법 공조법

제38조 【국제형사경찰기구와의 협력】 ① 행정안전부장관은 국제형사경찰기구로부터 외국의 형사사건 수사에 대하여 협력을 요청받거나 국제형사경찰기구에 협력을 요청하는 경우에는 다음 각 호의 조치를 취할 수 있다.

1. 국제범죄의 정보 및 자료 교환
2. 국제범죄의 동일증명(同一證明) 및 전과 조회
3. 국제범죄에 관한 사실 확인 및 그 조사

제17절 한·미 주둔 군 지위협정(SOFA)

01 주한미군지위협정의 적용대상

구분	내용
미합중국군대의 구성원	① 대한민국의 영역 안에 주둔하고 있는 미합중국의 육·해·공군에 속하는 현역군인 ② 주한 미대사관에 근무하는 무관과 주한 미군사고문단원은 제외
군속	미합중국의 국적을 가진 민간인으로서 대한민국에 주둔하고 있는 미국군대에 고용되어 근무하거나 또는 동반하는 자
가족	미합중국 군대의 구성원 또는 군속의 가족 중 다음을 충족하는 자 ① 배우자 및 21세 미만의 자녀 ② 부모 및 21세 이상의 자녀 기타 친척으로 생계비의 반액 이상을 미합중국 군대의 구성원 또는 군속에 의존하는 자
초청계약자	미합중국법에 의하여 설립된 법인이나 미합중국 내에 통상적으로 거주하는 자의 고용원 및 그의 가족으로서 주한미군 등의 군대를 위하여 특정된 조건하에 미합중국정부의 지정에 의한 수의계약을 맺고 한국에서 근무하는 자

Add ⊕

한·미 주둔 군 지위협정(SOFA)의 적용대상자

1. 관광목적으로 여행 중인 미군에 대해서는 한·미행정협정이 적용되지 않는다.
2. 한·미 양국의 국적을 모두 보유한 이중국적자인 경우에도 그가 주한미군사령부의 지휘, 통제를 받는 자라면 본 협정의 적용대상에 해당한다.
3. 국적은 반드시 미합중국 국적을 가지고 있어야 하는 것은 아니나 한국인은 제외된다.
4. 기술대표는 주한미군의 군속으로 취급한다.
5. 한국군 현역병으로 미군에 파견되어 근무하는 카투사는 한·미행정협정의 적용대상이 아니다.

02 형사재판권의 관할

1. 전속적 재판권 행사

(1) 미군 당국의 전속적 재판권

미국의 안전에 관한 범죄를 포함하여 미국 법령에 의하여서는 처벌할 수 있으나 한국의 법령에 의하여서는 처벌할 수 없는 범죄는 미군 당국이 전속적 재판권을 행사한다.

(2) 대한민국 당국의 전속적 재판권

대한민국의 안전에 관한 범죄를 포함하여 우리나라 법령에 의하여서는 처벌할 수 있으나 미국의 법령으로는 처벌할 수 없는 범죄는 대한민국 당국이 전속적 재판권을 행사한다.

2. 재판권의 경합과 제1차적 재판권의 행사

(1) 원칙

대한민국 당국이 제1차적 재판권을 행사한다.

(2) 미군당국에 제1차적 재판관할권이 있는 범죄

① 오로지 합중국의 재산이나 안전에 관한 범죄 또는 오로지 합중국 군대의 타 구성원이나 군속 또는 그들의 가족의 신체나 재산에 대한 범죄

② 공무집행 중의 작위 또는 부작위에 의한 범죄

(3) 재판권의 포기

대한민국 당국은 합중국의 요청이 있으면 대한민국 당국이 재판권을 행사함이 특히 중요하다고 결정하는 경우를 제외하고는 재판권을 행사할 제1차적 권리를 포기한다.

03 재판 전 피의자의 체포 및 구금

1. 피의자의 체포

우리나라 당국이 체포한 경우 미합중국이 전속적 재판권이나 1차적 재판권을 가지는 경우를 불문하고 통고하도록 규정하고, 미합중국 당국이 체포한 경우에는 우리나라가 1차적 재판권을 가지는 경우에만 통고하도록 규정하고 있다.

2. 피의자의 구금

(1) 원칙

SOFA대상자가 미군 당국의 수중에 있는 경우, 미군 당국이 임의로 신병을 인도해주지 않는 이상 재판이 확정되어야 신병을 인도받을 수 있다.

(2) 기소시 신병인도(기소 후 구금인도)

살인, 강간 등 12개 유형의 중요범죄에 대해서는 기소시에 신병을 인도받아 구속기소할 수 있다. 이는 재판의 확정 전에 신병을 인도받음이 상당하다고 판단되는 경우 검찰총장의 승인을 받아 구속영장을 청구하는 것으로 검찰수사단계에서 검토해야 할 사항이므로 경찰이 구금인도를 요청할 수는 없다.

Tip 중요범죄

1. 살인
2. 강간
3. 유괴
4. 마약거래
5. 마약생산
6. 방화
7. 강도
8. 위 7개 범죄 미수
9. 폭행치사 · 상해치사
10. 음주운전 치사
11. 교통사고 치사 후 도주
12. 위 범죄를 포함한 다른 죄명의 범죄 등

(3) 체포시 계속구금권

SOFA대상자가 '살인 또는 죄질이 나쁜 강간죄'를 저지른 경우에 대한민국 당국이 피의자를 체포한 경우 미군측에 신병을 인도하지 않고 계속 구금할 수 있다. 이 경우 증거인멸 · 도주 · 피해자나 증인에 대한 위해가능성 때문에 피의자를 구금해야 할 필요성이 있어야 한다.

3. 피의자 및 피고인의 권리

SOFA적용대상자는 일반형사피의자 · 피고인과 비교했을 때 다음과 같은 특례가 인정된다.

(1) 변호인의 조력을 받을 권리

(2) 신속한 재판을 받을 권리

(3) 질병 · 부상 · 임신 등의 경우에 재판 전 신병인도 연기에 대한 호의적 고려

(4) 구속 · 기소 후 수사기관의 신문불가

(5) 체포 후 계속구금시 변호인 참여 및 변호인 부재시 취득한 증언 및 증거의 재판과정에서의 사용 불가

04 시설 및 구역 내의 경찰권

1. 시설 및 구역 내부 경찰권

(1) 미군 당국은 그 시설 및 구역 내에서 범죄를 행한 모든 자를 체포할 수 있으며, 미군 당국이 동의한 경우와 중대한 죄를 범하고 도주하는 현행범인을 추적하는 때에는 대한민국 당국도 시설 및 구역 내에서 범인을 체포할 수 있다.

(2) 대한민국 당국이 체포하려는 자로서 SOFA적용대상이 아닌 자가 이러한 시설 및 구역 내에 있을 때에는 대한민국 당국이 요청하는 경우에 미군 당국은 그 자를 체포하여 즉시 인도하여야 한다.

2. 시설 및 구역 주변 경찰권

미군 군사경찰은 시설 및 구역주변에서 국적 여하를 불문하고 시설 및 구역의 안전에 대해 현행범인을 체포 또는 유치 가능하다. 미군이 체포한 자가 SOFA적용대상자가 아닌 경우에는 즉시 대한민국 당국에 인도하여야 한다.

3. 사람이나 재산에 관한 압수 · 수색 · 검증

대한민국 당국은 미군 당국이 동의하는 경우가 아니면 시설 또는 구역 내에서 사람이나 재산에 관하여 또는 시설 및 구역 내외를 불문하고 미국재산에 관하여 또는 시설 및 구역 내외를 불문하고 미국재산에 관하여 압수 · 수색 또는 검증을 할 수 없다.

05 SOFA 적용 대상자의 행위로 인한 손해배상

1. 공무집행 중

대상자의 전적인 과실이 인정되는 경우 미국정부가 75%, 우리정부는 25%를 부담하며, 대상자의 전적인 과실이 인정되지 않는 경우 미국정부가 50%, 우리정부가 50%를 부담한다.

2. 공무집행 외

미국정부가 100% 부담한다.

MEMO

이상훈

주요 약력

경북대학교 법과대학 법학부 졸업
경북대학교 대학원 법학과 졸업
(現) 박문각경찰 경찰학 전임
(前) 대구 가톨릭대학교 산학협력교수
부산 한국경찰학원 경찰학
전주 한빛경찰학원 경찰학
광주 스마트경찰학원 경찰학, 행정법
대전 한국경찰학원 경찰학
노량진 윌비스경찰학원 경찰학, 행정법
노량진 이그잼경찰학원 경찰학
노량진 해커스경찰학원 경찰학

주요 저서

이상훈 경찰학 기본 이론서(박문각)
이상훈 SMART 경찰학개론(서울고시각)
이상훈 경찰학 기출문제집(해커스)

이상훈 경찰학 ✧✦ 기본 이론서 #2 각론

초판 인쇄 2025. 1. 2. | **초판 발행** 2025. 1. 6. | **편저자** 이상훈
발행인 박 용 | **발행처** (주)박문각출판 | **등록** 2015년 4월 29일 제2019-000137호
주소 06654 서울시 서초구 효령로 283 서경 B/D 4층 | **팩스** (02)584-2927
전화 교재 문의 (02)6466-7202

저자와의
협의하에
인지생략

정가 58,000원(1, 2권 포함)
ISBN 979-11-7262-473-6 | ISBN 979-11-7262-471-2(세트)